NO HAY AMOR MAS GRANDE

Bibles for the World

1300 CRESCENT STREET • BOX 805 • WHEATON, ILLINOIS 60187

UNA NOTA PARA USTED

Desde la primera vez que tuve contacto con el libro llamado "La Biblia," supe que tenía un mensaje con poder sobrenatural.

La Biblia me habló de Cristo Jesús, El que ha transformado toda mi vida y me ha dado la seguridad de vida eterna con una tranquilidad y alegría profunda. También encontré soluciones para todos mis problemas en La Biblia.

Quiero que todo el mundo lea este libro y conozca a Jesucristo quién se llamo el Camino, la Verdad y la Vida. Si Ud. pone su fe en El como yo hice hace muchos años en mi casa en India, Ud. también sabrá de esta vida abundante. Cristo Jesús vive hoy y es una realidad en mi vida.

Por favor, lea este libro, **Lo Más Importante Es El Amor**; y si Ud. tiene algún problema o pregunta sobre Cristo Jesús o cómo puede tener Ud. paz y vida eterna en El, tenga la bondad de escribirme.

Rochunga Pudaite

P.D. Yo estaría muy agradecido si Ud. me comunica que ha recibido este libro. Dirija su carta a mi oficina:

P.O. Box 805
Wheaton, IL 60187 USA

First Printing: December, 1982-100,000-U.S.A.
Second Printing: March, 1984-100,000-U.S.A.

SPECIAL EDITION
Printed for BIBLES FOR THE WORLD
Wheaton, Illinois 60187-0805 USA

BIWORD PUBLICATIONS
Willmar, Minnesota 56201

PRINTED IN USA

982200M
ISBN # 0-86660-926-1

Índice

Apéndice

Puerta de San Esteban. San Esteban, el primer mártir cristiano, fue matado cerca de esta puerta.

JUAN

1 ANTES QUE NADA existiera, ya existía Cristo[a] con Dios. Cristo siempre ha existido porque El es Dios. ³El creó todo lo que existe; nada existe que El no haya creado. ⁴En El está la vida eterna, vida que resplandece sobre la humanidad. ⁵Su vida es la Luz que brilla en la oscuridad, y las tinieblas no pueden extinguirla.

⁶,⁷Dios envió a Juan el Bautista como testigo de que Jesucristo era la Luz verdadera. ⁸Juan no era la Luz; era sólo el testigo que la identificaría. ⁹Más tarde el que era de verdad la Luz llegó para alumbrar a cuantos nacieran en este mundo.

1a Literalmente, "el Verbo", término que significa Cristo, la sabiduría y el poder de Dios, la primera causa de todas las cosas y la manifestación personal de Dios ante los hombres, la segunda Persona de la Trinidad.

El monte de la Ascensión (o de los Olivos) de donde Jesús ascendió al cielo.

[10]Mas aunque El hizo el mundo, el mundo no lo reconoció cuando vino. [11]Y ni aun en su país, entre su propia gente, lo aceptaron. Sólo un puñado de hombres le dio la bienvenida y lo recibió. [12]Pero a todos los que lo recibieron, a los que creen en su nombre, les concedió el poder de convertirse en hijos de Dios. [13]Los que creyeron ¡nacieron de nuevo! Desde luego, no fue éste un nacimiento corporal, fruto de pasiones y planes humanos, sino un producto de la voluntad de Dios.

[14]Y Cristo tomó cuerpo humano y vivió en la tierra entre nosotros, lleno de verdad y de amor que perdona. Y nosotros vimos su gloria, la gloria del único Hijo del Padre celestial. [15]Juan lo señaló delante de la multitud y dijo:

—A El me refería cuando dije: "Después de mí vendrá uno que es muy superior a mí, porque existía desde mucho antes que yo naciera".

[16]Todos nos beneficiamos con las ricas bendiciones que El derramó a raudales en nosotros. [17]De Moisés recibimos sólo la ley, con sus rígidas demandas e implacable rectitud; Jesús nos dio, además de la verdad, amor que perdona.

[18]Nadie ha visto a Dios jamás; pero su único Hijo, que es Dios mismo, siempre está con el Padre y nos lo dio a conocer.

[19]Los jefes judíos enviaron sacerdotes y asistentes de sacerdotes desde Jerusalén a averiguar si Juan afirmaba que era el Mesías.

[20]—Yo no soy el Mesías —afirmó Juan categóricamente.

[21]—¿Y quién eres entonces? —le preguntaron—. ¿Eres acaso Elías?

—No —respondió.

—¿Eres el Profeta?

—No.

[22]—¿Quién eres entonces? Dínoslo, para llevar una respuesta a los que nos enviaron. ¿Qué dices de ti mismo?

[23]—Yo soy la voz que clama en el desierto tal como lo profetizó Isaías: "¡Prepárense para la venida del Señor!"

[24]A esto los enviados de los fariseos replicaron:

[25]—Si no eres el Mesías ni Elías ni el Profeta, ¿con qué derecho bautizas?

[26]—Yo sólo bautizo con agua —les respondió—, mas en medio de esta multitud hay alguien a quien ustedes no conocen, [27]que pronto comenzará su ministerio terrenal, y de quien no soy digno ni de ser su esclavo.

[28]Este incidente ocurrió en Betania, pueblo situado al otro lado del río Jordán, donde Juan bautizaba.

[29]Al siguiente día vio Juan que Jesús se le acercaba.

—¡Miren! —exclamó—. ¡Ahí está el Cordero de Dios que quita el pecado del mundo! [30]El es aquél de quien dije: "Pronto vendrá un hombre muy superior a mí, que existe desde mucho antes que yo existiera". [31]Yo no sabía que El era el que esperábamos, pero he estado bautizando con agua con el objeto de señalárselo a la nación israelita.

[32]Y relató cómo había visto al Espíritu Santo descender del cielo en forma de paloma y posarse en Jesús.

[33]—Yo no sabía que El era el que esperábamos —reiteró Juan—. Pero cuando Dios me mandó a bautizar me dijo: "Cuando veas al Espíritu Santo descender y posarse sobre alguno, ésa es la persona que andas buscando, la que bautiza con el Espíritu Santo". [34]Yo soy testigo de que esto ocurrió con este hombre. Por lo tanto, declaro que El es el Hijo de Dios.

[35]Al día siguiente, estando Juan con dos de sus discípulos, [36]Jesús pasaba. Juan clavó en El la mirada y declaró:

—¡El es el Cordero de Dios!

[37]Inmediatamente los dos discípulos se volvieron y siguieron a Jesús. [38]En eso Jesús volvió la cabeza; y al ver que lo seguían, preguntó:

—¿Qué desean?

—Maestro —contestaron—, ¿dónde vives?

[39]—Vengan y vean.

Los dos jóvenes lo acompañaron al lugar donde se alojaba y se quedaron con El desde las cuatro de la tarde hasta el anochecer. [40]Luego uno de aquellos hombres, Andrés, hermano de Simón Pedro, [41]se fue hasta donde estaba éste y le dijo:

—¡Hemos hallado al Mesías!

[42]Y llevó a Pedro ante Jesús.

Jesús lo miró fijamente un instante.

—Tú eres Simón —le dijo al fin, el hijo de Jonás; mas de ahora en adelante te llamarás Pedro (Piedra).

⁴³Al siguiente día Jesús decidió irse a Galilea, y allí encontró a Felipe.

—Ven conmigo —le ordenó.

⁴⁴Felipe era de Betsaida, pueblo natal de Pedro y Andrés.

⁴⁵Felipe, a su vez, salió en busca de Natanael.

—¡Hemos hallado al Mesías —le dijo—, aquél de quien Moisés y los profetas hablan! ¡Es Jesús, el hijo de José de Nazaret!

⁴⁶—¿De Nazaret? —exclamó Natanael—. ¿Puede salir algo bueno de Nazaret?

—Pues ven y te convencerás.

⁴⁷Al acercarse ellos a Jesús, El dijo:

—Ahí está un hombre íntegro, un verdadero israelita.

⁴⁸—¿En qué te basas para afirmarlo? —preguntó Natanael.

—Te vi debajo de la higuera antes que Felipe te encontrara —contestó Jesús.

⁴⁹—¡Señor —exclamó Natanael emocionado—, eres el Hijo de Dios, el Rey de Israel!

⁵⁰—¿Lo crees sólo porque te dije que te vi debajo de la higuera? Pruebas mayores qué ésta tendrás. ⁵¹Llegarás a ver el cielo abierto y a los ángeles de Dios que suben y descienden sobre mí, el Hijo del Hombre.

2 DOS DÍAS MAS tarde invitaron a la madre de Jesús a una boda en el pueblo de Caná de Galilea, ²e invitaron también a Jesús y a sus discípulos. ³En medio de la fiesta se acabó el vino, y la madre de Jesús acudió a El a contarle el problema.

⁴—No te puedo ayudar ahora —contestó Jesús—. Aún no ha llegado el momento oportuno.

⁵Pero su madre dijo a los sirvientes:

—Hagan lo que El les ordene.

⁶Había allí seis tinajas de piedra de unos cien litros de capacidad, de las que usaban los judíos para las ceremonias. ⁷Jesús ordenó a los sirvientes que las llenaran de agua. ⁸Una vez llenas, les dijo:

—Saquen un poco y llévenselo al maestro de ceremonias.

⁹Cuando el maestro de ceremonias probó el agua, que ya se había convertido en vino, al no saber de dónde procedía (aunque, claro está, los sirvientes lo sabían), se acercó al novio.

¹⁰—Este vino es formidable —le dijo—. ¡Eres diferente a todo el mundo! Por lo general los anfitriones usan el mejor vino primero, y después, cuando la gente ya está satisfecha y no les importa, les sirven el vino barato. Pero tú has guardado el mejor hasta el final.

¹¹Aquel milagro en Caná de Galilea fue la primera señal pública del poder sobrenatural de Jesucristo. Y los discípulos creyeron que El realmente era el Mesías.

¹²Después de la boda salió para Capernaum a pasarse unos días con su madre, sus hermanos y sus discípulos.

¹³Luego, como se acercaba la Pascua, festividad anual de los judíos, se dirigió a Jerusalén.

¹⁴Dentro del Templo vio a los mercaderes que vendían bueyes, ovejas y palomas para los sacrificios, y a los que cambiaban dinero detrás de unas mesas. ¹⁵Sin vacilar, preparó un látigo con algunas cuerdas que encontró y los echó fuera junto con sus ovejas y bueyes; luego tiró al suelo las monedas de los cambistas, volcó las mesas, ¹⁶y dijo a los vendedores de palomas:

—¡Saquen esto de aquí ahora mismo! ¡No conviertan la casa de mi Padre en mercado!

¹⁷Los discípulos recordaron entonces que las Escrituras habían profetizado: "El celo por la casa de Dios me consume".

¹⁸—¿Con qué derecho los expulsaste? —demandaron los dirigentes judíos—. Si Dios te ha concedido tal autoridad, demuéstralo con un milagro.

¹⁹—Muy bien —respondió Jesús—, les puedo hacer un milagro; destruyan este santuario y en tres días lo reedificaré.

²⁰—¿Qué? —repusieron incrédulos—. ¡Nos llevó cuarenta y seis años construir este Templo, y dices que en tres días lo puedes rehacer!

²¹Mas cuando El dijo "este santuario" se refería a su cuerpo. ²²Por eso, después que resucitó, los discípulos se acordaron de estas palabras y comprendieron que aquel

pasaje bíblico* se refería a El mismo, ¡y que se había cumplido al pie de la letra!

²³En vista de los milagros que Jesús realizó en Jerusalén durante la Pascua, muchas personas quedaron convencidas de que en verdad era el Mesías. ²⁴Mas El no se confiaba de ellos, porque conocía demasiado bien a la humanidad. ²⁵¡No tenía necesidad de que se le advirtiera cuán voluble es el ser humano!

3 YA CAÍDA LA NOCHE, un dirigente judío llamado Nicodemo, miembro de la secta de los fariseos, llegó a entrevistarse con Jesús.

²—Señor —comenzó—, sabemos que Dios te ha enviado a enseñarnos. Tus milagros lo demuestran.

³—Con toda sinceridad te lo digo —interrumpió Jesús—, que si no naces de nuevo no podrás entrar al reino de Dios.

⁴—¿Cómo que si no nazco de nuevo? —protestó Nicodemo—. ¿Qué me quieres decir? ¿Cómo puede un hombre viejo regresar al vientre de su madre y nacer de nuevo?

⁵—Quiero decir—contestó Jesús—, que no basta nacer físicamente. Uno tiene que nacer espiritualmente también si es que desea entrar al reino de Dios. ⁶Del hombre sólo puede nacer vida humana, mas del Espíritu Santo nace una nueva vida que procede del cielo. ⁷¡No te sorprenda que te diga que tienes que nacer de nuevo! ⁸Esto es como el viento, que uno no sabe de dónde viene ni a dónde va; uno tampoco sabe de qué forma actúa el Espíritu sobre las personas a quienes otorga la vida celestial.

⁹—¿Qué quiere decir esto? —preguntó Nicodemo.

¹⁰—¡No me digas que tú, un maestro judío tan respetado, no entiendes estas cosas! ¹¹Te estoy hablando de las cosas que conozco y he visto, y sin embargo no me crees. ¹²Y si no me crees ni siquiera cuando te hablo de las cosas que suceden entre los hombres, ¿cómo me vas a creer si te hablo de lo que sucede en el cielo? ¹³El único que ha venido a la tierra y ha de regresar al cielo soy yo, el Hombre Celestial. ¹⁴Y de la misma manera que en el desierto Moisés levantó sobre un madero una serpiente de bronce, yo he de ser levantado en un madero, ¹⁵para que el que crea en mí tenga vida eterna. ¹⁶Porque de tal manera amó Dios al mundo que ha dado a su único Hijo para que todo aquel que en El cree no se pierda, mas tenga vida eterna. ¹⁷Dios no envió a su Hijo para que condene al mundo, sino para que lo salve. ¹⁸En virtud de esto, a aquellos que han depositado en El sus esperanzas de salvación no les espera ninguna condenación eterna. Pero aquellos que no creen en El ya están condenados por no creer en el único Hijo de Dios. ¹⁹Lo más grave de todo, es que la Luz del cielo bajó al mundo y ellos amaron más las tinieblas que la Luz, porque sus obras eran malas. ²⁰Aborrecieron la Luz del cielo porque querían pecar en la oscuridad. Se mantuvieron alejados de la Luz por temor a que sus pecados quedaran expuestos y se les castigara. ²¹¡Los que actúan correctamente se acercan gustosos a la Luz para que los demás vean que están haciendo la voluntad de Dios!

²²Después de esto, Jesús salió de Jerusalén con los discípulos, y se fue a Judea donde se quedó bautizando.

²³,²⁴En aquellos días Juan el Bautista todavía no había sido encarcelado, y bautizaba en Enón cerca de Salim, donde el agua era abundante.

²⁵Cierto día se suscitó una discusión entre los discípulos de Juan y alguien que afirmaba que el bautismo de Jesús era mejor que el de Juan.

²⁶—Maestro —le dijeron a Juan sus discípulos—, el hombre con quien estuviste al otro lado del Jordán, el que según tus propias palabras es el Mesías, está bautizando también y todo el mundo está yendo allá en vez de venir a nosotros.

²⁷—Dios determina desde el cielo el trabajo de cada individuo —les respondió Juan—. ²⁸Mi tarea es preparar el camino a ese hombre para que todo el mundo se vaya tras El. Ya les dije que no soy el Mesías. Estoy aquí única y exclusivamente para prepararle el camino. ²⁹Es natural que las multitudes corran tras lo principal, que el novio se deleite en la presencia de la novia, y que el amigo del novio se regocije

2* Salmo 16:10.

con él. Yo soy el amigo del novio y me alegra que triunfe. [30]El tiene que crecer en importancia cada día; yo, al contrario, tengo que decrecer. [31]El descendió del cielo y por lo tanto es mayor que cualquiera. Yo soy de este mundo y mis conocimientos se limitan a lo terrenal. [32]El, en cambio, habla de lo que ha visto y oído. ¡Lástima que tan pocas personas crean en sus palabras! [33]Los que creen en El descubren en Dios una fuente de verdad. [34]Es que Jesús, el enviado de Dios, habla palabras de Dios, porque el Espíritu está en El sin medidas ni límites. [35]El Padre ama al Hijo y ha puesto en sus manos cuanto existe. [36]Los que creen que El, el Hijo de Dios, los puede salvar, tienen vida eterna. Los que no creen en El ni lo obedecen, jamas verán el cielo. ¡La ira de Dios permanece sobre ellos!

4 CUANDO EL SEÑOR entendió que había llegado a los fariseos la noticia de que a El iban más personas a bautizarse y a hacerse sus discípulos que las que iban a Juan [2](aunque los que bautizaban eran los discípulos y no Jesús), [3]salió de Judea y regresó a la provincia de Galilea.

[4]En el viaje tuvo que pasar por Samaria. [5]Como era alrededor del mediodía y se encontraba cerca del pueblo de Sicar, [6]se dirigió al pozo de Jacob, situado en la parcela de terreno que Jacob le dejó a su hijo José. Cansado de la larga caminata bajo el sol ardiente, se sentó extenuado en el brocal del pozo.

[7]Al poco rato, una mujer samaritana llegó a sacar agua.

—Dame de beber —le dijo Jesús.

[8]Sus discípulos poco antes habían salido hacia el pueblo cercano a comprar alimentos, y por lo tanto El estaba solo.

[9]La mujer, sorprendida de que un judío le pidiera agua a una "despreciable samaritana" como ella, cuando los judíos ni siquiera dirigían la palabra a los samaritanos, le expresó a Jesús su sorpresa. [10]El le respondió:

—Si supieras cuán maravilloso es el regalo que Dios tiene para ti, y quién soy yo, tú me pedirías agua viva.

[11]—Pero si no tienes soga ni cubo —arguyó ella—, ¿cómo me vas a dar agua viva? ¡Este pozo es profundo! [12]Además, ¿eres acaso mayor que Jacob, nuestro antepasado? ¿Cómo vas a poder darnos mejor agua que la que él, sus hijos y su ganado obtuvieron?

[13]—Los que beben de esta agua —respondió Jesús— pronto vuelven a tener sed; [14]pero el agua que yo ofrezco se convierte dentro del ser en una fuente perpetua de vida eterna.

[15]—¡Señor —exclamó la mujer—, dame un poco de esa agua! ¡Si es verdad que no volveré a tener sed jamás, no tendré que caminar hasta aquí todos los días!

[16]—Vé y busca a tu esposo.

[17]—No soy casada —respondió la mujer.

—Tienes razón. [18]Has tenido cinco maridos y ni siquiera estás casada con el hombre con quien ahora vives. ¡Has dicho una gran verdad!

[19]—Señor —dijo la mujer—, me parece que eres profeta. [20]A ver, dime, ¿por qué ustedes los judíos insisten en que Jerusalén es el único lugar de adoración? Nosotros los samaritanos afirmamos que se debe adorar en el monte Jerizim, donde nuestros antepasados adoraron.

[21-24]—Mujer —respondió Jesús—, se acerca el día en que ya no ha de preocuparnos si hemos de adorar al Padre acá o en Jerusalén. Lo que importa no es el lugar donde se adore, sino la forma espiritual y verdadera en que adoremos con la ayuda del Espíritu Santo, porque Dios es Espíritu y necesitamos que nos ayude a adorar como debemos. Ese es el tipo de adoración que el Padre quiere de nosotros. Pero ustedes los samaritanos conocen tan poco de Dios que lo adoran a ciegas, mientras que nosotros los judíos sabemos lo que adoramos, porque la salvación viene al mundo a través de los judíos.

[25]—Bueno —replicó la mujer—, por lo menos sé que el Mesías, el que llaman el Cristo, vendrá. Cuando esto suceda, El nos explicará todas las cosas.

[26]—¡Yo soy el Mesías!

[27]En ese preciso momento llegaron sus discípulos. Aunque se sorprendieron de hallarlo hablando con una mujer, no se atrevieron a preguntarle por qué lo hacía ni de qué habían estado hablando.

[28]Entonces la mujer dejó el cántaro y

corrió al pueblo gritando:

[29]—¡Vengan para que conozcan a uno que me ha adivinado el pasado! ¿No será éste el Cristo?

[30]Y la gente acudió presurosa a verlo.

[31]Mientras tanto, los discípulos le suplicaban a Jesús que comiera.

[32]—No —respondió El—. Estoy comiendo una comida que ustedes no conocen.

[33]—¿Quién se la traería? —se preguntaron los discípulos.

[34]—Mi comida es hacer la voluntad de Dios que me envió y terminar su obra. [35]¿Creen ustedes acaso que la siega comienza hasta dentro de cuatro meses, cuando finalice el verano? ¡Miren a su alrededor! ¡Los campos están repletos de almas maduras y listas para que las cosechemos! [36]¡Los que recojan tal cosecha recibirán grandes recompensas y estarán almacenando almas eternas en los graneros del cielo! ¡Y qué alegría produce esto a los que siembran y a los que recogen! [37]Porque es cierto que unos son los que siembran y otros son los que recogen. [38]Yo los he enviado a ustedes a recoger donde otros sembraron; otros hicieron el trabajo y a ustedes les toca recoger los frutos.

[39]Muchos de los samaritanos del pueblo, al oír a la mujer afirmar que Jesús le había adivinado el pasado, creyeron en El. [40]Cuando llegaron a donde estaba, junto al pozo, le suplicaron que se quedara en el pueblo. El accedió y se quedó dos días, [41]lo suficiente para que muchos de ellos creyeran en El después de oírlo.

[42]—Ahora creemos porque nosotros mismos lo hemos oído —le dijeron a la mujer— y no porque alguien nos lo haya dicho. Sí, El es el Salvador del mundo.

[43]Al cabo de los dos días, se fue a Galilea, [44]a pesar de que El mismo solía decir que "al profeta nunca lo aceptan en su propia tierra"; pero [45]los galileos lo recibieron con los brazos abiertos. Muchos habían estado en Jerusalén durante la Pascua y habían presenciado algunos de sus milagros.

[46]En el viaje, llegó a Caná, donde anteriormente había convertido el agua en vino. Un hombre de Capernaum, funcionario del gobierno, cuyo hijo estaba enfermo, [47]se

enteró de que Jesús había llegado de Judea y que iba rumbo a Galilea. Sin pérdida de tiempo corrió a Caná y le suplicó a Jesús que lo acompañara a Capernaum a sanar a su hijo, que estaba al borde de la muerte.

[48]—¿Es que acaso tengo que estar haciendo milagros para que crean en mí? —protestó Jesús.

[49]—Por favor, Señor —suplicó el funcionario—, ¡ven antes de que se muera mi hijo!

[50]—Vete —le dijo Jesús—. ¡Ya tu hijo está bien!

El hombre creyó en Jesús y partió de regreso. [51]En el camino, uno de sus sirvientes le salió al encuentro con la noticia de que su hijo ya estaba bien.

[52]—¿Cuándo empezó a sentirse mejor? —le preguntó.

—Ayer por la tarde, a eso de la una, la fiebre desapareció de pronto.

[53]Entonces se dio cuenta que en aquella misma hora Jesús le había dicho que su hijo ya estaba sano. El funcionario y toda su familia creyeron que Jesús era el Mesías.

[54]Era el segundo milagro que realizaba Jesús en Galilea después de venir de Judea.

5 DESPUÉS DE ESTO, Jesús regresó a Jerusalén, donde iba a celebrarse una de las fiestas religiosas judías.

[2]Dentro de la ciudad, cerca de la puerta de las ovejas, estaba el estanque de Betesda con las cinco plataformas techadas o portales que lo rodeaban.

[3]Multitud de enfermos, ciegos, cojos y lisiados yacían en los portales esperando que se produjera cierto movimiento en las aguas, [4]porque se decía que un ángel del Señor descendía de vez en cuando y las agitaba, y la primera persona que se tirara al agua sanaba.

[5]Uno de ellos había pasado treinta y ocho años enfermo. [6]Cuando Jesús lo vio y supo el largo tiempo que había estado enfermo, le preguntó:

—¿Quieres curarte?

[7]—No puedo, Señor —respondió el enfermo—. No tengo a nadie que me ayude a lanzarme al agua cuando ésta se agita. Siempre, en lo que trato de hacerlo, alguien se me adelanta.

[8]—¡Levántate, recoge la cama y vete

para tu casa! —le dijo entonces Jesús.

⁹E inmediatamente el hombre quedó curado. Sin pérdida de tiempo recogió su cama y salió caminando.

Pero como era sábado el día en que ocurrió el milagro, ¹⁰los dirigentes judíos se pusieron a criticarlo.

—¡No debes trabajar los sábados! ¡Es ilegal que cargues esa cama!

¹¹—El hombre que me sanó me dijo que lo hiciera —fue su respuesta.

¹²—¿Quién se atrevió a decirte que lo hicieras?

¹³El hombre no lo sabía y Jesús ya había desaparecido entre la multitud. ¹⁴Más tarde Jesús lo encontró en el Templo.

—Ahora que estás bien —le dijo—, no peques como lo hacías antes, porque si lo haces, puede venirte algo peor.

¹⁵El hombre corrió entonces a informar a los dirigentes judíos que Jesús era el que lo había sanado. ¹⁶En consecuencia, éstos empezaron a hostigar a Jesús por haber quebrantado el sábado.

¹⁷—Mi Padre está haciendo el bien constantemente —les respondió Jesús—, y yo sigo su ejemplo.

¹⁸Tras esta respuesta los judíos sintieron mayores deseos de matarlo. ¡No podían soportar que, además de desobedecer la ley de ellos acerca del sábado, Jesús afirmara que Dios era su Padre, con la cual se igualaba a Dios! ¹⁹Mas Jesús añadió:

—El Hijo no puede hacer nada por sí mismo, sino que se limita a ver y a hacer lo que el Padre hace. ²⁰El Padre ama al Hijo y le muestra las cosas que hace; por lo tanto, el Hijo hará milagros mucho más sorprendentes que la curación de este hombre. ²¹Si desea resucitar a alguna persona, lo hará de la misma forma que el Padre lo hace. ²²Y el Padre ha dejado que sea el Hijo el que juzgue el pecado, ²³para que el mundo entero honre al Hijo de la misma manera que honra al Padre. Mas si ustedes se niegan a honrar al Hijo de Dios que les ha sido enviado, ciertamente no están honrando al Padre.

²⁴"De todo corazón les digo: Cualquiera que cree mi mensaje y cree en Dios que me envió, tiene vida eterna, y nunca recibirá condenación por sus pecados, porque ha pasado de la muerte a la vida. ²⁵Solemne-

mente declaro que viene el día, y ya ha llegado ese día, cuando los muertos han de oír mi voz, la voz del Hijo de Dios, y los que la escuchen vivirán. ²⁶El Padre tiene vida en sí mismo, y ha permitido que el Hijo tenga también vida en sí mismo ²⁷y que juzgue los pecados de la humanidad, ya que es el Hijo del Hombre.

²⁸"¡No se sorprendan! Ciertamente se aproxima el día en que los muertos escucharán desde sus tumbas la voz del Hijo de Dios, ²⁹y resucitarán. Los que hayan hecho lo bueno, resucitarán para vida eterna; mas los que hayan continuado en el pecado, resucitarán para condenación.

³⁰"Pero yo no condeno sin consultar al Padre. Juzgo según se me ha ordenado, y mi juicio es completamente imparcial y justo, porque está de acuerdo con la voluntad de Dios que me envió, y no simplemente de acuerdo con la mía.

³¹"Si yo dijera algo acerca de mi propia persona, se podría poner en duda. ³²Pero hay alguien, Juan el Bautista, que dice de mí las mismas cosas. ³³A veces ustedes han ido a escucharlo; yo les aseguro que cuanto él ha dicho de mí es cierto. ³⁴Pero no, aunque les he hablado del testimonio de Juan para que crean en mí y se salven, mi mejor testigo no es humano. ³⁵Juan brilló vivamente por un tiempo, y en él ustedes se beneficiaron y regocijaron. ³⁶Pero tengo un mejor testigo que Juan: los milagros que realizo. Mi Padre me ha permitido hacerlos; y ellos demuestran que El me envió. ³⁷Además, el Padre mismo ha testificado acerca de mí, aun cuando no se ha presentado delante de ustedes personalmente, ni les ha hablado directamente. ³⁸Ustedes no lo escuchan, porque rehúsan creer en mí, y yo soy el que Dios envió con su mensaje.

³⁹"Ustedes escudriñan las Escrituras porque piensan que ellas les darán vida eterna. Sin embargo, aunque las Escrituras me señalan a mí, ⁴⁰ustedes no desean acercarse a mí, para que yo les dé vida eterna. ⁴¹La aprobación o desaprobación de ustedes no me significa nada, ⁴²porque sé bien que en ustedes no existe el amor de Dios. ⁴³Lo sé porque yo llegué ante ustedes representando a mi Padre y no me recibieron bien; en cambio, reciben solícitamente a quienes El no ha enviado y vienen en nombre de

ellos mismos. [44]¡Por algo les cuesta creer! Ustedes gustosamente se honran entre sí, pero no buscan la honra que viene del único Dios. [45]No obstante, no los acusaré ante el Padre. ¡Moisés los acusará! Sí, Moisés, en cuya ley ustedes cifran la esperanza de alcanzar el cielo, los acusará, porque ustedes se han negado a creer en él. [46]El escribió acerca de mí; pero como no creen en él, tampoco quieren creer en mí. [47]Claro, si no creen en lo que él escribió ¿cómo van a creer lo que yo les digo?

6 DESPUÉS DE ESTO, Jesús cruzó el lago de Galilea o de Tiberias, como algunos lo llamaban también. [2]Tras El marchaba una inmensa multitud que lo seguía a dondequiera que iba, ansiosa de presenciar la curación de algún enfermo. [3,4]Entre ella había muchos peregrinos que se dirigían a Jerusalén para celebrar la festividad anual de la Pascua.

Jesus subió a un monte y se sentó rodeado de sus discípulos. [5]Entonces alcanzó a ver debajo, subiendo por la ladera, la enorme multitud que había acudido en busca suya.

—Felipe —preguntó, volviéndose a uno de sus discípulos—, ¿dónde vamos a hallar pan para tanta gente?

[6]Claro que estaba tratando de probar a Felipe, porque ya tenía pensado lo que iba a hacer.

[7]—Costaría una fortuna sólo el intentarlo —respondió Felipe.

[8,9]—Por ahí anda un muchacho —intervino Andrés, hermano de Simón Pedro—, que trae cinco panes de cebada y dos pescados. Pero, ¿qué es eso para tanta gente?

[10]—Díganles que se sienten —ordenó Jesús.

Y aquella muchedumbre de cinco mil personas (contando solamente a los hombres) se fue sentando en las laderas. [11]Jesús tomó los panes, dio gracias a Dios y los fue repartiendo. Luego hizo lo mismo con los pescados. ¡Y comieron hasta saciarse!

[12]—¡Recojan los sobrantes! —ordenó luego a los discípulos—. ¡Qué nada se pierda!

[13]¡Y llenaron doce cestas de sobrantes!

[14]Al darse cuenta la gente que había presenciado un gran milagro, exclamó:

—No cabe duda de que éste es el profeta que estábamos esperando.

[15]Y como Jesús entendió que estaban a punto de apoderarse de El para coronarlo rey a la fuerza, se retiró a lo más alto de la montaña.

[16]Al anochecer, sus discípulos fueron a esperarlo a la orilla del lago. [17]Pero como ya había oscurecido y Jesús todavía no regresaba, subieron a la barca y se dispusieron a cruzar el lago rumbo a Capernaum.

[18,19]No pudieron avanzar mucho, porque se levantó un vendaval que los azotaba mientras el lago se embravecía por segundos. Estando a cinco o seis kilómetros de la orilla, vieron de pronto que Jesús caminaba hacia la barca. El terror se apoderó de ellos, [20]pero Jesús les gritó que no tuvieran miedo. [21]Entonces, ya calmados y contentos, lo dejaron subir a bordo; e inmediatamente la barca llegó a donde iban.

[22]A la mañana siguiente las multitudes se arremolinaron de nuevo junto al lago con la esperanza de ver a Jesús. Sabían que El y sus discípulos habían llegado juntos a aquel lugar, pero que luego los discípulos habían salido solos en la barca, sin Jesús. [23]Como había allí varias barcas de Tiberias [24]y la gente se convenció de que ni Jesús ni los discípulos estaban en los alrededores, se fueron a buscarlos a Capernaum. Y allí los encontraron.

[25]—Señor —le preguntaron—, ¿cómo llegaste hasta acá?

[26]—La verdad del caso —respondió Jesús— es que ustedes quieren estar conmigo no porque crean en mí sino porque yo los alimenté. [27]¡No se preocupen tanto por algo tan perecedero como el alimento! ¡Gasten sus energías en buscar la vida eterna que yo, el Hombre Celestial, les puedo dar! Para eso me envió Dios el Padre.

[28]—¿Qué podemos hacer para complacer a Dios? —le preguntaron.

[29]—Lo único que Dios desea —les respondió Jesús— es que crean en el que El ha enviado.

[30]—Tienes que realizar algunos milagros más delante de nosotros para que creamos que eres el Mesías. [31]Haz más milagros todos los días como se hizo con nuestros padres durante la jornada del desierto. Las Escrituras dicen que Moisés les

dio pan del cielo.

³²—No, no fue Moisés —aclaró Jesús—. Fue mi Padre el que les dio aquel pan. Y ahora les está ofreciendo el verdadero Pan del cielo. ³³El verdadero Pan es la persona que Dios envió del cielo a darle vida al mundo.

³⁴—Señor —dijeron ellos—, ¡danos de ese pan todos los días de nuestras vidas!

³⁵—Yo soy el Pan de vida —respondió Jesús—. Los que a mí vienen no volverán a tener hambre, ni volverán a tener sed los que creen en mí. ³⁶Como les dije, ¡es una lástima que ustedes, aunque me han visto, no crean en mí! ³⁷A todos los que vengan a mí enviados por el Padre los recibiré, ³⁸porque yo he venido del cielo a cumplir la voluntad de Dios que me envió y no la mía.

³⁹Y ésta es la voluntad de Dios: que no pierda ninguno de los que Él me ha dado, sino que los resucite a la vida eterna en el día postrero. ⁴⁰Es la voluntad de mi Padre que cualquiera que venga al Hijo y crea en Él tenga vida eterna, y que yo lo resucite en el día postrero.

⁴¹Entonces los judíos murmuraron contra Él porque había dicho: "Yo soy el Pan del cielo".

⁴²—El no es más que Jesús, el hijo de José. Yo conozco a su madre y a su padre. ¿Cómo se atreve a decir que descendió del cielo?

⁴³—Déjense de murmurar contra lo que les dije —replicó Jesús—. ⁴⁴Nadie puede venir a mí si el Padre que me envió no lo trae; y a los que Él traiga yo los resucitaré en el día postrero. ⁴⁵Como dicen las Escrituras: "Dios les enseñará". Aquellos a quienes el Padre hable, aprenderán de Él la verdad, y vendrán a mí. ⁴⁶No quiero decir con esto que tales personas hayan visto al Padre, pues yo soy el único que lo ha visto. ⁴⁷Créanme lo que les digo: ¡El que cree en mí ya tiene vida eterna! ⁴⁸Sí, yo soy el Pan de vida. ⁴⁹En el pan del cielo que comieron los padres de ustedes en el desierto no había verdadera vida, porque todos ellos murieron. ⁵⁰Mas hay un Pan del cielo que imparte vida eterna a los que lo comen. ⁵¹Yo soy el Pan de vida que descendió del cielo. El que coma de este Pan vivirá para siempre, y este Pan es mi cuerpo que ha sido entregado para redimir a la humanidad.

⁵²Entonces los judíos se pusieron a discutir entre sí acerca del significado de aquellas palabras.

—¿Es que acaso piensa este hombre darnos a comer su carne?

⁵³—Créanme —repitió Jesús—, que el que no come la carne del Hombre de la Gloria ni bebe su sangre no podrá tener vida eterna dentro de sí. ⁵⁴Pero el que come mi carne y bebe mi sangre tiene vida eterna y yo lo resucitaré en el día postrero. ⁵⁵Porque mi cuerpo es verdadero alimento, y mi sangre es verdadera bebida. ⁵⁶El que come mi cuerpo y bebe mi sangre está en mí y yo en él. ⁵⁷Yo vivo mediante el poder del Padre viviente que me envió; por lo tanto, los que me comen vivirán gracias a mí. ⁵⁸Yo soy el verdadero Pan del cielo; cualquiera que coma de este Pan vivirá para siempre y no morirá como murieron sus padres a pesar de haber comido pan del cielo.

⁵⁹Jesús predicó el sermón anterior en la sinagoga de Capernaum.

⁶⁰Al terminar, aun sus discípulos se dijeron:

—Esto está muy difícil de entender. ¡Quién sabe lo que quiso decir!

⁶¹Jesús comprendió que los discípulos se estaban quejando.

—¿Se ofenden por esto? —les preguntó—. ⁶²¿Qué pensarían entonces si me vieran a mí, el Hijo del Hombre, regresar al cielo? ⁶³La vida que perdura se origina en el espíritu; lo que se origina en la naturaleza humana muere y por lo tanto de nada aprovecha; mis palabras, que son espirituales, dan vida que permanece para siempre. ⁶⁴Mas algunos de ustedes no me creen.

Es que Jesús sabía desde el principio quiénes no creían y quién lo traicionaría.

⁶⁵—A eso me refería cuando les dije que nadie puede venir a mí, a menos que el Padre los traiga —recalcó.

⁶⁶Desde ese momento muchos de los discípulos lo abandonaron.

⁶⁷—¿Quieren ustedes irse también? —preguntó Jesús, volviéndose a los doce.

⁶⁸—Maestro —contestó Simón Pedro—, ¿a quién iríamos? Tú eres el único que tiene palabras que dan vida eterna, ⁶⁹y nosotros las creemos y sabemos que eres el Santo Hijo de Dios.

⁷⁰—Yo los escogí a ustedes doce, pero

uno de ustedes es un diablo —les dijo entonces.

[71]Hablaba de Judas, hijo de Simón Iscariote, uno de los doce, que lo traicionaría.

7 TRAS ESTO, JESÚS anduvo de pueblo en pueblo por toda Galilea. Deseaba mantenerse alejado de Judea, donde los dirigentes judíos planeaban asesinarlo. [2]Pero cuando se aproximaba la Fiesta de los Tabernáculos, una de las celebraciones anuales judías, [3]sus hermanos lo instaron a que asistiera.

—Tienes que ir donde un mayor número de personas te vean hacer milagros —le dijeron en tono de burla—. [4]Nadie puede ser famoso si se esconde como tú lo haces. Si eres tan grande, demuéstralo al mundo.

[5]Estaba claro que sus hermanos no creían en El.

[6]—Ahora no es conveniente que vaya —les respondió—, pero ustedes pueden ir cuando lo deseen. [7]El mundo no los puede aborrecer a ustedes; me aborrece a mí porque yo lo acuso de pecado y maldad. [8]Váyanse, que yo iré después, en el momento oportuno.

[9]Y se quedó en Galilea. [10]Pero después que sus hermanos partieron rumbo a la fiesta, partió también, aunque secretamente y evitando que lo viera la gente.

[11]Los dirigentes judíos trataban de encontrarlo en la fiesta y no se cansaban de preguntar si lo habían visto. [12]Entre la multitud abundaban las discusiones acerca de Jesús. Mientras unos decían: "¡Es un gran hombre!", otros alegaban: "No, porque engaña al pueblo". [13]Pero nadie se atrevía a hablar de El en público por miedo a las represalias de los dirigentes judíos.

[14]A la mitad de la fiesta, Jesús subió al Templo y predicó abiertamente. [15]Los dirigentes judíos, estupefactos, le preguntaron:

—¿Cómo sabes tanto si nunca has estado en una de nuestras escuelas?

[16]—Yo no les estoy enseñando mis propios conceptos —les respondió Jesús—, sino los de Dios que me envió. [17]Si alguno de ustedes se decidiera realmente a hacer la voluntad de Dios, se daría cuenta si mis enseñanzas son de Dios o simplemente mías. [18]El que presenta sus propias ideas anda en busca de alabanza, pero el que trata de honrar al que lo envió es bueno y verdadero. [19]¡Ninguno de ustedes obedece la ley de Moisés! ¿Por qué me hostigan entonces si yo la rompo? ¿Por qué me quieren matar?

[20]—¡Estás loco! —respondió la gente—. ¿Quién te quiere matar?

[21]—Una vez trabajé el sábado por sanar a un hombre —repuso Jesús—, y ustedes se sorprendieron. [22]Sin embargo, a veces ustedes trabajan los sábados por obedecer la ley que les dio Moisés sobre la circuncisión (aunque la tradición de la circuncisión es mucho más antigua que la ley de Moisés). [23]Si el día de circuncidar a un niño cae en sábado, ustedes cumplen con el deber de hacerlo. ¿Cómo pueden condenarme entonces por sanar a un hombre en sábado? [24]Piénsenlo bien y verán que tengo razón.

[25]Algunos residentes de Jerusalén se decían: "¿No es éste el que andaban buscando para matarlo? [26]Ahí está predicando en público y no le dicen nada. ¿Será que nuestros dirigentes se han convencido ya de que es el Mesías? [27]Pero no puede ser. Nosotros sabemos dónde nació, y cuando el Cristo venga, aparecerá sin que nadie sepa de dónde viene".

[28]Durante un sermón en el Templo, Jesús clamó:

—Sí, ustedes saben dónde nací y dónde crecí. Mas represento a alguien que ustedes no conocen, quien es la Verdad. [29]Yo lo conozco porque estaba con El y me envió a ustedes.

[30]Entonces los dirigentes judíos trataron de arrestarlo; pero nadie le echó mano, porque todavía no había llegado su hora. [31]Muchos de los que estaban en el Templo creyeron en El.

—Después de todo —decían—, ¿qué milagros podrá hacer el Mesías que éste no haya hecho?

[32]Cuando los fariseos oyeron que la gente murmuraba estas cosas, se pusieron de acuerdo con los principales sacerdotes para enviar soldados a prenderlo.

[33]—¡Todavía no! —dijo Jesús a los soldados—. Todavía estaré aquí un poco más de tiempo. Después regresaré al que me envió. [34]Ustedes me buscarán, pero no me hallarán. ¡Y no podrán llegar a donde voy a

estar!

³⁵Los dirigentes judíos se sintieron intrigados ante aquella declaración.

—¿A dónde pensará irse? —se preguntaban—. Quizá piensa abandonar el país e irse de misionero entre los judíos que viven en tierras extrañas, o quizás a los gentiles.

³⁶¿Qué querría decir con eso de que andaríamos buscándolo y no lo hallaríamos y que no podríamos ir donde estuviera?

³⁷El último día de la fiesta, cuando ésta llegaba a su culminación, Jesús clamó delante de la multitud:

—Si alguno tiene sed, venga a mí y beba. ³⁸Las Escrituras declaran que ríos de agua viva fluirán desde lo más profundo de los individuos que crean en mí.

³⁹Se estaba refiriendo al Espíritu Santo que recibirían los que creyeran en El. El Espíritu Santo todavía no había venido, porque Jesús aún no había regresado a su gloria en el cielo.

⁴⁰—No cabe duda —declararon algunos de los que lo escuchaban— que éste es el profeta que vendría antes del Mesías.

⁴¹—¡No! ¡*Es el* Mesías! —afirmaron otros.

—¡*No puede ser!* —dijeron otros—. ¿Cómo va a venir de *Galilea* el Mesías? ⁴²Las Escrituras afirman claramente que el Mesías surgirá de la descendencia real de David y nacerá en *Belén,* el pueblo donde nació David.

⁴³Así que la opinión de la multitud estaba dividida en cuanto a El. ⁴⁴Algunos querían que lo arrestaran, pero nadie se atrevía a tocarlo. ⁴⁵La policía del Templo que había ido a prenderlo regresó ante los principales sacerdotes y fariseos.

—¿Por qué no lo trajeron? —demandaron éstos.

⁴⁶—¡Es que dice tantas cosas bellas! Jamás habíamos oído hablar así a nadie.

⁴⁷—¿Es que también ustedes se han dejado engañar? —preguntaron en son de burla los fariseos—. ⁴⁸¡A que ningún gobernante judío ni fariseo cree que El es el Mesías! ⁴⁹La gente ignorante sí, claro; pero ¿qué saben ellos de eso? ¡Están malditos!

⁵⁰Entonces Nicodemo, el dirigente judío que había ido a entrevistarse secretamente con Jesús, pidió la palabra y preguntó:

⁵¹—¿Es legal que se condene a un hombre sin que se le juzgue primero?

⁵²—¿Eres tú también uno de esos miserables galileos? ¡Busca en las Escrituras y convéncete por ti mismo que de Galilea jamás saldrá un profeta!

⁵³Y allí mismo terminó la reunión. Cada quien se fue para su casa.

8 JESÚS REGRESÓ AL monte de los Olivos, ²pero a la mañana siguiente estaba ya de regreso en el Templo. Como la gente comenzara a amontonarse alrededor de El, se sentó para hablarles. ³Mientras hablaba, los dirigentes judíos y los fariseos trajeron a una mujer que había sido sorprendida en adulterio y la pusieron frente a la expectante multitud.

⁴—Maestro, esta mujer ha sido sorprendida en el acto mismo del adulterio. ⁵La ley de Moisés dice que la debemos matar. ¿Qué crees tú?

⁶La intención de ellos era obligarlo a decir algo que luego pudieran usar contra El, pero Jesús se limitó a inclinarse y a escribir en tierra con el dedo.

⁷Pero como ellos insistieron en preguntarle, se irguió y les dijo:

—Muy bien, mátenla a pedradas. ¡Pero que arroje la primera piedra la persona que jamás haya pecado!

⁸Y se inclinó de nuevo a escribir en tierra. ⁹Los jefes judíos, reprendidos por su conciencia, fueron saliendo uno por uno empezando por los ancianos, hasta que Jesús quedó solo ante la multitud y la mujer.

¹⁰Al poco rato Jesús se puso de pie.

—¿Dónde están los que te acusaban? —preguntó a la mujer—. ¿Ninguno te condenó?

¹¹—No, Señor.

—Ni yo tampoco. Vete y no peques más.

¹²Poco después, en una de sus pláticas, Jesús dijo:

—Yo soy la Luz del mundo. El que me sigue no andará tropezando en la oscuridad, porque la Luz de la vida le iluminará el camino.

¹³—¡Fanfarronadas! ¡Fanfarronadas! ¡Mentiras! —gritaron los fariseos.

¹⁴—Les estoy diciendo la verdad aunque hable de mí mismo —repuso Jesús—. Yo

sé de dónde vengo y a dónde voy; pero ustedes no lo saben, y por lo tanto [15]me han enjuiciado sin conocer los hechos. Por ahora no voy a juzgar a nadie, [16]pero si lo hiciera, mi juicio sería absolutamente correcto, porque el Padre que me envió está conmigo. [17]Las leyes de ustedes dicen que si dos hombres concuerdan en afirmar algo, se les debe aceptar el testimonio como verdadero. [18]Muy bien, yo soy uno de los testigos y mi Padre que me envió es el otro.

[19]—¿Dónde está tu padre? —le preguntaron.

—Ustedes no saben quién es mi Padre porque no saben quién soy yo. Si me conocieran, lo conocerían a El también.

[20]Jesús formuló estas declaraciones en el lugar de las ofrendas del Templo. Pero no lo arrestaron porque todavía no había llegado su hora.

[21]Poco después volvió a dirigirles la palabra:

—Me voy. Ustedes tratarán de encontrarme, pero morirán en sus pecados porque no podrán ir a donde yo voy.

[22]—¿Será que está pensando suicidarse? —se preguntaban los judíos—. ¿Qué quiere decir con eso de que a donde El va nosotros no podemos ir?

[23]—Ustedes son de abajo —les dijo Jesús—; yo soy de arriba. Ustedes son de este mundo; yo no lo soy. [24]Por eso les dije que morirían en sus pecados. Si no creen que yo soy el Mesías, el Hijo de Dios, morirán en su pecados.

[25]—Dinos por fin quién eres —demandaron.

[26]—Yo soy el que siempre les he dicho que soy. Tengo mucho que decir en contra de ustedes y mucho que enseñarles, pero no lo hago porque me limito a decirles lo que me ordena el que me envió; y el que me envió es la Verdad.

[27]Mas ellos seguían sin entender que les estaba hablando de Dios.

[28]—Cuando hayan dado muerte al Hijo del Hombre, comprenderán que yo soy El y que no les he estado expresando mis propios conceptos sino los que el Padre me enseñó. [29]El que me envió está conmigo y no me ha abandonado, porque siempre hago lo que le agrada.

[30,31]Muchos de los jefes judíos que lo oyeron expresarse así comenzaron a creer que era el Mesías. Pero Jesús les aclaró:

—Ustedes serán verdaderamente mis discípulos cuando vivan como yo les he enseñado. [32]Entonces conocerán la Verdad, y la Verdad los libertará.

[33]—¡Pero nosotros somos descendientes de Abraham —exclamaron—, y nunca hemos sido esclavos de nadie! ¿Qué quieres decir con eso de que la verdad nos libertará?

[34]—Ustedes practican el pecado y por lo tanto son esclavos del pecado. [35]Los esclavos no tienen derecho alguno; en cambio, el Hijo tiene todos los derechos. [36]Así que si el Hijo los liberta, serán verdaderamente libres. [37]Sí, yo sé que ustedes son descendientes de Abraham; sin embargo, algunos están tratando de asesinarme porque no le dan cabida en su corazón a mi mensaje. [38]Yo les estoy hablando de lo que he visto junto a mi Padre, pero ustedes están siguiendo los consejos de su padre.

[39]—¡Nuestro padre es Abraham! —aclararon.

—¡No! —respondió Jesús—. Si él lo fuera, seguirían su buen ejemplo [40]y no estarían tratando de matarme porque les he dicho la verdad que escuché de los labios de Dios. ¡Abraham no haría eso! [41]No, si actúan así, están obedeciendo a otro, al verdadero padre de ustedes.

—¡Nosotros no somos bastardos! —replicaron—. Nuestro verdadero padre es Dios.

[42]—Si así fuera, me amarían, porque vine de Dios. No vine aquí por mi propia cuenta, sino porque Dios me envió. [43]¿Saben por qué no pueden entender lo que les digo? ¡Porque están impedidos! [44]Ustedes son hijos del diablo y les encanta actuar como él. Desde el principio el diablo ha sido un asesino y un enemigo de la verdad. Para él la verdad no existe. En él mentir es algo completamente normal, porque es el padre de la mentira. [45]¡Por eso es natural que no me crean cuando les digo la verdad! [46]¿Quién puede, sin mentir, acusarme de algún pecado? ¡Nadie! Y si les estoy diciendo la verdad, ¿por qué no me creen? [47]Los verdaderos hijos de Dios se regocijan escuchando la palabra de Dios. El hecho de que no sea así, prueba que ustedes no son

hijos de El.
[48]—¡Samaritano malvado! —gruñeron los jefes judíos—. ¡Con razón decíamos que estabas endemoniado!
[49]—No —dijo Jesús—. No tengo ningún demonio. Lo que estoy tratando de hacer es honrar a mi Padre. Ustedes en cambio, tratan de deshonrarlo. [50]Y aunque mi deseo no es enaltecerme, Dios sí lo desea y ha de juzgar a los que me rechazan. [51]Pero créanme lo que les digo: ¡Ninguno de los que me obedecen morirá!
[52]—Ahora más que nunca creemos que tienes demonios. Así que Abraham y los profetas más poderosos murieron, pero los que te obedecen jamás morirán. [53]¿Eres acaso mayor que nuestro padre Abraham, que murió? ¿Eres mayor que los profetas, que murieron? ¿Quién te has creído que eres?
[54]—Si yo me estuviera jactando de mí mismo —les respondió Jesús—, mis palabras carecerían de valor. Pero es mi Padre, el que ustedes llaman Dios, el que se expresa tan gloriosamente de mí. [55]Pero ustedes no lo conocen. Yo sí. Si les dijera otra cosa, sería tan mentiroso como ustedes. Pero es verdad, yo lo conozco y lo obedezco sin reservas. [56]Abraham, el padre de ustedes, se regocijaba al pensar que vería mi día. Y lo vio y se alegró de saber que yo iba a venir.
[57]—¡Pero ¿cómo puedes haber visto a Abraham si ni siquiera tienes cincuenta años de edad?!
[58]—Pero es cierto: ¡Ya existía desde mucho antes que Abraham naciera!
[59]Entonces los jefes judíos agarraron piedras para matarlo, pero Jesús se les desapareció de la vista, caminó entre ellos y salió del Templo.

9 MIENTRAS PASABA, JESÚS vio a un ciego de nacimiento.
[2]—Maestro —le preguntaron sus discípulos—, ¿por qué nacería ciego este hombre? ¿Sería por sus pecados o por los pecados de sus padres?
[3]—Ni una cosa ni otra —respondió Jesús—. Nació ciego para que el poder de Dios se manifestara. [4]Debemos realizar con prontitud las tareas que nos señaló el que me envió porque ya falta poco para que la noche caiga y nadie pueda trabajar. [5]Pero mientras yo esté en el mundo, le daré mi luz.
[6]Entonces escupió en tierra, formó lodo con la saliva y se lo untó al ciego en los ojos
[7]—Vé y lávate en el estanque de Siloé —le dijo (Siloé quiere decir "enviado").
El hombre fue al estanque, se lavó y regresó viendo.
[8]Los vecinos del ciego y los que lo conocían como pordiosero se preguntaban:
—¿No es éste el que antes pedía limosna?
[9]Algunos decían que sí y otros que no. "No puede ser el mismo hombre", pensaban, "¡pero en verdad que se parece a él!" Mas el pordiosero decía:
—Yo soy aquel hombre.
[10]Al preguntársele cómo era que veía y qué había sucedido, respondía:
[11]—Un tal Jesús preparó lodo, me lo untó en los ojos y me dijo que fuera a lavarme al estanque de Siloé. Lo hice y ahora veo.
[12]—¿Dónde está El ahora? —le preguntaron entonces.
—No sé —respondió.
[13]Lo llevaron ante los fariseos. [14]Como el hecho había ocurrido en sábado, [15]los fariseos le pidieron que relatara los pormenores del caso; y él les relató cómo Jesús le había untado lodo en los ojos y cómo al lavárselos había podido ver.
[16]—Jesús no es de Dios —dijeron algunos de ellos—, porque trabaja los sábados.
—¿Podría acaso un vil pecador realizar un milagro así? —dijeron otros. Y no se ponían de acuerdo.
[17]Entonces se volvieron al que había sido ciego.
—¿Qué opinas de ese hombre que te abrió los ojos?
—Que tiene que ser un profeta de Dios —les respondió.
[18]Los dirigentes judíos no se convencieron de que aquel hombre había sido ciego hasta que mandaron a buscar a sus padres y les preguntaron:
[19]—¿Es éste su hijo? ¿Es verdad que nació ciego? ¿Cómo es que ahora ve?
[20]—Sabemos que es nuestro hijo y que nació ciego, [21]pero no sabemos cómo obtuvo la vista ni quién se la dio. El ya tiene edad y

puede expresarse por sí mismo. Pregúntenle a él.

²²,²³Los ancianos se expresaron así por temor a los jefes judíos, que habían amenazado con expulsar de la sinagoga al que se atreviera a insinuar que Jesús era el Mesías.

²⁴Entonces volvieron a llamar al que había sido ciego.

—Dale las gracias a Dios y no a Jesús, porque Jesús es pecador.

²⁵—Yo no sé si El es bueno o malo —replicó el hombre—. Lo único que sé es que yo era ciego y ahora veo.

²⁶—¿Pero qué te hizo? —insistieron—. ¿Cómo te curó?

²⁷—¡Escúchenme bien! —exclamó el hombre—. Ya se lo dije una vez. ¿No me oyeron? ¿Para qué lo quieren oír de nuevo? ¿Acaso quieren convertirse en discípulos de Jesús?

²⁸—Tú eres discípulo de ese hombre —le dijeron después de maldecirlo—, pero nosotros somos discípulos de Moisés. ²⁹Sabemos que Dios le habló a Moisés, pero de este individuo no sabemos nada.

³⁰—¿Cómo? —replicó el hombre—. ¡Qué extraño que ustedes no sepan nada de una persona que puede dar la vista a los ciegos! ³¹Dios no escucha a los pecadores, pero a los que lo adoran y lo obedecen sí los escucha. ³²Desde que el mundo es mundo nadie había podido abrirle los ojos a un ciego de nacimiento. ³³Si este hombre no fuera de Dios no lo habría podido hacer.

³⁴—¡Cállate, pecador miserable! —le gritaron—. ¿Cómo te atreves a enseñarnos?

Y lo echaron de allí.

³⁵Cuando Jesús se enteró de lo ocurrido y se encontró con el hombre, le dijo:

—¿Crees en el Mesías?

³⁶—¿Quién es, Señor? Quisiera creer en El.

³⁷—Pues lo has visto. ¡Yo soy el Mesías!

³⁸—Creo en ti, Señor —susurró el hombre, y adoró a Jesús.

³⁹—He venido al mundo a hacer justicia —le dijo Jesús entonces—, a dar la vista a los que están ciegos de espíritu, y a mostrar a los que creen que ven, que están ciegos.

⁴⁰—¿Quieres decir que estamos ciegos? —intervinieron algunos fariseos que andaban por allí.

⁴¹—Si estuvieran ciegos, no serían culpables —les respondió Jesús—. Son culpables porque afirman saber lo que están haciendo.

10 "CUALQUIERA QUE PARA entrar en un corral de ovejas salta la cerca en vez de ir por la puerta, es un ladrón, ²porque el pastor verdadero entra por la puerta. ³El portero le abre la puerta y las ovejas oyen su voz y van a donde él está; él las llama por su nombre y las saca. ⁴El va delante siempre; y las ovejas lo siguen y reconocen su voz. ⁵A un extraño no lo siguen; al contrario, huyen de él porque no le reconocen la voz.

⁶Pero como los presentes no lograron entender las enseñanzas que encerraban aquellos simbolismos, ⁷Jesús les explicó:

—Yo soy la Puerta por donde entran las ovejas. ⁸Los que vinieron antes que yo eran ladrones y salteadores, mas las verdaderas ovejas no los escucharon. ⁹Sí, yo soy la Puerta. Los que entren a través de esta Puerta se salvarán, entrarán y saldrán y hallarán pastos verdes. ¹⁰El propósito del ladrón es robar, matar y destruir. Mi propósito es dar vida eterna y abundante.

¹¹"Yo soy el Buen Pastor. El Buen Pastor da su vida por sus ovejas. ¹²Cuando el pastor no es más que un asalariado, huye y abandona las ovejas al ver que el lobo se acerca; es que ni las ovejas son de él ni él es el pastor de las ovejas; por lo tanto el lobo salta sobre el rebaño y lo dispersa. ¹³El asalariado corre porque es un asalariado y no le preocupan demasiado las ovejas. ¹⁴Yo soy el Buen Pastor y conozco mis ovejas, y ellas me conocen, ¹⁵de la misma forma que mi Padre me conoce y yo lo conozco a El. Yo doy mi vida por mis ovejas.

¹⁶"Además de éstas, tengo otras ovejas que no están en este redil. Es preciso que las traiga también. Ellas obedecerán mi voz y habrá un solo rebaño y un solo pastor.

¹⁷"El Padre me ama porque doy mi vida para recuperarla después. ¹⁸Nadie puede matarme sin mi consentimiento. Yo doy la vida voluntariamente. Tengo el derecho y el poder de darla cuando quiera, pero también el poder de recuperarla. El Padre me ha dado ese derecho.

¹⁹Al decir estas cosas, hubo de nuevo disensión entre los jefes judíos acerca de Jesús.

²⁰—O tiene demonios o está loco —decían algunos—. ¿Por qué le hacen caso?

²¹—Los endemoniados no hablan así —decían otros—. Además, ¿puede un demonio abrirle los ojos a un ciego?

²²Era invierno. Jesús se hallaba en Jerusalén en ocasión de la Fiesta de la Dedicación ²³y se paseaba en el Templo por la sección llamada Portal de Salomón.

²⁴Los jefes judíos lo rodearon y le preguntaron:

—¿Hasta cuándo nos vas a tener en suspenso? Si eres el Mesías, dínoslo claramente.

²⁵—Ya se lo he dicho y no me lo han creído —replicó Jesús—. ¿Qué más pruebas quieren que los milagros que realizo en el nombre de mi Padre? ²⁶Ustedes no me creen porque no pertenecen a mi rebaño. ²⁷Mis ovejas me reconocen la voz; yo las conozco y ellas me siguen. ²⁸Yo les doy vida eterna y jamás perecerán. Nadie podrá arrebatármelas, ²⁹porque mi Padre me las dio, y El es más poderoso que cualquiera; por lo tanto, nadie me las podrá quitar. ³⁰Mi Padre y yo somos uno.

³¹Entonces los jefes judíos volvieron a tomar piedras para matarlo. ³²Y Jesús les dijo:

—Bajo la dirección de Dios he realizado muchos milagros en favor del pueblo. ¿Por cuál de ellos me van a matar?

³³—¡Claro que no te matamos por ninguna de tus buenas obras, sino porque eres un blasfemo! ¡Tú, un simple mortal, has declarado que eres Dios!

³⁴—¡Pero la ley de ustedes llama dioses a ciertos hombres! —respondió Jesús—. ³⁵Y si en las Escrituras, que no mienten, se llamó dioses a aquellos que recibieron el mensaje de Dios, ³⁶¿es blasfemia el que una persona que el Padre santificó y envió al mundo diga: "Yo soy el Hijo de Dios"? ³⁷Si yo no realizo milagros divinos, no me crean. ³⁸Pero si los realizo, crean en ellos aun cuando no crean en mí. Así se convencerán de que el Padre está en mí y yo en el Padre.

³⁹Una vez más trataron de apresarlo, pero El se les escapó de entre las manos ⁴⁰y se fue al otro lado del río Jordán, cerca del lugar donde Juan solía bautizar, y allí se quedó.

⁴¹—Juan no realizó ningún milagro —decían entre sí los que lo seguían—, pero todas las predicciones que hizo sobre este hombre se han cumplido.

⁴²Y muchos llegaron a la conclusión de que Jesús era el Mesías.

11 EN AQUELLOS DÍAS cayó enfermo Lázaro, quien vivía en Betania con sus hermanas Marta y María. ²(María fue la que más tarde derramó el perfume costoso en los pies de Jesús y luego los secó con sus cabellos). ³Las dos hermanas le enviaron un mensaje a Jesús en el que le decían: "Señor, tu buen amigo está gravemente enfermo".

⁴Al recibir el mensaje, Jesús dijo:

—El propósito de esta enfermedad no es que él muera, sino que Dios se glorifique. Yo, el Hijo de Dios, recibiré gloria como resultado de esta enfermedad.

⁵Aunque Jesús amaba mucho a Marta, a María y a Lázaro, ⁶permaneció dos días más donde estaba. ⁷Finalmente, al cabo de los dos días, dijo a sus discípulos:

—Vayamos a Judea.

⁸—Maestro —objetaron los discípulos—, hace apenas unos días los jefes judíos trataron de matarte. ¿Vas a volver por allá?

⁹—La luz del día dura sólo doce horas —les respondió Jesús—, durante cada una de las cuales uno puede caminar con seguridad y sin tropiezos. ¹⁰Sólo de noche existe el peligro de dar un mal paso a causa de la oscuridad.

¹¹Más tarde añadió:

—Nuestro amigo Lázaro duerme, y voy a despertarlo.

¹²,¹³Los discípulos entendieron que Jesús afirmaba que Lázaro estaba descansando.

—¡Entonces ya está mejor! —exclamaron.

Mas Jesús quería decir que Lázaro había muerto. ¹⁴Por fin lo dijo claramente:

—Lázaro ha muerto. ¹⁵Y por el bien de ustedes me alegro de no haber estado allí, porque esto les dará otra oportunidad de creer en mí. Vengan, vayamos a él.

¹⁶Tomás, a quien apodaban el Gemelo, dijo a los demás discípulos:

—Sí, vamos nosotros también para que muramos con El.

[17] Cuando llegaron a Betania, les dijeron que hacía cuatro días Lázaro estaba en la tumba.

[18] Betania estaba a sólo tres kilómetros de Jerusalén, [19] y muchos de los dirigentes judíos habían ido a dar el pésame y a consolar a Marta y a María en su dolor.

[20] Cuando Marta vio que Jesús llegaba, le salió al encuentro. Pero María se quedó en la casa.

[21] —Señor —le dijo Marta a Jesús—, si hubieras estado aquí, mi hermano no habría muerto, [22] porque sé que Dios te concede lo qué le pides.

[23] —Tu hermano volverá a vivir —le dijo Jesús.

[24] —Sí —dijo Marta—, cuando resucitemos en el día de la resurrección.

[25] —Yo soy la fuente de la vida y la resurrección —le dijo Jesús—. El que cree en mí, aunque muera como los demás, recobrará la vida. [26] Porque el que cree en mí recibe vida eterna, y por lo tanto nunca perecerá. ¿Crees esto, Marta?

[27] —Sí, Maestro —le respondió—. Creo que eres el Mesías, el Hijo de Dios que hace tiempo esperábamos.

[28] Y tras esto corrió a donde estaba María. Llamándola a un lado, para que no la oyeran los presentes, le dijo:

—El está aquí, y quiere verte.

[29] Sin perder tiempo, María corrió a donde El estaba. [30] Jesús había permanecido fuera del pueblo, en el mismo punto donde Marta lo había encontrado. [31] Los jefes judíos que estaban en la casa tratando de consolar a María, al verla salir con tanta precipitación, pensaron que iba a la tumba de Lázaro a llorar, y la siguieron.

[32] María llegó a donde estaba Jesús y cayó a los pies de El.

—Señor —le dijo—, si hubieras estado aquí, mi hermano estaría vivo.

[33] —Al verla llorar así, entre los lamentos de los jefes judíos que estaban con ella, Jesús se sintió conmovido y profundamente turbado.

[34] —¿Dónde lo enterraron? —les preguntó.

—Ven a ver.

[35] Los ojos de Jesús se bañaron de lágrimas.

[36] —Eran grandes amigos —comentaron los jefes judíos—. ¡Miren cuánto lo amaba!

[37] —Si este hombre sanó a un ciego, ¿no podía haber evitado que Lázaro muriera?

[38] Y de nuevo Jesús se sintió muy turbado. Ya llegaban a la cueva que servía de tumba. Una pesada piedra cerraba la entrada.

[39] —Quiten la piedra —ordenó Jesús.

—¡Pero ya debe heder horriblemente! —exclamó Marta, la hermana del muerto—. Hace cuatro días que murió.

[40] —¿No te dije que si crees presenciarás un maravilloso milagro de Dios? —le contestó Jesús.

[41] Así que echaron a un lado la piedra. Jesús elevó la mirada al cielo y oró:

—Padre, gracias por escucharme. [42] Sé que siempre me escuchas, pero lo digo para que los que están a mi alrededor crean que tú me enviaste.

[43] Entonces gritó:

—¡Lázaro, ven fuera!

[44] Y Lázaro salió atado de pies y manos con vendas, y con el rostro envuelto en un sudario.

—¡Desátenlo y déjenlo ir! —ordenó Jesús.

[45] Al presenciar aquel milagro, muchos de los dirigentes judíos que habían ido allí a acompañar a María creyeron al fin en El. [46] Pero otros corrieron a dar la noticia a los fariseos. [47] Sin perder tiempo los principales sacerdotes y fariseos convocaron a una reunión.

—¿Qué vamos a hacer? —se preguntaban—, porque este hombre de veras hace milagros. [48] Si lo dejamos, la nación entera se irá tras El, y los romanos vendrán y nos matarán, y asumirán por completo el gobierno de los judíos.

[49] Uno de ellos, Caifás, sumo sacerdote de aquel año, dijo:

—¡Ignorantes! [50] ¿Es que no comprenden que es mucho mejor que un hombre muera por el pueblo y no que la nación entera perezca?

[51] Esta profecía de que Jesús habría de morir por el pueblo la pronunció Caifás desde su posición de sumo sacerdote, no porque a él se le ocurriera, sino porque fue inspirado a hacerlo. Era una predicción de

que Jesús habría de morir por Israel; [52]pero no solamente por Israel, sino por todos los hijos de Dios esparcidos por el mundo entero.

[53]Desde aquel momento los jefes judíos comenzaron a urdir un plan para matar a Jesús. [54]Este interrumpió entonces su ministerio público y se fue al pueblo de Efraín, junto al desierto, y se quedó allí con los discípulos.

[55]La Pascua, fiesta religiosa judía, se acerca. Muchos provincianos comenzaron a llegar a Jerusalén con varios días de anticipación para asìstir a las ceremonias de la purificación antes de que comenzara la Pascua. [56]Como querían ver a Jesús, no cesaban de cuchichear en el Templo:

—¿Qué creen ustedes? ¿Vendrá a la fiesta?

[57]Los principales sacerdotes y fariseos habían anunciado públicamente que cualquiera que viera a Jesús debía comunicarlo inmediatamente para arrestarlo.

12 SEIS DÍAS ANTES de las ceremonias de la Pascua, Jesús llegó a Betania, donde vivía Lázaro, el hombre al que había resucitado. [2]La familia de éste preparó un banquete en honor de Jesús.

Mientras Marta servía y Lázaro estaba sentado a la mesa con Jesús, [3]María tomó un frasco de un costoso perfume de esencia de nardo, le ungió los pies a Jesús y luego los secó con sus cabellos. La casa se llenó de fragancia.

[4]Pero Judas Iscariote, uno de los discípulos de Jesús, el que lo traicionaría, dijo:

[5]—Ese perfume vale una fortuna. Debían haberlo vendido para darle el dinero a los pobres.

[6]Y no era que él se preocupara tanto por los pobres, sino que manipulaba los fondos del grupo y muchas veces sustraía dinero para usarlo en beneficio propio.

[7]—Déjenla —replicó Jesús—. Ella está haciendo esto en preparación para mi entierro. [8]A los pobres siempre los podrán ayudar, pero yo no voy a permanecer con ustedes mucho tiempo.

[9]Cuando la gente de Jerusalén se enteró que Jesús había llegado a Betania, corrió a verlo y también a ver a Lázaro, el resuci-

tado.

[10]En vista de esto, los principales sacerdotes decidieron matar a Lázaro también, [11]porque por causa de él muchos dirigentes judíos habían desertado y creían que Jesús era el Mesías.

[12]Al siguiente día, la noticia de que Jesús iba camino a Jerusalén corrió por la ciudad como un reguero de pólvora. Una enorme multitud de visitantes pascuales, [13]con palmas en las manos, se lanzó al camino al encuentro de Jesús y gritaba: "¡Salvador! ¡Que Dios bendiga al Rey de Israel! ¡Que viva el Enviado de Dios!"

[14]Jesús marchaba por el camino a lomos de un burrito, con lo cual se cumplió la profecía:

[15]"No temas, pueblo de Israel, porque tu Rey vendrá a ti sentado humildemente sobre un burrito".

[16]En aquel preciso momento sus discípulos no se dieron cuenta de que se estaba cumpliendo la profecía; pero después que Jesús regresó a su gloria celestial, comprendieron que muchas profecías de las Escrituras se habían cumplido delante de sus ojos.

[17]Algunos de los que estaban entre la multitud, que habían presenciado cómo Jesús llamó a Lázaro de entre los muertos y lo resucitó, lo contaban a viva voz. [18]La mayoría de aquellas personas habían salido al encuentro del Señor porque se enteraron de aquel asombroso milagro.

[19]—¡Estamos perdidos! —se decían los fariseos—. ¡Miren! ¡Todo el mundo se va tras El!

[20]Algunos griegos que habían ido a Jerusalén para asistir a la Pascua [21]se acercaron a Felipe de Betsaida, y le dijeron:

—Señor, queremos conocer a Jesús.

[22]Felipe se lo contó a Andrés y luego fueron juntos a decírselo a Jesús.

[23]El les respondió que ya había llegado la hora de regresar a la gloria [24]y que tendría que caer y morir de la misma manera que muere el grano de trigo que cae en el surco.

—Si no muero —añadió—, siempre estaré solo. Pero mi muerte producirá muchos granos de trigo en abundante cosecha de vidas nuevas. [25]Si ustedes aman esta vida, la perderán. Pero el que desprecia la vida terrenal, recibirá la vida eterna. [26]Si esos griegos desean ser mis discípulos, díganles que vengan y me sigan, porque mis siervos deben estar donde yo estoy. Y si me siguen, el Padre los honrará. [27]En este momento tengo el alma profundamente turbada. ¿He de orar acaso: "Padre, sálvame de lo que me espera"? ¡No, porque para eso vine! ¡Padre, glorifica [28]y honra tu nombre!

Entonces se escuchó una voz del cielo que decía:

—Lo glorifiqué y lo volveré a glorificar.

[29]Al escuchar aquella voz, algunos de los presentes pensaron que tronaba. Otros, en cambio, afirmaban que un ángel le había hablado a Jesús.

[30]—Esa voz habló para beneficio de ustedes, no para beneficio mío. [31]Al mundo le ha llegado la hora del juicio, y a Satanás, el príncipe de este mundo, la hora de la derrota. [32]Cuando me alcen en la cruz atraeré hacia mí a todos los hombres.

[33]Con estas palabras estaba indicando cómo habría de morir.

[34]—¿Vas a morir? —preguntó la muchedumbre—. Nosotros teníamos entendido que el Mesías viviría para siempre, que nunca moriría. ¿Cómo dices que vas a morir? ¿A qué Mesías te estás refiriendo?

[35]—Mi luz brillará entre ustedes sólo un poco más de tiempo —les respondió Jesús—. Caminen en ella mientras puedan; vayan a donde quieran ir, antes que los envuelva la oscuridad porque entonces será demasiado tarde para encontrar el camino. [36]Mientras la luz esté con ustedes, crean en la luz, para que se conviertan en portadores de luz.

Al terminar de hablar, se apartó y se escondió de ellos. [37]A pesar de los milagros que había realizado, la mayoría no creía que El fuera el Mesías. [38]No es extraño que así ocurriera, porque el profeta Isaías había profetizado: "Señor, ¿quién nos creerá? ¿Quién aceptará los asombrosos milagros de Dios como prueba?"

[39]Aquella gente no podía creer, porque Isaías también había predicho: [40]"Dios les cegó los ojos y les endureció el corazón para que no puedan ver ni entender ni volverse hacia El en busca de salud. [41]Isaías habló así de Jesús porque contempló una visión de la gloria del Mesías. [42]Pero además de

eso, muchos de los dirigentes judíos que creían que El era el Mesías no lo admitían públicamente por temor a que los fariseos los expulsaran de la sinagoga. [43]¡Amaban más el aplauso de los hombres que el aplauso de Dios!

[44]—¡El que cree en mí —clamó Jesús ante la muchedumbre—, está creyendo en Dios! [45]¡El que me mira, está mirando al que me envió! [46]Yo he venido a brillar como luz en la oscuridad del mundo, para que los que depositen su fe en mí dejen de andar en oscuridad. [47]Al que me oye y no me obedece, no lo juzgo; he venido a salvar al mundo y no a juzgarlo. [48]Pero las verdades que he expresado juzgarán en el día del juicio a los que me rechazan y rechazan mi mensaje, [49]porque les he estado diciendo lo que el Padre me pidió que les dijera, y no lo que yo quiero. [50]Sé que las enseñanzas de mi Padre conducen a la vida eterna y, por lo tanto, lo que El me pide que les diga se lo digo.

13 JESÚS SABÍA QUE aquella noche de Pascua iba a ser su última noche en la tierra antes de regresar al Padre. [2]Ya, durante la cena, el diablo le había sugerido a Judas Iscariote, hijo de Simón, que esa noche debía llevar a cabo el plan para traicionar a Jesús. [3]Jesús sabía que el Padre lo había puesto todo en sus manos, y también que tal como había venido de Dios, a Dios debía regresar.

¡Pero cuánto amaba a sus discípulos! [4]Se levantó, pues, de la mesa, se quitó el manto, se ciñó una toalla a la cintura, [5]echó agua en una palangana y se puso a lavarles los pies y a secárselos con la toalla con que se había ceñido. [6]Cuando le tocó el turno a Simón Pedro, éste le dijo:

—Maestro, ¡no debías estar lavándonos los pies!

[7]—En este momento no entiendes por qué lo hago —le respondió Jesús—, pero algún día lo entenderás.

[8]—¡No! —protestó Pedro—. ¡Jamás permitiré que me laves los pies!

—Si no lo hago —replicó Jesús—, no podrás identificarte conmigo.

[9]—¡Entonces no me laves solamente los pies! —exclamó Pedro—. ¡Lávame de pies a cabeza!

[10]—El que está bien bañado —respondió Jesús— sólo tiene que lavarse los pies para quedar completamente limpio. Ustedes están limpios ya, aunque no todos, por cierto.

[11]Jesús sabía quién lo iba a traicionar y por eso dijo que no todos estaban limpios.

[12]Al terminar de lavarles los pies, se puso de nuevo el manto y se sentó.

—¿Entendieron bien lo que hice? —les preguntó—. [13]Ustedes me llaman "Maestro" y "Señor", y hacen bien en llamarme así porque es verdad que lo soy. [14]Y si yo, el Señor y Maestro, les he lavado los pies, ustedes deben lavarse los pies unos a otros. [15]Yo les he dado el ejemplo. Háganlo como lo he hecho. [16]Les digo que el siervo no es mayor que el amo, ni es más importante el mensajero que la persona que lo envió. [17]Así que ya lo saben. Pónganlo en práctica y estarán marchando por un sendero de bendición.

[18]"Ahora les voy a decir algo, pero no me refiero a todos ustedes. Yo conozco muy bien a cada uno de los que escogí y sé que las Escrituras declaran que uno de los que suelen comer conmigo me ha de traicionar. Esto ocurrirá pronto. [19]Se lo digo ahora para que, cuando suceda, crean en mí. [20]Y déjenme decirles: El que recibe al Espíritu Santo que he de enviar, me está recibiendo a mí. Y cualquiera que me recibe, está recibiendo al Padre que me envió.

[21]En aquel instante Jesús sintió que un gran dolor le oprimía el pecho.

—Sí, es cierto —exclamó—; uno de ustedes me traicionará.

[22]Los discípulos se miraron entre sí. ¿A quién se estaría refiriendo Jesús?

[23]Junto a Jesús estaba el discípulo que El amaba. [24]Simón Pedro le hizo señas para que le preguntara quién habría de realizar tan repugnante hecho. [25]El discípulo amado se recostó junto al pecho del Maestro y le preguntó:

—Señor, ¿a quién te refieres?

[26]—Me refiero a la persona a quien voy a darle pan con salsa.

E introdujo el pan en la salsa y se lo dio a Judas, el hijo de Simón Iscariote. [27]Inmediatamente que Judas tomó aquel bocado, Satanás entró en él.

—¡Apúrate! —le dijo Jesús—. ¡Hazlo ahora mismo!

[28]Los demás que estaban sentados a la mesa no entendieron el significado de las palabras de Jesús. [29]Algunos creyeron que, como Judas era el tesorero, Jesús le estaba ordenando que fuera a pagar la comida o a darle dinero a algún pobre.

[30]Judas salió sin pérdida de tiempo y se perdió en la noche.

[31]Tan pronto Judas abandonó el aposento, Jesús dijo:

—Ha llegado la hora; muy pronto la gloria de Dios me envolverá, y Dios recibirá grandes alabanzas por lo que me va a suceder. [32]Dios muy pronto me dará su gloria. [33]Queridos hijos míos: ¡qué cortos son los momentos que me quedan antes que me vaya y los deje! Al igual que dije a los jefes judíos, después no podrán ir a donde esté aunque me busquen. [34]Por lo tanto, les voy a dar un nuevo mandamiento: ámense con la misma intensidad con que yo los amo. [35]La intensidad del amor que se tengan, será una prueba ante el mundo de que son mis discípulos.

[36]—¿A dónde vas, Maestro? —preguntó Pedro.

—Ahora no puedes venir conmigo, pero me seguirás después.

[37]—Pero, ¿por qué no puedo ir ahora? ¡Estoy dispuesto a morir por ti!

[38]—¿A morir por mí? —respondió Jesús—. No. Mañana por la mañana, antes que el gallo cante, ya habrás negado tres veces que me conoces.

14 "NO SE PREOCUPEN ni sufran. Si confían en Dios, confíen también en mí. [2,3]Allá donde vive mi Padre hay muchas moradas y voy a prepararlas para cuando vayan. Cuando todo esté listo, volveré y me los llevaré a ustedes, para que estén siempre donde yo esté. Si no fuera así, se lo diría claramente. [4]Y ustedes saben a dónde voy y cómo se llega allá.

[5]—No —dijo Tomás—, no lo sabemos. Si no tenemos ni la más remota idea de a dónde vas, ¿cómo vamos a saber el camino?

[6]—Yo soy el Camino, la Verdad y la Vida. Nadie podrá ir al Padre si no va a través de mí. [7]Si ustedes supieran quién soy, sabrían quién es mi Padre. Desde ahora lo conocen y lo han visto.

[8]—Señor —dijo Felipe—, enséñanos al Padre y nos basta.

[9]—¿Es que todavía, Felipe, no sabes quién soy después de haber estado tanto tiempo con ustedes? ¡El que me ha visto ha visto al Padre! ¿Cómo es que pides que se lo enseñe? [10]¿Es que acaso no crees que estoy en el Padre y que el Padre está en mí? Las palabras que les digo no son mías, sino del Padre que vive en mí. El actúa a través de mí. [11]Lo único que tienen que hacer es creer que estoy en el Padre y que el Padre está en mí. O si no, créanlo por los grandes milagros que han presenciado.

[12]"Solemnemente declaro: Cualquiera que crea en mí realizará los mismos milagros que he realizado y aun mayores, porque voy a estar con el Padre. [13]Ustedes podrán pedirle al Padre cualquier cosa en mi nombre, y yo se la concederé para que el Padre se enaltezca en las obras que he de hacer en favor de ustedes. [14]Sí, pidan cualquier cosa en mi nombre, y se la concederé.

[15]"Si me aman, obedézcanme; [16]y yo le pediré al Padre que les mande un Consolador que nunca los abandone, y El les enviará al Espíritu Santo, [17]Espíritu que conduce hacia la verdad. El mundo no lo puede recibir porque no lo busca ni lo reconoce. Pero ustedes sí, porque El vive con ustedes ahora, y algún día estará en ustedes.

[18]"No, no los abandonaré ni los dejaré como huérfanos en medio de una tormenta. Vendré a ustedes. [19]Dentro de poco ya me habré ido de este mundo, pero estaré presente con ustedes. Y por cuanto he de volver a la vida, ustedes volverán también a la vida. [20]Cuando yo vuelva a vivir, comprenderán que estoy en el Padre, que ustedes están en mí y que yo estoy en ustedes. [21]El que me obedece, me obedece porque me ama; y por cuanto me ama, el Padre lo amará; y yo lo amaré también y me revelaré a él.

[22]Judas, no Judas Iscariote sino otro discípulo que tenía el mismo nombre, le dijo:

—Señor, ¿por qué te has de revelar sólo a nosotros tus discípulos y no a todo el mundo?

[23]—Porque sólo me revelo a los que me aman y obedecen. Y, además, el Padre los amará, y vendremos a ellos y viviremos con ellos. [24]El que no me obedece no me ama. Y recuerden: Yo no soy el que está formulando la respuesta a la pregunta de ustedes. Esta es la respuesta del Padre que me envió. [25]He querido decirles estas cosas mientras estoy con ustedes. [26]Pero cuando el Padre envíe al Consolador que me ha de representar (y cuando hablo del Consolador me estoy refiriendo al Espíritu Santo) El les enseñará muchas cosas y les recordará todo lo que les he dicho.

[27]"Les voy a dejar un regalo: paz en el alma. La paz que doy no es frágil como la paz que el mundo ofrece. Nunca estén afligidos ni temerosos. [28]Recuerden lo que les he dicho: Me voy pero regresaré. Si me aman de verdad, estarán contentos de que me vaya al Padre, que es mayor que yo. [29]Les he dicho estas cosas con anticipación para que cuando ocurran crean en mí. [30]No me queda mucho tiempo para hablar con ustedes, porque el perverso príncipe de este mundo se acerca. El no tiene poder sobre mí, [31]pero hago lo que el Padre me ha ordenado, para que el mundo sepa que amo al Padre. Vengan, vámonos ya.

15 "YO SOY LA vid verdadera, mi Padre es el viñador. [2]Si alguna rama no produce, la corta. En cambio, poda las que producen fruto para obtener aun mayores cosechas.

[3]"Los mandamientos que yo les he dado son el instrumento que el Padre ha empleado ya para podarlos o purificarlos a ustedes, a fin de que sean más fuertes y útiles. [4]Procuren vivir en mí y que yo viva en ustedes. Una rama no puede producir fruto cuando está separada de la vid, ni ustedes pueden producir frutos si se apartan de mí. [5]Sí, yo soy la vid; ustedes son las ramas. Cualquiera que viva en mí y yo en él producirá una gran cantidad de frutos, pero separado de mí nadie puede hacer nada. [6]Si alguno se aparta de mí, se le arroja como rama inútil que al secarse se amontona con otras y se quema. [7]Pero si ustedes permanecen en mí y obedecen mis mandamientos, pueden pedir cuanto quieran, y les será concedido.

[8]"Mis verdaderos discípulos producen cosechas abundantes para gloria de mi Padre.

[9]"Yo los he amado a ustedes tanto como el Padre me ama. Vivan en mi amor. [10]Cuando me obedecen están viviendo en mi amor, de la misma manera que yo, que obedezco a mi Padre, vivo en su amor. [11]Les he dicho esto para que se sientan llenos de regocijo. Sí, para que se sientan henchidos de gozo. [12]Les exijo que se amen como yo los amo. Y les voy a enseñar cómo medir la intensidad de ese amor: [13]No hay amor más grande que el que se demuestra cuando una persona da la vida por los amigos.

[14]"Y el que de ustedes me obedece es mi amigo. [15]Ya no puedo llamarlos esclavos, porque un amo no puede fiarse de sus esclavos; ahora ustedes son mis amigos, y lo prueba el hecho de que les haya dicho absolutamente todas las cosas que el Padre me ordenó. [16]Ustedes no me escogieron a mí. ¡Yo los escogí a ustedes! Los he puesto para que vayan y produzcan siempre frutos hermosos, de manera que puedan pedirle al Padre cualquier cosa en nombre mío, y El se la dé. [17]Les exijo que se amen, [18]porque ya bastante aborrecimiento han recibido ustedes del mundo. Ahora bien, el mundo me aborreció a mí antes que a ustedes. [19]Si ustedes le pertenecieran, él los amaría; pero como no es así, debido a que los extraje del mundo, éste los aborrece. [20]¿Recuerdan lo que les dije? ¡El esclavo no es mayor que el amo! Así que si me persiguieron a mí, es natural que los persigan a ustedes; y si me prestaron atención, se la prestarán también a ustedes.

[21]"Los ciudadanos de este mundo los perseguirán porque ustedes me pertenecen y ellos no conocen a Dios que me envió. [22]Se habría podido decir que son inocentes si yo no hubiera venido y no les hubiera hablado. Pero ya no se les puede excusar de su pecado. [23]Cualquiera que me aborrece, aborrece al Padre. [24]Si yo no hubiera realizado entre ellos tan grandes milagros, no se les podría llamar culpables. Pero el caso es que presenciaron los milagros y a pesar de todo nos aborrecieron al Padre y a mí.

[25]"Claro está que con esto se cumple lo que los profetas predijeron acerca del Mesías: "Sin ningún motivo me aborrecen".

[26]"Pero yo les mandaré al Consolador, al Espíritu Santo, el manantial de toda verdad. El vendrá a ustedes procedente del Padre y les hablará de mí. [27]Y ustedes también deben hablar de mí delante de todo el mundo, ya que han estado conmigo desde el principio.

16 "LES HE DICHO estas cosas para que permanezcan firmes ante lo que les espera, [2]porque los expulsarán de las sinagogas y sin duda llegará el momento en que cualquiera que los mate pensará que está prestando un servicio a Dios. [3]Lo harán porque nunca han llegado a conocer al Padre ni a mí.

[4]"Sí, les digo estas cosas para que cuando ocurran se acuerden que se las advertí. No se las dije antes porque sabía que iba a estar con ustedes un tiempo. [5]Mas ahora que estoy a punto de partir hacia donde está el que me envió, ninguno de ustedes parece estar interesado en el propósito de mi partida, ni nadie ha preguntado por qué me voy. [6]En cambio, están llenos de tristeza.

[7]"Mas la realidad es que es mucho mejor para ustedes que me vaya, porque si no, el Consolador no vendría. Si me voy, vendrá porque yo mismo lo enviaré. [8]Y cuando venga convencerá al mundo de que ha pecado, de que la justicia de Dios está al alcance de todos y de que hay liberación del juicio. [9]El pecado del mundo es su incredulidad en mí; [10]la justicia está al alcance de todos porque voy al Padre y ustedes no me verán más; [11]y hay liberación del juicio porque el príncipe de este mundo ya ha sido juzgado.

[12]"¡Cuántas cosas más quisiera decirles! Pero no, ustedes no las entenderían. [13]Cuando venga el Espíritu Santo, que es la Verdad, El los guiará a toda la verdad, porque no les estará expresando sus propias ideas sino lo que ha oído. El les hablará acerca del futuro. [14]El me alabará y me honrará al mostrarles mi gloria. [15]La gloria del Padre es mía, y a ella me refiero cuando digo que El les mostrará mi gloria. [16]Dentro de poco ya me habré ido y me dejarán de ver; pero no mucho después, me volverán a ver, antes de irme al Padre.

[17,18]—¿Qué quiere decir con eso? —se preguntaron algunos de los discípulos—. ¿Qué será eso de irse al Padre? ¡Quién sabe

lo que querrá decir!

[19]Jesús se dio cuenta que querían preguntarle algo.

—¿Se están preguntando qué quiero decir? [20]Mientras ustedes lloran, el mundo se llenará de regocijo ante lo que me va a ocurrir. Mas el llanto de ustedes se convertirá en inmensurable alegría cuando me vuelvan a ver. [21]Será algo así como el gozo de la mujer cuando le nace un hijo; la angustia cede ante el sublime gozo de haber dado a luz a un nuevo ser. [22]Ustedes tienen ahora tristeza, pero cuando les vuelva a ver, se regocijarán y nadie podrá arrebatarles la alegría. [23]Cuando llegue ese día no tendrán que pedirme nada, porque podrán dirigirse directamente al Padre y pedírselo, y El les concederá lo que pidan, porque lo hacen en mi nombre. [24]Hasta ahora no lo habían intentado, pero comiencen a ponerlo en práctica; pidan en mi nombre y recibirán respuesta, y se sentirán henchidos de alegría. [25]Les he estado hablando con bastante reserva, pero pronto no será necesario que sea así, y les hablaré del Padre claramente. [26]Entonces podrán elevar sus peticiones como si éstas ostentaran mi firma. Y no tendré necesidad de pedirle al Padre que se las conceda, [27]porque el Padre mismo los ama a ustedes profundamente por el hecho de que me han amado a mí y han creído que vine de El. [28]Sí, yo vine del Padre al mundo y he de abandonar el mundo y regresar al Padre.

[29]—¡Al fin nos estás hablando claro —exclamaron los discípulos—, y no en simbolismos! [30]Ya nos damos cuenta que sabes todas las cosas y que no necesitas que nadie te diga nada. Por eso creemos que viniste de Dios.

[31]—¡Conque al fin lo han creído! —respondió Jesús—. [32]La hora se acerca, y en realidad ya ha llegado, en que ustedes se dispersarán y regresarán a sus hogares respectivos tras dejarme solo. Pero no, no estaré solo, porque el Padre está conmigo. [33]Se lo digo para que tengan tranquilidad de espíritu. En esta tierra las abundarán siempre las pruebas y las tristezas, pero no teman, porque yo he vencido al mundo.

17 AL TERMINAR DE decir estas cosas, Jesús miró al cielo y exclamó:

—Padre, la hora ha llegado. Revela la gloria de tu Hijo para que El pueda glorificarte, [2]otorgándoles la vida eterna a los que creen en El, mediante la autoridad que le concediste sobre los hombres y las mujeres de este mundo. [3]Y éste es el requisito para que obtengan la vida eterna: que te conozcan a ti, el único Dios verdadero, y a Jesucristo, el que tú enviaste a la tierra. [4]Yo te he enaltecido en este mundo, haciendo todas y cada una de las cosas que me ordenaste. [5]Y ahora, Padre, glorifícame ante tu presencia con la misma gloria que tú y yo compartíamos desde antes de la fundación del mundo.

[6]"Yo he dado a conocer a estos hombres quién eres tú. Ellos estaban en el mundo, pero tú me los diste. Realmente siempre han sido tuyos pero me los diste y te han obedecido. [7]Ya saben que me has dado todo lo que tengo, [8]porque les he transmitido las órdenes que me entregaste; ellos las aceptaron y están absolutamente seguros de que salí de ti para venir a la tierra, y creen que tú me enviaste. [9]No te ruego por el mundo, sino por aquellos que por ser tuyos me has entregado. [10]Por cuanto son míos, te pertenecen; y me los has entregado junto con todo lo tuyo y ahora constituyen mi gloria. [11]Pronto saldré del mundo para irme contigo, y aquí quedan ellos. Padre Santo, protege a los que me has dado, para que ninguno se pierda y para que permanezcan unidos como nosotros. [12]Durante mi estancia aquí me ha protegido a los que me diste. Y mi protección fue tal que ninguno se perdió, excepto el hijo del infierno que las Escrituras habían predicho que se perdería.

[13]"Ahora estoy regresando a ti. Mientras estuve con ellos les dije muchas cosas para que se sintieran llenos del gozo mío. [14]Y les di tus mandamientos. El mundo los aborrece porque no son del mundo, como yo tampoco lo soy. [15]No te estoy pidiendo que los saques del mundo, sino que los guardes del mal. [16]Al igual que yo, ellos no pertenecen a este mundo. [17]Santifícalos con las enseñanzas de tu palabra, que es la verdad. [18]Así como me enviaste al mundo, los estoy enviando al mundo, [19]y para que puedan crecer en la verdad y la santidad, me santifico a mí mismo.

[20]"No oro solamente por ellos, sino tam-

bién por las personas que en el futuro han de creer en mí por el testimonio de ellos. [21]Mi ruego es que mantengan siempre la unidad espiritual como tú y yo, Padre, la mantenemos. Y que de la misma forma que tú estás en mí y yo en ti, que ellos estén en nosotros. [22]Yo les he dado la gloria que me diste, la gloria de ser uno, como nosotros lo somos. [23]Yo en ellos y tú en mí formamos una unidad perfecta, para que el mundo sepa que tú me enviaste y entienda que tú los amaste tanto como me has amado a mí. [24]Padre, ruego que los que me has dado estén conmigo para que vean mi gloria. Tú me enalteciste porque me amaste desde mucho antes de la fundación del mundo.

[25]"Padre Santo, el mundo no te conoce, pero yo te conozco; y mis discípulos saben que me enviaste. [26]Yo les he revelado quién eres, y se lo seguiré revelando para que el inmenso amor que me tienes pueda estar en ellos, como yo lo estoy.

18 AL TERMINAR DE pronunciar aquellas palabras, Jesús cruzó el barranco del Cedrón y entró con sus discípulos en un olivar. [2]Judas, el traidor, conocía bien el lugar, porque Jesús había estado allí muchas veces con sus discípulos. [3]Los principales sacerdotes y fariseos pusieron a la disposición del traidor un pelotón de soldados y policías, con los cuales llegó al olivar. Portaban antorchas, linternas y armas. [4]Jesús, que sabía lo que iba a acontecer, les salió al encuentro.

—¿A quién buscan? —les preguntó.

—A Jesús de Nazaret —respondieron.

[5]—Yo soy.

[6]Al oírle decir: "Yo soy",[a] cayeron de espaldas.

[7]—¿A quién buscan?

—A Jesús de Nazaret —le respondieron.

[8]—Ya les he dicho que soy yo. Yo soy el que ustedes andan buscando. Dejen que los demás se vayan.

[9]Al decir esto se cumplió lo que no mucho antes había profetizado: "Mi protección fue tal que ninguno se perdió".

[10]Mas de súbito, Simón Pedro extrajo una espada y le cortó de un tajo la oreja

derecha a Malco, el siervo del sumo sacerdote.

[11]—¡Pedro! —gritó Jesús—. ¡Guarda esa espada! ¿Es que acaso no he de beber la copa que el Padre me ha dado?

[12]Entonces la policía judía, junto con algunos soldados y oficiales romanos, arrestaron a Jesús y se lo llevaron atado.

[13]Lo llevaron primero a casa de Anás, suegro de Caifás, sumo sacerdote de aquel año. [14]Caifás era el que había expresado ante los dirigentes judíos que era mejor que uno muriera por todos. [15]Simón Pedro los seguía detrás, acompañado de uno de los discípulos. Como ese discípulo conocía al sumo sacerdote, le permitieron entrar al patio de la casa con Jesús. [16]Pedro se quedó afuera hasta que el otro discípulo habló con la muchacha que cuidaba la entrada y ella lo dejó entrar.

[17]—¿No eres tú uno de los discípulos de Jesús? —le preguntó la muchacha.

—¡No! —respondió el interpelado—. Yo no soy discípulo de Jesús.

[18]La policía y los siervos de la casa estaban de pie al calor de una hoguera. Como hacía frío, Pedro se paró allí también para calentarse.

[19]Dentro, el sumo sacerdote comenzaba ya a interrogar a Jesús acerca de sus discípulos y sus enseñanzas.

[20]—Todo el mundo conoce mis enseñanzas —contestó Jesús—. Siempre he enseñado en la sinagoga y en el Templo, y los dirigentes judíos me han escuchado. Nunca enseñé en privado lo que no he dicho en público. [21]¿Por qué me preguntas a mí? Pregúntales a los que me oyeron. Aquí hay algunos de ellos que bien saben lo que dije.

[22]—¡Así no se le contesta al sumo sacerdote! —gritó uno de los soldados mientras le propinaba una bofetada.

[23]—Si he dicho una mentira, demuéstralo —le respondió Jesús—. ¿O es que acostumbras pegarles a los que dicen la verdad?

[24]Anás había atado a Jesús antes de enviárselo a Caifás, el sumo sacerdote.

[25]Mientras tanto, Simón Pedro permanecía de pie junto a la hoguera.

—¿No eres tú uno de sus discípulos?

18a Vea Éxodo 3:14. YO SOY es la traducción de una de las palabras hebreas que significan DIOS.

—le preguntaron.

—¡Claro que no! —respondió.

²⁶Pero uno de los esclavos de la casa del sumo sacerdote, pariente del hombre a quien Pedro le había cortado la oreja, le preguntó:

—¿No te vi yo a ti en el olivar con Jesús?

²⁷Pedro lo negó de nuevo. E inmediatamente un gallo cantó.

²⁸El interrogatorio a que Jesús fue sometido delante de Caifás terminó en las primeras horas de la mañana. Luego lo llevaron al palacio del gobernador romano. Los acusadores no entraron porque aquello los "contaminaría", como decían, y no les sería permitido entonces comer el cordero pascual. ²⁹Pilato salió a interrogarlos:

—¿Qué cargos presentan contra este hombre? ¿De qué delito lo acusan?

³⁰—¡No lo habríamos arrestado si no fuera un delincuente! —respondieron.

³¹—Pues llévenselo entonces y júzguenlo según la ley judía —les dijo Pilato.

—Queremos que lo crucifiquen —dijeron—, pero para eso necesitamos tu aprobación.

³²Con esto se cumplieron las predicciones de Jesús en cuanto a la forma en que lo habrían de ejecutar.

³³Pilato regresó al palacio y pidió que le trajeran a Jesús.

—¿Eres tú el rey de los judíos? —le preguntó.

³⁴—Cuando usas la palabra "rey", ¿la usas como la emplean ustedes o en el sentido en que la usan los judíos? —le preguntó Jesús.

³⁵—¿Soy yo acaso judío? —replicó Pilato—. Fue tu propio pueblo y los principales sacerdotes los que te trajeron aquí. ¿Por qué? ¿Qué has hecho?

³⁶—Mi reino no es de este mundo. Si lo fuera, mis seguidores habrían peleado cuando los jefes judíos me fueron a arrestar. No, mi reino no es de este mundo.

³⁷—¿Eres rey entonces?

—Sí soy Rey —afirmó Jesús—. Nací para eso y para traer la verdad al mundo. Quienes aman la verdad son súbditos míos.

³⁸—¿Y qué es la verdad? —dijo Pilato.

Y sin esperar respuesta salió de nuevo ante el pueblo.

—Este hombre no ha cometido ningún delito —declaró—. ³⁹Pero ustedes todos los años acostumbran pedirme que les suelte a un preso en la Pascua. Así que, si lo desean, soltaré al "Rey de los judíos".

⁴⁰—¡No! ¡Mejor suéltanos a Barrabás! —gritó la turba.

Barrabás era un ladrón.

19 ENTONCES PILATO ORDENÓ que azotaran a Jesús con un látigo de punta de plomo. ²Luego los soldados prepararon una corona de espinas y se la colocaron en la cabeza tras vestirlo con un manto de púrpura real.

³—¡Viva el Rey de los judíos! —gritaban en son de burla mientras le daban puñetazos.

⁴Pilato volvió a presentarse delante de los judíos.

—Ahora les voy a enseñar de nuevo al hombre, pero entiendan bien que no lo encuentro culpable.

⁵Entonces apareció Jesús. Traía puesta la corona de espinas y el manto de púrpura.

—¡Ahí está el hombre! —dijo Pilato.

⁶Al verlo, los principales sacerdotes y funcionarios judíos gritaron:

—¡Crucifícalo! ¡Crucifícalo!

—¡Crucifíquenlo ustedes! —les dijo Pilato—. Yo no lo hallo culpable de nada.

⁷—¡Según nuestra ley tiene que morir —respondieron ellos—, porque se hizo pasar por el Hijo de Dios!

⁸Cuando Pilato escuchó aquello, sintió más miedo todavía. ⁹Entonces se llevó a Jesús de nuevo hacia adentro y le preguntó:

—¿De dónde eres tú?

Jesús no le respondió.

¹⁰—¿No me respondes? —demandó Pilato—. ¿No te das cuenta de lo mismo podría soltarte que crucificarte?

¹¹—No tendrías poderes sobre mí si no te fueran dados de arriba. Así que los que me trajeron delante de ti son los que más han pecado.

¹²Entonces Pilato trató de soltarlo pero los jefes judíos le dijeron:

—Si sueltas a ese hombre, no eres amigo del César. Cualquiera que se declare rey se está rebelando contra el César.

¹³Pilato al oír aquello, volvió a sacar a

Jesús y fue a sentarse en el banco del tribunal sobre la plataforma empedrada. [14]Era alrededor del mediodía, en la víspera de la Pascua.

—¡Ahí tienen al rey! —les dijo Pilato.

[15]—¡Muera! —rugieron ellos—. ¡Muera! ¡Crucifícalo!

—Pero ¿cómo voy a crucificar al Rey de los judíos? —exclamó Pilato.

—¡Nuestro único rey es el César! —gritaron en respuesta los principales sacerdotes.

[16]Entonces Pilato les entregó a Jesús para que lo crucificaran.

[17]Ya con Jesús en poder de ellos, lo sacaron de la ciudad y lo llevaron con la cruz a cuestas hacia el lugar llamado la Calavera (o Gólgota, como lo llamaban en hebreo). [18]Allí lo crucificaron junto a otros hombres. Jesús quedó en el centro con un reo a cada lado.

[19]Pilato le colocó encima un letrero que decía: "Jesús de Nazaret, Rey de los judíos". [20]Como el lugar donde crucificaron a Jesús estaba cerca de la ciudad, escribieron el letrero en hebreo, latín y griego, para que la mayoría de las personas pudieran leerlo. [21]Los principales sacerdotes corrieron al palacio de Pilato.

—No digas que es el Rey de los judíos —demandaron—. Di mejor que decía ser el rey de los judíos.

[22]—¡Lo escrito escrito está, y así se queda! —les respondió Pilato.

[23]Cuando los soldados terminaron de crucificarlo, dividieron la ropa de Jesús en cuatro partes, una para cada uno de ellos. Pero el manto era de una sola pieza sin costura.

[24]—Es una lástima partir el manto —dijo uno de ellos—. Mejor vamos a sortearlo para ver a quién le toca.

Con esto se cumplieron las Escrituras que dicen: Repartieron entre sí mi ropa y sobre mi manto echaron suertes. Así, pues, lo hicieron los soldados.

[25]De pie junto a la cruz estaban María la madre de Jesús, una tía de El, la esposa de Cleofas y María Magdalena. [26]Al ver Jesús a su madre de pie junto al discípulo que amaba, le dijo:

—Ahí tienes a tu hijo.

[27]Luego, dirigiéndose al discípulo, le dijo:

—¡Ahí tienes a tu madre!

Desde entonces él cuidó de ella.

[28]Jesús sabía que ya se acercaba el fin y, para que se cumplieran las Escrituras, exclamó:

—Tengo sed.

[29]Por allí había una vasija llena de vinagre y alguien tomó una esponja, la empapó de vinagre, la colocó en una rama de hisopo y se la alzó hasta los labios.

[30]—¡Está consumado! —exclamó Jesús tras sorber un poco.

Acto seguido, dobló la cabeza y entregó su espíritu.

[31]Como los dirigentes judíos no querían que los cuerpos de las víctimas permanecieran allí colgados durante el día siguiente, que era sábado y además día de Pascua, le pidieron a Pilato que ordenara a sus hombres partirles las piernas para apresurarles la muerte, con el objeto de poder bajar los cuerpos.

[32]Los soldados fueron y quebraron las piernas de los dos hombres crucificados con Jesús; [33]pero cuando fueron a quebrar las piernas del Señor, vieron que ya estaba muerto, y no lo hicieron. [34]Uno de los soldados le atravesó entonces el costado, y de aquella herida brotó sangre y agua.

[35]Yo fui testigo presencial de estos hechos, y se los he narrado con exactitud para que ustedes también crean. [36]Los soldados actuaron de esta manera porque se cumplir las Escrituras que dicen: "Ninguno de sus huesos será quebrado", [37]y: "Mirarán al que traspasaron".

[38]No mucho después José de Arimatea, quien por temor a los jefes judíos hasta entonces había guardado en secreto que era discípulo de Jesús, se atrevió a pedirle permiso a Pilato para llevarse el cuerpo de Jesús. Pilato se lo concedió.

[39]Nicodemo, el hombre que había acudido de noche a Jesús, acompañó a José de Arimatea y llevó consigo unos treinta y tres kilos de ungüento para embalsamar, compuesto de mirra y áloes. [40]Entre los dos envolvieron el cuerpo de Jesús en lienzos saturados de especias aromáticas, como era costumbre en los funerales judíos.

[41]La crucifixión tuvo lugar cerca de un huerto donde había una tumba nueva. [42]En

vista de la necesidad de apresurarse antes que los sorprendiera el sábado, y por cuanto la tumba estaba cerca, lo pusieron allí.

20 EL DOMINGO MUY temprano, antes que despuntara el alba, María Magdalena fue a la tumba y notó que habían rodado la piedra que cerraba la entrada.

²Sin perder tiempo, corrió a donde estaban Pedro y el discípulo amado.

—¡Sacaron de la tumba el cadáver del Señor — llegó gritando—, y no sé dónde lo han puesto!

³Corrieron a la tumba. ⁴El discípulo amado, más veloz, llegó primero. ⁵Se detuvo, miró dentro y vio las sábanas sobre el suelo, pero no se atrevió a entrar. ⁶En eso llegó Simón Pedro y entró a la tumba tras fijarse también en los lienzos. ⁷El sudario que había envuelto la cabeza de Jesús descansaba enrollado a un lado.

⁸Entonces entró también el discípulo amado; y al ver, creyó que Jesús había resucitado. ⁹¡Hasta entonces no se habían dado cuenta que las Escrituras profetizaban que El habría de retornar a la vida!

¹⁰Se fueron para la casa. ¹¹Pero María, que ya había regresado a la tumba, se quedó por allí afuera, de pie y llorando. Mientras sollozaba, se detuvo a mirar adentro y ¹²vio a dos ángeles vestidos de blanco sentados uno a la cabecera y otro a los pies del lugar donde el cuerpo de Jesús había reposado.

¹³—¿Por qué lloras? —le preguntaron los ángeles.

—Porque se han llevado a mi Señor —respondió ella—, y no sé dónde lo han puesto.

¹⁴En eso volvió la mirada y vio que alguien estaba de pie detrás de ella. ¡Era Jesús!, pero María no lo reconoció de momento.

¹⁵—¿Por qué lloras? —le preguntó El—. ¿A quién buscas?

Ella, creyendo que era el hortelano, le dijo:

—Señor, si te lo llevaste, dime dónde lo tienes para que vaya por El.

¹⁶—¡María!

Ella entonces se volvió hacia El.

—¡Maestro!

¹⁷—¡No me toques! —le advirtió Jesús—. Todavía no he ascendido al Padre. Pero vé, busca a mis hermanos y diles que subo a mi Padre y al Padre de ustedes, a mi Dios y al Dios de ustedes.

¹⁸María Magdalena corrió en busca de los discípulos.

—¡He visto al Señor! —les dijo, y les comunicó el mensaje.

¹⁹Aquella noche los discípulos se reunieron a puertas cerradas por temor a los dirigentes judíos. Mas, de pronto, Jesús se apareció en medio de ellos. Después de saludarlos, ²⁰les mostró las manos y el costado. ¡Qué alegría les produjo ver al Señor de nuevo!

²¹—De la misma forma que el Padre me envió —les dijo—, yo los envío a ustedes ²²Entonces sopló sobre ellos y les dijo:

—Reciban el Espíritu Santo. ²³Si perdonan el pecado a alguna persona, ésta quedará perdonada. Si rehúsan perdonárselo, no quedará perdonada.

²⁴Uno de los discípulos, Tomás el Gemelo, no se encontraba a la sazón entre ellos. ²⁵Cuando los demás le dijeron que habían visto al Señor, les respondió:

—Sólo creeré si veo las heridas de los clavos en sus manos y meto en ellas el dedo, y le meto la mano en el costado.

²⁶Ocho días más tarde los discípulos se reunieron de nuevo; esta vez Tomás estaba con ellos. Las puertas estaban cerradas. Mas, de pronto, al igual que antes, Jesús se apareció en medio de ellos y los saludó.

²⁷—Pon aquí el dedo —dijo, dirigiéndose a Tomás y señalándose las heridas de las manos— y méteme la mano en el costado para que no seas incrédulo sino creyente.

²⁸—¡Señor mío y Dios mío! —le respondió Tomás.

²⁹—Has creído en mí porque me viste. ¡Benditos los que sin verme han creído!

³⁰Los discípulos de Jesús lo vieron realizar muchos otros milagros, aparte de los que les he relatado en este libro. ³¹Estos se los he narrado para que crean que Jesús es el Mesías, el Hijo de Dios, y para que creyendo en El, obtengan la vida.

21 DESPUÉS DE ESTO Jesús volvió a presentarse delante de los discípulos junto al lago de Galilea. Sucedió así: ²Simón Pedro, Tomás el Gemelo, Natanael el de Caná de Galilea, mi hermano Santiago, dos discípulos más y yo, estábamos allí reunidos.

³—Me voy a pescar —dijo Simón Pedro.

—Pues nosotros también —le dijimos.

Pero en toda la noche no pescamos nada. ⁴Al amanecer vimos a un desconocido de pie en la orilla.

⁵—¿Pescaron algo, muchachos? —nos gritó.

—No —respondimos.

⁶—Pues tiren la red a la mano derecha —dijo—, y atraparán bastantes peces.

Así lo hicimos, y fue tanto el peso de los peces que atrapamos que no podíamos alzar la red.

⁷—¡Es el Señor! —le dijo a Pedro el discípulo a quien Jesús amaba.

Pedro, que estaba desnudo hasta la cintura, se puso la túnica, se lanzó al agua y nadó hasta la orilla. ⁸Los demás nos quedamos en la barca y arrastramos la sobrecargada red hasta la playa, a más de noventa metros de distancia.

⁹Al llegar, vimos unas brasas encendidas y sobre ellas un pescado que se cocinaba, y pan.

¹⁰—Tráiganme algunos de los pescados que acaban de sacar —ordenó Jesús.

¹¹Simón Pedro corrió y sacó la red a tierra. Los contó y había ciento cincuenta y tres pescados grandes, a pesar de lo cual la red no se rompió.

¹²—¡Vengan y desayunen! —ordenó Jesús.

Ninguno de nosotros se atrevió a preguntarle si verdaderamente era el Señor; ¡estábamos seguros de ello!

¹³Entonces nos fue sirviendo pan y pescado. ¹⁴Era la tercera vez que se aparecía ante nosotros desde que regresara de la muerte.

¹⁵Después del desayuno, Jesús le dijo a Simón Pedro:

—Simón, hijo de Jonás, ¿me amas más que los demás?

—Sí —respondió Pedro—, tú sabes que te aprecio mucho.

—Entonces alimenta a mis ovejas.

¹⁶Acto seguido Jesús repitió la pregunta:

—Simón, hijo de Jonás, ¿me amas?

—Sí, Señor —respondió Pedro—, tú sabes que te aprecio mucho.

—Pastorea a mis ovejas —le respondió el Señor.

¹⁷Pero a la tercera vez le preguntó:

—Simón, hijo de Jonás, ¿de veras me aprecias mucho?

Pedro se entristeció por la forma en que Jesús le formuló la tercera pregunta.

—Señor —le dijo—, tú conoces mi corazón. Tú sabes cuánto te aprecio.

—Entonces, alimenta a mis corderos.

¹⁸"Cuando eras joven podías hacer lo que te parecía e ir a donde querías; mas cuando seas viejo, estirarás los brazos y otros te conducirán y te llevarán a donde no quieras ir.

¹⁹Jesús dijo esto para dar a conocer el tipo de muerte con la que Pedro habría de glorificar a Dios. Y añadió:

—Sígueme.

²⁰Pedro se volvió entonces. Al ver que el discípulo que Jesús amaba, el que se había recostado junto al Señor durante la última cena para preguntarle quién lo habría de traicionar, lo seguía, ²¹le preguntó a Jesús:

—¿Y qué de éste, Señor? ¿De qué forma va a morir?

²²—Si quiero que él se quede hasta que yo regrese —le respondió Jesús—, ¿qué te importa? ¡Tú sígueme!

²³Por este motivo se corrió el rumor entre la hermandad de que aquel discípulo no moriría. Pero Jesús no dijo eso. El sólo dijo: "Si yo quiero que él se quede hasta que yo regrese, ¿qué te importa?"

²⁴¡Yo soy aquel discípulo! Yo presencié los acontecimientos que he narrado en este libro. Nosotros sabemos que todo cuanto he relatado es cierto.

²⁵Y creo que si lo demás hechos de la vida de Jesús se escribieran, en el mundo entero no cabrían los libros.

El río Jordán. Jesús fue bautizado en el río Jordán.

MATEO

1 ESTOS SON LOS antepasados de Jesucristo, descendiente del rey David y de Abraham:

²Abraham fue el padre de Isaac, Isaac de Jacob y Jacob de Judá y sus hermanos.

³Judá fue el padre de Fares y de Zara (y Tamar fue la madre); Fares fue el padre de Esrom y Esrom de Aram.

⁴Aram fue el padre de Aminadab, Aminadab de Naasón y Naasón de Salmón.

⁵Salmón fue el padre de Booz (y Rahab fue la madre); Booz fue el padre de Obed (y Rut fue la madre), y Obed fue el padre de Isaí.

⁶Isaí fue el padre del rey David, y David tuvo a Salomón con la que fue esposa de Urías.

⁷Salomón fue el padre de Roboam, Roboam de Abías y Abías de Asa.

⁸Asa fue el padre de Josafat, Josafat de Joram y Joram de Uzías.

⁹Uzías fue el padre de Jotam, Jotam de Acaz y Acaz de Ezequías.

¹⁰Ezequías fue el padre de Manasés, Manasés de Amón y Amón de Josías.

¹¹Josías tuvo a Jeconías y a sus hermanos durante el cautiverio en Babilonia.

¹²Después del cautiverio, Jeconías tuvo a Salatiel. Salatiel fue el padre de Zorobabel,

¹³Zorobabel de Abiud, Abiud de Eliaquim y Eliaquim de Azor.

¹⁴Azor fue el padre de Sadoc. Sadoc de Aquim y Aquim de Eliud.

¹⁵Eliud fue el padre de Eleazar, Eleazar de Matán y Matán de Jacob.

¹⁶Jacob fue el padre de José, esposo de María, y María fue la madre de Jesucristo, el Mesías.

¹⁷Así que desde Abraham hasta David hubo catorce generaciones; de David hasta el cautiverio, otras catorce; y desde el cautiverio hasta Cristo, catorce más.

¹⁸Voy a relatarles los acontecimientos que culminaron con el nacimiento de Jesucristo. Su madre, María, estaba comprometida con José. Pero antes de la boda, el Espíritu Santo hizo que quedara encinta. ¹⁹José, el novio, hombre de rígidos principios, quiso romper el compromiso, aunque en secreto, para no manchar el buen nombre de la joven. ²⁰Pensando en esto se quedó dormido y soñó que un ángel se detenía junto a él.

—José, hijo de David —le dijo el ángel—, no temas casarte con María, porque el hijo que lleva en las entrañas se lo ha hecho concebir el Espíritu Santo. ²¹Ese hijo nacerá, y le pondrás por nombre Jesús, que quiere decir "Salvador", porque salvará a su pueblo del pecado. ²²Con esto se cumplirá lo que el Señor anunció a través del profeta que dijo:

²³*"La virgen concebirá* y tendrá un hijo llamado Emanuel, (Dios está con nosotros).

²⁴Al despertar de aquel sueño, José obedeció las palabras del ángel y se casó con María, ²⁵aunque ésta permaneció virgen hasta que nació su hijo. Cuando el niño nació, José le puso por nombre Jesús.

2 JESÚS NACIÓ EN un pueblecito de Judea llamado Belén, durante el reinado de Herodes. Después llegaron a Jerusalén varios astrólogos del oriente, ²y preguntaron:

—¿Dónde está el rey de los judíos que nació? Vimos su estrella en el lejano oriente y venimos a adorarlo.

³La ciudad entera se asombró de aquella pregunta. El rey Herodes, turbado, ⁴inmediatamente convocó a los jefes religiosos judíos.

—¿Saben ustedes si los profetas especifican dónde nacerá el Mesías? —les preguntó.

⁵—El Mesías nacerá en Belén —le respondieron—. El profeta Miqueas escribió:

⁶Y tú, aldehuela de Belén,
no eres la menos importante de Judea,
porque de ti saldrá un caudillo
que guiará a mi pueblo Israel.

⁷Entonces Herodes mandó buscar secretamente a los astrólogos, y averiguó la

fecha exacta en que habían visto por primera vez la estrella.

[8]—Vayan a Belén y busquen al niño —les dijo—. Cuando lo encuentren, pasen por aquí a informarme, para que yo también pueda ir a adorarlo.

[9]Al terminar la audiencia con el rey, los astrólogos reanudaron el viaje. Inmediatamente la estrella se les apareció de nuevo y se detuvo en Belén, ¡sobre la casa donde estaba el niño!

[10,11]Rebosantes de alegría, entraron en la casa donde estaba el niño con María su madre, y se postraron ante El para adorarlo. Luego abrieron sus alforjas y le ofrecieron oro, incienso y mirra.

[12]Cuando los astrólogos regresaron, no pasaron por Jerusalén a informar a Herodes, porque Dios les avisó en sueños que se fueran por otro camino. Y así lo hicieron.

[13]Al partir los visitantes, un ángel del Señor se le apareció a José en sueños y le dijo:

—Levántate y huye a Egipto con el niño y su madre, y quédate allá hasta que yo te avise, porque el rey Herodes va a tratar de matar al niño.

[14]Aquella misma noche partió José hacia Egipto con María y el niño, [15]donde habrían de permanecer hasta la muerte del rey Herodes. Así se cumplió la predicción del profeta:

"De Egipto llamé a mi Hijo".[a]

[16]Herodes, furioso por la burla de los astrólogos, ordenó a sus soldados que fueran a Belén y sus alrededores y mataran a todos los niños varones de dos años para abajo. De esta manera, pensaba, mataría al Mesías, porque los astrólogos le habían dicho que la estrella se les había aparecido por primera vez hacía aproximadamente dos años. [17]Con aquella brutal acción de Herodes se cumplió la profecía de Jeremías:[b]

[18]Gritos de agonía, llanto incontenible
se escuchan en Ramá;
es Raquel que llora desconsolada la
muerte de sus hijos.

[19]Pero cuando Herodes murió, un ángel del Señor se le apareció en sueños a José en Egipto, y le dijo:

[20]—Levántate y regresa con el niño y su madre a Israel, porque los que estaban tratando de matarlo ya murieron.

[21]Por lo tanto, regresó inmediatamente a Israel con Jesús y su madre. [22]Pero en el camino se enteró de que Arquelao, hijo de Herodes, había ocupado el trono, y tuvo miedo.

No mucho después se le avisó en sueños que no fuera a Judea. Se fueron entonces a Galilea, [23]y se radicaron en Nazaret. Así se cumplieron las predicciones de los profetas que afirmaban que el Mesías sería llamado nazareno.

3 CUANDO JUAN EL Bautista comenzó a predicar en el desierto de Judea, el tema constante de sus predicaciones era: [2]"Arrepiéntanse de sus pecados y vuélvanse a Dios, porque el reino de los cielos está cerca".

[3]El profeta Isaías siglos atrás había hablado de Juan y la tarea que éste realizaría. En uno de sus escritos[a] decía:

Una voz clama en el desierto: "Prepárense para la venida del Señor; rectifiquen sus vidas".

[4]Juan usaba ropa hecha de pelo de camello ceñida con un cinto de cuero. Su alimentación consistía en langostas y miel silvestre.

[5]De Jerusalén, de todo el valle del Jordán y de toda Judea, salían al desierto a escucharlo. [6]A los que se reconocían pecadores los bautizaba en el río Jordán; [7]y si entre los que iban a bautizarse había muchos fariseos y saduceos, les decía abiertamente:

—Hijos de víboras, ¿quién les dijo que así podrían escapar de la ira venidera de Dios? [8]Antes de bautizarse demuestren que están arrepentidos. [9]No crean que les va a bastar decir que son judíos y descendientes de Abraham, porque Dios puede sacar hijos de Abraham aun de estas piedras. [10]El hacha de Dios está lista para talar los

---

2a Oseas 11:1.
2b Jeremías 31:15.
3a Isaías 40:3.

árboles que no den fruto, para que sean arrojados al fuego. ¹¹Yo bautizo con agua a los que se arrepienten de sus pecados; pero detrás de mí vendrá el que bautiza con el Espíritu Santo y fuego, cuyos zapatos no soy digno de desatar. ¹²El separará la paja del trigo; quemará la paja en un fuego que nunca se apaga y guardará el trigo en su granero. ,

¹³Jesús fue desde Galilea al río Jordán a que Juan lo bautizara. ¹⁴Pero Juan no quería hacerlo.

—¿Cómo va a ser eso? —le decía Juan a Jesús—. ¡Tú eres el que tiene que bautizarme a mí!

¹⁵—Juan —le respondió Jesús—, bautízame, porque nos conviene cumplir lo que Dios manda.

Juan lo bautizó. ¹⁶Cuando Jesús salía de las aguas del bautismo, los cielos se le abrieron y vio que el Espíritu de Dios descendía sobre El en forma de paloma; ¹⁷y una voz de los cielos dijo:

—Este es mi Hijo amado, y en El me complazco.

4 EL ESPÍRITU SANTO condujo a Jesús al desierto para que Satanás lo tentara. ²Luego de pasar cuarenta días y cuarenta noches sin probar bocado, Jesús sintió hambre ³y Satanás se le acercó.

—Si eres el Hijo de Dios —le dijo—, haz que estas piedras se conviertan en pan.

⁴—¡No! le respondió Jesús—. Escrito está: "En la vida hay algo más importante que el pan: obedecer la palabra de Dios".

⁵Entonces Satanás lo llevó al pináculo del Templo de Jerusalén.

⁶—Si eres el Hijo de Dios —le dijo—, tírate desde aquí. Las Escrituras dicen que "Dios enviará a sus ángeles a cuidarte, para que no te destroces contra las rocas".

⁷—Pero las Escrituras también dicen: "No pongas a prueba a Dios innecesariamente" — le respondió Jesús.

⁸Satanás lo llevó a la cima de una alta montaña y le mostró las naciones del mundo y la gloria que hay en ellas.

⁹—Todo esto te lo daré si de rodillas me adoras —le dijo.

¹⁰—¡Vete de aquí, Satanás! — le respondió Jesús—. Las Escrituras dicen: "Sólo a Dios el Señor adorarás. Sólo a Dios el

Señor obedecerás".

¹¹Satanás se fue, y varios ángeles llegaron a atender a Jesús.

¹²Cuando Jesús oyó que Juan había sido encarcelado, salió de Judea y regresó a su hogar de Nazaret de Galilea.

¹³Pero no mucho después se trasladó a Capernaum, junto al lago de Galilea, cerca de Zabulón y Neftalí. ¹⁴Así se cumplió la profecía de Isaías:

¹⁵Tierra de Zabulón y Neftalí, que está junto al lago, al otro lado del Jordán, alta Galilea, donde tantos extranjeros habitan: ¹⁶El pueblo que estaba en tinieblas vio una gran luz y al pueblo que andaba en regiones de sombra de muerte le resplandeció la luz.

¹⁷Y desde aquel mismo instante Jesús comenzó a predicar:

—Arrepiéntanse de sus pecados y vuélvanse a Dios, porque el reino de los cielos está cerca.

¹⁸Un día, caminando a orillas del lago de Galilea, vio a dos pescadores que tiraban la red. Eran Simón, más conocido por Pedro, y Andrés, su hermano.

¹⁹—Vengan conmigo y los convertiré en pescadores de hombres —les dijo Jesús.

²⁰Inmediatamente soltaron la red y lo siguieron.

²¹Un poco más adelante vio a otros dos hermanos, Jacobo y Juan, que, sentados en una barca con Zebedeo su padre, remendaban las redes. Cuando los invitó, ²²dejaron lo que estaban haciendo, se despidieron de su padre y se fueron con Jesús.

²³Anduvieron por toda Galilea. A lo largo del camino Jesús iba enseñando en las sinagogas judías. En todas partes proclamaba las buenas noticias del reino de los cielos y sanaba cualquier enfermedad o dolencia que le presentaran.

²⁴A medida que la fama de sus milagros se difundía y cruzaba las fronteras, iban llegando a El enfermos desde lugares tan distantes como Siria. No había enfermo, adolorido, endemoniado, loco o paralítico que le trajeran que no sanara. ²⁵Y dondequiera que iba lo seguían multitudes enormes de Galilea, Decápolis, Jerusalén, toda Judea y aun del otro lado del río Jordán.

5 UN DÍA, AL ver que la multitud se le acercaba, subió con sus discípulos a una colina. Allí, sentado, pronunció el siguiente discurso:

³—¡Dichosos los que reconocen humildemente sus necesidades espirituales, porque de ellos es el reino de los cielos! ⁴¡Dichosos los que lloran, porque serán consolados! ⁵¡Dichosos los mansos, porque el mundo entero les pertenece! ⁶¡Dichosos los que tienen hambre y sed de justicia, porque la obtendrán! ⁷¡Dichosos los bondadosos, los misericordiosos, porque alcanzarán misericordia! ⁸¡Dichosos los de limpio corazón, porque verán a Dios! ⁹¡Dichosos los que luchan por la paz, porque serán llamados hijos de Dios! ¹⁰¡Dichosos los que sufren persecución por ser justos, porque el reino de los cielos les pertenece!

¹¹"Cuando alguien los ofenda o persiga por ser mis discípulos, ¡maravilloso! ¹²¡Alégrense, porque en el cielo les espera gran recompensa! Recuerden que a los profetas antiguos los persiguieron también.

¹³"Ustedes son la sal que hace que el mundo sea tolerable. Si como sal pierden el sabor, ¿qué será del mundo? Y, ¿saben qué se hace con la sal que no sala? ¡Se echa fuera y se pisotea por inservible!

¹⁴"Ustedes son la luz del mundo. Como ciudad asentada sobre un monte, brillan en la noche para que todos vean. ¹⁵,¹⁶¡No escondan esa luz! ¡Déjenla brillar! ¡Que las buenas obras que realicen brillen de tal manera que los hombres alaben al Padre celestial!

¹⁷"No vayan a creer que vine a anular la ley de Moisés y las enseñanzas de los profetas. Al contrario, vine a cumplirlas y a darles verdadero significado. ¹⁸De todo corazón les digo: Mientras haya cielo y tierra y mientras no se cumplan por entero los propósitos de la ley, todos y cada uno de sus mandamientos estarán en vigencia. ¹⁹El que quebrante el más insignificante mandamiento se convertirá en el ser más insignificante del reino de los cielos. Pero los que enseñan los mandamientos de Dios *y los obedecen* serán grandes en el reino de los cielos. ²⁰Y les advierto, a menos que sean más justos que los escribas y los fariseos no podrán entrar al reino de los cielos.

²¹"Bajo la ley de Moisés la regla era que el que matara muriera. ²²Pero yo añado que el que se enoja contra su hermano está cometiendo el mismo delito. El que le dice "idiota" a un amigo merece que lo lleven a juicio. Y el que maldiga al otro merece ir a parar a las llamas del infierno. ²³Por lo tanto, si mientras estás delante del altar ofreciendo sacrificio a Dios, te acuerdas de pronto de que algún amigo tiene algo contra ti, ²⁴deja allí el sacrificio delante del altar, vé a pedirle perdón y a reconciliarte con él, y luego regresa a ofrecer el sacrificio. ²⁵Reconcíliate con tu enemigo pronto, antes que sea demasiado tarde, antes que se lleve a juicio y te arrojen en la cárcel, ²⁶donde tendrás que permanecer hasta que pagues el último centavo.

²⁷"La ley de Moisés dice: "No cometerás adulterio". ²⁸Pero yo digo: Cualquiera que mira a una mujer y la codicia, comete adulterio con ella en el corazón. ²⁹Así que si uno de tus ojos te hace codiciar, sácatelo. Mejor es que te lo saques a que seas arrojado de cuerpo entero al infierno. ³⁰Y si una de tus manos te conduce al pecado, córtatela. Mejor es cortártela que ir al infierno.

³¹"La ley de Moisés dice: "El que quiera separarse de su esposa, divórciese legalmente". ³²Pero yo digo que el hombre que se divorcia de su esposa, excepto cuando ésta ha sido infiel, hace que ella cometa adulterio y que el que se case con ella lo cometa también.

³³"La ley de Moisés dice: "No quebrantarás los juramentos que hagas ante Dios". ³⁴Pero yo digo: Nunca jures. No jures por el cielo, porque es el trono de Dios; ³⁵ni jures por la tierra, porque es el estrado de sus pies; ni por Jerusalén, porque Jerusalén es la capital del gran Rey; ³⁶y ni siquiera por tu cabeza, porque no puedes volver blanco o negro ni un solo cabello. ³⁷Por lo tanto, di siempre "sí" o "no" y nada más. Si alguien trata de reforzar su palabra con un juramento es porque hay algo en él que se presta a duda.

³⁸"La ley de Moisés dice: "Ojo por ojo y diente por diente". ³⁹Pero yo digo: No pagues mal por mal. Si te abofetean una mejilla, presenta la otra. ⁴⁰Si te llevan a juicio y te quitan la camisa, dales también el saco. ⁴¹Si te obligan a llevar una carga un kilómetro, llévala dos kilómetros. ⁴²Dale al que te pida, y no le des la espalda al que te

pide prestado.

⁴³"Hay un dicho que dice: "Ama a tu amigo y odia a tu enemigo". ⁴⁴Pero yo digo: ¡Ama a tu enemigo! ¡Ora por los que te persiguen! ⁴⁵De esta forma estarás actuando como un verdadero hijo de tu Padre que está en el cielo, porque El da la luz del sol a los malos y a los buenos y envía la lluvia al justo y al injusto. ⁴⁶Si amas sólo a los que te aman, ¿qué de extraordinario tiene eso? ¡Aun el ser más bajo hace lo mismo! ⁴⁷Si sólo eres amigo de tus amigos, ¿qué tienes de diferente? ¡Aun los paganos hacen eso! ⁴⁸Trata de ser perfecto, como tu Padre que está en los cielos es perfecto.

6 "¡MUCHO CUIDADO CON andar haciendo buenas obras para que los demás te vean y admiren! ¡Los que lo hacen no tendrán recompensa del Padre que está en el cielo! ²Cuando des alguna limosna, no lo andes proclamando como los hipócritas, que tocan trompetas en las sinagogas y en las calles para que la gente se fije en lo caritativos que son. ¡Te aseguro que, aparte de eso, no tendrán otra recompensa! ³Pero cuando hagas algún bien, hazlo calladamente: no le digas a tu mano izquierda lo que tu mano derecha está haciendo. ⁴¡Ah, pero tu Padre que conoce todos los secretos te recompensará!

⁵"Y cuando ores, no lo hagas como lo hacen los hipócritas, que se creen más piadosos que nadie porque oran en las esquinas y en la iglesia donde todo el mundo los ve. Te aseguro que, aparte de eso, no tendrán más recompensa. ⁶Pero cuando ores, hazlo a solas, a puerta cerrada; y tu Padre, que conoce todos los secretos, te recompensará.

⁷"Cuando estés orando, no te pongas a estar repitiendo la misma oración, como los paganos, que piensan que si repiten la oración varias veces Dios va a contestar enseguida. ⁸Recuerda que tu Padre sabe exactamente lo que necesitas antes que se lo pidas. ⁹Ora más o menos así: "Padre nuestro que estás en los cielos, santificado sea tu nombre. ¹⁰Venga tu reino y cúmplase en la tierra tu voluntad como se cumple en el cielo. ¹¹Danos hoy los alimentos que necesitamos, ¹²y perdona nuestros pecados, así como nosotros perdonamos a los que nos

han hecho mal. ¹³No nos dejes caer en tentación, mas líbranos del mal, porque tuyo es el reino, el poder y la gloria para siempre. Amén".

¹⁴"Tu Padre celestial te perdonará si perdonas a los que te hacen mal; ¹⁵pero si te niegas a perdonarlos, no te perdonará.

¹⁶"Y ahora hablemos del ayuno. Cuando ayunes, cuando por un motivo espiritual te abstengas de tomar alimento, no lo hagas en público como los hipócritas, que tratan de lucir pálidos y desaliñados para que la gente se dé cuenta que ayunaron. Te aseguro que, aparte de esto, no tendrán más recompensa. ¹⁷Pero cuando ayunes, vístete de fiesta, ¹⁸para que nadie, excepto tu Padre, se dé cuenta de que tienes hambre. Y tu Padre, que conoce todos los secretos, te recompensará.

¹⁹"No acumules tesoros en la tierra, donde la polilla, el orín y los ladrones corrompen, oxidan o roban. ²⁰¡Acumula tesoros en el cielo, donde las cosas no pierden valor y donde no hay polilla ni orín ni ladrón que puedan corromper, oxidar o robar! ²¹Pues donde esté tu tesoro, allí también estará tu corazón.

²²"Si tienes ojos puros, habrá luz en tu alma. ²³Pero si tienes los ojos nublados por malos pensamientos, tienes sumida el alma en oscuridad espiritual. ¡Y no hay oscuridad más negra que ésa!

²⁴"No puedes servir a dos amos; no puedes servir a Dios y al dinero. O amas a uno y odias al otro, o viceversa. ²⁵Por lo tanto, te aconsejo que no te preocupes por la comida, la bebida, el dinero y la ropa, porque tienes vida y eso es más importante que comer y vestir. ²⁶Fíjate en los pájaros, que no siembran ni cosechan ni andan guardando comida, y tu Padre celestial los alimenta. ¡Para El tú vales más que cualquier ave! ²⁷Además, ¿qué gana uno con preocuparse? ²⁸¿Para qué preocuparse de la ropa? Mira los lirios del campo, que no se preocupan del vestido, ²⁹y ni aun Salomón con toda su gloria se vistió jamás con tanta belleza. ³⁰Y si Dios cuida tan admirablemente de las flores, que hoy están aquí y mañana no lo están, ¿no cuidará mucho más de ti, hombre de poca fe? ³¹Por lo tanto, no te andes preocupando de si tienes comida ni de si tienes ropa. ³²¡Los paganos

son los que siempre se andan preocupando de esas cosas! Recuerda que tu Padre celestial sabe lo que necesitas, [33]y te lo proporcionará si le das el primer lugar en tu vida. [34]No te afanes por el mañana, que el mañana está en manos de Dios. Confía, pues, en El.

7 "NO CRITIQUES PARA que no te critiquen, [2]porque te han de tratar de la misma forma en que trates a los demás. [3]¿Y cómo vas a andar preocupándote de la paja que está en el ojo de tu hermano si tienes una viga en el tuyo? [4]¿Cómo te vas a atrever a pedirle a tu amigo que te deje sacarle la paja si la viga que tienes en el ojo no te deja ver? [5]¡Hipócrita! Primero sácate la viga para que puedas ver bien cuando le estés sacando la paja a tu hermano.

[6]"No des lo santo a los perros ni eches perlas delante de los puercos, porque son capaces de pisotearlas y luego dar media vuelta y atacarte.

[7]"Pide y se te concederá lo que pidas. Busca y hallarás. Toca y te abrirán. [8]Porque el que pide, recibe. Y el que busca, halla. Y al que llama, se le abrirá. [9]Si uno le pide a su padre un pedazo de pan, ¿será capaz el padre de darle una piedra? [10]Y si le pide pescado, ¿le dará una serpiente venenosa? ¡Por supuesto que no! [11]Y si un hombre de corazón endurecido sólo da buenas cosas a sus hijos, ¿no crees que tu Padre que está en los cielos dará aun mejores cosas a los que se las pidan?

[12]"Haz a otros lo que quieras que te hagan a ti. En esto se resumen las enseñanzas de la ley de Moisés y los profetas.

[13]"Al cielo sólo se puede entrar por la puerta estrecha. Ancha es la puerta y espacioso el camino que conducen al infierno; por eso millones de personas los prefieren. [14]En cambio, estrecha es la puerta y angosto el camino que conducen a la vida, y muy pocas personas los hallan.

[15]"Cuídate de los falsos maestros que se te acercan disfrazados de inocentes ovejas, pero son lobos capaces de destrozarte. [16]De la misma manera que uno puede identificar un árbol por los frutos que lleva, podrás identificar a esos falsos predicadores por la forma en que se comportan. ¿Y quién confunde una vid con un espino o una higuera

con abrojos? [17]Los árboles frutales se conocen por los frutos que producen. El buen árbol produce buenos frutos; y el malo, malos frutos. [18]Es imposible que un árbol que produzca frutos deliciosos pueda llegar a producir alguna variedad desagradable. Por otro lado, es imposible que un árbol de fruto incomible produzca uno que se pueda comer. [19]Por eso los árboles de malos frutos se cortan y se queman. [20]Igualmente, una persona se conoce por las acciones que produce.

[21]"No todos los que dicen ser piadosos lo son de verdad. Quizás me llamen Señor, pero no entrarán en el cielo. Allí sólo entrarán los que obedecen a mi Padre que está en el cielo. [22]El día del juicio muchos me dirán: "Señor, pero nosotros hablamos de ti y en tu nombre echamos fuera demonios y realizamos muchísimos milagros". [23]Y yo les responderé: "Nunca han sido míos. Apártense de mí, porque sus obras son malas".

[24]"El que presta atención a mis enseñanzas y las pone en práctica es tan sabio como el hombre que edificó su casa sobre una roca bien sólida, [25]y cuando llegaron las lluvias torrenciales, las inundaciones y los huracanes, la casa no se derrumbó porque estaba edificada sobre roca.

[26]"Pero los que oyen mis enseñanzas y no les prestan atención son como el que edificó su casa sobre la arena, [27]y cuando llegaron las lluvias, las inundaciones y los vientos, la casa se derrumbó.

[28]La multitud que escuchó este sermón de Jesús quedó admirada, [29]porque enseñaba como el que tiene gran autoridad y no como los escribas.

8 JESÚS DESCENDÍA DE la colina seguido de una multitud inmensa cuando, de pronto, [2]un leproso se le acercó y se tiró de rodillas ante El.

—Señor —suplicó el leproso—, si quieres puedes limpiarme.

[3]Jesús, extendiendo la mano, lo tocó y le dijo:

—Quiero; cúrate.

E instantáneamente la lepra desapareció.

[4]—No te detengas a conversar con nadie —le dijo entonces Jesús—. Vé inmediatamente a que el sacerdote te examine y

presenta la ofrenda que requiere la ley de Moisés, para que la gente vea que ya estás bien.

[5]Cuando Jesús llegó a Capernaum, un capitán del ejército romano se le acercó y le rogó [6]que fuera a sanar a un sirviente que yacía en cama paralítico y sufriendo mucho.

[7]—Está bien —le respondió Jesús—, iré a sanarlo.

[8]—Señor —le dijo entonces el capitán—, no soy digno de que vayas a mi casa. Además, no es necesario que lo hagas, porque desde aquí mismo puedes ordenar que sane y mi criado sanará. [9]Lo sé, porque estoy acostumbrado a obedecer las órdenes de mis superiores; a la vez, si yo le digo a alguno de mis soldados que vaya a algún lugar, va; y si le digo que venga, viene; y si le digo a mi esclavo que haga esto o aquello, lo hace. Yo sé, Señor, que tienes autoridad para decirle a esa enfermedad que se vaya, y se irá.

[10]Jesús, maravillado, dijo a la multitud:

—¡Ni en todo Israel he hallado una fe tan grande como la de éste! Oiganme lo que les digo: [11]Muchos gentiles, al igual que este soldado romano, irán de todas partes del mundo a sentarse en el reino de los cielos con Abraham, Isaac y Jacob. [12]En cambio, muchos israelitas, para quienes el reino está preparado, serán arrojados a las tinieblas de afuera donde todo es llorar y crujir de dientes.

[13]Entonces dijo al soldado:

—Vete; lo que creíste ya se ha cumplido.

Y el muchacho sanó en aquella misma hora.

[14]Cuando Jesús llegó a la casa de Pedro, la suegra de éste estaba en cama con una fiebre muy alta. [15]Al tocarla Jesús, la fiebre la dejó y se levantó a prepararles comida.

[16]Por la noche llevaron varios endemoniados a Jesús. Invariablemente bastaba una sola palabra para que los demonios huyeran o los enfermos sanaran. [17]Así se cumplió la profecía de Isaías: "El mismo tomó nuestras enfermedades y llevó nuestras dolencias".[a]

[18]Al ver Jesús que la multitud crecía, pidió a sus discípulos que se prepararan para pasar al otro lado del lago. [19]En eso, un maestro de religión judía le dijo:

—Maestro, te seguiré vayas donde vayas.

[20]—Las zorras tienen guaridas y las aves nidos —le respondió Jesús—, pero yo, el Hijo del Hombre, no tengo ni dónde recostar la cabeza.

[21]Otro de sus seguidores le dijo:

—Señor, te seguiré cuando mi padre muera.

[22]Pero Jesús le contestó:

—No, sígueme ahora. Deja que los que están muertos espiritualmente se ocupen de los muertos.

[23]Entonces subió a una barca con sus discípulos y zarparon de allí. [24]En la travesía se quedó dormido.

Pero no mucho después, repentinamente, se levantó una tormenta tan violenta que las olas anegaban la barca. [25]Los discípulos corrieron a despertar a Jesús.

—¡Señor, sálvanos! ¡Nos estamos hundiendo!

[26]—¿A qué viene tanto miedo, hombres de poca fe? —les respondió calmadamente.

Entonces, poniéndose de pie, reprendió al viento y a las olas, y la tormenta cesó y todo quedó en calma.

[27]Pasmados de asombro, los discípulos se decían:

—¿Quién es éste, que aun los vientos y las aguas lo obedecen?

[28]Ya al otro lado del lago, en tierra de los gadarenos, dos endemoniados le salieron al encuentro. Vivían en el cementerio, y eran tan peligrosos que nadie se atrevía a andar por aquella zona. [29]Al ver a Jesús, le gritaron:

—¡Déjanos tranquilos, Hijo de Dios! ¡Todavía no es hora de que nos atormentes!

[30]Por aquellos alrededores andaba un hato de cerdos, [31]y los demonios le suplicaron:

—Si nos vas a echar fuera, déjanos entrar en aquel hato de cerdos.

[32]—Está bien —les respondió Jesús—. Vayan.

Y salieron de los hombres y entraron en aquellos cerdos. Estos, enloquecidos, se

---

8a Isaías 53:4.

despeñaron desde un acantilado y se ahogaron en el lago.

[33]Los que cuidaban los cerdos corrieron a la ciudad más cercana a contar lo sucedido, [34]y la ciudad entera acudió a ver a Jesús y a suplicarle que se fuera de los alrededores.

9 JESÚS SE SUBIÓ de nuevo a la barca y pasó a Capernaum, ciudad donde residía. [2]No mucho después varios hombres le trajeron a un joven paralítico tendido en un camastro. Cuando Jesús vio la fe que tenían, dijo al enfermo:

—¡Ten ánimo, hijo! ¡Te perdono tus pecados!

[3]—¡Blasfemia! ¿Se cree Dios? —exclamaron entre sí algunos de los escribas presentes.

[4]Jesús, que sabía lo que estaban pensando, les dijo:

—¿A qué vienen esos malos pensamientos? [5]¿Es más difícil perdonar los pecados que sanar a un enfermo? [6]Pues para demostrarles que tengo autoridad en la tierra para perdonar los pecados: ¡Muchacho, levántate, rocoge la camilla y vete!

[7]Y el muchacho se puso de pie de un salto y se fue.

[8]Un escalofrío de temor sacudió a la multitud ante aquel milagro, y alababan a Dios por haberle dado tanto poder al hombre.

[9]En el camino, Jesús se topó con Mateo, cobrador de impuestos, que estaba sentado junto a la mesa donde se pagaban los impuestos.

—Ven y sé mi discípulo —le dijo Jesús.

Mateo se levantó y se fue con El.

[10]Ese mismo día cenó Jesús en casa de Mateo. Entre los invitados había varios cobradores de impuestos y varios pecadores notorios. [11]Los fariseos se indignaron.

—¿Por qué el Maestro anda con individuos de esa calaña? —preguntaron a los discípulos.

[12]Jesús alcanzó a oír aquellas palabras y les respondió:

—Porque los sanos no necesitan médico, y los enfermos sí. [13]Vayan y traten de interpretar el sentido del versículo bíblico que dice: "Misericordia quiero, no sacrificios". No he venido en busca de los buenos,

sino a procurar que los malos se arrepientan y se vuelvan a Dios.

[14]Un día los discípulos de Juan se le acercaron a preguntarle:

—¿Por qué tus discípulos no ayunan como los fariseos y nosotros?

[15]—¿Acaso pueden los invitados a una boda estar tristes mientras el novio está con ellos? —les preguntó Jesús—. ¡Claro que no! Pero llegará el momento en que les arrebatarán al novio. Entonces sí llorarán y ayunarán. [16]A nadie se le ocurre remendar un vestido viejo con una tela nueva sin remojar, porque lo más probable es que la tela nueva se encoja y rompa la vieja, con lo cual la rotura se hará mayor. [17]Y a nadie se le ocurre echar vino nuevo en odres viejos, porque los odres se romperían, y se perderían el vino y los odres. El vino nuevo se debe echar en odres nuevos, para que ambos se preserven.

[18]Apenas terminó de pronunciar las anteriores palabras, cuando un jefe de la sinagoga local llegó y se postró ante El.

—Mi hijita acaba de morir —le dijo—, pero sé que resucitará si vas y la tocas.

[19,20]Mientras Jesús y los discípulos se dirigían al hogar del jefe judío, una mujer que hacía doce años que estaba enferma con cierto tipo de derrame de sangre, se acercó por detrás y tocó el borde del manto de Jesús, [21]pensando que si lo tocaba sanaría. [22]Jesús se volvió y le dijo:

—Hija, tu fe te ha sanado. Vete tranquila.

Y la mujer sanó en aquel mismo momento.

[23]Al llegar a la casa del jefe judío y escuchar el alboroto de los presentes y la música fúnebre, [24]Jesús dijo:

—Salgan de aquí. La niña no está muerta, sólo está dormida.

Y entre críticas y burlas los presentes salieron. [25]Jesús entró donde estaba la niña y la tomó de la mano. ¡Y la niña se levantó sana!

[26]La noticia de este milagro portentoso se difundió por todo el país.

[27]Cuando regresaba de la casa del jefe judío, dos ciegos lo siguieron gritando:

—¡Hijo de David, ten misericordia de nosotros!

[28]Al llegar a la casa donde Jesús se

alojaba, El les preguntó:

—¿Creen que puedo devolverles la vista?

—Sí, Señor —le contestaron—, creemos.

²⁹Entonces El les tocó los ojos y dijo:

—Conviértase en realidad lo que han creído.

³⁰¡Y recobraron la vista!

Jesús les suplicó encarecidamente que no se lo contaran a nadie, ³¹pero apenas salieron de allí se pusieron a divulgar la fama de Jesús por aquellos lugares.

³²Cuando salieron los ciegos de aquel lugar, le llevaron a la casa a un hombre que estaba mudo por culpa de los demonios que se habían alojado en él. ³³Tan pronto Jesús los echó fuera, el hombre pudo hablar. La gente, maravillada, exclamó:

—¡Jamás en la vida habíamos visto algo semejante!

³⁴En cambio, los fariseos decían:

—Bueno, El puede echar fuera los demonios porque tiene dentro a Satanás, el rey de los demonios.

³⁵Jesús recorría las ciudades y los pueblos de la región enseñando en las sinagogas judías, predicando las buenas nuevas del reino y sanando la enfermedad y el dolor. ³⁶Sentía compasión por las multitudes que como ovejas desamparadas, dispersas y sin pastor, acudían a El en busca de ayuda.

³⁷—¡Es tan grande la mies y hay tan pocos obreros! —dijo una vez a los discípulos—. ³⁸Oren que el Señor de la mies consiga más obreros para los campos.

10 JESÚS REUNIÓ A sus doce discípulos y les dio autoridad para echar fuera espíritus malignos y sanar toda clase de enfermedad y dolencia. ²Los doce discípulos eran:

Simón, también llamado Pedro;
Andrés, el hermano de Pedro;
Jacobo, hijo de Zebedeo;
Juan, hermano de Jacobo;
³Felipe;
Bartolomé;
Tomás;
Mateo, el cobrador de impuestos;
Jacobo, hijo de Alfeo;
Lebeo, también llamado Tadeo;

⁴Simón, miembro de los zelotes, partido político nacionalista;
y Judas Iscariote, el que más tarde lo traicionó.

⁵Antes que salieran a realizar la misión que se les había encomendado, Jesús les dio las siguientes instrucciones:

—No vayan a los gentiles ni a los samaritanos. ⁶Limítense a visitar a las ovejas perdidas del pueblo de Israel. ⁷"Anúncienles que el reino de los cielos ya está cerca.

⁸"Curen enfermos, resuciten muertos, sanen leprosos y echen fuera demonios. De la misma manera que están recibiendo este poder gratis, no cobren por los servicios. ⁹No lleven dinero ¹⁰ni bolsa con comida. No lleven más túnicas ni más calzado que los que traen puestos, ni lleven bordón, porque las personas que ustedes ayuden deben alimentarlos y cuidarlos. ¹¹Cuando lleguen a cualquier ciudad o pueblo, busquen a un hombre piadoso y quédense en su casa hasta que se vayan a otro pueblo. ¹²Al llegar a pedir alojamiento a una casa, sean cordiales, ¹³y si ven que se trata de un hogar piadoso, bendíganlo; si no, retiren la bendición. ¹⁴Si en alguna ciudad u hogar no los reciben ni les hacen caso, salgan de allí inmediatamente y sacúdanse el polvo de los pies al salir. ¹⁵Les aseguro que en el día del juicio, el castigo de las perversas ciudades de Sodoma y Gomorra será mucho más tolerable que el castigo de aquella ciudad u hogar.

¹⁶"Ustedes son como ovejas y los estoy enviando a meterse donde están los lobos. Sean prudentes como serpientes e inofensivos como palomas. ¹⁷Pero tengan ciudado, porque los arrestarán y juzgarán en las sinagogas. ¹⁸Y hasta tendrán que comparecer ante gobernadores y reyes por mi causa. Esto les brindará la oportunidad de hablarles de mí, de proclamarme ante el mundo.

¹⁹"Cuando los arresten, no se preocupen por lo que han de decir en el juicio, porque en el momento oportuno se les pondrá en la boca lo que tienen que decir. ²⁰No serán ustedes los que hablen: ¡el Espíritu del Padre celestial hablará a través de ustedes!

²¹"El hermano entregará a muerte a su hermano, los padres traicionarán a sus

hijos y los hijos se levantarán contra sus padres y los matarán. ²²El mundo entero los va a odiar a ustedes por causa mía, pero el que se mantenga fiel hasta el fin será salvo. ²³Cuando los persigan en una ciudad, huyan a otra. Les aseguro que no recorrerán todas las ciudades de Israel antes que yo haya regresado. ²⁴Ningún estudiante es más que su maestro, ni ningún siervo es mayor que su señor. ²⁵El discípulo correrá la misma suerte que su maestro y el siervo la misma suerte de su señor. Y si a mí, el padre de familia, me llaman Satanás, ¿qué no les dirán a ustedes? ²⁶Pero no tengan miedo de las amenazas, porque pronto llegará la hora de la verdad y no habrá secreto que no se descubra. ²⁷Lo que les digo en la penumbra, proclámenlo a la luz del día, y lo que les susurro al oído, proclámenlo desde las azoteas. ²⁸No teman de los que pueden matar el cuerpo pero no pueden tocar el alma. Sólo teman a Dios, que es el único que puede destruir alma y cuerpo en el infierno.

²⁹¿Qué valen dos pajarillos? ¡Apenas unos centavos! Sin embargo, ni uno solo cae a tierra sin que el Padre lo permita. ³⁰Pues yo les digo que hasta el último cabello de ustedes está contado. ³¹Así que no teman, que para Dios ustedes valen más que muchos pajarillos.

³²Si alguno se declara amigo mío ante la gente, yo lo declararé amigo mío ante mi Padre que está en los cielos. ³³Pero al que me niegue públicamente yo lo negaré delante de mi Padre que está en los cielos. ³⁴¡No crean que vine sólo a traer paz a la tierra! Vine también a traer luchas, ³⁵a poner hijo contra padre, hija contra madre, nuera contra suegra. ³⁶¡Los peores enemigos del hombre van a estar en su propia casa! ³⁷Y si amas a tu padre o madre más que a mí, no eres digno de ser mío; y si amas a tu hijo o hija más que a mí, no eres digno de ser mío. ³⁸Y si te niegas a tomar la cruz y seguirme, no eres digno de ser mío. ³⁹Si te apegas demasiado a la vida, la perderás; pero si renuncias a ella por mí, la salvarás.

⁴⁰El que te recibe me estará recibiendo a mí, y el que me reciba está recibiendo al Padre que me envió. ⁴¹Si recibes a un profeta por el hecho de que es un hombre de Dios, recibirás la misma recompensa que reciben los profetas. Si recibes a un hombre justo y bueno porque es justo y bueno, recompensa de justo recibirás. ⁴²Y si le dan al más humilde de mis discípulos un vaso de agua por el simple hecho de que es mi discípulo, pueden estar seguros de que recibirán recompensa.

11 CUANDO TERMINÓ DE dar instrucciones a sus doce discípulos, éstos salieron a predicar. Más tarde Jesús salió también y fue predicando en las ciudades donde primeramente los discípulos habían estado.

²Juan el Bautista, que ya estaba preso, se enteró de los milagros que el Mesías estaba realizando y envió a dos de sus discípulos a preguntarle a Jesús:

³—¿Eres tú de veras el que estábamos esperando, o debemos seguir esperando?

⁴Jesús respondió a los mensajeros:

—Vayan donde está Juan y cuéntenle los milagros que me han visto realizar. ⁵Cuéntenle cómo los ciegos ven, los paralíticos andan, los leprosos sanan, los sordos oyen y los muertos resucitan. Y cuéntenle cómo anuncio las buenas nuevas a los pobres. ⁶Díganle además que benditos son los que no dudan de mí.

⁷Cuando los discípulos de Juan salieron, Jesús se puso a hablar de Juan a la multitud:

—Cuando salieron al desierto a ver a Juan, ¿qué esperaban ver en él? ¿Una caña que el viento sacude, ⁸un hombre vestido de príncipe o ⁹un profeta de Dios? Pues sí, él es más que un profeta: ¹⁰Juan es aquel de quien las Escrituras dicen: "Un mensajero mío te precederá para prepararte el camino". ¹¹Créanme, de todos los hombres que han nacido en este mundo, ninguno brilla con más claridad que Juan el Bautista. Y sin embargo, el más insignificante en el reino de los cielos es más grande que él. ¹²Desde que Juan el Bautista comenzó a predicar y bautizar se ha combatido mucho el reino de los cielos y sólo los valientes han logrado llegar a él. ¹³Hasta ahora la ley y los profetas tenían la mirada fija en el Mesías que aparecería en el futuro. Entonces apareció Juan. ¹⁴Y si quieren creerlo, él es Elías, el que los profetas dijeron que vendría en vísperas de la llegada del reino. [15]El que quiera escuchar, ¡escuche ahora! [16]¿Qué diré de la gente de hoy día? Es semejante a los muchachos que, sentados en las plazas, gritan a sus compañeros de juego: [17]"Si les tocamos la flauta no bailan, y si les cantamos canciones tristes no lloran". [18]Si viene Juan el Bautista, y no toma vino ni come mucho, ustedes dicen que está loco. [19]Y si luego vengo yo, el Hijo del Hombre, comiendo y bebiendo, me acusan de glotón, bebedor de vino y amigo de individuos de la peor calaña. Claro, son tan inteligentes que siempre hallan una justificación a sus contradicciones.

[20]Entonces comenzó a reprender a las ciudades en que había realizado milagros, que no se habían arrepentido.

[21]—¡Pobre de ti, Corazín! ¡Pobre de ti, Betsaida! Si los milagros que se realizaron en tus calles se hubieran realizado en Tiro y Sidón, estas ciudades hace mucho tiempo que se habrían arrepentido en vergüenza y humildad. [22]¡Ciertamente, Tiro y Sidón saldrán mejor en el día del juicio que ustedes! [23]¡Y tú, Capernaum, que tan altos privilegios has recibido, hasta el suelo serás humillada, porque si los maravillosos milagros que se realizaron en ti se hubieran realizado en Sodoma, ésta se habría arrepentido. [24]¡Sodoma saldrá mejor que tú en el día del juicio!

[25]A continuación elevó la siguiente oración:

—Padre, Señor del cielo y de la tierra, gracias porque escondiste la verdad a los que se creen sabios, y la revelaste a los niños. [26]Sí, Padre, porque así lo quisiste.

[27]Luego dijo a los presentes:

—El Padre me ha confiado todas las cosas. Sólo el Padre conoce al Hijo, y sólo el Hijo y aquéllos a quienes el Hijo lo revela conocen al Padre. [28]Vengan a mí los que estén cansados y afligidos y yo los haré descansar. [29]Lleven mi yugo y aprendan de mí, que soy manso y humilde. Así hallarán descanso para el alma. [30]Porque mi yugo es fácil de llevar y no es pesado.

12 MÁS O MENOS en aquellos días, Jesús y sus discípulos salieron a caminar por los sembrados. Era el día de reposo.

Cuando los discípulos tuvieron hambre se pusieron a arrancar espigas de trigo y a comérselas. [2]Algunos fariseos, que los vieron, protestaron inmediatamente:

—¡Tus discípulos están quebrantando la ley! ¡Están recogiendo granos en el día de reposo!

[3]Pero Jesús les dijo:

—¿No han leído lo que el rey David hizo cuando él y los que los acompañaban tuvieron hambre? [4]Pues entraron al Templo y se comieron los panes de la proposición, panes sagrados que sólo los sacerdotes podían comer. ¿No quebrantaron también la ley? [5]¿No han leído en la ley de Moisés cómo los sacerdotes que sirven en el Templo tienen que trabajar el día de reposo? [6]Pues les digo que el que está aquí ahora es mayor que el Templo, [7]y que si comprendieran lo que quieren decir las Escrituras con "Misericordia quiero, no sacrificio", no condenarían a quienes no son culpables. [8]Porque yo, el Hijo del Hombre, soy el Señor del día de reposo.

[9]De allí fue a la sinagoga. [10,11]Los fariseos inmediatamente le preguntaron:

—¿Es legal que te pongas a sanar en el día de reposo?

Los fariseos esperaban que Jesús dijera que sí para poder acusarlo. Jesús se fijó entonces que había allí un hombre con una mano seca y respondió:

—Si a alguno de ustedes se le cae una oveja en un pozo en el día de reposo, ¿la sacará? ¡Por supuesto que sí! [12]Bueno, díganme, ¿no vale mucho más una persona que una oveja? Por lo tanto, no hay nada malo en que uno haga el bien en el día de reposo.

[13]Entonces dijo al lisiado:

—Extiende la mano.

Y al momento de extenderla le quedó tan normal como la otra.

[14]Los fariseos se reunieron para estudiar la manera de acabar con Jesús. [15]Pero Jesús, que lo sabía, salió de la sinagoga seguido de mucha gente. A lo largo del trayecto iba sanando a los enfermos, [16]pero les encargaba rigurosamente que no se pusieran a propagar las noticias de los milagros. [17]Con esto se cumplió la profecía de

Isaías[a] en cuanto a El:

[18]Aquí tienen a mi siervo, mi escogido,
mi amado, en quien mi alma se de-
leita.
Pondré mi Espíritu sobre El,
y juzgará a las naciones.
[19]Aunque no peleará ni gritará ni
alzará su voz en las calles;
[20]aunque no aplastará al débil ni ex-
tinguirá la más leve esperanza,
pondrá fin a los conflictos con su
victoria final,
[21]y las naciones pondrán en El sus
esperanzas.

[22]Entonces le presentaron a un endemoniado, ciego y mudo. Jesús lo sanó y éste
pudo ver y hablar. [23]La gente estaba maravillada.

—¡Quizás Jesús es el Mesías! —exclamaban.

[24]Al oír aquellas exclamaciones, los fariseos se dijeron: "Al contrario, este hombre
expulsa demonios en el nombre de Satanás,
rey de los demonios".

[25]Jesús, que sabía lo que estaban pensando, les dijo:

—Un reino dividido acaba por des-
truirse. Una ciudad o una familia dividida
por los pleitos no puede durar. [26]Si Satanás
echa fuera a Satanás, pelea consigo mismo
y acabará destruyendo su propio reino. [27]Y
si, como dicen, yo echo fuera demonios
invocando el poder de Satanás, ¿invocando
qué poder los echa fuera la gente de ustedes? Vamos a dejar que ellos sean los que
respondan a la acusación que me hacen.
[28]Ahora bien, si yo echo fuera los demonios
con el Espíritu de Dios, el reino de Dios ha
llegado a ustedes. [29]Uno no puede invadir el
reino de Satanás sin primero atar a Satanás. ¡Y sólo así se puede echar fuera demonios! [30]El que no está a mi favor, está en
contra mía.

[31,32]"Cualquier blasfemia contra mí, o
cualquier otro pecado, será perdonado;
pero el que ofende al Espíritu Santo no
tiene perdón de Dios ni en este mundo ni en
el venidero.

[33]"Uno reconoce un árbol por sus frutos.
Los árboles buenos producen buenos fru-

tos, y los que no son buenos no los producen. [34]¡Hijos de víboras! ¿Qué se puede
esperar de ustedes? ¿Cómo van a hablar de
lo bueno si son malos? ¡La boca expresa lo
que hay en el corazón! [35]El habla de un
hombre bueno revela los tesoros de su corazón. El corazón del malo está lleno de
veneno y éste se refleja en sus palabras.
[36]Les aseguro que en el día del juicio van a
dar cuenta de las cosas que digan descuida-
damente. [37]Lo que cualquier persona diga
ahora determina la suerte que le espera: o
será justificado por ellas, ¡o será condenado!

[38]Un día algunos maestros de la ley y
fariseos, se acercaron a Jesús a pedirle que
realizara algún milagro que demostrara
que realmente era el Mesías. [39]Pero Jesús
les respondió:

—Sólo una nación perversa e infiel pe-
diría más señales; pero no se le dará ninguna más, excepto la señal del profeta
Jonás. [40]Porque de la misma manera que
Jonás estuvo en las entrañas de un monstruo marino tres días y tres noches, yo, el
Hijo del Hombre, pasaré tres días y tres
noches en las entrañas de la tierra. [41]En el
día de juicio, los hombres de Nínive se
levantarán y condenarán a esta generación,
porque cuando Jonás les predicó, se arrepintieron de sus malas andanzas. Y ustedes, aunque tienen aquí a uno que es superior a Jonás, no quieren creer en El. [42]En el
día del juicio, la reina de Sabá se levantará
contra esta nación y la condenará, porque
vino desde los confines de la tierra a escuchar la sabiduría de Salomón. Y ustedes se
niegan a creer en uno que es superior a
Salomón. [43]A esta generación le pasará
como al endemoniado cuyo demonio lo dejó
y se fue al desierto en busca de reposo. Al
no hallar reposo, [44]el demonio se dijo: "Es
mejor que regrese al hombre de donde
salí". Al regresar halló que el corazón de
aquel hombre estaba limpio pero vacío.
[45]Entonces el demonio fue y se buscó siete
espíritus peores que él y juntos volvieron a
tomar posesión del hombre. ¡Lo último fue
peor que lo primero!

[46]Mientras Jesús hablaba, su madre y
sus hermanos, que deseaban verlo, se tuvie-

ron que quedar afuera por causa de la multitud que invadía la casa. [47,48]Cuando alguien le dijo a Jesús que estaban afuera, Él preguntó:

—¿Quién es mi madre? ¿Y quiénes son mis hermanos?

[49]Y señalando a sus discípulos, dijo:

—Aquí tienen a mi madre y a mis hermanos. [50]¡El que obedece a mi Padre que está en los cielos es mi hermano, mi hermana y mi madre!

13 MÁS TARDE AQUEL mismo día Jesús salió de la casa y se dirigió a la orilla del lago. [2]Pronto se congregó una multitud tan inmensa que se vio obligado a subir a una barca y desde allí enseñar a la gente que lo escuchaba atentamente en la orilla. [3,4]En su sermón, empleó muchos simbolismos que ilustraban sus puntos de vista. Por ejemplo, usó el siguiente:

—Un agricultor salió a sembrar sus semillas en el campo, y mientras lo hacía, algunas cayeron en el camino, y las aves vinieron y se las comieron. [5]Otras cayeron sobre terreno pedregoso, donde la tierra no era muy profunda; las plantas nacieron pronto, pero a flor de tierra, [6]y el sol ardiente las abrasó y se secaron, porque casi no tenían raíz. [7]Otras cayeron entre espinos, y los espinos las ahogaron. [8]Pero algunas cayeron en buena tierra y produjeron una cosecha de treinta, sesenta y hasta cien granos por semilla plantada. [9]¡El que tenga oídos, oiga!

[10]Sus discípulos se le acercaron y le dijeron:

—¿Por qué usas esos simbolismos tan difíciles de entender?

[11]Él les explicó que a ellos, los discípulos, era a los únicos que se les permitía entender las cosas del reino de los cielos, pero no a los demás.

[12]—Porque al que tiene se le dará más —añadió—, pero al que no tiene nada, aun lo poco que tiene le será quitado. [13]Usé estos simbolismos porque esta gente oye y ve pero no entiende. [14]Así se cumple la profecía de Isaías:

Oirán, pero no entenderán; verán, pero no percibirán, [15]porque tienen el corazón endurecido, no oyen bien y tienen los ojos cerrados. Por lo tanto,

no verán ni oirán ni entenderán ni se convertirán ni dejarán que yo los sane.

[16]"¡Dichosos los ojos de ustedes, porque ven! ¡Dichosos los oídos de ustedes, porque oyen! [17]Muchos profetas y muchos hombres justos anhelaron ver lo que ustedes están viendo y oír lo que están oyendo, pero no lo lograron. [18]Y ahora les voy a explicar el simbolismo del sembrador.

[19]"El camino duro en que algunas de las semillas cayeron representa el corazón de las personas que escuchan las buenas nuevas del reino y no las entienden. Satanás llega y les quita lo que se les sembró. [20]El terreno pedregoso y poco profundo simboliza el corazón del hombre que escucha el mensaje y lo recibe con gozo, [21]pero no hay profundidad en su experiencia, y las semillas no echan raíces muy profundas; luego, cuando aparecen los problemas o las persecuciones por causa de sus creencias, el entusiasmo se le desvanece y se aparta de Dios. [22]El terreno lleno de espinos es el corazón del que escucha el mensaje, pero se afana tanto en esta vida que el amor al dinero ahoga en él la Palabra de Dios, y cada vez trabaja menos para el Señor. [23]La buena tierra representa el corazón del hombre que escucha el mensaje, lo entiende y sale a ganar treinta, sesenta y hasta cien almas para el reino de Dios.

[24]Otra de las parábolas o simbolismos que usó Jesús fue la siguiente:

—El reino de los cielos es como el labrador que planta la buena semilla en el campo; [25]pero por la noche, mientras la gente duerme, el enemigo va y siembra malas hierbas entre el trigo. [26]Cuando las plantas empiezan a crecer, la mala hierba crece también. [27]Los trabajadores del labrador, al verlas, corren a donde está éste y le dicen: "Señor, el terreno en que sembraste aquellos granos escogidos está lleno de hierbas malas". [28]"Seguro que alguno de mis enemigos las sembró", explicó el labrador. "¿Quieres que arranquemos la mala hierba?", preguntaron los trabajadores. [29]"No", respondió el labrador, "porque pueden dañar el trigo. [30]Dejen que crezcan juntos, y cuando llegue la cosecha daremos instrucciones a los segadores para que arranquen primero la cizaña y la quemen, y luego pongan el trigo en el granero".

[31]Otra de las parábolas que refirió Jesús es la siguiente:

—El reino de los cielos es como una pequeña semilla de mostaza plantada en un campo. [32]La semilla de mostaza es la más pequeña de todas las semillas, pero se convierte en un árbol enorme en cuyas ramas los pájaros hacen sus nidos.

[33]Y les dijo también:

—El reino de los cielos es como la levadura que una mujer toma para hacer pan. La levadura que toma y mezcla con tres medidas de harina, leuda toda la masa.

[34]Jesús siempre usaba estas ilustraciones cuando hablaba con la multitud. Sin parábolas no les hablaba. [35]Así se cumplieron las palabras del profeta que dijo:

Hablaré en parábolas y explicaré las cosas que han estado escondidas desde la fundación del mundo.*

[36]Cuando despidieron a la multitud y regresaron a la casa, sus discípulos le pidieron que les explicara el simbolismo de la mala hierba y el trigo.

[37]—Muy bien —comenzó—, yo soy el labrador que siembra el grano selecto. [38]El terreno labrantío es el mundo y las buenas semillas son los súbditos del reino; las malas hierbas son los súbditos de Satanás. [39]El enemigo que sembró la mala hierba entre el trigo es el diablo; la siega es el fin del mundo, y los segadores son los ángeles. [40]De la misma manera que los segadores separan la mala hierba del trigo y la queman, en el fin del mundo [41]enviaré a mis ángeles a arrancar del reino a los que tientan y a los que hacen el mal. [42]¡Y una vez arrancados, irán a parar al fuego! Allí será el llorar y el crujir de dientes. [43]Entonces los justos brillarán como el sol en el reino del Padre. ¡El que tenga oídos, oiga!

[44]"El reino de los cielos es como un tesoro escondido en un terreno. Un hombre viene y se lo encuentra. Emocionado y lleno de ilusiones, vende todo lo que tiene y compra el terreno, con lo cual está adquiriendo también el tesoro.

[45]"El reino de los cielos es como un mercader de perlas que anda en busca de perlas finas. [46]Cuando por fin descubre una

verdadera oportunidad en una perla de gran valor que le ofrecen a buen precio, corre y vende lo que tiene para comprarla.

[47]"El reino de los cielos es como el pescador que tira la red al agua y recoge peces de todo tipo, buenos y malos. [48]Cuando se llena la red, la lleva a la orilla y se sienta a escoger los pescados. Los buenos los echa en una canasta y los malos los arroja. [49]Así sucederá cuando llegue el fin del mundo. Los ángeles vendrán y separarán a los malos de los justos [50]y los arrojarán al fuego. Allí será el llorar y el crujir de dientes. [51]¿Entienden ahora?

—Sí —contestaron—. Gracias.

[52]Entonces añadió:

—Los maestros de la ley que se han convertido en discípulos míos tienen a su alcance un tesoro doble: las antiguas verdades de las Escrituras y las verdades nuevas que mis enseñanzas revelan.

[53]Al terminar de exponer sus simbolismos, Jesús fue [54]a Nazaret de Galilea, el pueblo de su niñez, y enseñó en la sinagoga. La gente se quedó maravillada con su sabiduría y milagros.

[55]—¿Será posible? —murmuraban—. Este es hijo de María y del carpintero, y hermano de Santiago, José, Simón y Judas. [56]Sus hermanas viven aquí mismo. ¿De dónde habrá sacado tanta sabiduría?

[57]Y terminaron enojándose con El. Entonces Jesús les dijo.

—Al profeta nunca lo aceptan en su propia tierra ni entre su propia gente.

[58]Por causa de la incredulidad de la gente no hizo allí muchos milagros.

14 CUANDO LA FAMA de Jesús llegó a oídos del rey Herodes, miembro de la tetrarquía que gobernaba la región, [2]éste dijo a sus hombres:

—¡De seguro es Juan el Bautista que ha resucitado! ¡Por eso puede hacer milagros!

[3]Herodes precisamente había prendido a Juan y lo había encadenado en la cárcel por exigencias de Herodías, que había sido esposa de su hermano Felipe. [4]Herodías odiaba a Juan porque éste se había atrevido a decirle al rey que era incorrecto que se casara con ella. [5]Herodes lo habría matado

---

13a Salmo 78:2.

en seguida, pero temía que el pueblo se le rebelara, ya que tenían a Juan por profeta. ⁶Pero durante la celebración del cumpleaños de Herodes, la hija de Herodías danzó para el rey, y a éste le agradó tanto ⁷que juró darle cualquier cosa que pidiera. ⁸Aconsejada por su madre, la muchacha pidió que le trajeran la cabeza de Juan el Bautista en una bandeja. ⁹Al rey no le agradó nada aquella petición, pero como había hecho juramento y como no quería romperlo delante de sus invitados, mandó que la complacieran.

¹⁰Poco después decapitaron a Juan en la prisión ¹¹y le ofrecieron a la muchacha la cabeza en una bandeja, y ella se la llevó a su madre.

¹²Los discípulos de Juan fueron, lo enterraron y corrieron a contarle a Jesús lo sucedido.

¹³Cuando le dieron a Jesús la noticia, El tomó una barca y se encaminó a un lugar desierto donde pudiera estar a solas. Pero la gente vio hacia dónde se dirigía, y muchos fueron a pie hasta allá desde las ciudades vecinas. ¹⁴Cuando Jesús llegó, encontró que una vasta multitud lo esperaba y, compadecido, sanó a los enfermos.

¹⁵Aquel atardecer, los discípulos se le acercaron y le dijeron:

—Ya pasó la hora de la cena, y aquí en el desierto no hay nada qué comer. Despide a la gente para que vayan por los pueblos a comprar alimentos.

¹⁶—¿Pero por qué? —les respondió Jesús—. ¡Denles ustedes de comer!

¹⁷—¿Con qué, si no tenemos más que cinco panecillos y dos pescados?

¹⁸—¡Tráiganmelos!

¹⁹La gente se fue sentando en la hierba a petición de Jesús. El, tomando los cinco panes y los dos pescados, miró al cielo, los bendijo, y comenzó a partir los panes y a darlos a los discípulos para que los distribuyeran entre la gente. ²⁰No quedó nadie sin comer. ¡Y hasta sobraron doce cestas de comida, ²¹a pesar de que había cerca de cinco mil hombres sin contar las mujeres ni los niños!

²²Mientras Jesús despedía a la multitud, los discípulos se subieron a la barca para ir al otro lado del lago. ²³,²⁴Al quedarse solo, Jesús subió al monte a orar.

La noche sorprendió a los discípulos en medio de las aguas agitadas y luchando contra vientos contrarios. ²⁵A las tres de la mañana Jesús se les acercó, caminando sobre las aguas turbulentas. ²⁶Los discípulos, al verlo, gritaron llenos de espanto:

—¡Es un fantasma!

²⁷Pero Jesús inmediatamente les gritó:

—¡Calma! ¡No tengan miedo! ¡Soy yo!

²⁸—Señor —le respondió Pedro—, si eres tú realmente, pídeme que vaya a ti sobre las aguas.

²⁹—¡Está bien, ven!

Sin vacilar, Pedro se lanzó por la borda y caminó sobre las aguas hacia donde estaba Jesús. ³⁰Pero al percatarse de lo que hacía y de la inmensidad de las olas que se le lanzaban encima, sintió miedo y comenzó a hundirse.

—¡Señor, sálvame! —gritó horrorizado.

³¹Extendiendo la mano, Jesús lo sujetó y le dijo:

—¡Hombre de poca fe! ¿Por qué dudaste?

³²Cuando subieron a la barca, los vientos cesaron. ³³Los demás, maravillados, se dijeron:

—¡No cabe duda que es el Hijo de Dios!

³⁴Desembarcaron en Genesaret. ³⁵La noticia de su llegada se esparció rápidamente por la ciudad. Numerosas personas corrieron de un lugar a otro avisando que podían llevarle los enfermos para que los sanara. ³⁶Muchos le rogaban que les dejara tocar aunque sólo fuera el borde de su manto; y los que lo tocaban, sanaban.

15 CIERTOS FARISEOS Y jefes judíos de Jerusalén fueron a entrevistarse con Jesús.

²—¿Por qué tus discípulos desobedecen la tradición antigua? —dijeron—. ¡No están observando el ritual de lavarse las manos antes de comer!

³A lo que Jesús respondió:

—¿Y por qué ustedes violan los mandamientos directos de Dios en el afán de guardar las tradiciones? ⁴La ley de Dios dice: "Honra a tu padre y a tu madre, y el que maldiga a sus padres, muera irremisiblemente". ⁵Pero ustedes dicen: "Es preferible dejar de ayudar a los padres que estén en necesidad que dejar de ofrendar a la iglesia". ⁶De esta manera, con un mandamiento humano están anulando el mandamiento directo de Dios de honrar y cuidar a los padres. ⁷¡Hipócritas! Bien dijo de ustedes el profeta Isaías:

⁸Este pueblo de labios me honra, pero lejos están de amarme de corazón. ⁹La adoración que me brindan no les sirve de nada porque enseñan tradiciones humanas como si fueran mandamientos de Dios.

¹⁰Entonces Jesús llamó al gentío y le dijo:

—Escuchen y traten de entender: ¹¹Lo que daña el alma no es lo que entra por la boca sino los pensamientos malos y las palabras con que éstos se expresan.

¹²Los discípulos se le acercaron y le dijeron:

—Los fariseos se ofendieron con esas palabras.

¹³—Cualquier planta que mi Padre no haya sembrado, será arrancada —les respondió Jesús—. ¹⁴Así que no les hagan caso, porque son ciegos que tratan de guiar a otros ciegos y lo que hacen es caer juntos en el hoyo.

¹⁵Pedro le pidió que les explicara aquello de que comer los alimentos que la ley judía prohíbe no es lo que contamina al hombre.

¹⁶—¿No entiendes tampoco? —le respondió Jesús—. ¹⁷Cualquiera cosa que uno come pasa a través del aparato digestivo y se expulsa. ¹⁸Pero el mal hablar brota de la suciedad del corazón y corrompe a la persona que lo emplea. ¹⁹Del corazón salen los malos pensamientos, los asesinatos, los adulterios, las fornicaciones, los robos, las mentiras y los chismes. ²⁰Esto es lo que de veras corrompe. Pero uno no se corrompe por comer sin pasar por la ceremonia de lavarse las manos.

²¹Jesús salió de allí y caminó los ochenta kilómetros que lo separaban de la región de Tiro y Sidón. ²²Una cananea, que vivía por allí, se le acercó suplicante:

—¡Ten misericordia de mí, Señor, Hijo de David! Mi hija tiene un demonio que la atormenta constantemente.

²³Jesús no le respondió ni una sola palabra. Sus discípulos se le acercaron y le dijeron:

—Dile que se vaya, que ya nos tiene cansados.

²⁴Entonces Jesús le dijo a la mujer:

—Me enviaron a ayudar a las ovejas perdidas de Israel, no a los gentiles.

²⁵Pero ella se le acercó y de rodillas le suplicó de nuevo:

—¡Señor, ayúdame!

²⁶—No creo que esté correcto quitarle el pan a los hijos y echárselo a los perros.

²⁷—Sí —replicó ella—, pero aun los perrillos comen las migajas que caen de la mesa.

²⁸—¡Tu fe es extraordinaria! —le respondió Jesús—. Conviértanse en realidad tus deseos.

Y su hija sanó en aquel mismo instante.

²⁹Jesús regresó al lago de Galilea, subió a una colina y se sentó ³⁰a sanar a los cojos, ciegos, mudos, mancos y muchos otros enfermos que la vasta multitud le llevaba. ³¹¡Qué espectáculo! Los que hasta entonces no podían pronunciar ni una palabra hablaban emocionados; a los que les faltaba un brazo o una pierna les salían nuevos brazos o piernas; los cojos caminaban y saltaban, mientras que los ciegos, maravillados, contemplaban por primera vez el mundo. El gentío, asombrado, alababa al Dios de Israel.

³²—Me da lástima esta gente —dijo Jesús en voz baja a sus discípulos—. Hace tres días que están aquí y no tienen nada qué comer. No quiero enviarlos en ayunas, porque se desmayarían en el camino.

³³—¿Pero en qué lugar de este desierto vamos a conseguir suficiente comida para alimentar a este gentío? —le respondieron.

³⁴—¿Qué tienen ahora? —les preguntó Jesús.

—¡Siete panes y unos cuantos pescados!

³⁵Entonces ordenó a la gente que se sentara en el suelo, ³⁶tomó los siete panes y los pescados, dio gracias a Dios por ellos y comenzó a partirlos y a entregarlos a los discípulos para que los repartieran al gentío.

^{37,38}¡Nadie se quedó sin comer, a pesar de que había cuatro mil personas sin contar las mujeres y los niños! ¡Y sobraron siete cestas repletas de alimentos!

³⁹Por fin, despidió a la gente y se fueron en una barca a la región de Magdala.

16 UN DÍA LOS fariseos y los saduceos fueron donde estaba Jesús a pedirle que demostrara su divinidad con alguna señal milagrosa en el cielo.

[2]—De veras me sorprende —les respondió Jesús—. Ustedes pueden leer las predicciones del tiempo en el cielo. Si el cielo se pone rojo hoy por la tarde saben que habrá buen tiempo mañana; [3]y si por la mañana se pone rojo saben que habrá tempestad. ¡Y no pueden leer las notorias señales de los tiempos! [4]Esta generación perversa e incrédula pide que se le den señales en los cielos, pero no verá más señal que la de Jonás.

Y se fue de allí.

[5]Al llegar al otro lado del lago, los discípulos se dieron cuenta que se les había olvidado la comida. En aquel preciso instante Jesús les decía:

[6]—¡Cuídense de la levadura de los fariseos y saduceos!

[7]Los discípulos pensaron que les decía eso porque se les había olvidado llevar pan. [8]Pero Jesús, que sabía lo que estaban pensando, les dijo:

—¡Qué hombres con tan poca fe! ¿Por qué se preocupan tanto por la comida? [9]¿Cuándo van a entender? ¿Ya se les olvidó que alimenté a cinco mil personas con cinco panes, y que sobraron varias cestas de comida? [10]¿Y se les olvidó los cuatro mil que alimenté y las cestas de comida que sobraron? [11]¿Cómo se les ocurre pensar que me estoy refiriendo a la comida? Lo que dije fue que se cuidaran de la "levadura" de los fariseos y saduceos.

[12]Por fin entendieron que no se refería a la levadura del pan, sino a las enseñanzas falsas de los fariseos y saduceos.

[13]Al llegar a Cesarea de Filipo, les preguntó:

—¿Quién dice la gente que soy?

[14]—Bueno —le respondieron—, algunos dicen que eres Juan el Bautista; otros, que eres Elías; y otros, que eres Jeremías o alguno de los profetas.

[15]—¿Y quién creen ustedes que soy?

[16]—¡Tú eres el Cristo, el Mesías, el Hijo del Dios viviente! —respondió Simón Pedro.

[17]—Dios te ha bendecido, Simón, hijo de Jonás —le dijo Jesús—, porque esto no lo aprendiste de labios humanos. ¡Mi Padre celestial te lo reveló personalmente! [18]Tú eres Pedro,[a] y sobre esta roca edificaré mi iglesia, y los poderes del infierno no prevalecerán contra ella. [19]Te daré las llaves del reino de los cielos: la puerta que cierres en la tierra se cerrará en el cielo; y la puerta que abras en la tierra se abrirá en el cielo.

[20]A continuación les suplicó que no le dijeran a nadie que era el Mesías. [21]Desde entonces empezó a decirles claramente que era imprescindible que fuera a Jerusalén, que sufriría mucho en manos de los dirigentes judíos, y que, aunque al fin lo matarían, a los tres días resucitaría.

[22]Pedro, inquieto, lo llamó aparte y lo reprendió:

—¡Dios guarde, Señor! —le dijo—. ¡A ti no te puede pasar nada!

[23]—¡Apártate de mí, Satanás! —dijo Jesús dando media vuelta—. ¡Me eres un estorbo! ¡Estás mirando las cosas desde el punto de vista humano y no del divino!

[24]Y dijo a los discípulos:

—Si alguien desea seguirme, niéguese a sí mismo, tome su cruz y sígame. [25]Porque el que trate de vivir para sí, perderá la vida; pero el que pierda la vida por mi causa, la hallará. [26]¿De qué les sirve ganarse el mundo entero y perder la vida eterna? ¿Habrá algún valor terrenal que compense la pérdida del alma? [27]Yo, el Hijo del Hombre, vendré con los ángeles en la gloria de mi Padre y juzgaré a cada persona según sus obras. [28]Y algunos de los que están aquí ahora mismo no morirán sin verme venir en mi reino.

17 SEIS DÍAS DESPUÉS, Jesús, con Pedro, Jacobo y Juan (el hermano de este último), subió a la cima de un elevado y solitario monte [2]y se transfiguró delante de los discípulos. Su rostro se volvió brillante como el sol, y su ropa blanca como la luz. [3]De pronto Moisés y Elías aparecieron y se pusieron a hablar con Él. [4]Pedro, atónito, balbuceó:

—Señor, ¡qué bueno que nos pudiéramos quedar aquí! Si quieres, podemos

---

16a Pedro quiere decir "piedra".

hacer aquí mismo enramadas, una para ti, otra para Moisés y otra para Elías.

[5] Pero mientras hablaba, una nube resplandeciente los cubrió y una voz dijo desde la nube:

—Este es mi Hijo amado; en El me complazco. Obedézcanlo.

[6] Los discípulos se postraron en tierra temblando de miedo. [7] Jesús se les acercó y los tocó.

—Levántense —les dijo—. No tengan miedo.

[8] Y al levantar la mirada encontraron sólo a Jesús.

[9] Al descender de la montaña, Jesús les ordenó que no le dijeran a nadie lo que habían visto hasta que se levantara de entre los muertos. [10] Los discípulos le preguntaron:

—¿Por qué los maestros de religión insisten en que Elías regresará antes que aparezca el Mesías?

[11] —Ellos tienen razón —les respondió Jesús—. Elías tiene que venir a poner las cosas en orden. [12] Y ya vino, pero en vez de reconocerlo, lo trataron con la misma crueldad con que me tratarán a mí, el Hijo del Hombre.

[13] Los discípulos comprendieron que se refería a Juan el Bautista.

[14] Cuando llegaron al valle, un gentío inmenso los esperaba, y un hombre corrió y se tiró de rodillas ante Jesús.

[15] —Señor —dijo—, ten misericordia de mi hijo, que está enfermo de la mente y padece muchísimo. Muchas veces se cae en el fuego o en el agua. [16] Lo traje a tus discípulos, pero no pudieron curarlo.

[17] —¡Oh generación incrédula y perversa! —dijo Jesús—, ¿hasta cuándo tendré que soportarlos? ¡Tráiganmelo!

[18] Jesús reprendió al demonio que estaba en el muchacho, y el demonio salió. Desde aquel instante el muchacho quedó bien.

[19] Más tarde, en privado, los discípulos le preguntaron a Jesús:

—¿Por qué no pudimos echar fuera aquel demonio?

[20] —Porque tienen muy poca fe —les respondió Jesús—. Si tuvieran siquiera una fe tan pequeña como un grano de mostaza podrían decirle a aquella montaña que se quitara y se quitaría. Nada les sería impo-

sible. [21] Pero este tipo de demonio no sale a menos que uno haya orado y ayunado.

[22] Un día, estando todavía en Galilea, les dijo:

—Alguien me va a traicionar y me va a entregar en manos de los que quieren matarme, [23] pero al tercer día resucitaré.

Los discípulos se estremecieron de tristeza y temor.

[24] Al llegar a Capernaum, los cobradores de impuestos del Templo le preguntaron a Pedro:

—¿Paga impuestos tu Maestro?

[25] —¡Claro que los paga! —les respondió Pedro, e inmediatamente entró a la casa a hablarle a Jesús sobre el asunto.

Pero no había pronunciado todavía la primera palabra cuando El le preguntó:

—¿A quién crees tú, Pedro, que cobran tributos los reyes de la tierra? ¿A los suyos o a los extranjeros?

[26] —A los extranjeros, claro —respondió Pedro.

—Los suyos quedan exentos, ¿verdad? —añadió Jesús—. [27] Sin embargo, para que no se ofendan, vete al lago y echa el anzuelo, que en la boca del primer pez que saques hallarás una moneda que alcanzará para tus impuestos y los míos.

18 EN AQUELLA OCASIÓN los discípulos le preguntaron a Jesús cuál de ellos ocuparía el cargo más importante en el reino de los cielos.

[2] Jesús llamó a un niño de los que andaban por allí y lo sentó en medio de ellos.

[3] —Si no se vuelven a Dios arrepentidos de sus pecados y con sencillez de niños, no podrán entrar en el reino de los cielos. [4] En otras palabras, el que esté libre de altivez como este niño, tendrá estatura en el reino de los cielos. [5] El que reciba en mi nombre a una persona así, a mí me recibe. [6] Pero al que haga que uno de mis creyentes humildes pierda la fe, mejor le sería que le ataran una roca al cuello y lo arrojaran al mar. [7] ¡Ay del mundo y sus maldades! La tentación es inevitable, pero ¡ay de la persona que tienta! [8] Por lo tanto, si tu mano o tu pie te hace pecar, córtatelo y échalo de ti, porque es mejor entrar al reino de los cielos mutilado que ir a parar al infierno con las dos manos y los dos pies. [9] Y si tu ojo te hace

pecar, sácatelo y échalo a la basura. Mejor te es entrar tuerto al reino de los cielos que ir al infierno con los dos ojos.

[10]"Nunca menosprecien al creyente humilde, porque su ángel tiene en el cielo constante acceso al Padre. [11]Además, yo, el Hijo del Hombre, vine a salvar a los perdidos. [12]Si un hombre tiene cien ovejas y una se le extravía, ¿qué hará? ¿No deja las noventa y nueve sanas y salvas y se va a las montañas a buscar la perdida? [13]Ah, ¡y si la encuentra se regocija más por aquélla que por las noventa y nueve que dejó en el corral! [14]Asimismo, mi Padre no quiere que ninguno de estos pequeños se pierda. [15]Si un hermano te hace algo malo, llámalo y dile en privado cuál ha sido su falta. Si te escucha y la reconoce, habrás recuperado a un hermano. [16]Pero si no, consíguete una o dos personas que vayan contigo a hablarle y te sirvan de testigos. [17]Si se niega a escucharte, presenta el caso a la iglesia, y si la iglesia se pronuncia en favor tuyo y tu hermano no acepta la recomendación de la iglesia, la iglesia debe expulsarlo. [18]Les aseguro que cuanto aten en la tierra quedará atado en el cielo, y que lo que suelten en la tierra quedará suelto en el cielo. [19]También quiero decirles que si dos de ustedes se ponen de acuerdo aquí en la tierra acerca de algo que quieran pedir en oración, mi Padre que está en los cielos se lo concederá. [20]Porque dondequiera que estén dos o tres reunidos en mi nombre, allí estaré yo.

[21]Pedro se le acercó y le preguntó:

—Señor, ¿cuántas veces debo perdonar a un hermano que haga algo malo contra mí? ¿Debo perdonarlo siete veces?

[22]—¡No! —respondió Jesús—, ¡perdónalo hasta setenta veces siete si es necesario!

[23]"El reino de los cielos puede compararse a un rey que decidió arreglar cuentas con sus súbditos. [24]En el proceso le trajeron a uno que le debía cien millones de pesos. [25]Como no podía pagarle, el rey ordenó que lo vendieran junto con su esposa, sus hijos y sus posesiones. [26]Pero el hombre se tiró de rodillas delante del rey y le suplicó:

—¡Señor, por favor, ten paciencia conmigo y te lo pagaré todo!

[27]El rey, conmovido, le soltó y le perdonó la deuda. [28]Pero cuando aquel mismo hombre salió de allí, fue donde estaba alguien que le debía veinte mil pesos y, agarrándolo por el cuello, demandó pago inmediato. [29]El hombre se tiró de rodillas delante de él y le suplicó: "Ten paciencia y te lo pagaré todo". [30]Pero su acreedor no quiso tolerar la demora, y lo hizo arrestar y meter en la cárcel hasta que la deuda quedara completamente saldada. [31]Los amigos del encarcelado, entristecidos, fueron a donde estaba el rey y le contaron lo sucedido. [32]El rey, sin pérdida de tiempo, mandó llamar al hombre que había perdonado. "¡Malvado! ¡Perverso!", le dijo. "¡Así que yo te perdoné aquella deuda espantosa porque me lo pediste, [33]y no pudiste tener misericordia del otro como la tuve de ti!" [34]Tan enojado estaba el rey que lo envió a las cámaras de tortura hasta que pagara el último centavo.

[35]"Así hará mi Padre celestial al que se niegue a perdonar a algún hermano.

19 TRAS PRONUNCIAR ESTAS palabras, salió de Galilea y llegó a la región de Judea que está al este del Jordán. [2]Inmensas multitudes lo seguían, y Jesús sanaba a los enfermos.

[3]Varios fariseos, en una entrevista, trataron de hacerlo caer en la trampa de decir algo que pudieran utilizar como instrumento para destruirlo.

—¿Apruebas el divorcio? —le preguntaron.

[4]—¿No leen las Escrituras? —les respondió—. En ellas está escrito que al principio Dios creó al hombre y a la mujer, [5]y que el hombre debe abandonar al padre y a la madre para unirse eternamente a la esposa. [6]Los dos serán uno, no dos. Y ningún hombre debe separar lo que Dios juntó.

[7]—Entonces, ¿por qué dice Moisés que uno se puede divorciar de su esposa siempre y cuando le dé una carta de divorcio? —le preguntaron.

[8]—Moisés se vio obligado a reglamentar el divorcio por la dureza y la perversidad de su pueblo, pero Dios nunca ha querido que sea así. [9]Y les digo que si alguno se divorcia de su esposa, a no ser en los casos en que ésta le haya sido infiel, comete adulterio si se casa con otra. Y el que se casa con la divorciada comete adulterio también

[10]Entonces los discípulos le dijeron:

—Si eso es así, ¡mejor es no casarse!

[11] —Esto sólo lo pueden entender aquéllos a quienes Dios ha ayudado a entenderlo. [12]Hay personas que no se casan porque nacieron incapacitados para el matrimonio. Otros no lo hacen porque los hombres los incapacitaron, y otros porque no desean hacerlo por amor al reino de los cielos. El que pueda aceptar esto último, que lo acepte.

[13]Le llevaron entonces varios niños para que les pusiera las manos encima y orara por ellos. Pero los discípulos reprendieron a los que los traían.

—No molesten al Maestro —les dijeron.

[14]—No, no —intervino Jesús—. No impidan que los niños vengan a mí, porque de ellos es el reino de los cielos.

[15]Entonces les puso las manos encima y los bendijo. Luego se fue de allí.

[16]Un día alguien le preguntó:

—Buen Maestro, ¿qué bien haré para obtener la vida eterna?

[17]—¿Por qué me llamas bueno? —le dijo Jesús—. El único bueno es Dios. Pero déjame contestarte: Si quieres ir al cielo, guarda los mandamientos.

[18]—¿Cuáles?

Y Jesús le dijo:

—No matarás, no cometerás adulterio, no robarás, no mentirás, [19]honra a tu padre y a tu madre, y ama a tu prójimo con la misma sinceridad con que te amas a ti mismo.

[20]—Pero yo siempre he obedecido esos mandamientos —respondió el joven—. ¿Qué más tengo que hacer?

[21]—Si quieres ser perfecto —le dijo Jesús—, vé, vende todo lo que tienes y dales el dinero a los pobres. De esta manera tendrás tesoros en el cielo. Y cuando lo hayas hecho, ven y sígueme.

[22]Cuando el joven oyó esto, se fue muy triste porque era extremadamente rico.

[23]—A un rico le es muy difícil entrar al reino de los cielos —comentó con sus discípulos—. [24]Le es más fácil a un camello entrar por el ojo de una aguja que a un rico entrar al reino de Dios.

[25]—¿Y quién puede salvarse entonces? —preguntaron los discípulos algo turbados.

[26]Jesús los miró fijamente y les dijo:

—Humanamente hablando, nadie. Pero para Dios no hay imposibles.

[27]—Nosotros lo abandonamos todo por seguirte —dijo Pedro—. ¿Qué obtendremos en cambio?

[28]Y Jesús le respondió:

—Cuando yo, el Hijo del Hombre, me siente en mi trono de gloria, ustedes, mis discípulos, se sentarán en doce tronos a juzgar a las doce tribus de Israel. [29]Y cualquiera que haya dejado hogar, hermanos, hermanas, padre, madre, esposa, hijos, tierras, por seguirme, recibirá cien veces lo que haya dejado, aparte de recibir la vida eterna. [30]Pero muchos de los que ahora se creen importantes no lo serán entonces. Y muchos de los que ahora se consideran poco importantes serán los importantes entonces.

20 "EL REINO DE los cielos es también semejante al dueño de finca que sale por la mañana a contratar obreros que recojan la cosecha. [2]Conviene con ellos en pagarles un denario al día, que es un buen salario, y los pone a trabajar. [3]Un par de horas más tarde, al pasar por la plaza y ver a varios hombres que andan en busca de trabajo, [4]los envía al campo con la promesa de que les pagará lo que sea justo al final de la jornada.

[5]"Al mediodía y a las tres de la tarde hace lo mismo.

[6]"A las cinco de la tarde se encuentra en el pueblo a otros desocupados y les pregunta: "¿Por qué no están trabajando?"

[7]"Porque nadie nos ha contratado", le responden.

"Pues váyanse a trabajar a mi finca, y les pagaré lo que sea justo."

[8]"Por la noche, el pagador fue llamando a cada uno de los obreros para pagarles, comenzando por los últimos que llegaron. [9]A los que llegaron a las cinco les pagó un denario. [10]Los que habían llegado primero, al ver lo que recibieron los que llegaron al último, pensaron que a ellos se les pagaría mucho más. Pero se les pagó también un denario.

[11]"Claro, inmediatamente uno de ellos protestó ante el dueño: [12]"Esa gente trabajó sólo una hora y le están pagando lo mismo

que a nosotros que trabajamos de sol a sol."

[13]"Amigo", le contestó el dueño, "¿no quedamos en que se te iba a pagar un denario al día? [14]Pues tómalo y vete, porque quiero que todo el mundo se le pague lo mismo. [15]¡Y no me vas a decir que es ilegal que haga con mi dinero lo que me plazca! Así que no tienes nada por qué enojarte".

[16]"Así, pues, los primeros serán los últimos y los últimos serán los primeros, porque muchos son los llamados pero pocos los escogidos.

[17]Camino de Jerusalén Jesús tomó a los doce discípulos aparte [18]y les habló de lo que le sucedería cuando llegaran.

—Seré entregado a los principales sacerdotes y escribas, y me condenarán a muerte. [19]Luego me entregarán a los romanos, para que se burlen de mí y me crucifiquen. Pero al tercer día resucitaré.

[20]En eso se le acercó la esposa de Zebedeo, junto con sus dos hijos, Jacobo y Juan, y se arrodilló ante El.

[21]—¿Qué quieres? —le preguntó Jesús.

—Quiero que en tu reino mis dos hijos se sienten junto a ti en el trono, uno a tu derecha y el otro a tu izquierda.

[22]Pero Jesús le dijo:

—¡No sabes lo que estás pidiendo!

Y volviéndose a Jacobo y a Juan, les dijo:

—¿Se creen ustedes capaces de beber del terrible vaso en que he de beber? ¿y de resistir el bautismo con que voy a ser bautizado?

—Sí —respondieron—. Podemos.

[23]—Pues a la verdad van a beber de mi vaso —les contestó Jesús—, y van a bautizarse con mi bautismo, pero no tengo el derecho de decir quiénes se sentarán junto a mí. Mi Padre es el que lo determina.

[24]Los otros diez discípulos se enojaron al enterarse de lo que Jacobo y Juan habían pedido, [25]pero Jesús los llamó y les dijo:

—En las naciones paganas los reyes, los tiranos o cualquier funcionario está por encima de sus súbditos. [26]Pero entre ustedes será completamente diferente. El que quiera ser grande, debe servir a los demás; [27]y el que quiera ocupar el primer lugar en la lista de honor, debe ser esclavo de los demás. [28]Recuerden que yo, el Hijo del Hombre, no vine para que me sirvan, sino a servir y a dar mi vida en rescate de muchos.

[29]Al salir de Jericó los seguía un inmenso gentío. [30]Y dos ciegos que estaban sentados junto al camino, al escuchar que Jesús iba a pasar por allí, se pusieron a gritar:

—¡Señor, Hijo de David, ten misericordia de nosotros!

[31]La gente los mandó a callar, pero gritaron todavía más fuerte. [32]Cuando Jesús pasó junto a donde estaban, les preguntó:

—¿En qué puedo servirles?

[33]—Señor —le dijeron—. ¡Queremos ver!

[34]Jesús, compadecido, les tocó los ojos. Y al instante pudieron ver, y siguieron a Jesús.

21 YA CERCA DE Jerusalén, en el pueblo de Betfagé, junto al Monte de los Olivos, Jesús envió a dos de los discípulos al pueblo cercano.

[2]—En la entrada misma —les dijo—, hallarán una burra atada y junto a ella un burrito. Desátenlos y tráiganmelos. [3]Si alguien les pregunta algo, díganle que el Maestro los necesita y que luego se los devolverá.

[4]Así se cumplió la antigua profecía:

[5]Díganle a Jerusalén: "Tu Rey vendrá a ti sentado humildemente sobre un burrito".

[6]Los dos discípulos obedecieron, [7]y poco después regresaron con los animales y pusieron sus mantos encima del burrito para que Jesús lo montara. [8]Cuando Jesús pasaba, algunos de entre el gentío tendían sus mantos a lo largo del camino, otros cortaban ramas de los árboles y las tendían delante de El. [9]Y delante y detrás del cortejo el gentío aclamaba:

—¡Viva el Hijo del rey David! ¡Alábenlo! ¡Bendito el que viene en el nombre del Señor! ¡Gloria a Dios!

[10]Cuando entraron a Jerusalén, la ciudad se conmovió.

—¿Quién será éste? —preguntaban.

[11]—Es Jesús, el profeta de Nazaret de Galilea.

[12]Jesús se dirigió al Templo y echó fuera a los que allí vendían y compraban, y volcó las mesas de los que cambiaban dinero y las sillas de los que vendían palomas.

¹³—Las Escrituras dicen que mi Templo es casa de oración —declaró—, pero ustedes lo han convertido en cueva de ladrones.

¹⁴Entonces se le acercaron los ciegos y los cojos y los sanó allí mismo en el Templo. ¹⁵Cuando los principales sacerdotes y los demás jefes judíos vieron aquellos sorprendentes milagros y escucharon a los niños que en el Templo gritaban: "¡Viva el Hijo de David!", perturbados e indignados le dijeron:

¹⁶—¿No oyes lo que están diciendo esos niños?

—Sí —respondió Jesús—. ¿No dicen acaso las Escrituras que "aun los recién nacidos lo adoran"?

¹⁷Después de esto regresó a Betania, donde pasó la noche.

¹⁸Cuando regresaba a Jerusalén a la mañana siguiente, tuvo hambre ¹⁹y se acercó a una higuera del camino con la esperanza de encontrar en ella higos. ¡Pero sólo encontró hojas!

—¡Nunca jamás tengas fruto! —le dijo.

La higuera se secó, ²⁰y los discípulos se preguntaron llenos de asombro:

—¿Cómo es que la higuera se secó tan pronto?

²¹Y Jesús les respondió:

—Pues les digo que si tienen fe y no dudan, podrán hacer cosas como ésta y muchas más. Hasta podrán decirle al Monte de los Olivos que se quite y se arroje al mar, y los obedecerá. ²²Cualquier cosa que pidan en oración la recibirán si de veras creen.

²³Ya de regreso en el Templo, y mientras enseñaba, los principales sacerdotes y otros jefes judíos se le acercaron a exigirle que les explicara por qué había echado del Templo a los mercaderes y quién le había dado autoridad para hacerlo.

²⁴—Lo explicaré si me contestan primero esta pregunta —les respondió Jesús—. ²⁵¿Fue Dios el que envió a Juan a bautizar o no?

Era una pregunta difícil de contestar, y se pusieron a discutirla entre sí en voz baja.

—Si decimos que Dios lo envió —se decían—, nos preguntará por qué no creímos en él. ²⁶Y si decimos que no fue Dios el que lo envió, el pueblo se enojará, porque casi todo el mundo cree que Juan era profeta.

²⁷Pero por fin respondieron:

—No, no sabemos.

Y Jesús les dijo:

—Pues yo tampoco les voy a decir quién me dio autoridad para hacer estas cosas. ²⁸Pero, ¿qué les parece? Un padre de dos hijos dijo al mayor: "Hijo, vé a trabajar hoy a la finca". ²⁹Y el hijo le respondió: "Lo siento; no tengo deseos de trabajar hoy en la finca". Pero luego, arrepentido, fue. ³⁰Cuando el padre le pidió al menor que fuera, éste le respondió: "¡Con mucho gusto! ¡Ahora mismo voy!" Pero no fue. ³¹¿Cuál de los dos obedeció a su padre?

—El primero, por supuesto —respondieron.

—Pues los malvados y las prostitutas llegarán al reino de Dios antes que ustedes. ³²Porque Juan el Bautista les dijo que se arrepintieran y volvieran a Dios, y ustedes no lo hicieron. Los malvados y las prostitutas, en cambio, lo hicieron. Y aun viendo que esto sucedía, ustedes se negaron a arrepentirse y a creer en El.

³³Entonces les contó la siguiente parábola:

—Cierto hombre plantó una viña, la cercó, construyó una torre de vigía, y la arrendó a varios labradores. Según el contrato, éstos habrían de compartir con el dueño el producto de la viña. El dueño se fue a otra región. ³⁴Cuando se acercó el tiempo de la cosecha, envió a sus agentes a recoger lo que le correspondía. ³⁵Pero los labradores los atacaron, y a uno lo golpearon, a otro lo mataron y a otro lo apedrearon. ³⁶Entonces el dueño envió un grupo mayor de hombres a cobrar, pero éstos corrieron la misma suerte. ³⁷Por último, envió a su hijo con la esperanza de que lo respetarían por ser quien era. ³⁸Pero cuando los labradores vieron que se acercaba, se dijeron: "Este es nada menos que el heredero. Vamos a matarlo para quedarnos con la herencia". ³⁹Y lo sacaron de la viña, y lo mataron.

⁴⁰¿Qué creen ustedes que hará el dueño cuando regrese?

⁴¹Los dirigentes judíos respondieron:

—Pues matará sin misericordia a esos malvados y arrendará la viña a otros labradores que le paguen a tiempo.

[42]Entonces Jesús les preguntó:

—¿Han leído alguna vez en las Escrituras aquello que dice: "La piedra que rechazaron los constructores ha sido puesta como piedra principal. ¡Qué interesante! El Señor lo hizo y es maravilloso"? [43]Con esto quiero decirles que a ustedes les van a quitar el reino de los cielos, y se lo darán a gentes que den a Dios los frutos que El espera. [44]El que tropiece con la Roca de la verdad se hará pedazos; y al que la piedra le caiga encima quedará pulverizado.

[45]Al darse cuenta los principales sacerdotes y los demás jefes judíos que Jesús se refería a ellos, que ellos eran los labradores de la parábola, [46]sintieron deseos de exterminarlo, pero no se atrevían, porque el pueblo tenía a Jesús por profeta.

22 JESÚS LES RELATÓ otras parábolas que describían el reino de los cielos: [2]El reino de los cielos puede ilustrarse con el cuento de un rey que preparó un gran banquete en celebración de la boda de su hijo. [3]Envió muchísimas invitaciones, y cuando el banquete estuvo listo, envió un mensajero a notificar a los convidados que ya podían ir. ¡Pero nadie fue! [4]Envió a otros siervos a decirles que fueran pronto, que no se demoraran, que ya los asados estaban listos. [5]Algunos de los invitados se rieron de los mensajeros y se fueron a sus labranzas o negocios, [6]pero otros tomaron a los mensajeros y, tras golpearlos y afrentarlos, los mataron. [7]El rey, enojado, ordenó al ejército que acabara con aquellos asesinos y quemara su ciudad. [8]Entonces dijo: "El banquete está listo, pero los que estaban invitados no eran dignos de la invitación. [9]Vayan ahora por las esquinas e inviten a todo el mundo".

[10]Los siervos obedecieron, y trajeron a cuantos hallaron, lo mismo malos que buenos. Las mesas se llenaron de invitados. [11]Pero cuando el rey fue a ver a los convidados, vio que uno no traía puesto el vestido de boda que había comprado para los invitados. [12]"Amigo mío", le dijo, "¿cómo entraste sin el vestido de boda?"

Como no le respondió, [13]el rey ordenó: "Atenlo de pies y manos y échenlo en las tinieblas de afuera. ¡Allí será el llorar y el crujir de dientes! [14]Porque muchos son los llamados, pero pocos los escogidos.

[15]Los fariseos se reunieron a estudiar la manera de enredar a Jesús en sus propias palabras y hacerle decir algo que lo comprometiera. [16]Decidieron enviar a algunos de sus hombres, juntamente con algunos herodianos,* a formularle algunas preguntas.

—Señor —le dijeron—, sabemos que amas la verdad y que la enseñas sin miedo a las consecuencias. [17]Dinos, ¿debe uno pagar impuestos al gobierno romano?

[18,19]Jesús, que sabía lo que se traían entre manos, les dijo:

—¡Hipócritas! ¿A quién se creen que están tratando de engañar con preguntas como ésas? Enséñenme una moneda.

Y ellos le mostraron una moneda romana de plata.

[20]—¿De quién dice ahí que es esa imagen? —les preguntó.

[21]—Del César —respondieron.

—Pues denle al César lo que es del César y a Dios lo que es de Dios.

[22]Sorprendidos y avergonzados, se fueron.

[23]Aquel mismo día algunos de los saduceos, los que no creían en la resurrección de los muertos, le preguntaron:

[24]—Señor, Moisés dijo que si un hombre muere sin tener hijos, uno de sus hermanos debe casarse con la viuda para tener hijos que sustituyan al muerto en la herencia familiar. [25]Pues bien, hubo una vez una familia de siete hermanos. El primero de éstos se casó y murió sin tener hijos, por lo cual la viuda se casó con el segundo hermano. [26]Aquel hermano murió sin tener hijos, y la esposa pasó al siguiente hermano. El caso se fue repitiendo de manera tal que aquella señora fue esposa de los siete hermanos. [27]Pero a la mujer le llegó también la hora de morir. [28]Dinos, ¿de quién será esposa cuando resuciten? ¡En vida lo fue de los siete!

[29]—Se equivocan porque ignoran las Escrituras y el poder de Dios —les dijo Jesús—. [30]En la resurrección no habrá matrimonios, porque todos serán como los

ángeles del cielo. [31]Pero en cuanto a la resurrección de los muertos, ¿no se han fijado que las Escrituras dicen: [32]"Yo soy el Dios de Abraham, de Isaac y de Jacob"? Dios no es Dios de muertos, sino de vivos.

[33]El gentío se quedó boquiabierto ante aquella respuesta.

[34]Los fariseos no se dejaron amedrentar por la derrota de los saduceos [35]y se les ocurrió una idea. Uno de ellos, abogado, preguntó a Jesús:

[36]—Señor, ¿cuál es el mandamiento más importante de la ley de Moisés?

[37]Jesús respondió:

—Amarás, pues, al Señor tu Dios con todo tu corazón, con toda tu alma y con toda tu mente. [38]Este es el primero y el más importante de los mandamientos. [39]El segundo es similar: Amarás a tu prójimo con el mismo amor con que te amas a ti mismo. [40]Los demás mandamientos y demandas de los profetas se resumen en estos dos mandamientos que he mencionado. El que cumpla estos dos mandamientos estará obedeciendo los demás.

[41]Aprovechando la ocasión de estar rodeado de fariseos, les preguntó:

[42]—¿Qué opinan del Mesías? ¿De quién es hijo?

—De David —le respondieron.

[43]—Entonces, ¿por qué David, inspirado por el Espíritu Santo, lo llama "Señor"? Porque David dijo:

[44]Dijo el Señor a mi Señor: Siéntate a mi derecha hasta que haya puesto a tus enemigos bajo tus pies.

[45]¿Creen ustedes que David habría llamado "Señor" a su hijo?

[46]No le respondieron. Desde entonces nadie se atrevió a preguntarle nada.

23 ENTONCES JESÚS, DIRIGIÉNDOSE al gentío y a sus discípulos, dijo:

[2]—¡Cualquiera que ve a estos escribas y fariseos creando leyes se creerá que son "Moisés en persona"! [3]Claro, obedézcanlos. ¡Hagan lo que dicen, pero no se les ocurra hacer lo que ellos hacen! Porque esta gente no hace lo que dice que se debe hacer. [4]Recargan a la gente de mandamientos que ellos mismos no intentan cumplir.

[5]¡Y luego se ponen a hacer buenas obras para que los demás los vean! Para aparentar santidad, se ponen en la frente y en los brazos porciones de las Escrituras escritas en las tiras de pergamino o piel más anchas que puedan encontrar, y tratan de que los flecos de sus mantos sean más largos que los de los demás. [6]¡Ah, y les encanta ir a los banquetes y sentarse en las cabeceras e ir a la sinagoga y sentarse en las primeras sillas! [7]Cuando andan por las calles les gusta que les digan: "¡Rabí, rabí!" [8]No dejen que nadie los llame así. Sólo el Cristo es Rabí[a] y todos los hombres están en el mismo nivel de hermanos. [9]Y no le llamen a nadie en la tierra "padre", porque el único digno de ese título es Dios, que está en los cielos. [10]Y no se dejen llamar "maestro", porque sólo hay un Maestro: el Mesías. [11]Mientras más humildes sirvamos a los demás, más grandes seremos. Para ser grande, sirve. [12]Porque los que se creen grandes serán humillados; y los que se humillan serán enaltecidos.

[13]"¡Ay de ustedes, escribas y fariseos hipócritas, porque ni entran al reino de los cielos ni dejan entrar a nadie! [14]¡Ay de ustedes, escribas y fariseos hipócritas, que por un lado hacen oraciones larguísimas en las calles y por el otro quitan las casas a las viudas! ¡Hipócritas! [15]¡Ay de ustedes, hipócritas!, porque recorren el mundo en busca de prosélitos, y una vez que los encuentran los hacen dos veces más hijos del infierno que ustedes mismos. [16]¡Guías ciegos, ay de ustedes! Porque dicen que no importa que se jure en vano por el Templo de Dios, pero si alguien jura en vano por el oro del Templo, lo condenan. [17]¡Ciegos insensatos! ¿Qué es más importante, el oro o el Templo que santifica el oro? [18]Y dicen que se puede jurar en vano por el altar, pero si se jura en vano por lo que está sobre el altar lo condenan. [19]¡Ciegos! ¿Qué es más importante, la ofrenda que se pone sobre el altar, o el altar que santifica la ofrenda? [20]El que jura por el altar está jurando también por lo que está sobre él, [21]y el que jura por el Templo, está jurando por el Templo y por Dios que habita en él. [22]Y cuando se jura por el cielo se está jurando por el trono de Dios y por

23a Maestro.

Dios mismo. [23]"¡Ay de ustedes, fariseos y escribas hipócritas! Porque diezman hasta la última hojilla de menta del jardín y se olvidan de lo más importante, que es tener justicia, misericordia y fe. Sí, hay que diezmar, pero no se puede dejar a un lado lo que es aun más importante. [24]"¡Guías ciegos, que cuelan el mosquito y se tragan el camello! [25]¡Ay de ustedes, escribas y fariseos hipócritas!, porque limpian meticulosamente el exterior del vaso y dejan el interior lleno de robo e injusticia. [26]Fariseos ciegos, limpien primero el interior del vaso, para que esté limpio por dentro y por fuera. [27]¡Ay de ustedes, escribas y fariseos hipócritas que, como sepulcros blanqueados, son hermosos por fuera, pero dentro están llenos de huesos de muertos y corrupción! [28]Y así también ustedes, por fuera se ven santos, pero bajo el manto de piedad hay un corazón manchado de hipocresía y pecado.

[29]"¡Ay de ustedes, escribas y fariseos hipócritas!, porque levantan monumentos a los profetas que los padres de ustedes mataron, y adornan las tumbas de los justos que destruyeron, [30]y al hacerlo dicen: "¡Nosotros no los habríamos matado!" [31]¿No se dan cuenta que se están tildando de hijos de asesinos? [32]¡Acaben de imitarlos! ¡Pónganse a la altura de ellos! [33]¡Serpientes, hijos de víboras! ¿Cómo van a escapar de la condenación del infierno?

[34]"Yo les enviaré profetas, hombres llenos del Espíritu y escritores inspirados, pero a algunos los crucificarán, a otros les destrozarán las espaldas a latigazos en las sinagogas, y a los demás los perseguirán de ciudad en ciudad. [35]Así caerá sobre ustedes la culpa de la sangre de los justos asesinados, desde Abel hasta Zacarías, el hijo de Berequías, que ustedes mataron entre el altar y el santuario. [36]¡Los juicios acumulados a través de los siglos caerán sobre esta generación!

[37]"¡Jerusalén, Jerusalén, que matas a los profetas y apedreas a los que Dios te envía! ¡Cuántas veces quise juntar a tus hijos como la gallina junta a sus polluelos debajo de sus alas, pero no quisiste! [38]De ahora en adelante tu casa quedará abandonada, [39]porque te aseguro que no me volverás a ver hasta que digas: "¡Bendito el que viene en el nombre del Señor!"

24 MIENTRAS SALÍAN, SUS discípulos le suplicaron que los acompañara a recorrer los edificios del Templo. [2]Y El les dijo:

—¿Ven esos edificios? ¡Todos serán derrumbados y no quedará ni una piedra sobre otra!

[3]Una vez sentados en las laderas del Monte de los Olivos, los discípulos le preguntaron:

—¿Qué acontecimientos indicarán la cercanía de tu regreso y el fin del mundo?

[4]—No dejen que nadie los engañe —les contestó Jesús—. [5]Muchos vendrán diciendo que el Mesías y engañarán a muchos. [6]Cuando oigan rumores de guerras, no crean que estarán marcando mi retorno; habrá rumores y habrá guerra, pero todavía no será el fin. [7]Las naciones y los reinos de la tierra pelearán entre sí, y habrá hambres y terremotos en diferentes lugares. [8]Pero esto será sólo el principio de los horrores que vendrán. [9]Entonces los torturarán, los matarán, los odiarán en todo el mundo por mi causa, [10]y muchos de ustedes volverán a caer en pecado y traicionarán y aborrecerán a los demás. [11]Muchos falsos profetas se levantarán, y engañarán a muchas personas. [12]Habrá tanto pecado y maldad, que el amor de muchos se enfriará. [13]Pero los que se mantengan firmes hasta el fin serán salvos. [14]Las buenas nuevas del reino serán proclamadas en todo el mundo, para que todas las naciones las oigan. Y entonces vendrá el fin.

[15]"Por lo tanto, cuando vean que aparece en el Lugar Santo la desoladora impureza de que habla Daniel el profeta[a] (¡preste atención el lector!), [16]el que esté en Judea, huya a los montes. [17]El que esté en la azotea, no baje a hacer las maletas. [18]El que esté en el campo, no regrese a buscar la capa. [19]¡Ay de las mujeres que estén encintas o que tengan niños de pecho en aquellos días! [20]Oren para que la huida no sea en invierno ni en el día de reposo, [21]porque

---

24a Daniel 9:27; 11:31; 12:11.

como la persecución que se desatará no se habrá desatado ninguna en la historia, ni se desatará después! ²²Si aquellos días no fueran acortados, la humanidad entera perecería; pero serán acortados por el bien de los escogidos de Dios.

²³"Si en aquellos días alguien les dice que el Mesías está en ese lugar o en el otro, o que apareció aquí o allá o en la ciudad de más allá, no lo crean. ²⁴Porque se levantarán falsos cristos y falsos profetas que realizarán milagros extraordinarios con los cuales tratarán de engañar aun a los escogidos de Dios. ²⁵Por lo tanto, repito: ²⁶Si alguien les dice que el Mesías ha regresado y está en el desierto, no se les ocurra ir a verlo. Y si les dicen que está escondido en cierto lugar, no lo crean. ²⁷Porque mi venida será tan visible como un relámpago que cruza el cielo de este a oeste. ²⁸Y los buitres se juntarán donde esté el cuerpo muerto.

²⁹"Una vez que la persecución de aquellos días haya cesado, el sol se oscurecerá, la luna no dará su luz, las estrellas del cielo y los poderes que están sobre la tierra se conmoverán. ³⁰Entonces aparecerá en el cielo la señal de mi venida, y el mundo entero se ahogará en llanto al verme llegar en las nubes del cielo con poder y gran gloria. ³¹Y enviaré a los ángeles delante de mí para que, con toque de trompeta, junten a mis escogidos de todas partes del mundo.

³²"Apréndanse bien la lección de la higuera. Cuando la rama está tierna y brotan las hojas, se sabe que el verano está cerca. ³³De la misma manera, cuando vean que estas cosas empiezan a suceder, sepan que mi regreso está cerca. ³⁴Sólo entonces terminará esta era de maldad. ³⁵El cielo y la tierra desaparecerán, pero mis palabras permanecerán, para siempre. ³⁶Ahora bien, nadie, ni siquiera los ángeles, sabe el día ni la hora del fin. Sólo el Padre lo sabe. ^{37–39}Al igual que en los días de Noé la gente no quiso creer hasta que el diluvio los arrastró, este mundo incrédulo continuará entregado a sus banquetes y fiestas de boda hasta que mi venida lo sorprenda. ⁴⁰Cuando yo venga, dos hombres estarán trabajando juntos en el campo; uno será llevado y el otro dejado. ⁴¹Dos mujeres estarán realizando sus quehaceres hogareños; una será tomada y la otra dejada. ⁴²Por lo tanto,

deben estar listos, porque no saben cuándo vendrá el Señor. ⁴³De la misma manera que el padre de familia se mantiene vigilante para que los ladrones no se introduzcan en la casa, ⁴⁴deben estar vigilantes para que mi regreso no los sorprenda. ⁴⁵¿Son ustedes siervos sabios y fieles a quienes el Señor ha encomendado la tarea de realizar los quehaceres de su casa y proporcionar a sus hijos el alimento cotidiano? ⁴⁶¡Benditos serán si a mi regreso los encuentro cumpliendo fielmente con su deber! ⁴⁷¡Los pondré a cargo de mis bienes!

⁴⁸"Pero si son tan malvados que, creyendo que voy a tardar en venir, ⁴⁹se ponen a oprimir a sus consiervos, a andar de fiestas y a emborracharse, ⁵⁰el Señor llegará cuando menos lo esperen, ⁵¹los azotará severamente y los enviará al tormento de los hipócritas; allí será el llorar y el crujir de dientes.

25

"EN EL REINO de los cielos sucederá lo que les sucedió a las diez muchachas que tomaron sus lámparas y salieron a recibir al novio. ^{2–4}Cinco de ellas fueron sabias y llenaron bien las lámparas de aceite, mientras que las demás, insensatas, no lo hicieron.

⁵"Como el novio se demoraba, se quedaron dormidas. ⁶Alrededor de la media noche un grito las despertó: "¡Allí viene el novio! ¡Salgan a recibirlo!" ⁷Las muchachas saltaron a arreglar las lámparas, ⁸y las cinco que casi no tenían aceite suplicaron a las otras que compartieran con ellas su aceite, porque se les estaban apagando las lámparas. ⁹Pero las otras, prudentemente, respondieron: "No tenemos suficiente aceite para darles. Vayan a la tienda y compren". ¹⁰Así lo hicieron. Pero al regresar encontraron la puerta cerrada. El novio había llegado ya y había entrado a la boda con las que estaban listas. ¹¹"Señor, ábrenos", gritaron, tocando a la puerta. ¹²Pero el novio les respondió: "¡No sé quiénes son ustedes! ¡Váyanse!"

¹³"Por lo tanto, mantente vigilante, porque no sabes cuándo ni a qué hora he de regresar.

¹⁴"Hubo una vez un hombre que, antes de partir hacia otro país, juntó a sus siervos y les prestó dinero para que lo invirtieran

en su nombre durante su ausencia. [15]A uno le entregó cincuenta mil pesos, a otro veinte mil y a otro diez mil, de acuerdo con la capacidad que había observado en cada uno de ellos.

[16]"El que recibió los cincuenta mil pesos los invirtió inmediatamente en negocios de compraventa y en poco tiempo obtuvo una ganancia de cincuenta mil pesos. [17]El que recibió los veinte mil pesos los invirtió también y ganó veinte mil pesos. [18]Pero el que recibió los diez mil, cavó en la tierra y escondió el dinero para que estuviera seguro.

[19]"Luego de un tiempo de ausencia prolongada, el jefe regresó del viaje y los llamó para arreglar cuentas con ellos.

[20]"El que había recibido los cincuenta mil pesos le entregó cien mil. [21]El jefe, satisfecho, le dijo: "¡Magnífico! Eres un siervo bueno y fiel. Y ya que fuiste fiel con el poco dinero que te di, te voy a confiar una cantidad mayor. Ven, entra, celebremos tu éxito".

[22]"El que había recibido los veinte mil presentó su informe:

—Señor, me diste veinte mil pesos y aquí tienes cuarenta mil. [23]"¡Estupendo!", le respondió el jefe. "Eres un siervo bueno y fiel. Y ya que has sido fiel con lo poco que deposité en tus manos, te voy a confiar ahora una cantidad mayor. Ven, entra, celebremos tu éxito".

[24,25]"Cuando el que había recibido los diez mil pesos se presentó ante el jefe, le dijo: "Señor, como sabía que eres tan duro que te quedarías con cualquier utilidad que yo obtuviera, escondí el dinero. Aquí tienes hasta el último centavo". [26]"¡Malvado! ¡Haragán! Si sabías que quería obtener las utilidades, [27]por lo menos debías haber puesto el dinero en el banco para que ganara intereses. [28]Quítenle ese dinero y dénselo al que tiene los cien mil pesos. [29]Porque el que sabe usar bien lo que recibe, recibirá más y tendrá abundancia. Pero al que es infiel se le quitará aun lo poco que tiene. [30]Echen a este siervo inútil en las tinieblas de afuera. Allí será el llorar y el crujir de dientes".

[31]"Cuando yo, el Hijo del Hombre, venga en mi gloria junto con los ángeles, me sentaré en mi trono de gloria [32]y las

naciones se reunirán delante de mí. Y las separaré como el pastor separa las ovejas de los cabritos. [33]A mis ovejas las pondré a la mano derecha; a los cabritos, a la izquierda.

[34]"Entonces yo, el Rey, diré a los de mi derecha: "Vengan, benditos de mi Padre. Entren al reino que está preparado para ustedes desde la fundación del mundo. [35]Porque tuve hambre y me dieron de comer; tuve sed y me dieron de beber; fui forastero y me alojaron en sus casas; [36]estuve desnudo y me vistieron; enfermo y en prisión, y me visitaron".

[37]"Y los justos me preguntarán: "Señor, ¿cuándo te vimos con hambre y te alimentamos, o sediento y te dimos de beber? [38]¿Cuándo te vimos forastero y te alojamos en casa, o desnudo y te vestimos? [39]¿Y cuándo te vimos enfermo o en prisión y te visitamos?"

[40]"Yo, el Rey, les responderé: "Todo lo que hicieron a mis hermanos a mí lo hicieron".

[41]"Entonces me volveré a los de la izquierda y les diré: "¡Apártense de mí, malditos, al fuego eterno preparado para el diablo y los demonios. [42]Porque tuve hambre y no me alimentaron; sed y no me dieron de beber; [43]cuando me vieron forastero, me negaron hospitalidad; desnudo, no me vistieron; enfermo y en prisión y no me visitaron".

[44]"Ellos responderán: "Señor, ¿cuándo te vimos hambriento, sediento, forastero, desnudo, enfermo o en prisión y no te ayudamos?"

[45]"Y les responderé: "Cada vez que se negaron a ayudar a uno de mis hermanos, se estaban negando a ayudarme".

[46]"E irán al castigo eterno, mientras los justos entran a la vida eterna.

26 AL TERMINAR DE decir estas cosas, dijo a sus discípulos:

[2]—Como saben, dentro de dos días se celebra la Pascua, y me van a traicionar y a crucificar.

[3,4]En aquel mismo instante los principales sacerdotes, escribas y funcionarios judíos se reunían en la residencia de Caifás, el sumo sacerdote, a buscar la manera de capturar a Jesús a espaldas del pueblo y

matarlo.

⁵—Pero no durante la celebración de la Pascua —dijeron—, porque habrá revuelta.

⁶Jesús fue a Betania, donde visitó a Simón el leproso. ⁷Durante la cena, una mujer se le acercó con un frasco de un perfume costosísimo, y se lo derramó en la cabeza. ⁸Al ver esto, los discípulos se enojaron.

—¡Qué desperdicio! —dijeron—. ⁹Se hubiera podido vender en muy buen precio y habríamos dado el dinero a los pobres.

¹⁰Jesús, que sabía lo que estaban pensando, les dijo:

—¿Por qué la critican? Lo que hizo está muy bien hecho. ¹¹Entre ustedes siempre habrá pobres, pero yo no estaré siempre con ustedes. ¹²Ella me ha bañado en perfume para prepararme para la sepultura. ¹³Lo que ha hecho se sabrá en todas partes del mundo en que se prediquen las buenas nuevas.

¹⁴Entonces Judas Iscariote, uno de los doce apóstoles, se presentó ante los principales sacerdotes ¹⁵y les preguntó:

—¿Cuánto me pagan si les entrego a Jesús?

—¡Treinta piezas de plata!

¹⁶Desde entonces Judas buscaba el momento propicio para traicionar a Jesús.

¹⁷El primer día de las ceremonias pascuales en que los judíos se abstenían de comer pan con levadura, los discípulos le preguntaron a Jesús:

—¿Dónde quieres que preparemos la cena de Pascua?

¹⁸—Vayan a casa de quien ya saben en la ciudad, y díganle que mi tiempo está cerca y que deseo celebrar en su casa la Pascua con mis discípulos.

¹⁹Los discípulos obedecieron y prepararon allá la cena.

²⁰,²¹Aquella noche, mientras comía con los doce, dijo:

—Uno de ustedes me va a traicionar.

²²Entristecidos, cada uno de los discípulos le fue preguntando:

—¿Seré yo, Señor?

²³Y fue respondiendo a cada uno:

—Es el que va a comer conmigo en el mismo plato. ²⁴Es cierto, voy a morir como está profetizado, pero pobre del hombre que me traiciona. Habría sido mejor si no hubiera nacido.

²⁵Judas se le acercó también y le preguntó:

—¿Soy yo, Maestro?

—Sí. Tú lo has dicho.

²⁶Mientras comían, Jesús tomó un pedazo de pan, lo bendijo, lo partió y dio a sus discípulos.

—Tomen. Cómanselo; esto es mi cuerpo.

²⁷Y tomó una copa de vino, la bendijo y la repartió también.

—Beban esto, ²⁸porque esto es mi sangre que sella el nuevo pacto. Mi sangre se derramará para comprar con ella el perdón de los pecados de infinidad de personas. ²⁹Recuerden: No volveré a beber de este vino hasta el día en que lo beba de nuevo con ustedes en el reino de mi Padre.

³⁰Entonces cantaron un himno y se fueron al Monte de los Olivos. ³¹Allí Jesús les dijo:

—Esta noche ustedes se apartarán de mí desilusionados, porque las Escrituras dicen que Dios herirá al pastor y las ovejas del rebaño se dispersarán. ³²Pero después que resucite, iré a Galilea a encontrarme con ustedes.

³³—Aunque los demás te abandonen, yo no te abandonaré —le dijo Pedro.

³⁴—Pedro —le respondió Jesús—, te aseguro que esta noche, antes que el gallo cante, me negarás tres veces.

³⁵—¡Aunque me cueste la vida, no te negaré! —insistió Pedro.

Y los demás discípulos dijeron lo mismo.

³⁶Entonces los llevó a un huerto, el huerto de Getsemaní, y les pidió que se sentaran y lo esperaran mientras entraba al huerto a orar. ³⁷Entró con Pedro y los dos hijos de Zebedeo (Jacobo y Juan). Ya a solas los cuatro, se fue llenando de indescriptible tristeza y angustia.

³⁸—Tengo el alma llena de tristeza y angustia mortal. Quédense aquí conmigo. No se duerman.

³⁹Se apartó un poco, se postró rostro en tierra y oró:

—Padre mío, si es posible, aparta de mí esta copa. Pero hágase no lo que yo quiero sino lo que quieres tú.

⁴⁰Cuando fue donde había dejado a los tres discípulos, los halló dormidos.

—Pedro —dijo—, ¿no puedes quedarte despierto conmigo ni siquiera una hora? ⁴¹Velen y oren, para que la tentación no los venza. Porque es cierto que el espíritu está dispuesto, pero la carne es débil.

⁴²Y se apartó de nuevo a orar:

—Padre mío, si no puedes apartar de mí esta copa, hágase tu voluntad.

⁴³Se volvió de nuevo a ellos y los halló dormidos por segunda vez. ¡Tan agotados estaban! ⁴⁴Y entonces regresó a orar por tercera vez la misma oración. ⁴⁵Cuando volvió a los discípulos les dijo:

—Duerman, descansen. . .pero no, ha llegado la hora. Me van a entregar en manos de los pecadores. ⁴⁶Levántense, vamos. El traidor se acerca.

⁴⁷No había terminado de pronunciar estas palabras cuando Judas, uno de los doce, se acercó al frente de una turba armada con espadas y palos. Iban en nombre de los líderes judíos y ⁴⁸esperaban sólo que Judas identificara con un beso al Maestro. ⁴⁹Sin pérdida de tiempo, el traidor se acercó a Jesús.

—Hola, Maestro —le dijo y lo besó.

⁵⁰—Amigo, haz lo que viniste a hacer —le respondió Jesús.

En el instante en que prendían a Jesús, ⁵¹uno de los que lo acompañaban sacó una espada y de un tajo le arrancó la oreja a un siervo del sumo sacerdote.

⁵²—¡Guarda esa espada! —le ordenó Jesús—. El que espada usa a espada perecerá. ⁵³¿No sabes que podría pedirle a mi Padre que me enviara doce mil ángeles y me los enviaría al instante? ⁵⁴Pero si lo hiciera, ¿cómo se cumplirían las Escrituras que describen lo que ahora mismo está aconteciendo?

⁵⁵Luego dijo a la turba:

—¿Soy un asesino tan peligroso que tienen que venir con espadas y palos a arrestarme? Todos estos días he estado enseñando en el Templo y no me detuvieron. ⁵⁶Pero esto es para que se cumplan las predicciones de los profetas de las Escrituras.

Los discípulos huyeron y lo dejaron solo.

⁵⁷Condujeron a Jesús a casa de Caifás, el sumo sacerdote, donde se encontraban reunidos los jefes judíos. ⁵⁸Pedro lo siguió de lejos, y llegó hasta el patio del sumo sacerdote y se sentó entre los soldados a presenciar los acontecimientos.

⁵⁹Los principales sacerdotes y la corte suprema judía, reunidos allí, se pusieron a buscar falsos testigos que les permitieran formular cargos contra Jesús que merecieran pena de muerte. ⁶⁰Pero aunque muchos ofrecieron sus falsos testimonios, éstos siempre eran contradictorios. Finalmente dos individuos ⁶¹declararon:

—Este hombre dijo que era capaz de destruir el Templo de Dios y reconstruirlo en tres días.

⁶²El sumo sacerdote, al oír aquello, se puso de pie y le dijo a Jesús:

—Muy bien, ¿qué respondes a esta acusación? ¿Dijiste eso o no lo dijiste?

⁶³Jesús no le respondió.

—Demando en el nombre del Dios viviente que nos digas si eres el Mesías, el Hijo de Dios —insistió el sumo sacerdote.

⁶⁴—Sí —le respondió Jesús—. Soy el Mesías. Y un día me verás a mí, el Hijo del Hombre, sentado a la derecha de Dios y regresando en las nubes del cielo.

⁶⁵,⁶⁶—¡Blasfemia! —gritó el sumo sacerdote, rasgándose la ropa—. ¿Qué más testigos necesitamos? ¡El mismo lo ha confesado! ¿Cuál es el veredicto?

—¡Muera! ¡Muera! —le respondieron.

⁶⁷Entonces le escupieron el rostro, lo golpearon y lo abofetearon.

⁶⁸—A ver, Mesías, ¡profetiza! —se burlaban—. ¿Quién te acaba de golpear?

⁶⁹Mientras Pedro contemplaba la escena desde el patio, una muchacha se le acercó y le dijo:

—Tú también andabas con Jesús el galileo.

⁷⁰—No sé de qué estás hablando —le respondió Pedro enojado.

⁷¹Más tarde, a la salida, otra mujer lo vio y dijo a los que lo rodeaban:

—Ese hombre andaba con Jesús el nazareno.

⁷²Esta vez Pedro juró no conocerlo. ¡Ni siquiera había oído hablar de El! ⁷³Pero al poco rato se le acercaron los que por allí andaban y le dijeron:

—No puedes negar que eres uno de los

discípulos de ese hombre. ¡Hasta en el habla se te conoce!

[74]Por respuesta Pedro se puso a maldecir y a jurar que no lo conocía. Pero mientras hablaba, el gallo cantó, [75]y le recordó las palabras de Jesús: "Antes que el gallo cante, me negarás tres veces".

Y corrió afuera a llorar amargamente.

27 AL AMANECER, LOS principales sacerdotes y funcionarios judíos se reunieron a deliberar sobre la mejor manera de lograr que el gobierno romano condenara a muerte a Jesús. [2]Por fin lo enviaron atado a Pilato, el gobernador romano.

[3]Cuando Judas, el traidor, se dio cuenta de que iban a condenar a muerte a Jesús, arrepentido y adolorido corrió a donde estaban los principales sacerdotes y funcionarios judíos a devolverles las treinta piezas de plata que le habían pagado.

[4]—He pecado entregando a un inocente —declaró—.

—Y a nosotros ¿qué nos importa? —le respondieron.

[5]Entonces arrojó las piezas de plata en el Templo, y corrió a ahorcarse.

[6]Los principales sacerdotes recogieron el dinero.

—No podemos reintegrarlas al dinero de las ofrendas —se dijeron—, porque nuestras leyes prohiben aceptar dinero contaminado con sangre.

[7]Por fin, decidieron comprar cierto terreno de donde los alfareros extraían barro. Aquel terreno lo convertirían en cementerio de los extranjeros que murieran en Jerusalén. [8]Por eso ese cementerio se llama hoy día "Campo de Sangre". [9]Así se cumplió la profecía de Jeremías que dice:

Tomaron las treinta piezas de plata,
precio que el pueblo de Israel
ofreció por El, [10]y compraron el
campo del alfarero, como me ordenó el Señor.

[11]De pie ante Pilato estaba Jesús.

—¿Eres el Rey de los judíos? —le preguntó el gobernador romano.

—Sí —le respondió—. Tú lo has dicho.

[12]Pero mientras los principales sacerdotes y los ancianos judíos exponían sus acusaciones, nada respondió.

[13]—¿No oyes lo que están diciendo contra ti? —le dijo Pilato.

[14]Para asombro del gobernador, Jesús no le contestó.

[15]Precisamente durante la celebración de la Pascua, el gobernador tenía por costumbre soltar al preso que el pueblo quisiera. [16]Aquel año tenían en la cárcel a un famoso delincuente llamado Barrabás. [17]Cuando el gentío se congregó ante la casa de Pilato aquella mañana, les preguntó:

—¿A quién quieren que suelte; a Barrabás o a Jesús el Mesías?

[18]Sabía muy bien que los dirigentes judíos habían arrestado a Jesús, celosos de la popularidad que El había alcanzado en el pueblo.

[19]Mientras Pilato presidía el tribunal, le llegó el siguiente mensaje de su esposa: "No te metas con ese hombre, porque anoche tuve una horrible pesadilla por culpa de El".

[20]Pero los principales sacerdotes y ancianos, que no perdían tiempo, persuadieron al gentío a que pidieran que soltaran a Barrabás y mataran a Jesús. [21]Cuando el gobernador volvió a preguntarles cuál de los dos querían que soltara, gritaron:

—¡A Barrabás!

[22]—¿Y qué hago con Jesús el Mesías?

—¡Crucifícalo!

[23]—Pero, ¿por qué? —exclamó Pilato asombrado—. ¿Qué delito ha cometido?

Pero la multitud, enardecida, no cesaba de gritar:

—¡Crucifícalo! ¡Crucifícalo!

[24]Cuando Pilato se dio cuenta que no estaba logrando nada y que estaba a punto de formarse un disturbio, pidió que le trajeran una palangana de agua y se lavó las manos en presencia del gentío.

—Soy inocente de la sangre de este hombre. ¡Allá ustedes!

[25]Y la turba le respondió:

—¡Que su sangre caiga sobre nosotros y nuestros hijos!

[26]Pilato soltó a Barrabás. Pero a Jesús lo azotó y lo entregó a los soldados romanos para que lo crucificaran.

[27]Primero lo llevaron al pretorio. Allí, reunida la soldadesca, [28]lo desnudaron y le pusieron un manto escarlata. [29]A alguien se le ocurrió ponerle una corona de espinas y un palo en la mano derecha a manera de

cetro. Burlones, se arrodillaban ante El.

—¡Viva el Rey de los judíos! —gritaban.

[30]A veces lo escupían o le quitaban el palo y lo golpeaban con él en la cabeza.

[31]Por fin, le quitaron el manto, le pusieron su ropa y se lo llevaron para crucificarlo. [32]En el camino hallaron a un hombre de Cirene*llamado Simón, y lo obligaron a llevarle la cruz a Jesús.

[33]Ya en el lugar conocido como Gólgota, (Loma de la Calavera), [34]los soldados le dieron a beber vino con hiel[b]; tras probarlo, se negó a beberlo. [35]Una vez colgado en la cruz, los soldados echaron suertes para repartirse su ropa [36]y luego se sentaron a contemplarlo. [37]En la cruz, encima de Jesús, habían puesto un letrero que decía: "Este es Jesús, el Rey de los judíos". [38]Junto a El, uno a cada lado, crucificaron también a dos ladrones. [39]La gente que pasaba por allí se burlaba de El y meneando la cabeza decían:

[40]—¿No decías que podías destruir el Templo y reedificarlo en tres días? Vamos a ver. Bájate de la cruz si eres el Hijo de Dios.

[41]Los principales sacerdotes, escribas, fariseos y ancianos se burlaban también.

[42]—Si a otros salvó, ¿por qué no se salva a sí mismo? ¡Conque tú eres el Rey de los judíos! ¡Bájate de la cruz y creeremos en ti! [43]¡Si confió en Dios, que lo salve Dios! ¿No decía que era el Hijo de Dios?

[44]Y los ladrones le decían lo mismo.

[45]Aquel día, desde el mediodía hasta las tres de la tarde, la tierra se sumió en oscuridad. [46]Cerca de las tres, Jesús gritó:

—**Eli, Eli, lama sabactani** (Dios mío, Dios mío, ¿por qué me has desamparado?)

[47]Algunos de los que estaban allí no le entendieron y creyeron que estaba llamando a Elías. [48]Uno corrió y empapó una esponja en vinagre, la puso en una caña y se la alzó para que la chupara. [49]Pero los demás dijeron:

—Déjalo. Vamos a ver si Elías viene a salvarlo.

[50]Jesús habló de nuevo, entregó su espíritu y murió.

[51]Al instante, el velo que ocultaba el Lugar Santísimo del Templo se rompió en dos de arriba a abajo; la tierra tembló, las rocas se partieron, [52]las tumbas se abrieron y muchos creyentes muertos resucitaron. [53]Después de la resurrección de Jesús, salieron del cementerio y fueron a Jerusalén, donde se aparecieron a muchos.

[54]El centurión y los soldados que vigilaban a Jesús, horrorizados por el terremoto y los demás acontecimientos, exclamaron:

—Verdaderamente éste era el Hijo de Dios.

[55]No muy lejos de la cruz estaban varias de las mujeres que habían seguido a Jesús desde Galilea y le servían. [56]Entre ellas estaban María Magdalena, María la madre de Jacobo y de José, y la madre de los hijos de Zebedeo.

[57]Al llegar la noche, un hombre rico de Arimatea llamado José, discípulo de Jesús, [58]fue a Pilato y le pidió el cuerpo de Jesús. Pilato se lo concedió. [59]José tomó el cuerpo, lo envolvió en una sábana limpia [60]y lo colocó en un sepulcro nuevo labrado en la peña que acababa de adquirir, e hizo que rodaran una piedra grande para cerrar la entrada. José se alejó, pero [61]María Magdalena y la otra María se quedaron sentadas delante del sepulcro.

[62]Al siguiente día, al cabo del primer día de las ceremonias pascuales, los principales sacerdotes y fariseos fueron a Pilato [63]y le dijeron:

—Señor, aquel impostor dijo una vez que al tercer día resucitaría. [64]Quisiéramos que ordenaras sellar la tumba hasta el tercer día, para evitar que sus discípulos vayan, se roben el cuerpo y luego se pongan a decir que resucitó. Si eso sucede estaremos peor que antes.

[65]—Bueno, allí tienen un pelotón de soldados. Vayan y asegúrense de que nada anormal suceda.

[66]Entonces fueron, sellaron la roca y dejaron a los soldados de guardia.

28 CUANDO AL AMANECER del domingo María Magdalena y la otra María regresaban a la tumba, [2]hubo un terrible

---

27a Africa.
27b Narcótico que solían ofrecer a los condenados para aliviar sus sufrimientos.

terremoto. Un ángel del Señor acababa de descender del cielo y, tras remover la piedra, se había sentado en ella. ³Tenía el aspecto de un relámpago, y sus vestiduras eran blancas como la nieve. ⁴'⁵Los guardias, temblando de miedo, se quedaron como muertos. Pero el ángel dijo a las mujeres:

—No teman. Sé que buscan a Jesús, el crucificado. ⁶Pero no lo encontrarán aquí, porque ha resucitado como se lo había dicho. Entren y vean el lugar donde lo habían puesto. . .⁷ahora, váyanse pronto y díganles a los discípulos que El ya se levantó de los muertos, que se dirige a Galilea y que allí los espera. Ya lo saben.

⁸Las mujeres, llenas de espanto y alegría a la vez, corrieron a buscar a los discípulos para darles el mensaje del ángel. ⁹Mientras corrían, Jesús les salió al encuentro.

—¡Buenos días! —les dijo.

Ellas se tiraron de rodillas y, abrazándole los pies, lo adoraron.

¹⁰—No teman —les dijo Jesús—. Digan a mis hermanos que salgan en seguida hacia Galilea, y allí me hallarán.

¹¹Mientras esto sucedía, los guardias del Templo que habían estado vigilando la tumba corrieron a informar a los principales sacerdotes. ¹²Estos inmediatamente convocaron a una reunión de jefes judíos y acordaron entregar dinero a los guardias, ¹³a cambio de que dijeran que se habían robado el cuerpo de Jesús.

¹⁴—Si el gobernador se entera —les aseguró el concilio—, nosotros nos encargaremos de que no les pase nada.

¹⁵Los soldados aceptaron el soborno y se pusieron a divulgar aquella falsedad entre los judíos. ¡Todavía lo creen!

¹⁶Los discípulos se fueron a la montaña de Galilea donde Jesús dijo que habría de encontrarse con ellos. ¹⁷Cuando lo vieron, lo adoraron, aunque algunos no estaban completamente convencidos de que era Jesús. ¹⁸Pero El se les acercó y les dijo:

—He recibido toda autoridad en el cielo y en la tierra. ¹⁹Por lo tanto, vayan y hagan discípulos en todas las naciones. Bautícenlos en el nombre del Padre, del Hijo y del Espíritu Santo, ²⁰y enséñenlos a obedecer los mandamientos que les he dado. De una cosa podrán estar seguros: Estaré con ustedes siempre, hasta el fin del mundo.

MARCOS

1 AQUÍ COMIENZA LA maravillosa historia de Jesús el Mesías, el Hijo de Dios. ²En el libro que escribió el profeta Isaías, Dios reveló que enviaría a su Hijo a la tierra, pero que enviaría primero a un mensajero extraordinario a preparar el mundo para su venida. ³"Una voz que clama en el desierto", dijo Isaías. "Prepárense para la venida del Señor; rectifiquen sus vidas". ⁴Ese mensajero fue Juan el Bautista.

Juan el Bautista vivió en el desierto y enseñó que para obtener el perdón de Dios había que bautizarse como manifestación pública de arrepentimiento y deseo de apartarse del pecado. ⁵Desde Jerusalén y de toda la provincia de Judea acudía la gente al desierto de Judea a ver y a escuchar a Juan. Cuando alguien confesaba sus pecados, Juan lo bautizaba en el río Jordán.

⁶Aquel siervo de Dios, que usaba un vestido de pelo de camello ceñido con un cinto de cuero y se alimentaba con langostas y miel silvestre, ⁷predicaba en estos términos: "Pronto vendrá alguien superior a mí, de quien no soy digno ni de ser su esclavo. ⁸Yo bautizo con agua, pero El bautizará con el Santo Espíritu de Dios".

⁹Un día Jesús llegó de Nazaret de Galilea, y Juan lo bautizó en el río Jordán. ¹⁰En el instante en que Jesús salía del agua, vio los cielos abiertos y al Espíritu Santo que descendía sobre El en forma de paloma, ¹¹y escuchó una voz del cielo que le dijo:

—Tú eres mi Hijo amado; en ti me complazco.

¹²Inmediatamente el Espíritu Santo lo impulsó al desierto, ¹³donde pasó cuarenta días en una soledad apenas interrumpida por la presencia de las fieras. Allí, a solas, Satanás lo tentó varias veces. Pero después

que cesaron las tentaciones, los ángeles fueron a servirle.

[14]Cuando el rey Herodes mandó arrestar a Juan, Jesús se fue a Galilea a predicar las buenas nuevas de Dios.

[15]—¡Llegó por fin la hora! —anunciaba—. ¡El reino de Dios está cerca! Arrepiéntanse, apártense del pecado y crean las buenas noticias.

[16]Un día conoció a dos hermanos, Simón y Andrés, que pescaban con red en el lago de Galilea. Ambos eran pescadores de oficio.

[17]—¡Vengan y síganme —les gritó—, que voy a convertirlos en pescadores de hombres!

[18]De inmediato abandonaron las redes y lo siguieron.

[19]Un poco maś adelante vio a los hijos de Zebedeo, Santiago y Juan, que en una barca remendaban las redes. [20]Los llamó también, y dejaron a Zebedeo en la barca con los empleados y se fueron con Jesús.

[21]Llegaron a Capernaum. El día de reposo por la mañana entraron al Templo judío o sinagoga, y Jesús predicó. [22]La congregación quedó maravillada con el sermón. Jesús hablaba como quien tenía autoridad y, a diferencia de los escribas,* no basaba sus argumentos en las palabras de otros.

[23]Un endemoniado que estaba en la sinagoga se puso a gritar:

[24]—¡Ah! ¿Por qué nos molestas, Jesús de Nazaret? ¿Has venido a destruirnos? Sé que eres el Santo Hijo de Dios.

[25]Jesús le dijo:

—¡Cállate y sal de él!

[26]Y el espíritu inmundo, en medio de gritos y convulsiones, salió de aquel hombre. [27]Tan extraordinariamente sorprendida quedó la congregación que comentaban emocionados:

—¿Qué religión nueva será ésta? ¡Hasta los espíritus inmundos lo obedecen!

[28]La noticia se corrió rápidamente por toda Galilea.

[29]De allí fueron a casa de Simón y Andrés. [30]La suegra de Simón estaba en cama con una fiebre altísima. Cuando se lo contaron a Jesús, [31]fue al lecho de la enferma, la tomó de la mano y la ayudó a sentarse. ¡Inmediatamente la fiebre la dejó y se levantó a prepararles comida!

[32]Al atardecer, el patio de la casa se llenó de enfermos y endemoniados que la gente llevó para que Jesús los sanara. [33]La ciudad entera, agolpada a la puerta, [34]presenció la curación de multitudes de enfermos y endemoniados. Pero Jesús no permitió aquella noche que los demonios que expulsaba hablaran y revelaran quién era Él.

[35]A la mañana siguiente, todavía oscuro, se levantó y se fue a solas a orar al desierto. [36]Más tarde Simón y los demás fueron a buscarlo [37]y le dijeron:

—La gente te anda buscando.

[38]El les respondió:

—Sí, pero tengo que ir a otras ciudades también a predicar el mensaje. Para eso vine.

[39]Así que recorrieron Galilea entera predicando en las sinagogas y libertando a muchos del poder de los demonios.

[40]Un día un leproso se acercó y de rodillas le dijo:

—Si quieres, puedes sanarme.

[41]Jesús, compadecido, lo tocó y le dijo:

—Quiero; cúrate.

[42]E instantáneamente la lepra desapareció.

[43]—Vé inmediatamente a que te examine el sacerdote judío —le ordenó Jesús—. [44]No te pares a hablar con nadie en el camino. Llévale la ofrenda que Moisés mandó que dieran los leprosos que sanan, para que todo el mundo se convenza de que ya estás bien.

[45]Pero tan pronto salió de allí comenzó a proclamar la buena noticia de que lo habían sanado. Como consecuencia de esto la fama de Jesús creció tanto que ya no podía entrar en ninguna ciudad. Tenía que quedarse en los lugares desiertos, y de todas partes la gente iba a El.

2 DÍAS MÁS TARDE regresó a Capernaum. La noticia de su llegada se esparció rápidamente por la ciudad. [2]Pronto se llenó tanto la casa donde se alojaba que no quedó sitio para una persona más ni siquiera a la

---

la maestros de la ley.

puerta. Y El predicó la palabra.

¹Mientras predicaba, llegaron cuatro hombres con un paralítico en una camilla. ⁴Como no pudieron atravesar la multitud y llegar a Jesús, se las arreglaron para subir al techo y hacer una abertura exactamente encima de donde estaba Jesús, y entre los cuatro fueron bajando la camilla.

⁵Cuando Jesús vio la confianza que aquéllos tenían en que El podía sanar al amigo, dijo al enfermo:

—Hijo, te perdono tus pecados.

"Algunos escribas que estaban por allí sentados se dijeron: ⁷"¿Cómo? ¡Eso es una blasfemia! ¿Se cree éste que es Dios? ¡Dios es el único que puede perdonar los pecados!"

⁸Jesús les leyó el pensamiento y les dijo:

—¿Por qué se molestan con lo que dije? ⁹¿Es más fácil perdonarle los pecados que sanarlo? ¹⁰Pues para probarles que yo, el Hijo del Hombre, tengo potestad para perdonar los pecados: ¹¹Muchacho, levántate, recoge la camilla y vete.

¹²El hombre dio un salto, tomó la camilla y se abrió paso entre la asombrada concurrencia que entre alabanzas a Dios exclamaba:

—Jamás habíamos visto nada parecido.

¹³Jesús regresó a la orilla del lago y allí predicó al gentío que se arremolinó en torno a El.

¹⁴Caminando por allí, vio a Leví, hijo de Alfeo, sentado en la mesa donde se pagaban los impuestos.

—Ven conmigo —le dijo Jesús—. Sé mi discípulo.

Leví se levantó y lo siguió.

¹⁵Por la noche Leví invitó a sus colegas cobradores de impuestos y a varios otros bien conocidos pecadores a una cena en honor de Jesús y sus discípulos. Había muchos pecadores notorios entre las multitudes que seguían a Jesús.

¹⁶Cuando algunos de los escribas y fariseos lo vieron comiendo con aquellos hombres, preguntaron a los discípulos:

—¿Cómo se le ocurre sentarse a comer con esa chusma?

¹⁷Jesús, que oyó lo que decían, les respondió:

—Los enfermos son los que necesitan médico, no los sanos. No he venido a pedir a los buenos que se arrepientan, sino a los malos.

¹⁸Era costumbre entre los discípulos de Juan y los de los fariseos ayunar de vez en cuando como un acto de adoración. Un día se acercaron éstos a Jesús y le preguntaron por qué sus discípulos no lo hacían también. ¹⁹Jesús les respondió:

—¿Se abstendrán de comer en un banquete de bodas los amigos del novio? ¿Creen que pueden estar tristes mientras el novio esté con ellos? ²⁰Llegará el momento en que el novio les será quitado, y entonces ayunarán. ²¹Por otro lado, ayunar forma parte de lo antiguo. Ayunar ahora es como remendar un vestido viejo con una tela sin remojar. ¿Qué pasa? Pues que el parche se encoge al lavarlo, rompe de nuevo el vestido y la rotura que queda es mayor que la anterior. ²²¿Y a quién se le ocurriría poner vino nuevo en odres viejos? Se reventarían y se perderían el vino y los odres. El vino nuevo se echa en odres nuevos.

²³No mucho después, un día de reposo, pasaron por los trigales, y los discípulos, mientras andaban, se pusieron a arrancar espigas y a comérselas. ²⁴Los fariseos inmediatamente protestaron ante Jesús:

—No debes permitirlo. Nuestras leyes prohíben arrancar espigas los días de reposo.

²⁵Jesús les respondió:

—¿Saben lo que hizo el rey David una vez que él y sus compañeros tuvieron hambre allá por los días de Abiatar el sumo sacerdote? ²⁶Entró y comió de los panes que sólo los sacerdotes podían comer. También eso lo prohíbe la ley. ²⁷El sábado se hizo para beneficio del hombre, y no el hombre para beneficio del sábado. ²⁸Además, yo, el Hijo del Hombre, soy el Señor del día de reposo.

3 OTRA VEZ DE visita en la sinagoga de Capernaum, se fijó en un hombre que tenía una mano deforme. ²Como era el día de reposo, los enemigos lo vigilaban estrechamente. ¿Se atrevería a curarle la mano a aquel hombre? Si lo hacía, lo arrestaban. ³Jesús le pidió al hombre que pasara al frente, ⁴y preguntó:

—¿Es correcto que se haga el bien en el día de reposo? ¿O es éste un día de hacer el mal? ¿Es éste un día de salvar vidas o de destruirlas?

No le contestaron. ⁵Jesús, mirándolos con enojo y a la vez con tristeza por la indiferencia que sentían ante la necesidad humana, dijo al hombre:

—Extiende la mano.

Y al extenderla se le sanó.

⁶Mientras los fariseos se reunían con los herodianosª a urdir un plan para matar a Jesús, ⁷El y los discípulos se retiraron a la orilla del lago, seguidos de una gran multitud de individuos de Galilea, Judea, ⁸Jerusalén, Idumea, de más allá del Jordán y de lugares tan distantes como Tiro y Sidón. Las noticias de los milagros de Jesús se habían propagado tanto que inmensas multitudes acudían a verlo personalmente.

⁹Jesús ordenó a los discípulos que le tuvieran siempre lista la barca, por si acaso no podía contener al gentío que lo oprimía. ¹⁰Como había realizado muchas curaciones aquel día, incontables enfermos lo rodeaban tratando de tocarlo. ¹¹Cada vez que algún endemoniado lo veía, se tiraba de rodillas gritando:

—¡Tú eres el Hijo de Dios!.

¹²Esto a pesar de que les tenía prohibido revelar quién era.

¹³De allí se fue a las montañas. Desde aquel lugar apartado mandó a buscar a ciertas personas muy escogidas, que acudieron a su llamado. ¹⁴De entre ellas seleccionó doce para que estuvieran siempre con El, salieran a predicar, ¹⁵y tuvieran autoridad para sanar enfermedades y echar fuera demonios. ¹⁶Aquellos doce fueron:

Simón (a quien Cristo llamó "Pedro"),

¹⁷Jacobo y Juan (hijos de Zebedeo, a quienes Jesús llamó "Hijos del Trueno"),

¹⁸Andrés,

Felipe,

Bartolomé,

Mateo,

Tomás,

Jacobo (hijo de Alfeo),

Tadeo,

Simón (miembro de un partido político que abogaba por la violencia como medio de derrocar al gobierno romano)

¹⁹y Judas Iscariote (el que más tarde lo traicionó).

Cuando regresaron a la casa donde se alojaban, ²⁰acudió tanta gente que no pudieron ni comer. ²¹Los familiares de Jesús, al enterarse de lo que estaba pasando, salieron a buscarlo porque creían que se había vuelto loco.

²²Dentro de la casa, varios escribas de Jerusalén dijeron:

—Los demonios lo obedecen porque tiene a Satanás, el rey de los demonios.

²³Jesús los llamó y les habló en términos que muy bien entendían:

—¿Cómo puede Satanás echar fuera a Satanás? ²⁴Si un reino está dividido y los distintos bandos luchan entre sí, pronto desaparecerá. ²⁵Si en un hogar hay pleitos y divisiones, se destruirá. ²⁶Y si Satanás pelea contra sí mismo, ¿en qué irá a parar? ¡Así nadie puede sobrevivir!

²⁷"Para echar fuera a los demonios hay que atar primero a Satanás, de la misma manera que para saquear los bienes de un hombre fuerte hay que atarlo primero. ²⁸Ahora bien, les voy a decir una cosa: Cualquier pecado le será perdonado al hombre, aun las blasfemias contra mi Padre, ²⁹pero la blasfemia contra el Espíritu Santo no tiene perdón de Dios. Es un pecado de consecuencias eternas.

³⁰¡Así respondió a la acusación de que realizaba milagros en el nombre de Satanás!

³¹Cuando la madre y los hermanos de Jesús llegaron ante aquella casa repleta, le enviaron un recado para que saliera un momento.

³²—Tu madre y tus hermanos están afuera y quieren verte —le dijeron.

³³—¿Quién es mi madre? ¿Quiénes son mis hermanos? —dijo ³⁴a los que estaban a su alrededor—. Ustedes son mi madre y mis hermanos. ³⁵Cualquiera que hace la voluntad de Dios es mi hermano, mi hermana o mi madre.

4 UNA VEZ MÁS una inmensa multitud se congregó en la orilla del lago donde

---

3a Partido político pro-romano.

enseñaba. Era tanto el gentío que tuvo que subirse a una barca y sentarse a hablarles desde allí. [2]Jesús tenía la costumbre de hablarles por medio de relatos que ilustraban la verdad que quería enseñarles. Una de ellas decía así:

[3]—En cierta ocasión un agricultor salió a sembrar. Al esparcir las semillas en el campo, [4]algunas cayeron en el camino y las aves fueron y se las comieron. [5]Otras cayeron en un terreno rocoso de capa vegetal delgada. Pronto germinaron, pero con la misma rapidez [6]el sol ardiente las marchitó, y murieron porque sus raíces no habían alcanzado profundidad. [7]Algunas semillas cayeron entre espinos; al crecer juntos con las buenas plantas, éstas no pudieron producir granos. [8]Pero algunas de las semillas cayeron en buena tierra y produjeron treinta, sesenta y hasta cien veces el número de semillas plantadas. [9]El que tenga oídos, oiga.

[10]Después, a solas con los doce y los demás discípulos, ellos le preguntaron:

—¿Qué quisiste decir con aquella parábola?

[11]El les respondió:

—Ustedes sí pueden saber algunas de las verdades del reino de Dios. Los que están fuera del reino no, [12]porque aunque ven y oyen, no entienden ni se vuelven a Dios ni alcanzan el perdón de los pecados, como dijo Isaías. [13]Ahora bien, si ustedes no entienden aquella simple alegoría, ¿cómo se las van a arreglar para entender las demás que les voy a decir? [14]El agricultor de que hablé es cualquiera que proclama el mensaje de Dios con el propósito de sembrar la buena semilla en la vida de los demás. [15]El camino duro en que cayeron algunas semillas representa los corazones endurecidos de algunos que escuchan el mensaje de Dios, pero inmediatamente Satanás corre a tratar de que se les olvide. [16]El suelo rocoso representa los corazones de los que escuchan el mensaje con alegría; [17]al igual que las plantas que crecen en una delgada capa vegetal, sus raíces no alcanzan profundidad, y aunque al principio todo les va bien, se apartan tan pronto comienzan las persecuciones. [18]El terreno espinoso representa el corazón de los que escuchan las buenas nuevas de Dios y las

reciben, [19]pero inmediatamente los encantos del mundo, los deleites de las riquezas, el afán por alcanzar el triunfo y el espejismo de los placeres entran, ahogan el mensaje de Dios y no los dejan tener frutos. [20]Pero la buena tierra es el corazón de los que aceptan de verdad el mensaje de Dios y producen una cosecha abundante para Dios: treinta, sesenta y hasta cien veces tanto como se les sembró en el corazón.

[21]Y agregó:

—¿Es lógico que uno encienda una lámpara y le ponga encima una caja para que no alumbre? Cuando uno enciende una lámpara la pone en un lugar donde de veras alumbre. [22]No hay nada oculto que un día no haya de saberse. [23]El que tenga oídos, oiga [24]y ponga en práctica lo que oye. Mientras más lo ponga en práctica, mejor entenderá lo que le digo. [25]Porque el que tiene recibirá más; y al que no tiene se le quitará aun lo poco que tiene.

[26]"Les voy a contar una historia para que vean cómo es el reino de Dios: Un agricultor sembró un terreno [27]y se fue. Con el transcurso de los días, las semillas crecieron por sí mismas [28]gracias a la fertilidad del suelo. Primero brotaron las hojas y luego se fueron formando las espigas de trigo hasta que por fin el grano maduró. [29]A su debido tiempo el agricultor regresó con una hoz y segó las espigas.

[30]Un día les dijo:

—¿Cómo les describiré el reino de Dios? Vamos a ver. [31]El reino de Dios es como un diminuto grano de mostaza. Aunque el grano de mostaza es la más pequeña de las semillas, [32]se convierte en uno de los árboles más frondosos, en cuyas enormes ramas las aves hacen sus nidos y hallan amparo.

[33]Jesús siempre usaba parábolas como ésta para enseñar a la gente común conforme a lo que podían entender. [34]Sin parábolas no les hablaba. En cambio, cuando estaba a solas con sus discípulos les explicaba todo.

[35]Anochecía y dijo a sus discípulos:

—Vámonos al otro lado del lago.

[36]Salieron en la barca dejando a la multitud. Varias barcas los siguieron. [37]No habían avanzado mucho cuando una terrible tempestad se levantó. El viento los azo-

taba con furia, y las olas inmensas amena-
zaban con anegar completamente la barca.
[38]Jesús dormía en la popa con una almo-
hada en la cabeza. Llenos de pánico, lo
despertaron.

—Maestro, ¿no te importa que nos estemos hundiendo?

[39]Inalterable, Jesús se levantó, reprendió
a los vientos y dijo a las olas:

—¡Cálmense!

Cuando los vientos cesaron y todo
quedó en calma, [40]Jesús se volvió a los
discípulos y les dijo:

—¿A qué viene tanto miedo? ¿No tienen confianza en mí?

[41]Ellos, asustados, se decían:

—¿Quién será éste que aun los vientos y
las aguas lo obedecen?

5 CUANDO JESÚS SALTÓ de la barca en la
orilla gadarena del lago, [2]un endemoniado salió del cementerio y se le acercó
corriendo. [3,4]Vivía entre los sepulcros, y
tenía tanta fuerza, que cada vez que lo
ataban con grillos y cadenas rompía las
cadenas, despedazaba los grillos y se iba.
Nadie tenía la fuerza suficiente para dominarlo. [5]Día y noche vagaba solitario por los
sepulcros y los montes gritando e hirién-
dose con piedras afiladas. [6]Cuando vio a lo
lejos que Jesús se acercaba, corrió a su
encuentro y se tiró de rodillas ante El.

[7,8]—¡Sal de este hombre, espíritu inmundo! —ordenó Jesús.

El endemoniado emitió un chillido horrible, electrizante, y el demonio habló:

—¿Qué tienes conmigo, Jesús, Hijo del
Dios altísimo? ¡Por Dios, no me atormentes!

[9]—¿Cómo te llamas? —le preguntó
Jesús.

El demonio le respondió:

—Legión, porque somos muchos los que
estamos en este hombre.

[10]Los demonios le suplicaron que no los
enviara a ningún lugar distante de allí.
[11]Precisamente había por allí un enorme
hato de cerdos que pacía junto a las colinas
ribereñas.

[12]—Envíanos a los cerdos —suplicaron
los demonios.

[13]Al asentir Jesús, los espíritus inmundos salieron del hombre y entraron al hato

de cerdos que, enloquecidos, se precipita-
ron al lago por un despeñadero y se ahogaron.

[14]Los que cuidaban los cerdos corrieron
a dar la noticia en la ciudad y en los campos
circunvecinos. [15]Un gentío enorme acudió a
ver a Jesús. Pero al ver sentado allí, vestido
y en su juicio cabal al que había estado
endemoniado, se acobardaron. [16]Cuando
los testigos presenciales contaron lo ocurrido, [17]le pidieron a Jesús que se fuera de
allí, que los dejara tranquilos.

[18]Jesús regresó a la barca. El que había
estado endemoniado le suplicó que lo dejara irse con El. [19]Pero Jesús le dijo:

—No. Vete a vivir con los tuyos y cuén-
tales las maravillas que el Señor ha hecho
contigo, lo misericordioso que ha sido contigo.

[20]No tuvo que repetírselo. Aquel hombre recorrió Decápolis contando las grandes cosas que Jesús había hecho con él. Y la
gente se maravillaba al oírlo.

[21]Cuando Jesús regresó en la barca a la
otra orilla del lago, una enorme multitud se
reunió a su alrededor, [22]y un hombre se
postró a sus pies. Era Jairo, uno de los
principales de la sinagoga local.

[23]—Señor —dijo éste en desesperada
súplica—, mi hija se me está muriendo.
Ven y ponle las manos encima. Sé que
puedes hacer que viva.

[24,25]Jesús lo acompañó. En medio de
aquella multitud que se apretujaba a su
alrededor, estaba una mujer que durante
los últimos doce años había estado enferma
con cierto tipo de derrame de sangre.
[26]Hacía muchos años que sufría en manos
de los médicos, pero a pesar de haber gastado su fortuna, en vez de mejorar estaba
peor. [27]Enterada de los maravillosos milagros que Jesús hacía, se le fue acercando
poco a poco por detrás, abriéndose paso
entre la multitud. Deseaba tocarle el
manto; [28]tenía la más absoluta seguridad de
que si lo tocaba siquiera sanaría. [29]Y así
fue. Tan pronto lo tocó, el derrame cesó y
se sintió perfectamente bien.

[30]Jesús conoció en seguida que de El
había escapado poder sanador y, dando
media vuelta, preguntó a la multitud:

—¿Quién me tocó?

[31]Sus discípulos le respondieron:

—Pero si la gente te está apretando, ¿cómo se te ocurre preguntar quién te tocó? [32]El siguió mirando en su alrededor en busca del que lo había hecho. [33]La mujer, temblando de miedo y emoción, se arrodilló delante de El y le confesó lo que había hecho. [34]Jesús le dijo:

—Hija, tu fe te ha sanado; vete en paz, que ya no estás enferma.

[35]Mientras hablaba con la mujer, llegaron varios mensajeros de la casa de Jairo a dar la noticia de que era demasiado tarde, que la muchacha ya estaba muerta y que ya no era necesario que Jesús fuera. [36]Pero Jesús le dijo a Jairo:

—No temas. Cree en mí.

[37]Y no permitió que nadie fuera con El sino Pedro, Jacobo y Juan.

[38]En casa de Jairo todo era llanto y dolor.

[39]—¿A qué viene tanto llanto y tanto alboroto? —dijo Jesús al llegar—. La niña no está muerta, sólo está dormida.

[40]La gente se rió en su cara, pero El les ordenó que salieran y entró con Jairo, la esposa de éste y los tres discípulos al cuarto en que reposaba el cuerpo de la niña. [41,42]Tomándola de la mano, le dijo:

—Levántate, niña.

Y aquella niña de doce años de edad se levantó de un salto y caminó. Los padres no cabían en sí entre espantados y alegres. [43]Pero Jesús les suplicó encarecidamente que no lo dijeran a nadie, y ordenó que le dieran de comer a la niña.

6 POCO DESPUÉS SALÍA de aquella región y regresaba con sus discípulos a Nazaret, el pueblo de su niñez.

[2]El día de reposo fue a enseñar a la sinagoga. La gente se quedó boquiabierta ante las enseñanzas y los milagros de aquel hombre que habían visto crecer junto a ellos.

—El no es mejor que nosotros —decían—. ¿Creerá que no lo conocemos? [3]El es aquel carpintero, hijo de María, hermano de Jacobo, José, Judas y Simeón. Sus hermanas viven aquí mismo.

Estaban indignados. [4]Al verlos así, Jesús les dijo:

—Al profeta nunca lo aceptan en su propia tierra, ni entre sus parientes, ni en su propia casa.

[5]Debido a la incredulidad de la gente no pudo realizar ningún milagro allí, salvo poner las manos sobre unos pocos enfermos y sanarlos. [6]Asombrado de la incredulidad de aquella gente, se fue a enseñar en los pueblos de los alrededores.

[7]Un día llamó a sus doce discípulos y los envió de dos en dos con poder para echar fuera demonios. [8,9]Les ordenó que no llevaran nada con ellos, excepto bordón. No debían llevar alimentos ni alforja ni dinero, y ni siquiera una segunda muda de ropa y zapatos.

[10]—En cada pueblo quédense en una sola casa. Mientras estén en ese lugar no se anden cambiando de casa —les dijo—. [11]Si en algún lugar no los reciben ni les prestan atención, sacúdanse el polvo de los pies y váyanse. Con esto les estarán diciendo que los abandonan a su suerte. Les aseguro que en el día del juicio el castigo de Sodoma y Gomorra será más tolerable que el de una gente así.

[12]Los discípulos salieron y fueron por todas partes predicando que se arrepintieran y se apartaran del pecado. [13]Echaron fuera muchos demonios, y sanaron muchos enfermos, ungiéndolos con aceite de oliva.

[14]La fama que Jesús adquirió a través de sus milagros llegó a oídos del rey Herodes. Este pensó que Jesús era Juan el Bautista que había resucitado con poderes extraordinarios.

—Por eso puede realizar tan grandes milagros —dijeron los cortesanos.

[15]Algunos opinaron que Jesús era Elías, el profeta de la antigüedad, que había regresado; y otros, que era un nuevo profeta de la misma categoría de los grandes de la antigüedad. [16]Pero Herodes reiteró:

—No lo creo. Para mí El es Juan, el que yo decapité, que ha vuelto a la vida.

[17,18]Herodes había mandado arrestar a Juan porque éste decía sin miramientos que era incorrecto que el rey se casara con Herodías, la esposa de su hermano Felipe. [19]Herodías quiso por venganza que lo mataran en seguida, pero sin la aprobación de Herodes no podía conseguirlo. [20]Herodes respetaba a Juan porque lo consideraba un hombre bueno y santo, y lo puso a salvo de las garras de Herodías. Aunque cada vez

que hablaba con Juan salía turbado, le gustaba escucharlo.

[21]Un día se le presentó a Herodías la oportunidad que buscaba. Era el cumpleaños de Herodes y éste organizó un banquete para sus ayudantes palaciegos, oficiales del ejército y ciudadanos principales de Galilea. [22,23]En medio del banquete la hija de Herodías danzó y gustó mucho a los presentes.

—Pídeme lo que quieras —le dijo el rey— y te lo concederé aunque me pidas la mitad del reino.

[24]La chica salió y consultó con su madre, quien le dijo:

—Pídele la cabeza de Juan el Bautista.

[25]Obediente, regresó donde estaba el rey y le dijo:

—Quiero que me traigas ahora mismo en una bandeja la cabeza de Juan el Bautista.

[26,27]Al rey le dolía complacerla, pero no podía faltar a su palabra delante de los invitados. No lo quedó más remedio que enviar a uno de sus guardaespaldas a la prisión a cortarle la cabeza a Juan. El soldado decapitó a Juan en la prisión, [28]regresó con la cabeza en una bandeja y se la entregó a la chica. Esta se la llevó a su madre.

[29]Cuando los discípulos de Juan se enteraron de lo sucedido, fueron en busca del cuerpo y lo enterraron.

[30]Cuando los apóstoles regresaron del viaje y terminaron de contarle a Jesús lo que habían hecho y enseñado, [31]era tanto el gentío que entraba y salía que apenas les quedaba tiempo para comer. Jesús tuvo que decirles:

—Apartémonos del gentío para que puedan descansar. Deben estar extenuados.

[32]Partieron en una barca hacia un lugar desierto y tranquilo. [33]En aquel lugar "desierto y tranquilo" se encontraron que una multitud los esperaba. ¡No habían podido salir inadvertidos y la gente se había ido a pie a esperarlos! [34]¡Allí estaba el gentío de siempre! Como siempre también, Jesús se compadeció de ellos porque parecían ovejas sin pastor y les enseñó muchas cosas que necesitaban saber.

[35]Ya avanzada la tarde, los discípulos le dijeron a Jesús:

—Aquí en el desierto no hay nada que comer y se está haciendo tarde. [36]Dile a esta gente que se vaya a los pueblos vecinos a comprar comida.

[37]—Aliméntenlos ustedes —fue la respuesta.

—¿Y con qué? —preguntaron—. Costaría una fortuna comprarle comida a esta multitud.

[38]—¿Qué cantidad de alimentos tenemos? —les preguntó—. Vayan a ver.

Al poco rato regresaron los discípulos con la noticia de que había cinco panes y dos pescados. [39,40]Jesús ordenó a la multitud que se sentara y al poco rato la hierba verde se llenó de multicolores grupos de cincuenta o cien individuos sentados.

[41]Jesús tomó los cinco panes y los dos pescados y, mirando al cielo, dio gracias por ellos. Luego, partió los panes y los pescados y los fue dando a los discípulos para que los repartieran entre la multitud. [42]Comieron todos hasta no poder más. [43,44]Y aunque eran cinco mil hombres, sobraron doce cestas llenas de panes y pescados.

[45]Jesús ordenó a los discípulos que se subieran a la barca y se fueran a Betsaida, donde se les uniría cuando despidiera a la multitud. [46]Después que todos se fueron, Jesús subió al monte a orar.

[47]Ya de noche, mientras los discípulos llegaban al medio del lago, Jesús vio desde el lugar solitario en que estaba [48]que sus discípulos se encontraban en un serio problema, remando desesperadamente y luchando contra los vientos y las olas. Como a las tres de la mañana se acercó a ellos caminando sobre el agua y siguió como si tuviera intenciones de pasar de largo.

[49]Cuando los discípulos vieron aquello que caminaba sobre el agua, gritaron de terror creyendo que era un fantasma. [50]Pero El les dijo:

—Cálmense, soy yo, no tengan miedo.

[51]Cuando subió a la barca, el viento se calmó. Los discípulos quedaron boquiabiertos, maravillados. [52]¡Todavía no entendían quién era El, ni siquiera después de este milagro y el del día anterior! ¡No podían creer!

[53]Al llegar a Genesaret, al otro lado del lago, amarraron la barca [54]y desembarcaron. La gente en seguida lo reconoció [55]y

corrieron por todas partes a dar la noticia y a buscar enfermos que traían a El en camas y camillas. [56]Doquiera que iba, pueblo, ciudad o campo, ponían los enfermos en las calles y en las plazas, y le suplicaban que los dejara tocarle siquiera el borde de su manto. Los que lo tocaban, sanaban.

7 UN DÍA LLEGARON de Jerusalén varios escribas y fariseos, [2]y notaron con enojo que los discípulos de Jesús no cumplían con el ritual judío antes de comer. [3]Los judíos, sobre todo los fariseos, jamás comen si primero no se vierten agua en las manos y la dejan correr hasta los codos como lo requiere la tradición de los ancianos. [4]Cuando regresan del mercado tienen que lavarse de la misma manera, antes de tocar cualquier alimento. Otra de las leyes y reglas que han ido adoptando a través de los siglos es la ceremonia del lavamiento de vasos, jarros, utensilios de metal y lechos.

[5]—¿Por qué tus discípulos no siguen la tradición de los ancianos? ¿Por qué comen sin lavarse conforme al rito? —le preguntaron a Jesús.

[6]Jesús les respondió:

—¡Hipócritas! Bien dijo el profeta Isaías que "este pueblo de labios me honra pero lejos están de amarme de corazón. [7]La adoración que me brindan no les sirve de nada porque enseñan tradiciones humanas como si fueran mandamientos de Dios". ¡Cuánta razón tenía Isaías! [8]Ustedes pasan por alto los verdaderos mandamientos de Dios y se aferran en cumplir con la tradición de los hombres. [9]Rechazan las leyes de Dios y las pisotean por guardar la tradición. [10]Moisés les dio el siguiente mandamiento de Dios: "Honra a tu padre y a tu madre, y el que maldiga a sus padres muera irremisiblemente". [11]Sin embargo, consienten en que un hombre desatienda las necesidades de sus padres con la excusa de que no puede ayudarlos porque ha consagrado a Dios la única parte de su presupuesto que podía destinarles. [12]Ustedes, al consentir en esto, [13]pisotean la ley de Dios por guardar la tradición humana. Este es sólo un ejemplo de muchos.

[14]Entonces pidió la atención de la multitud y dijo:

—Escúchenme bien y entiendan: [15]Lo que daña el alma no es lo que entra en el hombre, sino lo que sale del hombre. [16]El que tenga oídos, oiga.

[17]Una vez en la casa, sus discípulos le preguntaron el significado de lo que acababa de decir.

[18]—¿Así que ustedes tampoco entienden? —les preguntó—. ¿No ven que lo que uno come no le daña el alma, [19]porque los alimentos no tocan el corazón, sino que pasan a través del aparato digestivo?

Con esto afirmaba que todos los alimentos son puros desde el punto de vista religioso. [20]Y añadió:

—Es lo que uno piensa y dice lo que lo contamina. [21]Del corazón del hombre salen los malos pensamientos, el adulterio, la inmoralidad sexual, los asesinatos, [22]los robos, las avaricias, las maldades, los engaños, la lascivia, la envidia, la maledicencia, la soberbia, la insensatez. [23]Estas cosas que salen de adentro son las que contaminan al hombre y lo hacen indigno de Dios.

[24]Un día se fue a las regiones de Tiro y Sidón. Deseaba que nadie supiera su paradero. Pero no lo logró. La noticia de su llegada se corrió rápidamente, y [25]una mujer, cuya hija estaba endemoniada, postrada a sus pies [26]le suplicó que libertara a su hija del poder de los demonios.

Era una sirofenicia, una "despreciable gentil".

[27]—Primero tengo que ayudar a los míos, los judíos —le respondió Jesús—. No es correcto que uno le quite el alimento a los hijos y lo eche a los perros.

[28]—Cierto, Señor, pero aun los perrillos reciben bajo la mesa las migajas que caen del plato de los hijos —respondió la mujer.

[29]—¡Magnífico! —dijo Jesús—. Muy bien contestado. Vete para tu casa que ya el demonio salió de tu hija.

[30]Cuando la mujer llegó a la casa halló a su hija reposando quietamente en cama. El demonio la había dejado.

[31]De Tiro se dirigió a Sidón, y de allí regresó al lago de Galilea, atravesando la región de Decápolis.

[32]Un día le llevaron un sordomudo y le suplicaron que le pusiera las manos encima y lo sanara. [33]Jesús se lo llevó aparte, puso los dedos en los oídos del hombre, escupió, le tocó la lengua [34]y, mirando al cielo,

suspiró y ordenó:

—¡Abrete!

[35]Al instante el hombre pudo oír y hablar perfectamente. [36]Jesús pidió a la multitud que no contara lo que había visto, pero mientras más lo pedía, más se divulgaba. [37]La gente estaba demasiado maravillada para callar.

—¡Qué asombroso es este hombre! ¡Hasta logra que los sordos oigan y los mudos hablen!

8 NO MUCHO DESPUÉS se repitió el caso en que una multitud, por ir a oírlo, se quedó sin alimentos. Jesús llamó a sus discípulos para discutir el asunto. [2]—Me da lástima esta gente —les dijo—, porque ya llevan tres días aquí y se les ha acabado la comida. [3]Si los envío sin comer, se desmayarán en el camino porque muchos han venido de lejos.

[4]—¿Y tenemos nosotros que buscarles comida aquí en el desierto? —protestaron los discípulos.

[5]—¿Cuántos panes tienen? —les preguntó.

—Siete —respondieron.

[6]Pidió a la multitud que se sentara en el suelo. Luego tomó los siete panes, dio gracias a Dios por ellos, los partió y los fue pasando a los discípulos. Los discípulos a su vez los fueron distribuyendo. [7]Encontraron también unos pescaditos; Jesús los bendijo y pidió a los discípulos que los repartieran. [8,9]Cuando la multitud se hartó, Jesús los despidió. Eran como cuatro mil hombres y a pesar de esto al final pudieron recoger siete cestas de alimentos.

[10]Inmediatamente se embarcó con sus discípulos hacia la región de Dalmanuta. [11]Cuando los fariseos de la localidad se enteraron de su llegada, fueron a discutir con El.

—Haznos un milagro —le pidieron—. Haz alguna señal en el cielo, para que creamos en ti.

[12]Al oír aquello, dijo con aflicción:

—No voy a hacer nada. ¿Hasta cuándo quieren que esté haciendo milagros?

[13]Se embarcó de nuevo y se fue al otro lado del lago. Esta vez a [14]los discípulos se les olvidó comprar alimentos antes de salir, y sólo tenían un pan en la barca. [15]En la travesía, Jesús les dijo:

—¡Cuidado con la levadura del rey Herodes y los fariseos!

[16]—¿Qué querrá decir? —se preguntaban los discípulos—. ¿Se referirá a que se nos olvidó el pan?

[17]Jesús, que sabía lo que estaban discutiendo, les dijo:

—¡Están equivocados! ¿Tienen el corazón tan endurecido que no entienden? [18]¿Acaso tienen ojos y no ven, y oídos y no escuchan? ¿No se acuerdan ya [19]que alimenté a cinco mil hombres con cinco panes? ¿Cuántas cestas llenas sobraron?

—Doce —contestaron.

[20]—Y cuando alimenté a los cuatro mil con siete panes, ¿qué sobró?

—Siete cestas llenas —le respondieron.

[21]—¿Y todavía se les ocurre pensar que me preocupa que no hayan traído pan?

[22]En Betsaida le llevaron a un ciego y le rogaron que lo tocara para que sanara. [23]Jesús tomó al ciego de la mano, lo sacó del pueblo, le escupió los ojos, y le puso las manos encima.

—¿Ves algo ahora? —le preguntó.

[24]El hombre miró a su alrededor.

—¡Sí! —dijo—. Veo a los hombres. Los veo como árboles que caminan.

[25]Jesús le colocó de nuevo las manos sobre los ojos y le dijo que mirara fijamente. Entonces el hombre pudo ver perfectamente y se puso a mirar a su alrededor con avidez.

[26]Jesús le ordenó que regresara con su familia.

—No entres en el pueblo, ni se lo cuentes a nadie.

[27]Jesús y sus discípulos salieron de Galilea hacia los pueblos de Cesarea de Filipo. En el camino les preguntó:

—¿Quién cree la gente que soy? ¿Qué dicen de mí?

[28]—Algunos dicen que eres Juan el Bautista —le respondieron—, y otros dicen que eres Elías o uno de los profetas antiguos que ha resucitado.

[29]—¿Y quién creen ustedes que soy?

Pedro le respondió:

—¡Tú eres el Mesías!

[30]Jesús les mandó que no se lo dijeran a nadie, y les [31]habló de los sufrimientos que le sobrevendrían. Los ancianos, los princi-

pales sacerdotes y los escribas lo rechazarían y lo matarían, pero resucitaría después de tres días.

¹²Con tanta franqueza les habló que Pedro lo llamó aparte y lo reprendió:

—¡Dios guarde, Señor! ¡No digas eso!

¹³El le volvió la espalda y, mirando fijamente a sus discípulos, reprendió a Pedro:

—¡Apártate de mí, Satanás! ¡Estás mirando el caso desde el punto de vista humano y no del divino!

¹⁴Hizo un ademán para que la multitud lo escuchara también, y añadió:

—Si alguno quiere venir en pos de mí, niéguese a sí mismo, tome su cruz y sígame. ³⁵El que se afana por salvar su vida, la perderá. Pero los que entregan sus vidas por mi causa y por la causa del evangelio, llegarán a saber a plenitud lo que es la vida. ³⁶¿De qué le sirve a un hombre ganarse el mundo entero si pierde su alma? ³⁷¿Habrá algo que valga más que el alma? ³⁸Si alguien se avergüenza de mí y de mi mensaje en esta época de incredulidad y pecado, yo, el Hijo del Hombre, me avergonzaré de él cuando regrese en la gloria de mi Padre con los santos ángeles.

9 ¹"ALGUNOS DE LOS que están aquí no morirán sin contemplar el glorioso advenimiento del reino de Dios —añadió Jesús tras una pausa.

²Seis días más tarde Jesús llevó a Pedro, a Jacobo y a Juan a la cima de una montaña. Estaban solos los cuatro. De pronto en el rostro de Jesús apareció el brillo de la gloria. ³,⁴Su ropa adquirió un color blanco, resplandeciente, glorioso. ¡Ningún lavador de la tierra habría podido lograr tanta blancura! No habían salido del asombro que esto les produjo cuando, de súbito también, aparecieron Elías y Moisés y se pusieron a hablar con Jesús.

⁵—Maestro, esto es maravilloso —exclamó Pedro—. Construiremos aquí tres enramadas, una para cada uno de ustedes.

⁶Hablaba incoherentemente, sin saber lo que decía, en medio del espanto que lo estremecía. ⁷En eso, una nube los cubrió, tapando el sol. Desde la nube una voz les dijo:

—Este es mi Hijo amado. Oiganlo a El.

⁸Con la misma rapidez con que había aparecido se disipó la nube y los discípulos vieron a Jesús... ¡solo! ¡Moisés y Elías habían desaparecido!

⁹Mientras descendían del monte les suplicó que no dijeran a nadie lo que habían visto hasta que resucitara. ¹⁰Por eso guardaron el secreto, aunque a veces comentaban lo que habían visto y se preguntaban qué sería aquello de "resucitar".

¹¹—¿Por qué dicen los escribas que Elías tiene que regresar antes que aparezca el Mesías? —le preguntaron.

¹²,¹³—Es cierto —les respondió Jesús—. Elías vendrá antes a restaurar todas las cosas; pero ya vino y la gente lo maltrató, tal como lo predijeron los profetas. ¿Y saben ustedes lo que dicen las Escrituras acerca del Hijo del Hombre? Dicen que sufrirá y que lo tratarán con gran desprecio.

¹⁴Al llegar al valle encontraron que un gran gentío rodeaba a los otros nueve discípulos, y que varios escribas discutían con ellos. ¹⁵La llegada de Jesús sorprendió al gentío, que corrió a su encuentro.

¹⁶—¿Qué están discutiendo? —les preguntó.

¹⁷Alguien le respondió:

—Maestro, te traía a mi hijo para que me lo sanaras, porque está endemoniado y no puede hablar. ¹⁸Cada vez que el demonio lo toma, lo arroja al suelo, echa espumarajos por la boca y cruje los dientes. El pobre se ha ido poniendo muy débil. Pedí a tus discípulos que echaran fuera el demonio, pero no lo lograron.

¹⁹—¡Oh generación incrédula! —dijo Jesús a sus discípulos—. ¿Hasta cuándo tendré que estar con ustedes para que crean? ¿Hasta cuándo he de soportarlos? Traigan acá al muchacho.

²⁰Lo obedecieron, pero cuando el demonio vio a Jesús, sacudió al muchacho con violencia; éste cayó al suelo y se revolcó y echó espumarajos por la boca.

²¹—¿Qué tiempo lleva en estas condiciones? —le preguntó Jesús al padre.

—Desde pequeño. ²²A veces el demonio lo arroja en el fuego o en el agua tratando de matarlo. Por favor, si puedes hacer algo, ten misericordia y hazlo.

²³—¿Que si puedo? —dijo Jesús—.

Cualquier cosa es posible si crees.
²⁴Al instante el padre respondió:
—Creo, pero ayúdame a no dudar.
²⁵Cuando Jesús vio que el gentío crecía, reprendió al demonio:
—Espíritu mudo y sordo, te ordeno que salgas de este niño y no entres más en él.
²⁶El demonio chilló horriblemente, sacudió al muchacho de nuevo y salió. El muchacho quedó inmóvil como muerto. Un murmullo de espanto recorrió la multitud:
—¡Está muerto!
²⁷Pero Jesús lo tomó de la mano y le ayudó a pararse. ¡Quedó perfectamente normal!
²⁸Cuando Jesús entró a la casa con los discípulos, éstos le preguntaron:
—¿Por qué no pudimos echar fuera aquel demonio?
²⁹Hay casos que requieren mucha oración y ayuno —les respondió Jesús.
³⁰Al salir de aquella región viajaron por Galilea evitando la publicidad. ³¹Deseaba estar con sus discípulos y enseñarles.
· —A mí, al Hijo del Hombre, me van a traicionar y a matar —les decía—. Pero al tercer día resucitaré.
³²Ellos no lo entendían pero tenían miedo de preguntarle.
³³Llegaron a Capernaum. Una vez acomodados en la casa donde iban a quedarse, les preguntó:
—¿Qué venían discutiendo en el camino?
³⁴Les daba pena contestarle porque habían estado discutiendo cuál de ellos era el más importante del grupo.
³⁵Jesús se sentó y llamó a los doce.
—El que de ustedes quiera ser superior conviértase en siervo de los demás.
³⁶Para recalcar lo que acababa de decir se acercó a un niño que andaba por allí y, tomándolo en los brazos, dijo:
³⁷—El que se ocupa de un niño como éste en mi nombre se está ocupando de mí, y el que se ocupa de mí se está ocupando del Padre que me envió.
³⁸Uno de sus discípulos, Juan, le dijo un día:
—Maestro, vimos a un hombre que echaba fuera demonios en tu nombre. Se lo prohibimos porque no pertenece a nuestro grupo.

³⁹—¡No, no se lo prohiban! —le respondió Jesús—. Nadie que realice milagros en mi nombre podrá hablar mal de mí. ⁴⁰El que no está contra nosotros está a favor de nosotros. ⁴¹El que les dé un vaso de agua en mi nombre, porque son mis discípulos, les aseguro que tendrá recompensa. ⁴²Pero si alguien hace que uno de mis creyentes humildes pierda la fe, mejor le sería que lo echaran al mar con una piedra de molino atada al cuello. ⁴³,⁴⁴Si tu mano te hace pecar, córtatela. Mejor te es ser manco y tener vida eterna que tener las dos manos e ir a parar al inextinguible fuego del infierno. ⁴⁵,⁴⁶Y si tu pie te conduce al mal, córtatelo. Mejor es ser cojo y tener vida eterna que tener los dos pies e ir al infierno. ⁴⁷Y si tu ojo es pecador, sácatelo. Mejor es entrar tuerto al reino de Dios que tener los dos ojos e ir a parar al infierno, ⁴⁸donde el gusano no muere, donde el fuego nunca se apaga, ⁴⁹donde todo es salado con fuego. ⁵⁰La sal no sirve cuando pierde sabor y no puede sazonar. Por lo tanto, no pierdan su sabor. Y haya paz entre ustedes.

10 SALIÓ DE CAPERNAUM hacia el sur, hacia la región de Judea que está al este del río Jordán. La gente acudió a verlo y Él se puso a enseñarles. ²Varios fariseos se le acercaron y le preguntaron:
—¿Permites el divorcio?
Trataban de tenderle una celada.
³—¿Qué dijo Moisés acerca del divorcio? —les preguntó Jesús.
⁴—Dijo que estaba bien —le respondieron— siempre y cuando el hombre le entregue a la esposa una carta de divorcio.
⁵—¿Saben una cosa? —les dijo—. Moisés se vio obligado a reglamentar el divorcio por la dureza y la perversidad del corazón de ustedes. ⁶Dios nunca ha querido que sea así; al contrario, Dios hizo al hombre y a la mujer para que permanecieran juntos eternamente. ⁷,⁸El hombre debe separarse de su padre y de su madre y unirse a su mujer en una unión en que dejen de ser dos para ser uno solo. ⁹Y lo que Dios junta no lo separe el hombre.
¹⁰Cuando regresó con los discípulos a la casa, volvieron a hablar del asunto.
¹¹—Si un hombre se divorcia de su esposa y se casa con otra —les dijo—, comete

adulterio. ¹²Y si una mujer se divorcia del esposo y se vuelve a casar, también comete adulterio.

¹³En cierta ocasión en que algunas madres traían a sus niños para que los bendijera, los discípulos las reprendieron porque, según ellos, estaban molestando al Maestro. ¹⁴Cuando Jesús se dio cuenta de lo que estaba pasando, se disgustó con los discípulos.

—Dejen que los niños vengan a mí —les dijo—, porque de ellos es el reino de los cielos. ¡No se lo impidan! ¹⁵Y déjenme decirles que al que no se acerque a Dios como un niño no se le permitirá entrar al reino.

¹⁶Y tomó a los niños en los brazos, les puso las manos encima y los bendijo.

¹⁷Iba a reanudar el viaje cuando un hombre llegó corriendo hasta El y de rodillas le preguntó:

—Buen Maestro, ¿qué tengo que hacer para obtener la vida eterna?

¹⁸—¿Por qué me llamas bueno? —le preguntó Jesús—. ¡El único bueno es Dios! ¹⁹¿Sabes los Diez Mandamientos?: "No matarás, no cometerás adulterio, no robarás, no mentirás, no defraudarás, honra a tu padre y a tu madre".

²⁰—Maestro, jamás he quebrantado una de esas leyes.

²¹Jesús sintió rebosar en El amor hacia aquel hombre y, mirándolo fijamente, le dijo:

—Sólo te falta una cosa: vé, vende lo que tienes y dalo a los pobres, para que acumules tesoros en el cielo. Luego regresa y sígueme, tomando tu cruz.

²²El hombre palideció y salió muy triste. ¡Tenía demasiadas riquezas! ²³Jesús lo vio marcharse.

—A un rico le es casi imposible entrar en el reino de Dios —dijo a los discípulos.

²⁴Esto les sorprendió. Pero Jesús añadió:

—Hijos, ¡qué difícil les es entrar en el reino de los cielos a los que confían en las riquezas! ²⁵Más fácil le es a un camello pasar por ojo de una aguja que a un rico entrar en el reino de Dios.

²⁶Los discípulos se sintieron más confundidos todavía y preguntaron:

—¿Quién se puede salvar entonces?

²⁷Jesús los miró fijamente y les respondió:

—Humanamente hablando, nadie. Pero para Dios no hay imposibles.

²⁸Un día Pedro se puso a hablar de lo que él y los demás discípulos habían dejado por seguirlo.

—¡Lo hemos abandonado todo! —dijo.

²⁹—Te aseguro, Pedro, que el que haya dejado casa, hermanos, hermanas, padre, madre, esposa, hijos o tierras por amor a mí y por amor a la causa del extendimiento del evangelio, ³⁰recibirá en este mundo cien veces más: casas, hermanos, hermanas, madres, hijos y tierras, aunque con persecuciones. Y, aparte de lo que reciba en la tierra, en el mundo venidero recibirá la vida eterna. ³¹Pero muchos de los que se creen importantes ahora no serán entonces, y muchos que ahora se consideran poco importantes serán los importantes entonces.

³²Iban hacia Jerusalén. Jesús marchaba a la cabeza. Detrás iban los discípulos llenos de miedo. Una vez más Jesús los llamó aparte y les habló de lo que le sucedería cuando llegaran a Jerusalén.

³³—Cuando lleguemos, a mí, al Hijo del Hombre, me prenderán y me llevarán ante los principales sacerdotes y escribas, quienes me condenarán a muerte y me entregarán a los romanos para que éstos cumplan la sentencia. ³⁴Se burlarán de mí, me escupirán, me flagelarán con látigos y me matarán. Pero al tercer día resucitaré.

³⁵Jacobo y Juan, hijos de Zebedeo, se le acercaron y le dijeron al oído:

—Maestro, queremos pedirte un favor.

³⁶—A ver, díganme.

³⁷—Queremos que en tu reino nos permitas sentarnos junto a ti, uno a tu derecha y el otro a tu izquierda.

³⁸—¡No saben lo que están pidiendo! ¿Podrán beber de la amarga copa del sufrimiento que tengo que beber? ¿Podrán bautizarse con el bautismo de sufrimiento con que tengo que bautizarme?

³⁹—¡Claro, claro que sí! —le dijeron.

Jesús les respondió:

—Pues beberán de mi copa y se bautizarán con mi bautismo, ⁴⁰pero no tengo el derecho de concederles tronos junto a mí. Ya está determinado quiénes se sentarán junto a mí.

⁴¹Cuando los demás discípulos se entera-

ron de lo que Jacobo y Juan habían solicitado, se enojaron. [42]Jesús tuvo que llamarlos y decirles:

—Como saben, los reyes y los grandes de la tierra se enseñorean de la gente. [43]Pero entre ustedes debe ser diferente. El que quiera ser superior debe servir. [44]Y el que quiera estar por encima de los demás debe ser esclavo de los demás. [45]Porque aun yo, el Hijo del Hombre, no estoy aquí para que me sirvan, sino para servir a los demás y entregar mi vida en rescate de muchos.

[46]Después de una corta visita a Jericó, reanudaron el viaje. Un vasto gentío los seguía. Sentado junto al camino estaba un pordiosero ciego llamado Bartimeo, hijo de Timeo. [47]Cuando oyó que Jesús de Nazaret se acercaba, se puso a gritar:

—¡Jesús, Hijo de David, ten misericordia de mí!

[48]—¡Cállate! —le gritaron algunos.

El gritó aún con más fuerza:

—¡Hijo de David, ten misericordia de mí!

[49]Cuando Jesús lo oyó se detuvo en el camino y ordenó:

—Díganle que venga.

Alguien se acercó al ciego y le dijo:

—¡Animo! ¡Levántate, que el Maestro te llama!

[50]Sin perder un instante se quitó la capa, la tiró a un lado y fue a donde estaba Jesús.

[51]—¿Qué quieres que te haga? —le preguntó Jesús.

—Maestro —dijo—, ¡quiero que me devuelvas la vista!

[52]Jesús le dijo:

—Muy bien; recóbrala. Tu fe te ha sanado.

E instantáneamente el ciego vio y siguió a Jesús a lo largo del camino.

11 YA SE ACERCABA a Betfagé y a Betania. Jerusalén no estaba lejos. Frente al Monte de los Olivos Jesús dijo a dos de sus discípulos:

[2]—Vayan a aquel pueblito. Al entrar verán un burrito atado que nadie ha montado. Desátenlo y tráiganmelo. [3]Y si alguien les pregunta por qué lo hacen, díganle que el Maestro lo necesita y que pronto lo devolverá.

[4]Los dos discípulos obedecieron y hallaron al burrito en la calle, atado frente a una casa. [5]Mientras lo desataban, unos de los que estaban allí les dijeron:

—¿Por qué lo desatan?

[6]Ellos les respondieron lo que Jesús les había dicho. Ellos accedieron, [7]y pudieron llevarle el burrito a Jesús.

Los discípulos pusieron sus mantos sobre el burrito, y Jesús se montó y echó a andar. [8,9]A lo largo del camino muchos tendían sus mantos o ramas de árboles. Jesús avanzaba en el centro de la procesión, que delante y detrás gritaba:

—¡Viva el Rey! ¡Bendito el que viene en el nombre del Señor! [10]¡Bendito el reino que viene, que es el reino de nuestro padre David! ¡Dios guarde al Rey!

[11]Ya en Jerusalén, se dirigieron al Templo. No permanecieron mucho tiempo allí. Jesús miró detenidamente a su alrededor y salió. Como ya estaba avanzada la tarde se marcharon a Betania.

[12]A la siguiente mañana, al salir de Betania, tuvo hambre [13,14]y se acercó a una frondosa higuera junto al camino. Esperaba hallar algunos higos para comer. Pero al hallar sólo hojas, porque no era la temporada, dijo al árbol:

—Jamás volverás a dar fruto.

Y lo oyeron los discípulos.

[15]Al llegar a Jerusalén se dirigió al Templo y echó fuera a los que allí vendían y compraban, y volcó las mesas de los que cambiaban dinero y las sillas de los que vendían palomas. [16]Por último, prohibió que la gente entrara al Templo cargada de mercancías.

[17]—Las Escrituras dicen que mi Templo ha de ser casa de oración de todas las naciones, pero ustedes lo han convertido en cueva de ladrones.

[18]Cuando los principales sacerdotes y escribas se enteraron de lo que estaba sucediendo, se sentaron a urdir un plan para deshacerse de El. El mayor obstáculo con que tropezaban era la posibilidad de que el pueblo, que tan entusiasmado estaba con las enseñanzas de Jesús, se rebelara.

[19]Aquella noche, como de costumbre, Jesús abandonó la ciudad. [20]A la siguiente mañana, al pasar junto a la higuera que había maldecido, los discípulos vieron que se había secado hasta las raíces. [21]Pedro,

recordando lo que Jesús le había dicho al árbol el día anterior, exclamó:

—¡Maestro, mira! La higuera que maldijiste está seca.

[22]Jesús le respondió:

—El que tiene fe en Dios, [23]se lo aseguro, podrá decirle a este monte que se levante y se arroje al mar, y el monte lo obedecerá. Lo único que se necesita es creer y no dudar. [24]Oigan bien. Oren por cualquier cosa, y si creen, la recibirán. Seguro que la recibirán. [25]Pero cuando oren, perdonen a los que les hayan hecho algo, para que el Padre que está en el cielo les perdone a ustedes sus pecados. [26]Pero si no perdonan, nuestro Padre que está en los cielos no les perdonará sus pecados.

[27]Para entonces ya habían llegado a Jerusalén. Cuando se dirigían al Templo, los principales sacerdotes, los escribas y los ancianos [28]le preguntaron:

—Vamos a ver, ¿qué está pasando? ¿Con qué autorización expulsaste a los mercaderes?

[29]—Responderé si ustedes me responden a otra pregunta. [30]¿Qué me dicen de Juan el Bautista? ¿Era un enviado de Dios o no? ¡Contéstenme!

[31]Era tan difícil de contestar aquella pregunta que deliberaron en voz baja antes de responder.

—Si le respondemos que Dios lo envió —se decían—, nos preguntará por qué no lo aceptamos. [32]Y si decimos que Dios no lo envió, el pueblo se rebelará contra nosotros.

[33]Por fin respondieron:

—No podemos contestarte. No lo sabemos.

—Pues yo tampoco les diré quién me dio autoridad para hacer estas cosas.

12 ENTONCES LES HABLÓ en parábolas:

—Un hombre plantó una viña, la cercó, cavó un lagar donde exprimir las uvas y construyó una torre de vigía. Por fin, arrendó el terreno a unos trabajadores y se fue de viaje a una tierra lejana.

[2]"Cuando llegó la cosecha, envió a uno de sus hombres a cobrar lo que le correspondía. [3]Pero los agricultores golpearon al mensajero y lo despidieron con las manos vacías.

[4]"El propietario envió entonces a otro de sus hombres, quien recibió un trato aun peor, porque lo golpearon fuertemente en la cabeza y salió herido.

[5]"Cuando mandó a otro mensajero, lo mataron y lo mismo hicieron con muchos más que envió. [6]Al propietario sólo le quedaba enviar a una persona: su propio hijo. Por fin lo envió, con la esperanza de que lo respetarían. [7]Pero los labradores se dijeron: "Este es el que va a heredar la viña cuando su padre muera. Vamos, matémoslo y la viña será nuestra". [8]Lo capturaron, pues, lo mataron y enterraron el cadáver en la viña.

[9]"¿Qué creen ustedes que hará el dueño de la viña cuando se entere de lo sucedido? Seguramente vendrá, los matará y arrendará la viña a otra gente.

[10,11]¿Recuerdan lo que dicen las Escrituras?: "La piedra que rechazaron los constructores ha sido puesta como piedra principal. ¡Qué interesante! El Señor lo hizo y es maravilloso".

[12]A los dirigentes judíos les habría encantado arrestarlo allí mismo, porque se dieron cuenta que aquella alegoría estaba dirigida contra ellos. Pero como temían a la multitud, lo dejaron y se fueron.

[13]Enviaron a varios fariseos y herodianos[a] a hablar con El y hacerle caer en la trampa de decir algo que lo condenara:

[14]—Maestro —dijeron los emisarios—, sabemos que dices la verdad a toda costa. Las opiniones y los deseos de los hombres no te importan, porque te limitas a enseñar los caminos de Dios. Dinos, ¿debemos pagar los impuestos romanos o no?

[15]Jesús comprendió lo que se traían entre manos y les dijo:

—Enséñenme una moneda.

[16]Cuando se la enseñaron, preguntó:

—¿De quién dice ahí que es esa imagen?

—Del César —respondieron.

[17]—Muy bien —les dijo—. Pues denle al César lo que es del César y a Dios lo que es de Dios.

Y se alejaron rascándose la cabeza, contrariados.

[18]Los saduceos, los que no creían en la

12a Los herodianos eran un partido político judío.

resurrección, se le acercaron.

[19]—Maestro —le dijeron—, Moisés estableció que si un hombre muere sin hijos, el hermano de ese hombre debe casarse con la viuda para tener hijos que sustituyan al muerto en la herencia familiar. [20-22]El caso es que había siete hermanos y el mayor se casó pero murió sin descendencia. El segundo hermano se casó con la viuda, pero pronto murió también y no tuvo hijos. El siguiente hermano se casó con ella y murió sin hijos, y así sucesivamente hasta que todos murieron sin tener hijos. Un día, por fin, la mujer murió también. [23]Lo que queremos saber es, ¿de quién será ella esposa en la resurrección, porque fue esposa de los siete?

[24]Jesús les respondió:

—El problema de ustedes es que no conocen las Escrituras ni el poder de Dios. [25]Cuando esos siete hermanos y la mujer resuciten, no se casarán porque serán como ángeles. [26]Pero en cuanto a si hay resurrección o no, ¿no han leído en el libro de Exodo lo que le dijo Dios a Moisés en la zarza ardiendo? Dios le dijo: "Yo soy el Dios de Abraham, de Isaac y de Jacob". [27]Estas palabras de Dios implican que aquellos hombres, aunque murieron cientos de años atrás, estaban vivos. De lo contrario Dios no habría dicho que era el Dios de ellos, porque Dios es Dios de vivos, no de muertos. Así que ustedes están completamene equivocados.

[28]Uno de los escribas que los había oído disputar y sabía que Jesús había respondido bien, le preguntó:

—De todos los mandamientos, ¿cuál es el más importante?

[29]Jesús le respondió:

—El que dice: "Oye, Israel, el Señor nuestro Dios es el único Dios. [30]Amarás, pues, al Señor tu Dios con todo tu corazón, con toda tu alma, con toda tu mente, con todas las fuerzas de tu ser". Este es el principal mandamiento. [31]Y el segundo es muy parecido: "Amarás a los demás con el mismo amor con que te amas a ti mismo". No hay mandamiento más importante que estos dos.

[32]El escriba le dijo:

—Señor, tienes razón al decir que sólo existe un Dios. [33]Y que es mucho más importante amarlo con todo el corazón, con todo el entendimiento, con toda el alma, con todas las fuerzas, y amar a los demás como uno se ama a sí mismo, que ofrecer cualquier sacrificio ante el altar.

[34]Ante la sabiduría de aquella respuesta, Jesús le dijo:

—No estás lejos del reino de Dios.

Después de esto, nadie se atrevió a preguntarle nada.

[35]Más tarde, mientras enseñaba en los alrededores del Templo, formuló esta pregunta:

—¿Por qué será que los escribas dicen que el Mesías tiene que ser un descendiente del rey David? [36]David mismo dijo, inspirado por el Espíritu Santo: "Dijo el Señor a mi Señor: 'Siéntate a mi derecha hasta que haya puesto a tus enemigos bajo tus pies' ". [37]¿Creen ustedes que David habría llamado "Señor" a su hijo?

Ese tipo de razonamiento encantaba a la gente, y lo escuchaba con gran interés.

[38]Cuando estaba enseñando, les decía:

—Cuídense de los escribas, porque les gusta vestirse como los ricos y los sabios, y les encanta que la gente les haga reverencias cuando andan por las plazas. [39]Les gustan las primeras sillas de las sinagogas, y los puestos de honor en las cenas. [40]Sin embargo les quitan a las viudas sus casas y, para encubrir la maldad que llevan dentro, fingen piedad pronunciando largas oraciones en público. Por esto recibirán más castigo que nadie.

[41]Fue a sentarse frente al arca de la ofrenda a contemplar cómo la gente ofrendaba. Los muy ricos echaban buenas sumas. [42]Pero llegó una viuda pobre y echó dos centavos. [43]Jesús señaló a sus discípulos:

—Esa pobre viuda ha dado más que todos esos ricos juntos, [44]porque ellos dieron de lo que les sobra, mientras que esta pobre viuda dio todo lo que tenía.

13 AL SALIR DEL Templo aquel día, uno de sus discípulos dijo:

—Maestro, ¡qué edificios más bellos! ¡Qué lindas aquellas paredes de piedra!

[2]—Sí, mírenlas bien —le respondió Jesús—, porque de esos edificios no quedará piedra que no sea derribada.

³,⁴Sentados en una ladera del Monte de los Olivos más allá del valle, frente a Jerusalén, Pedro, Jacobo, Juan y Andrés le preguntaron en voz baja:

—¿Cuándo va a suceder eso que dices del Templo? ¿Lo sabremos con anticipación?

⁵Jesús les dio una larga respuesta:

—No dejen que nadie los engañe. ⁶Muchos vendrán diciendo que son el Mesías, y a muchos engañarán. ⁷Habrá guerras por todas partes, aunque esto no será señal de que va a llegar el fin. ⁸Las naciones y los reinos pelearán entre sí, y habrá terremotos y hambres en diferentes regiones del mundo, pero serán sólo el comienzo de los sufrimientos que sobrevendrán. ⁹Cuando estas cosas empiecen a suceder, ¡mucho cuidado!, porque estarán en peligro. Los llevarán ante las cortes, los golpearán en las sinagogas y los acusarán ante los reyes y gobernadores de ser seguidores míos. Esta será una buena ocasión de darles las buenas noticias; ¹⁰es necesario que se predique el evangelio en cada nación del mundo antes que venga el fin. ¹¹Pero cuando los tomen presos y los lleven a juicio, no se preocupen por lo que tienen que decir en defensa propia. Digan sólo lo que Dios les ordene decir. En otras palabras, no hablarán ustedes mismos, sino el Espíritu Santo. ¹²En aquellos días el hermano entregará a muerte a su hermano, y el padre a su hijo, y éstos llevarán a sus padres a la muerte. ¹³,¹⁴El mundo entero los aborrecerá a ustedes porque son míos. Pero el que persevere hasta el fin se salvará. Por lo tanto, cuando vean que en el Lugar Santo aparece la desoladora impureza de que habló el profeta Daniel* (¡preste atención el lector!), si estás en Judea, huye a las montañas. ¹⁵¡Apúrate! Si estás en la azotea, no se te ocurra por nada en el mundo entrar a la casa. ¹⁶Si estás en el campo, no se te ocurra regresar a buscar dinero o ropa. ¹⁷¡Ay de las que estén encintas y de las que tengan niños de pecho en aquellos días! ¹⁸Y oren que la huida no sea en invierno, ¹⁹porque desde el principio de la creación jamás había habido días tan espantosos como aquéllos ni jamás los volverá a haber. ²⁰Si el Señor no acor-

tara aquellos días calamitosos, nadie absolutamente se salvaría. Pero por amor a los escogidos, acortará aquellos días. ²¹Entonces si alguien dice que "éste es el Mesías" o "aquél es", no le hagan caso. ²²Porque habrá muchos falsos mesías y profetas que realizarán milagros portentosos para engañar, si es posible, aun a los escogidos de Dios. ²³Bueno, ya que se lo he advertido, ¡cuídense!

²⁴"Al cabo de aquellos días de tribulación, el sol se oscurecerá, la luna no alumbrará, ²⁵las estrellas caerán, los poderes que están sobre la tierra se conmoverán, ²⁶y la humanidad entera me verá a mí, el Hijo del Hombre, venir en las nubes con gran poder y gloria. ²⁷Entonces enviaré a los ángeles a que recojan a mis escogidos de todas partes del mundo, de un extremo a otro de la tierra y del cielo.

²⁸"Ahora bien, aprendan la lección de la higuera. Cuando las ramas están tiernas y brotan las hojas, se sabe que llegó la primavera. ²⁹Cuando vean que suceden las cosas que he mencionado, pueden estar seguros de que mi regreso está cerca, que está a las puertas. ³⁰Estos acontecimientos marcarán el final del mundo. ³¹El cielo y la tierra desaparecerán, pero mi palabra permanecerá firme eternamente. ³²Sin embargo, nadie, ni los ángeles del cielo ni yo mismo, sabe el día ni la hora en que esto ha de acontecer; sólo el Padre lo sabe. ³³Y como no se sabe cuándo sucederá, estén siempre listos para mi retorno.

³⁴"Mi retorno será como el del hombre que se fue de viaje a otro país y distribuyó el trabajo entre sus empleados para que se mantuvieran ocupados durante su ausencia, y dijo al portero: ³⁵⁻³⁷'Mantente siempre vigilante, porque no sabes cuándo vendré, si de noche, al mediodía, al amanecer o a media mañana. No quiero encontrarte dormido. ¡Espérame despierto!'

"Así les digo yo a ustedes: *¡Manténganse vigilantes!*

14 LA PASCUA COMENZÓ dos días más tarde, con su tradicional cena de panes sin levadura. Los principales sacerdotes y escribas buscaban la oportunidad

---

13a Daniel 9:27; 11:31; 12:11.

de arrestar a Jesús secretamente y matarlo. ²—Pero no lo hagamos durante la Pascua —decían—, porque habrá rebelión.

³Jesús estaba en Betania, en casa de Simón el leproso. Durante la cena, una mujer se le acercó con un bello frasco de costoso perfume, quebró la tapa y se lo derramó en la cabeza. ⁴,⁵Algunos de los que estaban a la mesa se enfurecieron.

—¡Qué desperdicio, señores! —dijeron—. Hubiéramos podido sacarle una fortuna a ese perfume y le habríamos dado el dinero a los pobres.

⁶,⁷—Déjenla —les respondió Jesús—. ¿Por qué la mortifican? Lo que hizo, bien hecho está, porque pobres que necesiten ayuda siempre habrá en este mundo, y podrán ayudarlos cuando quieran; pero yo no estaré aquí mucho tiempo. ⁸Esta mujer ha hecho lo que podía, y se ha anticipado a ungirme para la sepultura. ⁹Les aseguro que dondequiera que las buenas noticias se pregonen, se recordará y ensalzará lo que esta mujer ha hecho.

¹⁰Entonces Judas Iscariote, uno de los discípulos, fue a los principales sacerdotes a negociar la entrega de Jesús. ¹¹Cuando los principales sacerdotes se enteraron del propósito de su visita, se llenaron de alegría y le prometieron dinero. Judas se puso a esperar el momento oportuno de consumar su traición.

¹²El primer día de la Pascua, día en que sacrificaban los corderos, los discípulos preguntaron al Maestro dónde quería comer la cena tradicional. ¹³El envió a dos de ellos a Jerusalén a prepararla.

—En la ciudad les saldrá al encuentro un hombre con un cántaro de agua. Síganlo. ¹⁴En la casa donde entre díganle al dueño que yo los envié a averiguar qué habitación está disponible para comer la cena pascual esta noche. ¹⁵El los llevará a una habitación grande en los altos. Preparen allí la cena.

¹⁶Los dos discípulos obedecieron. Al entrar en la ciudad, sucedió lo que Jesús les había dicho, y prepararon la Pascua.

¹⁷Por la noche llegó Jesús con los demás discípulos. ¹⁸Mientras los doce se fueron sentando alrededor de la mesa, Jesús dijo con aire solemne:

—Uno de ustedes me va a traicionar.

¹⁹Un manto de tristeza se tendió sobre los discípulos. Uno por uno le fueron preguntando:

—¿Seré yo, Maestro?

²⁰—Me entregará uno de ustedes que come aquí conmigo —les respondió—. ²¹Voy a morir como lo declararon los profetas hace tiempo, pero pobre de aquel que me traiciona. ¡Mejor que no hubiera nacido!

²²Mientras comían, tomó un pedazo de pan, lo bendijo, y lo fue repartiendo.

—Cómanselo. Esto es mi cuerpo.

²³Luego tomó una copa de vino, la bendijo y la fue pasando a cada uno de los discípulos.

²⁴—Beban —les dijo—. Esto es mi sangre que se derrama por muchos para sellar el nuevo pacto entre Dios y el hombre. ²⁵Ciertamente, jamás volveré a probar vino hasta que beba uno mucho mejor en el reino de Dios.

²⁶Cuando terminaron, entonaron un himno y partieron rumbo al Monte de los Olivos. ²⁷Allí Jesús les dijo:

—Esta noche todos ustedes me abandonarán, porque así lo declararon los profetas: "Mataré al pastor y las ovejas se dispersarán". ²⁸Pero después que resucite, iré a Galilea a encontrarme con ustedes.

²⁹—Quizás los demás te abandonen, pero yo jamás te abandonaré —le dijo Pedro.

³⁰—Pedro —le respondió Jesús—, esta noche, antes que el gallo cante dos veces, me negarás tres veces.

³¹—¡Jamás! —exclamó Pedro casi fuera de sí—. ¡Aunque tenga que morir contigo, no te negaré!

Y los demás afirmaron lo mismo.

³²Llegaron a un olivar llamado Huerto de Getsemaní.

—Siéntense aquí mientras voy y oro —les dijo.

³³Se llevó a Pedro, a Jacobo y a Juan. Una vez a solas comenzó a entristecerse y a angustiarse profundamente.

³⁴—Siento en el alma una tristeza mortal —les dijo—. Quédense aquí y velen conmigo.

³⁵Se retiró un poco y postrado en tierra oró que si era posible nunca llegaran las horas espantosas que lo esperaban.

[36]—Padre, Padre —oraba—, para ti todo es posible. Aparta de mí esta copa. Pero hágase tu voluntad, no la mía.

[37]Cuando regresó a los tres discípulos los halló dormidos.

—Simón —dijo—. ¿Estás dormido? ¿No pudiste velar conmigo ni una hora? [38]Vela y ora para que no te venza la tentación, porque aunque el espíritu está dispuesto, la carne es débil.

[39]Se retiró de nuevo a orar y repitió sus ruegos.

[40]Al volver, los volvió a sorprender dormidos, porque estaban agotados. No supieron qué decir.

[41]Cuando regresó la tercera vez, les dijo:

—Duerman ya; descansen...pero no, ya llegó la hora. Vean. Allí me vienen a entregar en manos de los pecadores. [42]Levántense; vamos. Aquí está el traidor.

[43]No había terminado de hablar cuando Judas, seguido de una turba armada con espadas y palos que le habían proporcionado los dirigentes religiosos judíos, llegó ante el Maestro. [44]La contraseña era que besaría al que querían arrestar. Así no habría equivocación.

[45]Al llegar, se acercó a Jesús.

—Maestro —le dijo, y lo besó como el que siente gran cariño.

[46]La turba se abalanzó sobre Jesús. [47]No hubo resistencia, excepto que uno de los que estaban con Jesús extrajo una espada y le cortó una oreja al siervo del sumo sacerdote.

[48]—¿Soy un ladrón tan peligroso que para capturarme han tenido que venir armados hasta los dientes? —les dijo Jesús—. [49]¿Por qué no me arrestaron en el Templo? Todos los días iba al Templo a enseñar. Pero, claro, así se cumplen las profecías.

[50]Los discípulos huyeron despavoridos. [51,52]Sólo lo siguió un joven envuelto en una sábana. Cuando trataron de prenderlo, escapó completamente desnudo. ¡En el forcejeo le habían arrancado la sábana!

[53]Llevaron a Jesús a la casa del sumo sacerdote. No mucho después llegaban los principales sacerdotes, ancianos y escribas.

[54]Pedro, que había seguido el cortejo de lejos, se introdujo en el patio de la residencia del sumo sacerdote, y se agachó junto a los alguaciles a calentarse al fuego.

[55]Dentro, los principales sacerdotes y el concilio judío supremo en pleno trataban de encontrar algún cargo contra Jesús que fuera suficiente para que se le condenara a muerte. Pero no hallaban nada. [56]Aunque muchos testigos falsos se presentaron, se contradecían entre sí. [57]Finalmente, varios hombres afirmaron:

[58]—Le oímos decir que destruiría el Templo hecho con manos humanas y que en tres días lo reedificaría.

[59]Aunque ni aun así concordaban en todo, [60]el sumo sacerdote se puso de pie en medio y dijo a Jesús:

—¿Te niegas a responder a esta acusación? ¿Tienes algo que decir?

[61]Jesús no le respondió. El sumo sacerdote insistió:

—¿Eres el Mesías, el Hijo de Dios?

[62]—Lo soy —le respondió Jesús—. Y me verán sentado a la derecha de Dios y regresando a la tierra en las nubes del cielo.

[63]—¿Para qué necesitamos más testigos? —dijo el sumo sacerdote, rasgándose la ropa—. [64]Ya oyeron su blasfemia. ¿Cuál es el veredicto?

Unánimemente lo condenaron a muerte.

[65]Entonces algunos se pusieron a escupirlo, mientras otros le vendaban los ojos, le daban bofetadas y le preguntaban:

—A ver, profeta, ¿quién te pegó?

Y hasta los alguaciles le daban bofetadas.

[66]Pedro permanecía en el patio. Una de las criadas del sumo sacerdote [67]lo vio calentándose al fuego. Tras mirarlo detenidamente, dijo en voz alta:

—Tú eres uno de los que andaban con Jesús el nazareno.

[68]—¡No, no! ¡No sé de qué me hablas! —dijo Pedro, y se acercó a la salida.

En aquel mismo instante un gallo cantó. [69]La criada, al verlo detenerse allí, comenzó a decirle a todo el mundo:

—¡Aquél es un discípulo de Jesús! ¡Aquél, aquel hombre!

[70]Pedro lo negó otra vez.

No mucho después los que estaban junto al fuego le dijeron:

—¡Tú también eres uno de ellos, porque tienes acento galileo!

[71]Pero Pedro, entre maldiciones y juramentos, afirmó:

—¡Ni siquiera conozco a ese hombre! [72]Inmediatamente el gallo cantó por segunda vez. Como el restallido de un látigo, el recuerdo de las palabras de Jesús acudió a su mente: "Antes que el gallo cante dos veces, me negarás tres veces". Y rompió a llorar.

15 MUY DE MAÑANA los principales sacerdotes, ancianos y escribas que componían el concilio supremo judío, se reunieron para acordar los próximos pasos que darían. Decidieron enviar a Jesús bajo fuerte protección policíaca a Pilato, el gobernador romano.

[2]—¿Eres el rey de los judíos? —preguntó Pilato a Jesús.

—Tú lo dices —le respondió.

[3,4]Los principales sacerdotes lo acusaban de un sinnúmero de delitos. Jesús no se defendía.

—¿Tienes algo que alegar en tu defensa? —le volvió a preguntar Pilato—. Las acusaciones son serias.

[5]Para sorpresa de Pilato, ni aun así dijo nada.

[6]Era costumbre de Pilato soltar a un prisionero judío todos los años, cualquiera que el pueblo quisiera. [7]Uno de los presos aquel año era Barrabás, quien con varios compañeros estaba acusado de haber cometido homicidios en una insurrección. [8]La multitud le pidió a Pilato que, como de costumbre, soltara a un prisionero.

[9,10]—¿Qué les parece si les suelto al "Rey de los judíos"? —preguntó Pilato, que sabía que las acusaciones contra Jesús eran fruto de la envidia de los principales sacerdotes ante la popularidad del acusado.

[11]Pero el pueblo, por instigación de los principales sacerdotes, pidió la libertad de Barrabás y no la de Jesús.

[12]—Bueno, bueno, ¡soltaremos a Barrabás! —les respondió Pilato—. Pero, ¿qué quieren que haga con el que ustedes llaman "Rey de los judíos"?

[13]—¡Crucifícalo! —le contestaron.

[14]—Pero, ¿por qué? ¿Qué mal ha hecho?

—¡Crucifícalo! —gritaron aún más fuerte.

[15]Pilato, temeroso de provocar una rebelión y ansioso de complacer al pueblo, les soltó a Barrabás. En cuanto a Jesús, después de azotarlo, lo entregó para que lo crucificaran. [16]Lo llevaron al pretorio. Allí, reunidos los soldados, [17]lo vistieron con un manto de púrpura y le pusieron una corona de espinas.

[18]—¡Viva el rey de los judíos! —decían en burla.

[19]A veces le daban en la cabeza con una caña, lo escupían y luego se arrodillaban en "reverencia". [20]Por último, cansados de aquel cruel entretenimiento, le quitaron el manto de púrpura, le pusieron su ropa y se lo llevaron para crucificarlo.

[21]En el camino se encontraron con Simón de Cirene (padre de Alejandro y de Rufo) que regresaba del campo, y lo obligaron a llevar la cruz.

[22]Llegaron a un lugar llamado Gólgota, (Calavera), [23]y le ofrecieron vino mezclado con mirra, pero no lo tomó. [24]Entonces lo crucificaron. Una vez terminada la cruel tarea, los soldados se sortearon la ropa de Jesús. [25]Eran aproximadamente las nueve de la mañana.

[26]En la cruz, encima de Jesús, clavaron el siguiente letrero que proclamaba su único "delito": "El Rey de los judíos".

[27]Aquella misma mañana crucificaron a dos ladrones, uno a cada lado de Jesús. [28]Con esto se cumplieron las Escrituras que dicen: "Contado fue entre malvados".

[29,30]La gente que pasaba por allí movía la cabeza con burla y le gritaba:

—¡Ajá! ¿Qué te parece? ¡Conque puedes destruir el Templo y reedificarlo en tres días! ¡Si eres tan poderoso, baja de la cruz y sálvate!

[31,32]Los principales sacerdotes y los escribas se unían a las burlas:

—¡Qué interesante! A otros puede salvar, y no se puede salvar a sí mismo. ¡Cristo, Rey de Israel, desciende para que creamos en ti!

¡Y hasta los ladrones que morían con El lo injuriaban!

[33]Al mediodía la tierra se llenó de una oscuridad que duró hasta las tres de la tarde.

[34] —Eli, Eli, ¿lama sabactani?[a] —exclamó Jesús con gran voz—. (Dios mío, Dios mío, ¿por qué me has desamparado?)

[35] Algunos de los presentes pensaron que llamaba al profeta Elías. [36] Un hombre corrió, empapó una esponja en vinagre, la puso en una caña y le dio a beber.

—¡Vamos a ver si Elías viene a bajarlo! —dijo.

[37] Jesús profirió otro grito y entregó su espíritu.

[38] En aquel mismo instante el velo del Templo se partió en dos de arriba a abajo. [39] Y el centurión que estaba junto a la cruz, al ver que había expirado así, exclamó:

—¡Verdaderamente éste era el Hijo de Dios!

[40] Entre los presentes, a cierta distancia, estaban María Magdalena, María (la madre de Jacobo el menor y José), Salomé y varias más. [41] Estas, al igual que varias otras discípulas galileas, habían servido a Jesús cuando estaba en Galilea y lo habían acompañado a Jerusalén.

[42] Los acontecimientos se habían desarrollado en la víspera del día de reposo. Ya bien entrada la tarde, [43] José de Arimatea, honorable miembro del concilio supremo judío que personalmente esperaba con ansiedad el advenimiento del reino de Dios, se llenó de valor y se presentó ante Pilato a solicitar el cuerpo de Jesús.

[44] A Pilato le sorprendió que Jesús ya estuviera muerto, y llamó al oficial encargado de la ejecución para interrogarlo. [45] El oficial confirmó las palabras de José de Arimatea, y Pilato le concedió permiso para que se llevara el cuerpo.

[46] José compró una sábana y en ella envolvió el cuerpo de Jesús al bajarlo de la cruz. Luego lo colocó en un sepulcro labrado en una roca, y rodó una piedra para cerrar la entrada.

[47] María Magdalena y María la madre de Jesús vieron dónde lo pusieron.

16 AL DÍA SIGUIENTE por la noche, cuando terminó el día de reposo, María Magdalena, Salomé y María la madre de Jacobo fueron a comprar especias aromáticas para embalsamar el cuerpo de Jesús. Al otro día, bien temprano, corrieron a la tumba. Era el primer día de la semana y ya había salido el sol.

[3] En el camino iban discutiendo cómo se las arreglarían para quitar la piedra de la entrada del sepulcro, [4] pero al llegar encontraron que la enorme piedra había sido removida y que el sepulcro estaba abierto.

[5] Corrieron a la tumba. Allí dentro, sentado a la derecha, estaba un joven vestido de blanco. Las mujeres se espantaron, [6] pero el ángel les dijo:

—No se asusten. ¿Buscan a Jesús, el nazareno que fue crucificado? No está aquí, porque ha resucitado. ¿Ven? Allí lo habían puesto. [7] Quiero que le digan a Pedro y a los demás discípulos que Jesús va delante de ellos a Galilea. Allí lo verán como les dijo.

[8] Las mujeres salieron de la tumba temblando, espantadas, demasiado horrorizadas para hablar.

[9] La resurrección ocurrió el domingo por la mañana bien temprano, y la primera persona que lo vio resucitado fue María Magdalena, la mujer de quien había echado siete demonios. [10,11] Ella corrió en busca de los discípulos, que lloraban de tristeza, y les dio la buena noticia de que aquél por quien lloraban estaba vivo y que ella lo había visto. Pero no lo creyeron.

[12] Más tarde se apareció a dos de ellos que iban de Jerusalén al campo. Al principio no sabían quién era porque había cambiado de apariencia. [13] Pero cuando lo reconocieron, corrieron a Jerusalén a contarlo a los demás. No lo creyeron tampoco.

[14] Por último, se apareció a los once discípulos que comían juntos, y les reprobó la incredulidad y la dureza con que se habían negado a creer a aquellos que lo habían visto resucitado. [15] Y les dijo:

—Vayan por todo el mundo y prediquen el evangelio a toda criatura. [16] Los que crean y se bauticen serán salvos. Pero el que no crea será condenado. [17] Los que creen echarán fuera demonios en mi nombre y hablarán nuevas lenguas. [18] Podrán agarrar víboras sin peligro, y si toman cualquier

---

15a Hablaba en arameo. Muchos de los observadores, que hablaban griego y latín, no entendieron las dos primeras palabras y pensaron que llamaba al profeta Elías.

veneno, no les hará daño. Y cuando pongan las manos sobre los enfermos éstos sanarán.

[19]Cuando terminó de hablar con sus discípulos, fue llevado al cielo y se sentó a la derecha de Dios.

[20]Sus discípulos se dedicaron a la tarea de predicar el evangelio en todas partes. El Señor los ayudaba y confirmaba lo que decían con portentosos milagros. Amén.

LUCAS

1 AMIGO MÍO QUE amas a Dios:[a]
[1,2]Ya se han escrito varias biografías de Cristo basadas en los informes que han estado circulando entre nosotros y que nacieron en labios de los discípulos que lo presenciaron todo desde el principio.

[3,4]Sin embargo, se me ocurrió investigar bien a fondo los acontecimientos desde el principio hasta el final, y ahora tengo el placer de enviarte los resultados de mis pesquisas, para que confirmes las verdades que se te han enseñado.

[5]La historia comienza con un sacerdote judío llamado Zacarías, que vivió cuando Herodes era rey de Judea. Zacarías era miembro de la clase de Abías según la división de grupos al servicio del Templo. Su esposa Elisabet, al igual que él, era miembro de la familia sacerdotal judía y descendiente de Aarón.

[6]Zacarías y Elizabet eran piadosos, irreprensibles en cuanto a la sincera obediencia de las leyes de Dios. [7]Pero no tenían hijos, porque Elizabet era estéril. Ambos eran ya de edad avanzada.

[8,9]Un día en que Zacarías realizaba sus deberes en el Templo, ya que su grupo estaba de servicio aquella semana, le tocó en suerte entrar al santuario del Señor a ofrecer el incienso.

[10]Afuera, una gran concurrencia oraba como siempre lo había hecho durante esta parte del servicio en que se quemaba el incienso. [11,12]Zacarías estaba en el santuario cuando de repente un ángel se le apareció de pie a la derecha del altar del incienso. Zacarías se sobrecogió de asombro y temor. [13]Pero el ángel le dijo:

—No temas, Zacarías. Sólo he venido a decirte que Dios ha oído tu oración y que Elizabet, tu esposa, tendrá un hijo. Lo llamarás Juan. [14]Se alegrarán y regocijarán con su nacimiento, y muchos se regocijarán con ustedes, [15]porque el niño se convertirá en uno de los más grandes hombres de Dios. Jamás probará vino ni bebidas fuertes, y estará lleno del Espíritu Santo aun antes de nacer. [16]Persuadirá a muchos judíos a volverse al Señor Dios de ellos. [17]En espíritu y poder será semejante a Elías, el profeta de la antigüedad; precederá al Mesías y preparará al pueblo para su llegada, enseñándoles a amar al Señor, como lo hicieron sus antepasados, y a vivir santamente.

[18]—¡Pero es imposible! —le respondió Zacarías al ángel—. Soy demasiado viejo y mi esposa está bien entrada en años también.

[19]—¡Soy Gabriel! —replicó el ángel—, el que está siempre en la presencia de Dios. Dios mismo me envió a darte estas buenas noticias. [20]Pero como has dudado, ahora mismo quedarás mudo y no podrás hablar hasta que el niño nazca, hasta que mis palabras se cumplan.

[21]La concurrencia que esperaba afuera a Zacarías se extrañaba de que se demorara tanto. [22]Cuando por fin salió, no les pudo hablar y se dieron cuenta por sus gestos que había tenido una visión en el santuario.

[23]Días más tarde, al terminar sus deberes en el Templo, Zacarías regresó a su casa.

[24]Pocos días después, Elisabet quedó encinta y se recluyó cinco meses en casa.

[25]—¡Qué bueno es el Señor —exclamó—, que me libró de la vergüenza de

---

1a Este vocativo fue tomado del versículo 3, donde dice: "Oh excelentísimo Teófilo". "Teófilo" quiere decir "El que ama a Dios".

no tener hijos!

²⁶Al sexto mes, Dios envió al ángel Gabriel a Nazaret, pueblo de Galilea, ²⁷donde vivía una virgen llamada María que era la prometida de José, descendiente del rey David. ²⁸Gabriel se le apareció y le dijo:

—¡Alégrate, muy favorecida! El Señor está contigo. ¡Bendita eres entre las mujeres!

²⁹Confundida y turbada, María se esforzaba por entender el significado de las palabras del ángel.

³⁰—No temas, María —le dijo el ángel—, porque Dios te ha escogido para bendecirte maravillosamente. ³¹Pronto quedarás encinta y tendrás un hijo, al que llamarás Jesús. ³²El será grande y lo llamarán Hijo del Altísimo. El Señor Dios le dará el trono de su antepasado David, ³³y reinará para siempre en Israel. ¡Su reino no tendrá fin!

³⁴—¿Pero cómo voy a tener un hijo si no soy casada ni jamás he tenido marido?

³⁵—El Espíritu Santo vendrá sobre ti —le respondió el ángel—, y el poder de Dios te cubrirá con su sombra. Por lo tanto tu hijo será el Santísimo Hijo de Dios. ³⁶Hace seis meses que Elisabet tu prima, la que según la gente era estéril, está encinta a pesar de su vejez, ³⁷porque para Dios no hay imposibles.

³⁸Entonces María dijo:

—Soy sierva del Señor y estoy dispuesta a hacer lo que ordene. Conviértanse en realidad tus palabras.

Y el ángel desapareció.

³⁹,⁴⁰Pocos días más tarde María fue de prisa a visitar a Elisabet, que vivía en un pueblo montañés de Judea. ⁴¹Cuando María se acercó a Elisabet y la saludó, la criatura de Elisabet le saltó dentro. Entonces Elisabet, llena del Espíritu Santo, ⁴²dio un grito de alegría y dijo a su prima:

—Eres la más bendita de las mujeres, y bendito es el hijo que palpita en tus entrañas. ⁴³¡Qué honor para mí, que la madre de mi Señor me visite! ⁴⁴En el instante mismo en que escuché tu saludo, la criatura que llevo en las entrañas saltó de alegría. ⁴⁵Bendita eres porque creíste lo que te dijo el Señor, y porque esta maravillosa bendición se cumplirá.

⁴⁶—¡Oh, cuánto alabo al Señor! —respondió María—. ⁴⁷Mi espíritu se regocija en Dios mi Salvador, ⁴⁸porque ha mirado la bajeza de su sierva y de ahora en adelante, eternamente, las generaciones me llamarán bienaventurada. ⁴⁹En realidad el Todopoderoso me ha hecho grandes cosas. ⁵⁰A través de las edades ha sido misericordioso con los que le temen. ⁵¹¡Cuán poderoso es su brazo! ¡Cómo ha esparcido a los soberbios, a los orgullosos! ⁵²A los príncipes destronó, a los humildes exaltó, ⁵³a los hambrientos colmó de bienes y a los ricos los envió con las manos vacías. ⁵⁴¡Y cuánto ha ayudado a su siervo Israel! ¡No se le olvidó ⁵⁵que un día habló a nuestros padres y prometió que eternamente tendría misericordia de Abraham y de sus hijos!

⁵⁶María se quedó con Elisabet como tres meses, al cabo de los cuales regresó a su casa.

⁵⁷Por fin terminó la espera de Elisabet, y llegó el momento de dar a luz. Y dio a luz un hijo. ⁵⁸La noticia de cómo el Señor había tenido misericordia con ella se corrió entre los vecinos y parientes, y éstos se regocijaron. ⁵⁹Al octavo día fueron a circuncidar al niño. Daban por sentado que se llamaría Zacarías, como su padre. ⁶⁰Pero Elisabet dijo:

—No. Tiene que llamarse Juan.

⁶¹—¿Cómo? —exclamaron—. ¿Quién se llama así en tu familia?

⁶²Entonces le preguntaron por señas al padre. ⁶³Este pidió algo en qué escribir y, para sorpresa de todos, escribió: "Se llamará Juan". ⁶⁴Al instante Zacarías recobró el habla y se puso a alabar a Dios ⁶⁵ante el asombro de los vecinos.

La noticia de lo sucedido no tardó en divulgarse de un extremo a otro de las montañas de Judea. ⁶⁶El que la oía pensaba mucho en ella y se preguntaba:

—¿Quién llegará a ser ese niño? Porque no cabe duda que la mano del Señor está con él.

⁶⁷Entonces Zacarías, lleno del Espíritu Santo, pronunció la siguiente profecía:

⁶⁸—Alabado sea el Señor, Dios de Israel, porque ha venido a visitar y a redimir a su pueblo, ⁶⁹porque nos está mandando un poderoso Salvador que desciende en línea directa de David su siervo, ⁷⁰tal como lo

prometió hace muchísimo tiempo a través de sus santos profetas. Según la profecía, [71]alguien nos salvará de nuestros enemigos y de manos de los que nos aborrecen, [72]y tendrá misericordia de nuestros padres al acordarse del pacto y de la sagrada promesa que hizo. [73]Sí, se acordará de lo que le juró a Abraham nuestro padre, lo que nos había de conceder, [74]para que, libres de nuestros enemigos y libres de temor, le sirvamos [75]eternamente en santidad y en justicia.

[76]"Y tú, niño, serás llamado profeta del Altísimo, porque le prepararás el camino al Mesías. [77]A ti te corresponde la tarea de mostrarle al pueblo cómo alcanzar la salvación por medio del perdón de sus pecados. [78]Esta se alcanzará gracias a la entrañable misericordia de nuestro Dios, que ha permitido que amanezca para nosotros un nuevo día, [79]día que alumbrará a los que habitan en tinieblas y en sombra de muerte, y nos encaminará por senderos de paz.

[80]El niño amaba de corazón a Dios. Cuando creció, se fue a vivir a lugares desiertos hasta que comenzó su ministerio público en Israel.

2 POCO DESPUÉS DEL nacimiento de Juan, el emperador romano César Augusto decretó que se levantara un censo en todos sus dominios. [2]En aquellos días era Cirenio gobernador de Siria.

[3]Según lo dispuesto, la gente tenía que regresar a la ciudad de sus antepasados para inscribirse. [4]Y como José era miembro de la familia real, tuvo que ir desde la provincia galilea de Nazaret hasta Belén de Judea, pueblo natal del rey David. [5]Con él llevó a María, su prometida, que estaba encinta.

[6]Estando en Belén, se le presentó el alumbramiento, [7]y dio a luz a su primer hijo. Lo envolvió en pañales y lo acostó en un pesebre, porque no habían hallado habitación en el mesón del pueblo.

[8]Por la noche, varios pastores velaban su rebaño. [9]De pronto, un ángel se les apareció y la gloria del Señor iluminó el paisaje. Los pastores temblaban de espanto, [10]pero el ángel les dijo:

—¡No teman, que he venido a darles noticias que henchirán de gozo el corazón de los hombres! [11]Hoy, en el pueblo de Belén, ha nacido el Salvador, Cristo el Señor. [12]¿Cómo lo reconocerán? Hallarán a un niño envuelto en pañales en un pesebre.

[13]Y repentinamente una inmensa multitud de las huestes celestiales entonó un canto de alabanza al Señor:

[14]"¡Gloria a Dios en las alturas y paz en la tierra para los que procuran agradarle!"

[15]Cuando aquel gran ejército angelical regresó al cielo, los pastores se dijeron:

—¡Vamos, vamos! ¡Corramos a Belén! ¡Corramos a presenciar estas maravillas que el Señor nos ha manifestado!

[16]Corrieron al pueblo y encontraron a María y a José, y junto a éstos, reposando en el pesebre, al recién nacido. [17]Los pastores contaron lo que les había sucedido y lo que el ángel les había dicho del niño.

[18]Los que escucharon las palabras de los pastores se quedaron asombrados, [19]pero María atesoraba estas cosas en su corazón y muchas veces meditaba en ellas.

[20]Los pastores regresaron al campo y a sus rebaños, alabando a Dios por la visita de los ángeles y porque habían visto al niño tal como se les había dicho.

[21]Ocho días más tarde, llegada la hora de circuncidar al niño, le pusieron el nombre de Jesús, como había indicado el ángel antes de que fuera concebido.

[22]Cuando llegó el día en que correspondía llevar al Templo la ofrenda de la purificación de María, según requiere la ley de Moisés que se haga después que nace un niño, sus padres llevaron a Jesús a Jerusalén a presentarlo al Señor, [23]porque la ley de Dios dice: "Si el primer hijo de una mujer es varón, deben dedicarlo al Señor". [24]Aprovechando la ocasión, los padres de Jesús presentaron el sacrificio de la purificación, que según la ley de Dios era un par de tórtolas o dos palominos.

[25]Aquel mismo día un hombre de Jerusalén llamado Simeón estaba en el Templo. Era un buen hombre, muy devoto y lleno del Espíritu Santo. Simeón esperaba que en cualquier momento apareciera el Mesías. [26]porque el Espíritu Santo le había revelado que no moriría hasta que viera al ungido del Señor. [27]Aquel día el Espíritu Santo lo había impulsado a ir al Templo. Cuando María y José llegaron a presentar al niño

Jesús en obediencia a la ley, [28]Simeón lo tomó en sus brazos y alabó a Dios [29]con las siguientes palabras:

—Señor, ya puedo morir contento, porque he visto a quien me prometiste que vería. [30]¡He visto al Salvador [31]que has dado al mundo! [32]¡El es la luz que alumbrará a las naciones! ¡El es la gloria de tu pueblo Israel!

[33]José y María quedaron paralizados de asombro ante lo que se decía de Jesús. [34,35]Simeón lo bendijo, pero dijo a María:

—Una espada te traspasará el alma, porque muchos en Israel rechazarán a este niño, y esto en perjuicio de ellos mismos. Pero para otros El será motivo de regocijo. Y los más íntimos pensamientos de muchos corazones serán revelados.

[36,37]Aquel día estaba también en el Templo Ana, profetisa, hija de Fanuel, de la tribu judía de Aser. Era una ancianita que ochenta y cuatro años atrás había enviudado tras siete años de matrimonio. Jamás salía del Templo, y se pasaba las noches y los días adorando a Dios, orando y a veces en ayuno. [38]Mientras Simeón hablaba con María y José, se acercó y se puso también a dar gracias a Dios y a proclamar la llegada del Mesías a los ciudadanos de Jerusalén que esperaban la llegada del Salvador.

[39]Los padres de Jesús cumplieron las prescripciones de la ley del Señor y regresaron a Nazaret de Galilea. [40]Allí el niño se fue convirtiendo en un fuerte y robusto muchacho que descollaba por su sabiduría. Y Dios derramó en El sus bendiciones.

[41,42]A los doce años Jesús acompañó a sus padres a Jerusalén en ocasión de las fiestas pascuales, a las que todos los años asistían. [43]Una vez terminadas las celebraciones, partieron de regreso a Nazaret, pero Jesús se quedó en Jerusalén. [44]Sus padres no se dieron cuenta durante aquel primer día, porque dieron por sentado que andaba con algunos amigos que viajaban con ellos en la caravana. Pero al ver que caía la noche y no aparecía, se pusieron a buscarlo entre los parientes y amigos; [45]y al no hallarlo, regresaron a Jerusalén.

[46,47]Tres días más tarde lo encontraron en el Templo, sentado entre los maestros de la ley y metido en discusiones tan profundas que aun aquellos expertos se maravilla-

ban de su inteligencia y de sus respuestas. [48]Al hallarlo allí sentado tranquilamente, sus padres se quedaron casi sin habla.

—¡Hijo! —dijo su madre al fin—. ¿Por qué nos has hecho esto? Tu padre y yo hemos estado desesperados buscándote por todas partes.

[49]—¿Por qué me buscaban? —le respondió Jesús—. ¿No se les ocurrió pensar que estaba en el Templo ocupado en los asuntos de mi Padre?

[50]Pero no lo entendieron. [51]Regresaron a Nazaret, y su madre atesoró en el corazón estas cosas.

Jesús obedecía a sus padres, [52]y mientras tanto crecía en estatura y en sabiduría, cautivaba el amor de Dios y de los hombres.

3 EN EL DÉCIMOQUINTO año del gobierno del emperador Tiberio César, siendo Poncio Pilato gobernador de Judea; Herodes tetrarca de Galilea; Felipe, el hermano de Herodes, tetrarca de Iturea y de la provincia de Traconite; y Lisania tetrarca de Abilinia, [2]y siendo Anás y Caifás los sumos sacerdotes, Juan, el hijo de Zacarías, recibió en el desierto un mensaje de Dios.

[3]Sin pérdida de tiempo salió a recorrer las dos riberas del Jordán, predicando que para recibir el perdón de los pecados era necesario bautizarse como manifestación externa de un arrepentimiento interno. [4]Tal como previamente lo había descrito el profeta Isaías, Juan era una voz que clamaba en el desierto: "Prepárense para la venida del Señor; rectifiquen sus vidas. [5]Derriben las montañas, rellenen los valles, enderecen los caminos torcidos y allanen los surcos. [6]Entonces la humanidad entera verá al Salvador que Dios envió". [7]Juan se dirigía a las multitudes que iban a bautizarse, más o menos en estos términos:

—¡Hijos de víboras! ¿Creen que bautizándose van a escapar de la ira venidera? [8]¡No! Primero vayan y demuestren en la práctica que se han arrepentido de veras. Y no crean que se van a salvar porque son descendientes de Abraham. Eso no basta. ¡Aun de estas piedras puede Dios hacerle descendientes a Abraham! [9]El hacha del juicio pende sobre ustedes, lista para cortarlos de raíz. Cualquier árbol que no produce buen fruto será cortado y arrojado al fuego.

[10]—¿Y qué quieres que hagamos? —le preguntaban.

[11]—Si tienes dos túnicas —les solía responder—, dale una a un pobre. Si te sobra la comida, repártela entre los que no tienen.

[12]Aun los cobradores de impuestos, famosos por lo corruptos que eran, iban a bautizarse y le preguntaban:

—¿En qué forma quieres que te demostremos que nos hemos apartado del pecado?

[13]—Siendo honrados —les respondía—. No cobren más de lo que el gobierno romano exige.

[14]Y si un soldado le preguntaba qué tenía que hacer, Juan le respondía:

—No exijas dinero a la fuerza; no acuses a ningún inocente; y conténtate con lo que recibes de salario.

[15]Como todo el mundo esperaba que el Mesías apareciera pronto, estaban ansiosos por saber si Juan lo era o no. Era la pregunta del momento.

[16]Un día Juan la contestó así:

—Yo bautizo sólo con agua, pero pronto vendrá un hombre cuya autoridad es superior a la mía. Del tal no soy digno ni de desatarle la correa de su calzado. El los bautizará con el fuego del Espíritu Santo, [17]y separará la paja del trigo y quemará la paja en la hoguera eterna y preservará el grano.

[18]Solía usar exhortaciones como éstas para anunciar las buenas nuevas al pueblo. [19,20]En una ocasión denunció públicamente a Herodes, el gobernador de Galilea, por haberse casado con Herodías, la esposa de su hermano, y por las maldades que cometía. Y un día Herodes añadió a sus maldades otra más: mandó aprehender a Juan el Bautista.

[21]En una ocasión en que las multitudes se agolpaban para que Juan las bautizara, Jesús fue a que lo bautizara también. Después del bautismo, mientras oraba, el cielo se abrió [22]y el Espíritu Santo descendió sobre El en forma de paloma y una voz del cielo dijo:

—Tú eres mi Hijo amado; en ti me complazco.

[23]Jesús tenía treinta años de edad cuando comenzó su ministerio público.

Era conocido como hijo de José.
José era hijo de Elí;
[24]Elí era hijo de Matat;
Matat de Leví;
Leví de Melqui;
Melqui de Jana;
Jana de José;
[25]José de Matatías;
Matatías de Amós;
Amós de Nahum;
Nahum de Esli;
Esli de Nagai;
[26]Nagai de Maat;
Maat de Matatías;
Matatías de Semei;
Semei de José;
José de Judá;
[27]Judá de Joana;
Joana de Resa;
Resa de Zorobabel;
Zorobabel de Salatiel;
Salatiel de Neri;
[28]Neri de Melqui;
Melqui de Adi;
Adi de Cosam;
Cosam de Elmodam;
Elmodam de Er;
[29]Er de Josué;
Josué de Eliezer;
Eliezer de Jorim;
Jorim de Matat;
[30]Matat de Leví;
Leví de Simeón;
Simeón de Judá;
Judá de José;
José de Jonán;
Jonán de Eliaquim;
[31]Eliaquim de Melea;
Melea de Mainán;
Mainán de Matata;
Matata de Natán;
[32]Natán de David;
David de Isaí;
Isaí de Obed;
Obed de Booz;
Booz de Salmón;
Salmón de Naasón;
[33]Naasón de Aminadab;
Aminadab de Aram;
Aram de Esrom;

Esrom de Fares;
Fares de Judá;
[34]Judá de Jacob;
Jacob de Isaac;
Isaac de Abraham;
Abraham de Taré;
Taré de Nacor;
[35]Nacor de Serug;
Serug de Ragau;
Ragau de Peleg;
Peleg de Heber;
Heber de Sala;
[36]Sala de Cainán;
Cainán de Arfaxad;
Arfaxad de Sem;
Sem de Noé;
Noé de Lamec;
[37]Lamec de Matusalén;
Matusalén de Enoc;
Enoc de Jared;
Jared de Mahalaleel;
Mahalaleel de Cainán;
[38]Cainán de Enós;
Enós de Set;
Set de Adán.
Y Adán era hijo de Dios.

4 ENTONCES JESÚS, LLENO del Espíritu Santo, salió del Jordán, e impulsado por el Espíritu, se dirigió al desierto de Judea, donde Satanás lo estuvo tentando cuarenta días. Aquellos cuarenta días se los pasó sin comer. Al verlo hambriento, [3]Satanás le dijo:

—Si eres el Hijo de Dios, dile a esta piedra que se vuelva pan.

[4]—Escrito está —le respondió Jesús—, "En la vida hay algo más importante que el pan: obedecer la palabra de Dios".

[5]Entonces Satanás lo llevó hasta cierta altura desde la que le mostró en un momento todos los reinos del mundo.

[6,7]—Esos espléndidos reinos que ves allá abajo son míos y puedo dárselos a quien quiera —le dijo el diablo—. Te los entregaré con toda su gloria si de rodillas me adoras.

[8]—Satanás, déjame tranquilo. Tú sabes bien que las Escrituras dicen: "Sólo a Dios el Señor adorarás. Sólo a Dios el Señor obedecerás".

[9-11]Entonces Satanás se lo llevó al pináculo del Templo y le dijo:

—Si eres el Hijo de Dios, salta desde aquí. Las Escrituras dicen que "Dios enviará a sus ángeles a cuidarte, para que no te destroces contra las rocas".

[12]—Pero se te olvida que las Escrituras dicen: "No pongas a prueba a Dios innecesariamente".

Al oír aquella respuesta de Jesús, [13]el diablo dejó de tentarlo y se alejó de El un tiempo.

[14]Jesús regresó a Galilea lleno del poder del Espíritu Santo. Pronto adquirió fama en la región. [15]Solía enseñar en las sinagogas y a todo el mundo le gustaban sus sermones.

[16]Cuando visitó Nazaret, el pueblo de su infancia, entró como de costumbre en la sinagoga un día de reposo, y se paró a leer las Escrituras. [17]Le entregaron el libro del profeta Isaías, y lo abrió en aquel pasaje que dice: [18,19]"El Espíritu del Señor está sobre mí. Me ha ungido para dar buenas noticias a los pobres, y me ha enviado a sanar a los quebrantados de corazón, y a proclamar que los cautivos obtendrán la libertad, que los ciegos recuperarán la vista, que los oprimidos quedarán libres de sus opresores, y que ha llegado el momento en que Dios está enteramente dispuesto a bendecir a los que lo buscan".

[20]Cerró el libro, se lo entregó al encargado, y se sentó. Los ojos de la congregación entera estaban fijos en El.

[21]—Esta Escritura acaba de cumplirse hoy —dijo.

[22]Los presentes hablaban bien de El, y estaban sorprendidos con las bellas palabras que brotaban de sus labios.

—¡Caramba! ¿No es éste el hijo de José? —dijo alguien.

[23]Entonces Jesús dijo:

—Probablemente estén pensando en el refrán que dice: "Médico, cúrate a ti mismo". Es decir, "¿Por qué no haces aquí en tu pueblo los milagros que hiciste en Capernaum?" [24]Pero les voy a decir la verdad: A ningún profeta lo aceptan en su propio pueblo. [25,26]¿No recuerdan que Elías el profeta realizó un milagro a favor de aquella viuda extranjera de Sarepta de Sidón? ¡No me van a decir que no había viudas necesitadas en Israel en aquellos días de hambre provocados por tres años y medio de sequía! Sí, había viudas necesitadas en Israel, pero Elías no fue enviado a ellas. [27]¿Y qué me dicen del profeta Eliseo, que sanó al sirio Naamán en vez de sanar a los miles de leprosos judíos que necesitaban sanidad?

[28]Aquellas palabras de Jesús los llenaron de ira [29]y lo llevaron hasta el borde del monte sobre el que la ciudad estaba edificada. Cuando ya se disponían a despeñarlo, [30]Jesús pasó por en medio de ellos y se fue.

[31]Jesús regresó a Capernaum, ciudad de Galilea. Cada día de reposo iba a predicar en las sinagogas. [32]La gente se sorprendía de sus enseñanzas porque hablaba como el que sabe la verdad de primera mano, y no como los que se basan en la opinión de los demás.

[33]Un día en que enseñaba en la sinagoga, un endemoniado se puso a gritar:

[34]—¡Vete, vete! ¡No queremos saber nada de ti, Jesús de Nazaret! ¡Has venido a destruirnos! ¡Sé bien que eres el Santo Hijo de Dios!

[35]—¡Cállate! —lo interrumpió Jesús—. ¡Sal de ese hombre!

El demonio arrojó el hombre al piso y salió sin causar mayores daños.

[36]Asombrada, la multitud se preguntaba:

—¿Qué tendrán las palabras de este hombre que aun los demonios lo obedecen?

[37]La noticia de aquel acontecimiento se esparció por aquella región como impetuoso fuego.

[38]Al salir de la sinagoga se dirigieron a casa de Simón, cuya suegra estaba en cama, presa de una fiebre altísima. La gente le suplicó que la sanara.

[39]Al llegar junto al lecho, reprendió a la fiebre e inmediatamente la temperatura bajó a su nivel normal y la mujer pudo levantarse y prepararles comida. [40]Atardecía. Los de la población que tenían enfermos en sus casas los iban llevando a Jesús. Las enfermedades eran diversas, pero bastaba que les pusiera las manos encima para que sanaran. [41]Algunos eran endemoniados. Al salir, los demonios gritaban:

—¡Eres el Hijo de Dios!

Pero Jesús no los dejaba hablar, porque sabían que era el Cristo.

[42]Al amanecer del siguiente día se fue al desierto. La gente lo buscó por todas partes, y cuando lo hallaron le suplicaron que no los dejara, que se quedara en Capernaum. [43]Pero El les respondió:

—Tengo que predicar las buenas noticias del reino de Dios en otros lugares también. Para eso me enviaron.

[44]Y continuó viajando y predicando en todas las sinagogas de Galilea.

5 UN DÍA EN que predicaba junto al lago de Genesaret, un gran gentío se agolpó sobre El para escuchar la palabra de Dios. [2]Se fijó entonces que en la orilla del lago había dos barcas junto a las cuales varios pescadores lavaban sus redes. [3]Subiéndose en una de las barcas, suplicó a Simón, el propietario, que se alejara un poco de la orilla para poder sentarse en ella y hablarle desde allí a la multitud.

[4]Cuando terminó de hablar, dijo a Simón:

—Gracias. Ahora vete un poco más hacia el centro y tira las redes, que vas a pescar muchísimos peces.

[5]—Señor —le respondió Simón—, nos hemos pasado la noche entera trabajando y no hemos pescado nada. Pero si tú lo dices . . .

[6]Cuando trató de sacar la red era tan grande la pesca que la red se rompía. [7]Tuvieron que hacer señas a los compañeros que estaban en la otra barca para que corrieran a ayudarlos y aun así las dos barcas se llenaron casi hasta el punto de hundirse.

[8]Cuando Simón Pedro se dio cuenta cabal de lo sucedido, se tiró de rodillas ante Jesús y le dijo:

—Aléjate de mí, Señor, que soy demasiado pecador para estar junto a ti.

[9]Ni él ni los demás compañeros salían del asombro que les produjo aquella pesca milagrosa. [10]Y lo mismo sucedió a sus socios Jacobo y Juan, hijos de Zebedeo.

—No temas —le respondió Jesús—. De ahora en adelante te dedicarás a pescar hombres

[11]Tan pronto desembarcaron, lo abandonaron todo y se fueron con El.

[12]En cierto pueblo se les presentó un hombre con un caso de lepra avanzada. Al

ver a Jesús, se tiró al suelo delante de El y, rostro en tierra, le suplicó que lo sanara:

—Señor, si quieres, puedes limpiarme.

[13]Jesús extendió la mano y lo tocó.

—Quiero. Cúrate.

Y la lepra desapareció al instante.

[14]Entonces Jesús le explicó que debía ir enseguida a que lo examinara el sacerdote judío, y que no se detuviera a hablar con nadie.

—Vé y ofrece los sacrificios que la ley de Moisés requiere de los leprosos que sanan —le dijo—. Así todo el mundo sabrá que ya estás bien.

[15]Aquel caso aumentó la fama de Jesús, y eran inmensas las multitudes que acudían a El para oírle predicar y para que les sanara sus enfermedades. [16]Pero El muchas veces se apartaba a los lugares desiertos a orar.

[17]Un día en que enseñaba ante varios fariseos y maestros de la ley procedentes de todos los pueblos de Galilea y Judea, y también de Jerusalén, demostró con un milagro que el poder de Dios estaba con El.

[18]Varios hombres llegaron con un paralítico en una camilla y trataron de abrirse paso entre la multitud. [19]Al ver que no podían, subieron al techo, exactamente sobre el Maestro, quitaron algunas de las tejas y bajaron la camilla. El paralítico quedó frente a Jesús.

[20]Al ver la fe de aquellos hombres, Jesús le dijo al paralítico:

—Amigo mío, te perdono tus pecados.

[21]—¿Quién se cree éste? —se dijeron los fariseos y los maestros de la ley—. ¡Eso es una blasfemia! El único que puede perdonar los pecados es Dios.

[22]Jesús, que sabía lo que estaban pensando, les respondió:

—¿Y por qué dicen que es blasfemia? [23]¿Creen que es más fácil perdonarle los pecados que sanarlo? [24]Pues lo voy a sanar para que vean que yo, el Hijo del Hombre tengo autoridad para perdonar los pecados.

Volviéndose al paralítico, le dijo:

—Levántate, recoge tu camilla y vete.

[25]Inmediatamente, ante los ojos de todos, el hombre se puso de pie de un salto, tomó su camilla y se alejó alabando a Dios. [26]Una sensación de asombro y temor envolvió a la concurrencia. Y se pusieron a alabar a Dios y a repetir:

—Hoy hemos visto maravillas.

[27]Cuando salía del pueblo se encontró con un cobrador de impuestos sentado cerca de la mesa de las cobranzas. Se llamaba Leví y, al igual que los demás publicanos o cobradores de impuestos, tenía fama de estafador. Jesús le dijo:

—Sígueme. Quiero que seas mi discípulo.

[28]Sin pensarlo dos veces, Leví lo abandonó todo y siguió tras El.

[29]No mucho después Leví organizó en su casa un banquete en honor de Jesús. Muchos de los colegas de Leví y varios otros individuos estaban presentes.

[30]Inmediatamente los fariseos y los maestros de la ley se quejaron a los discípulos de Jesús de que estuvieran comiendo con tan notorios pecadores. [31]Jesús les respondió:

—Los enfermos son los que necesitan médico, no los sanos. [32]Mi propósito es invitar a los pecadores a arrepentirse, y no perder el tiempo con los que se creen buenos.

[33]Pero allí no terminaron las quejas.

—Los discípulos de Juan el Bautista a menudo ayunan y oran —dijeron a Jesús—, y los discípulos de los fariseos también. ¿Por qué los tuyos siempre comen y beben?

[34,35]—¿Quién ha visto que los que están alegres ayunan? —les respondió Jesús—. ¿Quién ha visto que los que van a una fiesta de boda se pasan la fiesta en ayunas con el novio? Llegará el momento en que les arrebatarán al novio y entonces ayunarán.

[36]Entonces Jesús usó la siguiente alegoría:

—Nadie corta un pedazo de tela sin remojar y remienda con ella ropa vieja, porque no sólo se desperdicia la nueva, sino que ésta echa a perder la vieja al encogerse y romper el remiendo. [37]Y a nadie se le ocurriría poner vino nuevo en odres viejos porque el vino nuevo reventaría los odres viejos, con lo que se echarían a perder los odres y se perdería el vino. [38]El vino nuevo se echa en odres nuevos. [39]Y a ninguno que beba del vino viejo le gusta después el nuevo, porque, como dicen: "El vino viejo siempre es mejor".

6 UN DÍA DE reposo en que Jesús y sus discípulos paseaban por unos trigales, los discípulos se pusieron a arrancar espigas, a restregarlas con las manos y a comerse los granos. [2]Unos fariseos, al verlos, le dijeron:

—Tus discípulos están recogiendo grano hoy sábado, y la ley lo prohíbe.

[3]—¿No conocen las Escrituras? —les respondió Jesús—. ¿Saben lo que hizo el rey David cuando él y sus hombres tuvieron hambre? [4]Entraron en el Templo y tomaron los panes de la proposición, panes sagrados que sólo los sacerdotes podían comer, y aunque era ilegal hacerlo, comió de ellos y dejó que sus compañeros comieran.

[5]Y añadió:

—Yo soy Señor aun del día de reposo.

[6]En otro día de reposo en que predicó en la sinagoga, uno de los presentes tenía la mano derecha deforme. [7]Los maestros de la ley y los fariseos lo vigilaban estrechamente para ver si se atrevía a sanarlo aquel día, siendo como era, día de reposo. Anhelaban poder hallar algo de qué acusarlo.

[8]Jesús sabía muy bien lo que estaban pensando, pero le dijo al hombre de la mano deforme:

—Ven y párate acá donde todos te puedan ver.

El hombre obedeció, [9]y Jesús dijo a los fariseos y a los maestros de la ley:

—Déjenme preguntarles algo. ¿Qué es más correcto en el día de reposo, hacer el bien o hacer el mal, salvar una vida o destruirla?

[10]Fue mirándolos uno a uno, y luego dijo al hombre:

—Extiende tu mano.

Y al hacerlo quedó perfectamente bien. [11]No obstante, los enemigos de Jesús se llenaron de ira y se pusieron a urdir un plan para matarlo.

[12]Un día se fue al monte a orar y se pasó la noche orando. [13]Al amanecer llamó a sus discípulos y entre éstos escogió a doce que formarían un círculo de allegados que llamó "apóstoles" o misioneros. Sus nombres eran:

[14]Simón (o Pedro, como lo llamaba),
Andrés (hermano de Simón),
Jacobo,
Juan,
Felipe,
Bartolomé,
[15]Mateo,
Tomás,
Jacobo (hijo de Alfeo),
Simón (apodado Zelote),
[16]Judas (hermano de Jacobo)
y Judas Iscariote, el que más tarde lo traicionó.

[17]Jesús descendió con ellos y se detuvo en un lugar llano. Inmediatamente los demás discípulos los rodearon, y éstos a su vez se vieron rodeados por un inmenso gentío procedente de toda Judea, de Jerusalén y de lugares tan distantes como los puertos norteños de Tiro y Sidón. Todos habían viajado una gran distancia para oírlo o para que El los sanara.

[18]Aquel día Jesús echó fuera muchos demonios, [19]y la gente procuraba tocarlo, porque cuando alguien lograba tocarlo, de Jesús emanaba un poder que curaba cualquier enfermedad.

[20]Jesús se volvió a sus discípulos y les dijo:

—Dichosos los pobres, porque el reino de Dios les pertenece. [21]Dichosos los que tienen hambre, porque van a saciarse. Dichosos los que lloran, porque les ha de llegar la hora de reír de alegría. [22]Dichosos cuando los hombres los aborrezcan, los desprecien, los insulten y hablen mal de ustedes porque son míos. [23]Alégrense, salten de alegría, porque en el cielo obtendrán una gran recompensa. Consuélense en saber que a los profetas de la antigüedad los trataban de la misma manera. [24]Pero pobres de los ricos, cuya única felicidad está en la tierra. [25]Ahora tienen abundancia y prosperidad, pero ya les llegará el momento de pasar hambre. Ahora se ríen, pero ya llorarán y se lamentarán. [26]Pobres de aquellos que reciben la alabanza de la gente, porque los falsos profetas siempre han sido alabados.

[27]"Escúchenme bien: Ama a tu enemigo. Haz el bien a los que te aborrecen; [28]bendice a los que te maldicen; ora por los que te calumnian. [29]Si alguien te da una bofetada, deja que te vuelva a abofetear. Si alguien te pide el saco, dale también la camisa. [30]Al que te pide, dale; y cuando te quiten las

cosas, no trates de recuperarlas. [31]Trata a los demás como deseas que te traten a ti. [32]Si sólo amas a los que te aman, no estás haciendo nada extraordinario, porque hasta los incrédulos lo hacen. [33]Y si sólo les haces el bien a los que te hacen el bien, ¿qué tienes de extraordinario? ¡Aun los pecadores lo hacen! [34]Y si prestas dinero sólo a los que pueden pagarte, nada extraordinario estás haciendo, porque hasta el más malvado prestaría dinero al más malo de los hombre si está seguro de que se lo va a pagar.

[35]"Ama a tu enemigo. Hazle el bien. Préstale tus cosas sin que te lo impida el temor de que no te las vayan a devolver. Entonces tu recompensa en el cielo será grande, y estarás comportándote como un verdadero hijo de Dios, porque Dios es benévolo con los ingratos y con los malos. [36]Trata de ser tan benévolo como tu Padre.

[37]"Nunca critiques ni juzgues a nadie, para que no te lo hagan a ti. Perdona, para que te perdonen, [38]porque el que da, recibe. Lo que des regresará a ti en medida buena, apretada, remecida para que quepa más, y rebosante. Con la misma medida con que midas lo que das, medirán lo que te devuelvan.

[39]En sus sermones empleaba alegorías como la siguiente:

—¿De qué le sirve a un ciego que lo guíe otro ciego? Lo más seguro es que uno de los dos se caiga en una zanja y arrastre al otro en la caída.

[40]"¿Quién ha visto que el estudiante sabe más que el maestro? Claro, si se esfuerza puede llegar a igualarlo.

[41]"¿Por qué te fijas en la paja que está en el ojo del otro, en sus pequeñas faltas, y no te fijas en la viga que tienes en el tuyo? [42]¿Te atreverías a pedirle permiso para sacarle la paja del ojo teniendo en el tuyo una viga que te impide ver? ¡Hipócrita! Sácate primero la viga y entonces quizás puedas ver lo suficiente para sacarle la paja.

[43]"Ni el buen árbol da malos frutos, ni el árbol malo da buenos frutos. [44]Uno conoce al árbol por el fruto que produce. Los espinos no dan higos ni las zarzas dan uvas. [45]El hombre que es bueno hace el bien porque tiene un buen corazón. Pero el que es malo hace el mal porque le brota de adentro, porque de la abundancia del corazón habla la boca. [46]¿Para qué me llaman Maestro si no me obedecen?

[47]"El que viene a mí, me escucha y me obedece, [48]es como el hombre que edificó una casa sobre el firme cimiento de una roca. Cuando viene una inundación, la casa resiste los embates de las aguas porque está fundada firmemente sobre la roca. [49]Pero los que oyen y no obedecen son como el hombre que edificó una casa sobre tierra, sin cimientos. Cuando llegó la inundación, el ímpetu de las aguas derrumbó la casa y ésta quedó en ruinas.

7 CUANDO JESÚS TERMINÓ su sermón, regresó a Capernaum. [2]Precisamente en aquellos días, en casa de un capitán del ejército romano, había caído enfermo un esclavo muy querido, y estaba al borde de la muerte. [3]Cuando el capitán oyó hablar de Jesús, envió a varios respetables ancianos judíos a rogarle que fuera y sanara al esclavo. [4]Los ancianos fueron a Jesús y le suplicaron encarecidamente que accediera a la solicitud del oficial.

—Ese hombre es una persona maravillosa —decían—. Si alguien merece que lo ayudes es él, [5]porque ama tanto a los judíos que costeó personalmente la construcción de una sinagoga.

[6]Jesús los acompañó. No muy lejos de la casa, le salieron al encuentro varios amigos del capitán; portaban un mensaje.

"Señor", le mandaba decir el capitán, "no te molestes en venir a mi casa [7]porque no merezco el honor de que vengas ni el honor de ir a encontrarme contigo. Pero di una palabra desde donde estás, y mi siervo sanará. [8]Estoy acostumbrado a obedecer las órdenes de mis superiores y a que mis hombres me obedezcan. Si yo le digo a alguien 've', va, y si digo 'ven', viene; y si digo a mi esclavo 'haz esto', lo hace".

[9]Jesús, maravillado, se volvió al gentío y dijo:

—Ni aun entre los judíos he hallado tanta fe.

[10]Cuando los amigos del capitán regresaron a la casa, hallaron que el esclavo había sanado.

[11]Jesús se dirigió con sus discípulos al pueblo de Naín, seguido como siempre por

una gran multitud. ¹²Al entrar en el pueblo se encontraron con un cortejo fúnebre que salía. El hijo único de una viuda había muerto, y mucha gente había ido a acompañar a la sufrida mujer.

¹³Cuando el Señor la vio, el corazón se le llenó de compasión.

—¡No llores! —le dijo.

¹⁴Entonces se acercó al féretro y lo tocó. Los que lo cargaban se detuvieron.

—Muchacho, resucita.

¹⁵E inmediatamente el joven se sentó y habló con los que lo rodeaban.

Jesús se lo devolvió a su madre.

¹⁶—Un gran profeta se ha levantado —decía con temor la gente, y alababa a Dios—. ¡Hoy hemos visto la mano de Dios actuar en medio de nosotros!

¹⁷La noticia de aquel acontecimiento llegó a todos los rincones de Judea y aun más allá de los límites de la región.

¹⁸Los discípulos de Juan se enteraron de las obras de Jesús y fueron a contárselas a Juan. ¹⁹Este envió a dos de sus discípulos a preguntarle a Jesús:

—¿Eres realmente el Mesías o tendremos que seguir esperando a otro?

²⁰,²¹Los dos discípulos hallaron a Jesús curando enfermos de diferentes enfermedades, inválidos, ciegos, y echando fuera espíritus malignos. ²²Cuando los discípulos de Juan le transmitieron la pregunta, respondió:

—Vayan a donde está Juan y díganle lo que han visto y oído; díganle que los ciegos ven, que los cojos andan sin muletas, que los leprosos se curan completamente, que los sordos oyen, que los muertos resucitan y que los pobres están escuchando las buenas noticias de Dios. ²³Y díganle además que el que no pierda su fe en mí recibirá grandes bendiciones.

²⁴Una vez que los mensajeros se fueron, Jesús habló de Juan.

—¿Quién creen que es ese hombre que salieron a ver al desierto de Judea? —les preguntó—. ¿Era acaso una caña sacudida por el viento? ²⁵¿Lo hallaron vestido con ropa costosa? ¡No! Los que se visten con lujos están en los palacios, no en el desierto. ²⁶En fin, ¿qué fueron a ver? ¿Un profeta? ¡Sí, y más que un profeta! ²⁷El es aquél de quien las Escrituras dicen: "Un mensajero

mío te precederá para prepararte el camino". ²⁸Juan es el profeta más grande que ha existido en toda la historia de la humanidad. Y sin embargo el más pequeño de los ciudadanos del reino de Dios es mayor que él.

²⁹Todos los que habían escuchado a Juan predicar, aun los más perversos, habían visto que los requerimientos de Dios eran justos, y habían dejado que Juan los bautizara. ³⁰Digo todos, menos los fariseos y los maestros de la ley de Moisés, quienes rechazaron el plan que Dios tenía para ellos y no se dejaron bautizar.

³¹—¿Qué se puede decir de una gente así? —preguntó Jesús—. ¿Con qué los compararé? ³²Son como esos muchachos que siempre están discutiendo con sus amigos y nunca están conformes. Cansados, sus amigos les gritan: "Si les tocamos la flauta no bailan, y si les cantamos canciones tristes no lloran". ³³Así es esta gente: Si viene Juan el Bautista y no come ni bebe, dicen que está loco. ³⁴Y si vengo yo y me pongo a comer y a beber vino, dicen que soy un glotón, que soy un borracho, y que siempre ando con individuos de la peor calaña. ³⁵Claro, son tan inteligentes que siempre hallan una justificación a sus contradicciones.

³⁶Un fariseo invitó a Jesús a comer. Ya en la mesa, ³⁷una mujer de la calle, una prostituta, enterada de que estaba allí, entró tímidamente con un frasco de costoso perfume ³⁸y se tiró a sus pies a llorar. Sus lágrimas de dolor empapaban los pies del Maestro, pero los secaba con sus cabellos, los besaba, y los perfumaba.

³⁹Cuando el fariseo se dio cuenta de lo que estaba sucediendo, se dijo: "¡Si Jesús fuera profeta sabría qué clase de mujer es ésta!"

⁴⁰—Simón, tengo que decirte algo —le dijo Jesús.

—Dime, Maestro.

⁴¹—Un hombre prestó dinero a dos individuos. A uno le prestó cinco mil pesos; al otro le prestó quinientos. ⁴²Ninguno de los dos pudo devolver el dinero y él bondadosamente les perdonó la deuda. ¿Cuál de los dos crees que lo amará más después de aquello?

⁴³—Supongo que el que le debía más

dinero —respondió Simón.

—Correcto. [44]¡Fíjate en esta desdichada! Cuando llegué no se te ocurrió darme agua para lavarme los pies; ella en cambio, me los ha lavado con sus lágrimas y me los ha secado con sus cabellos. [45]Cuando llegué no me saludaste con un beso, pero esta mujer desde que entró no ha cesado de besarme los pies. [46]No me ungiste la cabeza con aceite, como es costumbre; ella, en cambio, me ha bañado los pies con un perfume costoso. [47]Me ama mucho porque sus pecados, que eran muchos, le fueron perdonados. Al que poco ha sido perdonado, poco ama.

[48]Entonces le dijo a la mujer:

—Tus pecados ya están perdonados.

[49]Los demás que estaban sentados a la mesa se dijeron:

—¿Quién se cree que es? ¿Cómo se atreve a perdonar los pecados?

[50]Pero Jesús dijo a la mujer:

—Tu fe te ha salvado. Vete tranquila.

8 UN DÍA JESÚS inició un recorrido por las ciudades y pueblos de Galilea para anunciar el advenimiento del reino de Dios. Lo acompañaban sus doce apóstoles [2]y varias mujeres que había sanado o de las cuales había expulsado demonios. Entre éstas se encontraban María Magdalena (de la que había expulsado siete demonios), [3]Juana (esposa de Chuza, funcionario encargado del palacio y de los asuntos internos de Herodes), Susana y muchas otras que contribuían con sus bienes al sustento de Jesús y sus discípulos.

[4]Mucha gente acudió desde los pueblos vecinos a ver a Jesús. No tardó en congregarse una gran multitud, y Jesús les dijo la siguiente parábola:

[5]—Un agricultor salió al campo a sembrar. Al esparcir los granos, algunos cayeron en el camino y los pisotearon, y luego las aves vinieron y se los comieron. [6]Otros cayeron en un terreno rocoso de una capa vegetal escasa. La semilla no tardó en germinar, pero pronto se marchitó y murió por falta de humedad. [7]Otros cayeron junto a espinos y se ahogaron tan pronto germinaron. [8]Pero otros cayeron en buena tierra y germinaron y cada grano plantado produjo cien granos.

Al concluir, exclamó:

—¡El que tenga oídos para oír, oiga!

[9]Los apóstoles le preguntaron el significado de aquella alegoría, [10]y El les respondió:

—Ustedes sí pueden saber el significado de estas parábolas que hablan del reino de Dios. Pero estas gentes no, porque oyen las cosas y no las entienden. Así estaba profetizado. [11]Pues verán ustedes: La semilla es el mensaje de Dios a los hombres. [12]El camino de tierra endurecida en que cayeron algunas semillas representa el corazón de los hombres que escuchan el mensaje de Dios, pero luego viene el diablo y se lleva el mensaje para que la gente no crea ni se salve. [13]El terreno pedregoso representa a los que se deleitan escuchando los sermones, pero no hay forma de que el mensaje les penetre y nunca echan raíces ni crecen. Saben que el mensaje es verdad, y se podría decir que lo creen un tiempo. Pero cuando los vientos de la persecución comienzan a arremolinarse, pierden interés. [14]La semilla entre espinos representa a los que escuchan y creen la palabra de Dios, pero cuya fe muere ahogada bajo el peso de las preocupaciones, las riquezas, las responsabilidades y los placeres de la vida. Por lo tanto no pueden ayudar a otros a que crean el mensaje del evangelio. [15]Pero la buena tierra representa el corazón bueno y recto que escucha la palabra de Dios y la retiene y luego se ocupa de esparcirla para que la gente crea.

[16]En otra ocasión les dijo:

—¿Quién ha visto que uno enciende una lámpara y la cubre para que no brille? No, uno la enciende y la pone en alto y al descubierto para que los que entren puedan ver; [17]pues no hay nada oculto que un día no haya de saberse. [18]Procuren escuchar bien, porque al que tiene se le dará más y al que no tiene aun lo que cree que tiene le será quitado.

[19]Una vez la madre y los hermanos de Jesús fueron a verlo, pero no pudieron entrar a la casa donde estaba enseñando, por causa del gentío. [20]Cuando le dieron aviso a Jesús de que estaban afuera y querían verlo, [21]El dijo:

—Mi madre y mis hermanos son los que escuchan el mensaje de Dios y lo obedecen.

²²Un día entró en una barca con sus discípulos y sugirió que pasaran al otro lado del lago. ²³En la travesía se quedó dormido, y mientras dormía, el viento fue aumentando. A los pocos minutos estaban en medio de una fiera tempestad que amenazaba con hundirlos. Viendo el peligro que corrían, ²⁴fueron a despertar a Jesús.

—¡Maestro, Maestro, nos estamos hundiendo!

Jesús se puso de pie y dijo a la tempestad:

—¡Cálmate!

E inmediatamente cesaron los vientos y el lago quedó sereno y en calma.

²⁵Entonces les preguntó:

—¿Dónde dejaron la fe?

Ellos, llenos de temor y asombro, se decían:

—¿Quién será este hombre que aun los vientos y las olas lo obedecen?

²⁶Llegaron a la tierra de los gadarenos en la ribera opuesta a Galilea. ²⁷Al salir de la barca les salió al encuentro un hombre de Gadara que hacía tiempo estaba endemoniado, sin hogar y desnudo, y que vivía en un cementerio entre los sepulcros. ²⁸Cuando vio a Jesús, lanzó un alarido y se postró a sus pies, gritando:

—¿Qué quieres de mí, Jesús, Hijo del Dios Altísimo? ¡Te ruego, te suplico, que no me atormentes!

²⁹Hablaba así porque ya Jesús había ordenado al demonio que saliera. Hacía tiempo que aquel demonio se había apoderado del hombre, y era tal la furia que le daba que aun cuando lo ataban con cadenas las rompía y se internaba en el desierto.

³⁰—¿Cómo te llamas? —preguntó Jesús al demonio.

—Me llamo Legión —le respondió—, porque somos miles de demonios los que estamos en este hombre. ³¹Pero te suplico que no nos envíes al abismo insondable.

³²,³³En la cercanía había un hato de cerdos que pacían, y le rogaron que los dejara entrar en los puercos. Tan pronto Jesús les dio permiso, salieron del hombre y entraron a los puercos. El hato se precipitó por un despeñadero y se ahogó en el lago.

³⁴Los porqueros se echaron a correr inmediatamente hacia la ciudad vecina y fueron esparciendo la noticia de lo que había sucedido. ³⁵Pronto el gentío fue a cerciorarse por sí mismo, y vieron al hombre que había estado endemoniado sentado quietamente a los pies de Jesús, vestido y sano. La gente quedó atemorizada. ³⁶Cuando escucharon de labios de los que habían presenciado los hechos cómo se había producido la curación del endemoniado, ³⁷impulsados por el pavor que sentían, suplicaron a Jesús que se fuera de allí, que los dejara tranquilos.

Jesús subió a la barca para regresar. ³⁸El que había estado endemoniado le suplicó que lo dejara acompañarlo, pero Jesús le dijo que no, ³⁹que regresara a su familia a contar las maravillas que Dios había hecho con él. Y así lo hizo aquel hombre. No quedó una sola casa en la ciudad donde no se enteraron de aquel grandioso milagro de Jesús.

⁴⁰,⁴¹Al otro lado del lago una ansiosa multitud lo recibió con los brazos abiertos. Lo habían estado esperando. Apenas desembarcó, cuando un tal Jairo, principal de la sinagoga judía, se tiró a los pies de Jesús a suplicarle que fuera a su casa ⁴²porque su única hija, de doce años de edad, estaba agonizando. Jesús lo acompañó.

Mientras se abría paso entre la multitud, ⁴³,⁴⁴una mujer enferma se le acercó por detrás y lo tocó. Hacía doce años que padecía de cierto derrame de sangre, y no había podido curarse a pesar de que había gastado cuanto tenía en médicos. Pero en el instante mismo en que tocó el borde del manto de Jesús, el derrame cesó.

⁴⁵—¿Quién me tocó? —preguntó Jesús.

—Pero, Maestro, ¡todo el mundo te oprime! ¿Por qué preguntas que quién te tocó? —dijo Pedro.

⁴⁶—Alguien deliberadamente me tocó. Sentí que salió poder sanador de mí.

⁴⁷La mujer, viéndose descubierta, temblando se tiró de rodillas ante El y confesó que lo había tocado y que se había curado.

⁴⁸—Hija —le dijo El—, tu fe te ha sanado. Vete tranquila.

⁴⁹No había acabado de hablar cuando llegó un mensajero de la casa de Jairo con la noticia de que la niña había muerto.

—Ya es inútil que el Maestro se moleste en ir allá —dijo el mensajero.

⁵⁰Pero Jesús le dijo a Jairo:

—No temas, cree y la niña vivirá.

⁵¹Ya en casa de Jairo, Jesús no dejó que nadie entrara en el cuarto, excepto Pedro, Santiago, Juan, y el padre y la madre de la niña. ⁵²La casa estaba repleta de dolientes que lloraban y se lamentaban. Pero Jesús les dijo:

—¡No lloren! La niña no está muerta. Está dormida.

⁵³Esto despertó risas y burlas entre los presentes, que sabían que estaba muerta. ⁵⁴Pero dentro, Jesús tomó a la muchacha por la mano y le dijo:

—¡Levántate, niña!

⁵⁵Y al instante volvió a la vida y se levantó de un salto.

—Denle algo de comer —ordenó Jesús.

⁵⁶Los padres de la muchacha se sentían embargados de felicidad, pero Jesús insistió en que no contaran los detalles de lo que había sucedido.

9 UN DÍA JESÚS reunió a sus doce discípulos, les dio poder para echar fuera demonios y para sanar cualquier enfermedad, ²y los envió a proclamar el advenimiento del reino de Dios y a sanar a los enfermos.

³—No lleven ni bordón, ni alforja ni pan, ni dinero —les dijo—. No lleven más ropa que la que traen puesta. ⁴Hospédense en una sola casa en cada pueblo. ⁵Si en algún pueblo no quieren oír el mensaje, den media vuelta y salgan, y al salir sacúdanse el polvo de los pies para que sepan que la ira de Dios se volverá contra ellos.

⁶Fueron entonces de pueblo en pueblo predicando el evangelio y sanando a los enfermos.

⁷Cuando Herodes se enteró de los milagros que realizaba Jesús y de los comentarios que éstos suscitaban en el pueblo, se quedó preocupado y asustado. Para algunos Jesús era Juan el Bautista que había resucitado; ⁸para otros, era Elías o algún profeta de la antigüedad que había resucitado. Por todas partes circulaban rumores semejantes.

⁹—A Juan lo mandé decapitar yo —dijo Herodes—. ¿Quién será ese hombre de quien se cuentan tan fantásticas cosas?

Y buscaba la oportunidad de verlo.

¹⁰Después de que los apóstoles le informaron sobre los resultados del viaje, se fueron a un lugar apartado cerca de la ciudad de Betsaida. ¹¹Cuando la gente supo hacia dónde se dirigía, lo siguió. El los recibió y les habló de nuevo sobre el reino de Dios, y sanó a los enfermos. ¹²Ya avanzada la tarde, los doce discípulos se le acercaron y le aconsejaron que despidiera a la gente para que fuera a los pueblos y granjas de los alrededores a buscar comida y alojamiento.

—Aquí en este desierto no hay nada qué comer —indicaron.

¹³—Denles de comer ustedes.

—Pero, ¿cómo, si sólo tenemos cinco panes y dos pescados? —protestaron—. ¿O esperas que vayamos y busquemos comida para este gentío?

¹⁴En realidad, contando sólo los hombres, había cinco mil personas congregadas. Mas Jesús ordenó:

—Díganles que se vayan sentando en grupos de cincuenta.

¹⁵Los discípulos obedecieron. ¹⁶Jesús tomó los cinco panes y los dos pescados, miró al cielo y dio gracias. Entonces comenzó a partir el pan y a entregárselo a los discípulos para que lo fueran repartiendo a la multitud, junto con los pescados. ¹⁷Todo el mundo comió hasta saciarse, ¡y al final se recogieron doce cestas de sobrantes!

¹⁸Un día en que oraba a solas y los discípulos estaban con El, les preguntó:

—¿Quién dice la gente que soy?

¹⁹—Unos dicen que eres Juan el Bautista —le respondieron—, otros, que eres Elías o uno de los profetas de la antigüedad que ha resucitado.

²⁰—¿Y quién creen ustedes que soy?

—¡Tú eres el Mesías, el Cristo de Dios! —respondió Pedro.

²¹Pero les dio órdenes estrictas de que no lo dijeran a nadie.

²²—Primero me es necesario sufrir mucho —les dijo—. Los ancianos, los principales sacerdotes y los maestros de la ley judía me desecharán y me condenarán a muerte. Pero al tercer día resucitaré.

²³Entonces se dirigió al grupo entero y les dijo:

—El que quiera seguirme debe renunciar a sus más caros anhelos, tomar la cruz cada día y seguirme. ²⁴El que pierda su vida por mi causa, la salvará; pero el que se empeñe en proteger su vida, la perderá. ²⁵¿Y de qué le sirve a un individuo ganarse el mundo entero si se está destruyendo a sí mismo? ²⁶Cuando yo, el Hijo del Hombre, venga en mi gloria y en la gloria del Padre y de los santos ángeles, me avergonzaré de los que se hayan avergonzado de mí y de mis palabras. ²⁷Y ahora les voy a decir algo: Algunos de los que están aquí ahora mismo no morirán sin ver el reino de Dios.

²⁸Más o menos ocho días más tarde Jesús tomó a Pedro, a Juan y a Jacobo, y subió a las montañas a orar. ²⁹En tanto que oraba, su rostro fue adquiriendo un brillo extraordinario y su ropa se fue poniendo blanca y resplandeciente, ³⁰¡y dos hombres aparecieron y se pusieron a hablar con El! ¡Eran Moisés y* Elías! ³¹Era algo majestuoso, glorioso. Aquellos hombres hablaban de la muerte de Jesús en Jerusalén, de cómo se iba a cumplir el plan de Dios. ³²Pedro y los demás estaban como en un letargo, medio adormecidos, pero haciendo un esfuerzo veían a Jesús cubierto de brillantez y gloria, y a los dos hombres que estaban con El. ³³En eso Moisés y Elías se dispusieron a partir, pero Pedro, turbado y sin saber qué decía, balbució:

—Maestro, esto es maravilloso. Deja que construyamos aquí tres enramadas, una para ti, una para Moisés y otra para Elías.

³⁴No había terminado de decir aquellas palabras cuando una nube brillante los envolvió. Un miedo horrible se apoderó de ellos. ³⁵Y una voz dijo en la nube:

—Este es mi Hijo amado. Háganle caso.

³⁶Al cesar la voz hallaron sólo a Jesús. Aquellos tres discípulos callaron y no dijeron nada a nadie en aquellos días.

³⁷Cuando al día siguiente descendieron de la montaña, un inmenso gentío les salió al encuentro, ³⁸y un hombre se adelantó y le dijo a Jesús:

—Maestro, éste es mi hijo, el único que tengo. ³⁹Un demonio se apodera de él y lo hace chillar, sacudirse con violencia, echar espumarajos por la boca y golpearse; casi

nunca lo deja tranquilo. ⁴⁰Supliqué a tus discípulos que lo echaran fuera, pero no pudieron.

⁴¹—¡Oh generación incrédula y perversa! —dijo Jesús a los discípulos—, ¿hasta cuándo he de soportarlos? Tráiganme al muchacho.

⁴²Mientras se acercaba el muchacho el demonio lo tiró al suelo en medio de violentas convulsiones. Pero Jesús ordenó al demonio que saliera, sanó al muchacho y se lo devolvió al padre. ⁴³La gente quedó asombrada ante aquella demostración de la grandeza de Dios.

Y mientras la gente seguía con sus exclamaciones de asombro, Jesús dijo a los discípulos:

⁴⁴—Escúchenme bien para que no se les olvide. Yo, el Hijo del Hombre, seré traicionado.

⁴⁵Pero los discípulos no lo entendieron, porque tenían velado el entendimiento y temían preguntarle.

⁴⁶Un día los discípulos se pusieron a discutir cuál de ellos sería el mayor en el reino de los cielos. ⁴⁷Pero Jesús, que podía leer sus pensamientos, tomó a un niño ⁴⁸y les dijo:

—El que se ocupe de un niño como éste se está ocupando de mí. Y el que se ocupa de mí se ocupa de Dios que me envió. ¿Quieren saber quién es el mayor entre ustedes? El mayor es el que mejor sirve a los demás.

⁴⁹Juan acercándose, le dijo:

—Maestro, vimos a uno echando fuera demonios en tu nombre. Se lo prohibimos porque no anda con nosotros.

⁵⁰—¡No se lo prohíban! El que no está contra nosotros está a nuestro favor.

⁵¹Se acercaba la hora de su regreso al cielo. Jesús se dirigía a Jerusalén con voluntad de hierro. ⁵²Un día envió mensajeros a reservar habitaciones en un pueblo samaritano, ⁵³pero no quisieron ofrecerles hospedaje. No querían tener nada que ver con individuos que anduvieran en camino a Jerusalén.ᵃ ⁵⁴Cuando Jacobo y Juan se enteraron de lo sucedido, le dijeron a Jesús:

—Maestro, ¿quieres que mandemos que

9a Caso típico de discriminación. Los judíos llamaban "mestizos" a los samaritanos, y éstos odiaban a los judíos. (Vea Juan 4:9).

descienda fuego del cielo y los consuma? [55]Jesús los reprendió.

—¿Qué clase de espíritu tienen ustedes? [56]Yo, el Hijo del Hombre, no vine a destruir hombres, sino a salvarlos.

Entonces se encaminaron a otro pueblo. [57]En el camino, alguien dijo:

—Señor, vayas donde vayas, te seguiré. [58]—Pero recuerda —le respondió Jesús—, no tengo ni dónde recostar la cabeza. Las zorras tienen guaridas y las aves nidos, pero yo, el Hijo del Hombre, no tengo ni dónde recostar la cabeza. [59]En otra ocasión invitó a un hombre a que lo siguiera. Este accedió —si lo dejaba esperar hasta que su padre muriera.

[60]Jesús le respondió:

—Deja que los que no tienen vida eterna se ocupen de esas cosas. Tu deber es venir y predicar el advenimiento del reino de Dios.

[61]Otro le dijo:

—Sí, Señor, te seguiré, pero déjame ir a despedirme de los de mi casa.

[62]Jesús le respondió:

—El que pone la mano en el arado y mira atrás no es apto para el reino de Dios.

10 UN DÍA EL Señor escogió a otros setenta discípulos y los envió de dos en dos por los pueblos y las aldeas que después personalmente habría de visitar. [2]Las instrucciones que les dio fueron las siguientes:

—Oren al Señor de la cosecha que envíe más obreros a la mies, porque la cosecha es abundante y los obreros pocos. [3]Váyanse ahora, y recuerden que los estoy enviando como corderos en medio de lobos. [4]No lleven dinero ni alforja, ni más zapatos que los que traen puestos. No pierdan tiempo en el camino con saludos prolongados. [5]Cuando lleguen a una casa, den la bendición. [6]Si son dignos de bendición, ésta permanecerá allí; si no, la bendición regresará a ustedes. [7]Cuando entren a un pueblo, no se anden cambiando de casa. Quédense en un solo lugar y beban y coman lo que les den. No les dé pena aceptar la hospitalidad de la gente, porque el obrero es digno de su salario. [8]Cuando lleguen a un lugar, coman de lo que les den, [9]sanen a los enfermos y, al hacerlo, anúncienles que el reino de Dios está bien cerca. [10]Pero si en algún pueblo los rechazan, digan en las calles: [11]"Hasta el polvo de este pueblo nos lo sacudimos de los pies en señal de la condenación que les espera. Nunca olviden que el reino de Dios estuvo bien cerca de ustedes". [12]Les aseguro que aun a la perversa Sodoma le será más tolerable el castigo en el día del juicio que a la ciudad que los rechace. [13]¡Pobres de ustedes, Corazín y Betsaida! Porque si los milagros que hice en ustedes los hubiera realizado en las ciudades de Tiro y Sidón, hace tiempo que se habrían arrepentido, se habrían vestido de luto y se habrían echado cenizas en la cabeza en señal de remordimiento. [14]Sí, Tiro y Sidón recibirán menos castigo en el día del juicio que ustedes. [15]Y de ustedes, ciudadanos de Capernaum, ¿qué he de decir?. ¿Serán exaltados al cielo? No, irán de cabeza al infierno.

[16]Y añadió, mirando a los discípulos:

—El que los recibe a ustedes me recibe a mí. El que los rechaza me rechaza a mí. Y el que me rechaza a mí rechaza a Dios quien me envió.

[17]Los setenta discípulos regresaron llenos de gozo.

—¡Hasta los demonios nos obedecían cuando invocábamos tu nombre! —dijeron a Jesús.

[18]—Sí —les dijo—, veía a Satanás caer del cielo como un rayo. [19]Les he dado autoridad sobre los poderes del enemigo, y podrán hollar serpientes y alacranes. ¡Nada los dañará! [20]Sin embargo, lo más importante no es que los demonios los obedezcan, sino que ustedes estén registrados como ciudadanos del cielo.

[21]Entonces, regocijado en el Espíritu, dijo:

—Te alabo, Padre, Señor del cielo y de la tierra, porque has escondido estas cosas a los intelectuales y a los humanamente sabios, y las has revelado a individuos de fe tan sencilla como la de un niño. Sí, gracias, Padre, porque así lo quisiste. [22]Mi Padre me ha encomendado todas las cosas. Nadie sabe quién es el Hijo excepto el Padre, ni nadie conoce al Padre sino el Hijo y aquéllos a quienes el Hijo lo quiera revelar.

[23]Entonces, volviéndose a los doce discípulos, les dijo calladamente:

—Dichosos ustedes que pueden ver lo que ven. [24]Muchísimos profetas y reyes de la antigüedad, aunque lo desearon, no pudieron ver ni oír lo que ustedes ven y oyen.

²⁵Un día un intérprete de la ley quiso poner a prueba la ortodoxia de Jesús y le formuló la siguiente pregunta:

—Maestro, ¿qué tiene que hacer un hombre para alcanzar la vida eterna?

²⁶—¿Qué dice la ley de Moisés? —le respondió Jesús.

²⁷—Bueno, la ley dice: "Amarás al Señor tu Dios con todo tu corazón, con toda tu alma, con todas las fuerzas de tu ser y con toda tu mente, y a tu prójimo como a ti mismo".

²⁸—¡Muy bien! —le dijo Jesús—. ¡Haz eso y vivirás eternamente!

²⁹El hombre, queriendo justificar su falta de amor hacia cierto tipo de personas, preguntó:

—¿Y a quién debo considerar mi prójimo?

³⁰—Pues mira —le respondió Jesús—. En cierta ocasión unos bandidos atacaron a un judío que se dirigía de Jerusalén a Jericó. Le quitaron la ropa y el dinero que traía, lo golpearon y lo dejaron medio muerto junto al camino. ³¹Dio la casualidad que un sacerdote judío pasó por allí. Cuando vio a aquel hombre tirado, se echó hacia el otro lado del camino y pasó de largo. ³²Pasó también un levita y, al igual que el sacerdote, siguió de largo. ³³Pero en eso se acercó un samaritano "despreciable", y al verlo, sintió lástima ³⁴y se arrodilló junto al herido, medicina en mano, y lo curó. Luego lo montó en su bestia y lo llevó a una posada y lo cuidó aquella noche. ³⁵Al siguiente día pagó al posadero el salario de dos días para que se ocupara del hombre, y le dijo: "Si gastas más, te lo pagaré cuando vuelva".

³⁶"¿Quién de los tres que pasaron por el camino se comportó como un verdadero prójimo con la víctima de los bandidos?

³⁷—El que tuvo misericordia de él —respondió el hombre.

Entonces Jesús le dijo:

—Pues vé y haz lo mismo.

³⁸Jesús y los discípulos continuaron su viaje a Jerusalén y llegaron a cierto pueblo en el que una mujer llamada Marta los hospedó. ³⁹La hermana de Marta, María, se sentó a los pies de Jesús a escucharlo. ⁴⁰Marta, preocupada con la preparación del banquete, impaciente, le dijo a Jesús:

—Señor, ¿no crees que es injusto que mi hermana esté allí sentada mientras yo me mato trabajando? Dile que venga a ayudarme.

⁴¹—Marta, Marta —le respondió el Señor—, te preocupas demasiado por estas cosas. ⁴²Solamente existe una cosa digna de preocupación, y María la ha descubierto. No seré yo el que se la quite.

11 AL TERMINAR DE orar en cierto lugar, uno de sus discípulos le dijo:

—Señor, enséñanos a orar como Juan enseñó a sus discípulos.

²El les respondió:

—Oren más o menos así:

"Padre nuestro que estás en los cielos, santificado sea tu nombre. Venga tu reino y cúmplase en la tierra tu voluntad como se cumple en el cielo. ³Danos hoy los alimentos que necesitamos, ⁴y perdona nuestros pecados, así como nosotros perdonamos a los que nos han hecho mal. No nos dejes caer en tentación, mas líbranos del mal".ᵃ

⁵Les dijo también:

—Supongamos que uno se aparece a media noche en casa de un amigo para pedirle prestados tres panes. Lo más lógico es que desde la puerta grite al amigo: ⁶"Un amigo mío acaba de llegar de visita y no tengo nada que darle de comer". ⁷Pudiera ser que le respondan desde el cuarto: "Mira, ¿cómo se te ocurre venir a despertarme a esta hora de la noche? La puerta está cerrada y estoy acostado con los niños. En otra ocasión cuenta conmigo, pero no ahora". ⁸Ahora bien, si uno insiste, el amigo se levantará y le dará lo que quiera, no por el hecho de que sea amigo, sino por la insistencia con que lo pide. ⁹Lo mismo pasa con la oración: Pide con insistencia y se te dará; busca y hallarás; llama y se te abrirá. ¹⁰Todo el que pide, recibe; el que busca, encuentra; y se le abre la puerta al que llama. ¹¹¿Qué padre, si su hijo le pide pan, le dará una piedra? ¿Qué padre, si su hijo le pide pescado, le dará una serpiente; ¹²o si le pide un huevo, le dará un alacrán?

11a Algunos manuscritos antiguos agregan aquí otra porción a la Oración del Señor, como se ve en Mateo 6:9-13.

¡Ningún padre lo haría! [13]Y si los pecadores dan a sus hijos lo que necesitan, ¿no creen que el Padre celestial hará por lo menos eso y dará el Espíritu Santo a los que se lo pidan?

[14]Una vez Jesús echó fuera el demonio que tenía mudo a un hombre. El hombre recobró el habla ante la maravillada multitud. [15]Pero algunos dijeron:

—Seguramente echa los demonios en el nombre de Satanás, el rey de los demonios.

[16]Otros le pidieron que hiciera cierto tipo de milagro en el cielo para demostrar que era el Mesías. [17]El, que conocía hasta el más profundo de sus pensamientos, les dijo:

—Cualquier reino dividido no perdura, así como no perdura el hogar en que reinan las divisiones y la lucha. [18]Si lo que dicen es verdad, si Satanás se está hiriendo a sí mismo al concederme poder para echar fuera sus demonios, ¿cómo podrá permanecer su reino? [19]Y si empleo el poder de Satanás, ¿qué de la gente de ustedes? ¡Ellos también echan fuera demonios! ¿Actúan en el nombre de Satanás? ¡Pregúntenles a ver qué piensan! [20]Pero si echo fuera demonios mediante el poder de Dios, el reino de Dios ha llegado. [21]Satanás es como el hombre fuerte que protege sus dominios armado hasta los dientes. No hay quien se atreva a atacarlo [22]a menos que se presente uno más fuerte y mejor armado que él, y pueda desarmarlo y llevarse sus pertenencias. [23]El que no está a mi favor está en contra mía. El que no ayuda a mi causa le hace daño. [24]Cuando un espíritu inmundo sale de un hombre, se mete en el desierto en busca de reposo. Al no hallarlo, se dice: "Mejor es que regrese al hombre de donde salí". [25]Si al llegar se encuentra que su antiguo hogar está barrido y adornado pero vacío, [26]se busca siete demonios más y entran al hombre. La pobre víctima queda siete veces peor que antes.

[27]Mientras Jesús hablaba, una mujer de entre la multitud gritó:

—¡Dios bendiga el vientre que te trajo y los pechos que mamaste!

[28]—¡Pero más bienaventurados son los que oyen la palabra de Dios y la ponen en práctica! —le respondió Jesús.

[29]Mientras la gente se amontonaba a su alrededor, les predicó el siguiente sermón:

—Estos son tiempos malos de gente perversa. Siempre están pidiendo señales extrañas en los cielos que demuestren que soy el Mesías, pero la única señal que verán es un milagro como el de Jonás. [30]De la misma manera que el milagro que experimentó Jonás convenció a la gente de Nínive de que Dios lo había enviado, un milagro semejante en mí demostrará que Dios me ha enviado a este mundo. [31]En el día del juicio la reina de Sabá se levantará y condenará a esta generación, porque acudió desde los confines de la tierra a escuchar la sabiduría de Salomón. En cambio, aunque uno mayor que Salomón está aquí, pocos son los que le hacen caso. [32]Los de Nínive también se levantarán en el juicio y condenarán a esta generación, porque se arrepintieron ante la predicación de Jonás; sin embargo, hoy que uno mayor que Jonás está aquí, no le hacen caso.

[33]"A nadie se le ocurre encender una lámpara y esconderla. Al contrario, la pone en alto para que alumbre a los que entren en la habitación. [34]Los ojos son la lámpara del cuerpo. Si tienes ojos puros, hay luz en tu alma. Pero si tienes ojos lujuriosos, en tu alma hay tinieblas. [35]Procura no nublar la luz del sol. [36]Si estás lleno de luz, si en ti no hay rincones oscuros, tu exterior será radiante como si te iluminara un haz de luz.

[37,38]Un fariseo lo invitó a cenar. Cuando llegó a la casa, se sentó y se puso a comer sin lavarse las manos conforme al ritual judío. Esto sorprendió a su anfitrión. [39]Jesús le dijo:

—Ustedes los fariseos se lavan por fuera, pero por dentro están llenos de codicia y maldad. [40]¡Necios! ¿No hizo Dios también lo de adentro? [41]La generosidad es índice de pureza. [42]¡Ay de ustedes, fariseos, porque aunque se cuidan de diezmar hasta de la más pequeña de sus entradas, se olvidan completamente de la justicia y el amor de Dios! Diezmen, sí, pero no descuiden lo demás. [43]¡Ay de ustedes, fariseos! ¡Les encantan los sitios de honor en las sinagogas y los saludos en las plazas! [44]Ay de ustedes, escribas y fariseos hipócritas, que son como sepulcros encubiertos. Los hombres les pasan por encima y no saben la corrupción que hay debajo.

[45]—Maestro —dijo un intérprete de la

ley que estaba allí—, si dices eso, estás insultando también mi profesión.

⁴⁶—Sí —le respondió Jesús—, ¡ay de ustedes también, intérpretes de la ley, que aplastan a los hombres bajo el peso de demandas religiosas que ustedes mismos jamás han intentado guardar! ⁴⁷¡Ay de ustedes, que son exactamente iguales a sus antepasados que mataron a los profetas! ⁴⁸¡Asesinos! ¡Con sus acciones demuestran que están de acuerdo con lo que ellos hicieron! ⁴⁹Por eso Dios dijo: "Les enviaré profetas y apóstoles, y a algunos los matarán y a los demás los perseguirán". ⁵⁰Sobre esta generación caerá la culpa de la sangre de los siervos de Dios que se ha estado derramando desde la fundación del mundo, ⁵¹desde la muerte de Abel hasta la de Zacarías, quien pereció entre el altar y el santuario. Sí, ustedes lo pagarán. ⁵²¡Ay de ustedes, intérpretes de la ley, porque le ocultan la verdad al pueblo! Ni la aceptan ni dejan que los demás tengan la oportunidad de creer.

⁵³,⁵⁴Los fariseos y los intérpretes de la ley o escribas estaban furiosos. A cada rato le lanzaban muchas preguntas, tratando de provocarlo y hacerle decir algo por lo que pudieran acusarlo.

12 EL GENTÍO FUE creciendo hasta convertirse en una multitud de miles de personas que se atropellaban entre sí. Jesús se volvió a sus discípulos y les dijo:

—Más que nada, cuídense de los fariseos y de la manera en que aparentan una piedad que no tienen. ²Porque no hay nada encubierto que no haya de descubrirse, ni escondido que no haya de conocerse. ³Lo que se diga en la oscuridad se escuchará en la luz, y lo que se ha susurrado en el cuarto se proclamará en las azoteas. ⁴Queridos amigos, no teman a los que quieran matarlos. Cualquiera puede matarles el cuerpo, pero nadie puede tocarles el alma. ⁵Les diré a quién tienen que temer: teman a Dios, que es el único que puede matar y echar en el infierno. ⁶¿Qué valen cinco pajarillos? ¿Unos centavos? No mucho más. Sin embargo, Dios no se olvida de ninguno de ellos. ⁷¡Nunca teman! ¡Dios tiene contado hasta el último cabello de sus cabezas! ¡Para El ustedes valen más que muchos pajarillos! ⁸Les voy a decir algo: Yo, el Hijo del Hombre, los honraré públicamente en la presencia de los ángeles de Dios si declaran aquí en la tierra que son mis amigos. ⁹Pero negaré delante de los ángeles a aquellos que me nieguen entre los hombres. ¹⁰Cualquiera que hable contra mí será perdonado, pero el que blasfeme contra el Espíritu Santo jamás alcanzará perdón. ¹¹Cuando los lleven a juicio ante los magistrados y las autoridades judías, no se preocupen por lo que han de decir para defenderse. ¹²El Espíritu Santo les dará las palabras adecuadas allí mismo ante ellos.

¹³Alguien de entre el gentío le dijo:

—Maestro, dile a mi hermano que parta conmigo la herencia que nos dejó nuestro padre.

¹⁴—Hombre, ¿quién me ha puesto a mí de juez sobre esas cosas? —le respondió.

¹⁵Y continuó:

—¡Mucho cuidado! No anden deseando desmedidamente lo que no tienen. La vida no depende de la abundancia de bienes.

¹⁶A continuación les refirió una parábola:

—Un rico tenía una finca muy fértil que producía excelentes cosechas. ¹⁷Tan productiva era, que llegó el momento en que no tenía espacio suficiente para almacenar los frutos. Tuvo que sentarse a buscar una solución al problema. ¹⁸Por fin exclamó: "Ya sé. Derribaré los graneros y los edificaré mayores. Así tendré suficiente espacio, ¹⁹y podré recostarme y decirme: 'Alma mía, ya tienes para muchos años. Ahora, a descansar, a comer, a beber y a andar de fiestas' ". ²⁰Pero Dios le dijo: "Necio. Esta noche morirás. ¿Quién gozará de todo eso?"

²¹"El hombre que acumula riquezas en la tierra y no las acumula en el cielo es necio.

²²Entonces, volviéndose a sus discípulos, dijo:

—No se preocupen de la comida ni de la ropa. ²³La vida es más que ropa y comida. ²⁴Miren los cuervos, que ni siembran ni siegan, que no tienen despensa ni granero y sin embargo viven porque Dios los alimenta. ¡Para El ustedes son mucho más importantes que las aves. ²⁵Además, ¿qué gana uno con preocuparse? ¿Puede uno hacerse más alto preocupándose? ²⁶Si no se puede, ¿por qué preocuparse? ²⁷¡Miren los lirios, que no trabajan ni hilan y ni aun Salomón con toda su gloria pudo vestir jamás como uno de ellos! ²⁸Y si Dios viste así a las flores que hoy están aquí y mañana ya no existen, ¿no creen que Él les proporcionará lo que necesitan, hombres de poca fe? ²⁹Y no se preocupen por lo que han de comer ni lo que han de beber; echen a un lado cualquier inquietud, que Dios nunca los abandonará. ³⁰Es lógico que la gente del mundo se preocupe por estas cosas, pero ustedes no, porque el Padre celestial conoce sus necesidades. ³¹Busquen primeramente el reino de Dios, y Dios les dará regularmente lo que necesitan. ³²No teman, rebaño pequeño. Para el Padre es un placer darles el reino. ³³Vendan lo que tienen y den a los que están en necesidad. Esto engrosará las bolsas que tienen en el cielo. Y las bolsas del cielo ni se parten ni se agujeran. Allí cualquier tesoro está seguro, porque no hay ladrón que robe ni polilla que destruya. ³⁴Además, el corazón del hombre está siempre donde está su tesoro. ³⁵Estén siempre vestidos y listos para partir, ³⁶como los que esperan que su señor regrese de la fiesta de bodas, y listos para abrirle en el momento que llegue y toque a la puerta. ³⁷Dichosos los que están listos y en espera de su regreso. Cuando llegue, él mismo los llevará dentro, los acomodará, se pondrá un delantal y les servirá la comida. ³⁸Puede ser que llegue a las nueve de la noche o a medianoche. A cualquier hora que llegue, dichosos los siervos que estén listos.³⁹Si supieran la hora exacta de su regreso no cabe duda que estarían listos, como lo estaría cualquiera si supiera que el ladrón llegaría a cierta hora. ⁴⁰Estén listos siempre, porque yo, el Hijo del Hombre, vendré cuando menos me esperen.

⁴¹—Señor, ¿a quién le dices eso, a nosotros sólo o a todo el mundo? —preguntó Pedro.

⁴²⁻⁴⁴Y el Señor le respondió:

—Lo digo a cualquier persona fiel y sensible que recibe del Señor la responsabilidad de alimentar a los demás siervos. Si su señor regresa y halla que ha cumplido con el deber que le encomendó, lo premiará nombrándolo administrador de todos sus bienes. ⁴⁵Pero si esa persona se dice: "Mi señor no va a venir en seguida" y golpea a los hombres y a las mujeres que debía proteger, y se pasa el tiempo en fiestas y borracheras, ⁴⁶su señor regresará cuando menos lo espera, lo destituirá del cargo y lo pondrá con los infieles. ⁴⁷El castigo que recibirá será severo, porque voluntariamente dejó de cumplir con su deber. ⁴⁸Si alguien involuntariamente falta a su deber, será castigado, mas no con severidad. Pero mucho se demandará de los que mucho reciben, porque su responsabilidad es mayor. ⁴⁹He venido a traer fuego a la tierra. ¡Ojalá ya estuviera ardiendo! ¡Ojalá ya hubiera terminado mi tarea! ⁵⁰Mas todavía me espera un terrible bautismo, y angustiado estaré hasta que salga de él. ⁵¹¿Creen que vine sólo a traer paz a la tierra? ¡No! Vine también a traer luchas y divisiones. ⁵²De ahora en adelante las familias se dividirán por causa mía; tres estarán a mi favor y dos en contra, o viceversa quizás. ⁵³Un padre opinará de mí una cosa y el hijo otra; madre e hija no se pondrán de acuerdo; y la nuera se opondrá a la decisión de la suegra.

⁵⁴Calló un instante y se volvió al gentío para decirle:

—Cuando ven las nubes que empiezan a formarse en el occidente, dicen: "Va a llover". Y así sucede. ⁵⁵Cuando hay vientos del sur, se dicen: "Hará calor". Y es cierto. ⁵⁶¡Hipócritas! Saben interpretar el aspecto del cielo y la tierra, pero no hacen caso de las señales que anuncian la crisis que se avecina. ⁵⁷¿Por qué no analizan ustedes mismos lo que es justo? ⁵⁸Si mientras te diriges a los tribunales te encuentras con el que te acusa, trata de arreglarte con él antes que te presente ante el juez, no sea que te metan en la cárcel ⁵⁹hasta que pagues el último centavo.

13 EN AQUELLOS DÍAS le informaron que Pilato había mandado matar a varios judíos de Galilea mientras éstos sacrificaban en el Templo de Jerusalén.

²—¿Creen ustedes que esos hombres padecieron porque eran más pecadores que los demás galileos? ³¡No! Ustedes perecerán también si no se apartan de los malos caminos y se vuelven a Dios. ⁴¿Y qué me dicen de los dieciocho hombres que murie-

ron cuando les cayó encima la torre de Siloé? ¿Eran acaso los más pecadores de Jerusalén? [5]¡No! ¡Ustedes perecerán también si no se arrepienten!

[6]Y les presentó la siguiente ilustración:

—Un hombre plantó una higuera en su jardín y fue a ver si había producido alguna fruta. Un día, cansado de no encontrar nada, [7]ordenó al viñador que la cortara. "¡Hace tres años que la planté y no ha producido nada!", dijo. "¿Para qué perder el tiempo? Está ocupando un espacio que podemos utilizar con mayor provecho". [8]Pero el jardinero le dijo: "Dale otra oportunidad. Déjala otro año; que me voy a ocupar de ella y la voy a abonar bien. [9]Si el próximo año da frutos, bien; si no, la cortaré".

[10]Un día de reposo en que enseñaba en una sinagoga, [11]vio a una mujer que hacía dieciocho años andaba encorvada por causa de una enfermedad. [12]Sin vacilar la llamó.

—Señora —le dijo mientras le ponía las manos encima—, ¡ya estás curada!

[13]¡Al instante la mujer se enderezó y prorrumpió en alabanzas y acción de gracias a Dios! [14]Pero el principal de la sinagoga, enojado de veras porque Jesús la había sanado en el día de reposo, gritó a la multitud:

—La semana tiene seis días en que podemos trabajar. Está bien que en esos días vengan para que los sane, ¡pero en el día de reposo, no!

[15]—¡Hipócrita! —le respondió el Señor—. ¡Tú también trabajas en el día de reposo! ¿No desatas acaso tu buey o tu burro en el día de reposo y lo llevas a tomar agua? [16]Entonces, ¿qué tiene de malo que en el día de reposo yo libere a esta pobre judía de los lazos con que Satanás la tiene atada desde hace dieciocho años?

[17]Esto avergonzó a sus adversarios, pero el pueblo entero se regocijaba con las maravillas que hacía.

[18]—¿Cómo es el reino de Dios? —preguntó—. Vamos a ver con qué se lo comparo. [19]El reino de Dios es como una diminuta semilla de mostaza plantada en un huerto; pronto crece y se convierte en un árbol inmenso en cuyas ramas las aves anidan. [20,21]Es como la levadura que se echa

en la harina y en lo secreto obra hasta que la masa crece extraordinariamente.

[22]Salió entonces de ciudad en ciudad, de pueblo en pueblo, siempre rumbo a Jerusalén. Y a lo largo del camino enseñaba. [23]Un día alguien le preguntó:

—¿Son pocos los que se salvan?

Y El respondió:

[24]—La puerta del cielo es angosta. Esfuércense por entrar, porque lo cierto es que muchos tratarán de entrar un día y no podrán [25]porque el padre de familia ya la habrá cerrado. Tocarán y llamarán a la puerta y suplicarán: "Señor, ábrenos". Pero El responderá: "No los conozco". [26]"Pero ¿cómo puedes decir que no nos conoces si comimos contigo y en nuestras plazas enseñaste?" dirán. [27]Y El les responderá: "Repito; no los conozco. Apártense de mí, pecadores". [28]¡Y cuando vean a Abraham, a Isaac, a Jacob y a los demás profetas dentro del reino de Dios, y ustedes se vean excluidos, llorarán y crujirán los dientes! [29]Duro les será ver que de todas partes del mundo habrá gente sentada a la mesa en el reino de Dios, que [30]muchos de los que ahora sufren desprecios serán los más honrados en aquel día, y que muchos de los que ahora se creen superiores se verán situados en un plano de inferioridad.

[31]No mucho después varios fariseos le dijeron:

—Vete de aquí si es que quieres vivir. Herodes te quiere matar.

[32]—Vayan y díganle a aquella zorra que hoy y mañana seguiré echando demonios y realizando milagros de sanidad, y que al tercer día llegaré a mi destino. [33]Sí, ¡hoy, mañana y pasado! ¡No es posible que un profeta muera fuera de Jerusalén! [34]¡Jerusalén, Jerusalén, que matas a los profetas y apedreas a los que Dios envía a ayudarte! ¡Cuántas veces quise proteger a tus hijos como la gallina protege a sus polluelos debajo de sus alas, y no quisiste! [35]Pero, ¡ay!, ya pronto la casa te quedará vacía, y no me volverás a ver hasta que digas: "Bendito el que viene en el nombre del Señor".

14 UN DÍA DE reposo en que entró en casa de un miembro del concilio judío, los fariseos lo acechaban [2]para ver si sanaba a un hidrópico que estaba allí.

[3]—¿Es legal sanar en el día de reposo o no? —preguntó a los fariseos y a los intérpretes de la ley que lo rodeaban.

[4]Como éstos callaron, tomó al enfermo, lo sanó y lo despidió.

[5]—¿Quién de ustedes no trabaja en día de reposo? —les preguntó—. Si un burro o un buey se les cae en un hoyo, ¿no corren en seguida a sacarlo?

[6]No le contestaron tampoco.

[7]Al ver que los invitados se apresuraban a sentarse en los primeros asientos de la mesa, les ofreció el siguiente consejo:

[8]—Cuando te inviten a alguna boda, no trates de tomar el mejor asiento, no sea que llegue alguien más distinguido que tú [9]y el que te convidó se vea forzado a decirte: "Deja que este hombre se siente allí". ¡Imagínate la pena que pasarías! No te quedaría más remedio que ir a sentarte en el último asiento de la mesa. [10]Mejor siéntate en el peor asiento, para que el anfitrión, al verte, te diga: "Amigo, ven; acá hay un mejor asiento para ti". Esto sí sería un honor para ti. [11]Recuerda: El que se ensalza será humillado, y el que se humilla será ensalzado.

[12]Entonces se dirigió al que lo había invitado:

—Cuando organices un banquete, no invites amigos, ni hermanos, ni parientes, ni vecinos ricos, porque éstos te devolverían la invitación. [13]Mejor es que invites al pobre, al manco, al cojo y al ciego, [14]para que en la resurrección de los justos Dios te recompense por haber invitado a los que no pueden recompensarte.

[15]—¡Qué privilegio será entrar en el reino de Dios! —exclamó uno de los oyentes.

[16]Jesús le respondió con la siguiente ilustración:

—Un hombre preparó una gran fiesta y envió muchísimas invitaciones. [17]Cuando todo estuvo listo, envió a su siervo a avisar a los invitados que ya podían ir. [18]Pero los invitados comenzaron a excusarse. Uno dijo que lo perdonara porque acababa de comprar una finca y tenía que ir a verla. [19]Otro dijo que acababa de comprar cinco yuntas de bueyes y quería probarlos. [20]Otro, que acababa de casarse y no podía asistir.

[21]El siervo refirió a su amo aquellas excusas. Este, enojado, le dijo que fuera inmediatamente e invitara a cuanto pordiosero, manco, cojo y ciego encontrara por allí. [22]El siervo obedeció, pero sobró espacio en el salón. [23]"Bien", dijo el amo, "vé por los caminos y atrás de los cercos e insiste en que todo el que quiera venga hasta que la casa esté repleta. [24]No quiero que ninguno de los que convidé primero guste la cena que les preparé".

[25]Grandes multitudes lo seguían. En una ocasión se volvió y les dijo:

[26]—El que quiera seguirme tiene que amarme más que a su padre, madre, esposa, hijos, hermanos o hermanas, y más que a su propia vida. De lo contrario, no podrá ser discípulo mío. [27]Nadie podrá serlo si no me sigue con la cruz a cuestas. [28]Antes de decidirse, fíjense bien en el precio que tendrán que pagar. A nadie se le ocurriría meterse a construir sin calcular primero lo que le va a costar y ver si tiene suficiente dinero. [29]De lo contrario, se arriesga a que el dinero que tiene apenas le alcance para los cimientos. Imagínense cómo se le reiría la gente en la cara: [30]"Miren a ése. ¡Se le metió en la cabeza construir y se le acabó el dinero antes de poder terminar!" [31]Y ¿a qué rey se le ocurriría ir a la guerra sin sentarse primero a calcular si con su ejército de diez mil hombres podría hacerle frente a los veinte mil que marchan contra él? [32]Si ve que no pueden, mientras el enemigo está todavía lejos, enviará una delegación para que negocie las condiciones de paz. [33]De igual manera, nadie podrá ser discípulo mío si no se sienta a contar las bendiciones que disfruta y luego renuncia a ellas por mí. [34]¿De qué sirve una sal desvanecida? [35]Si no sala, no sirve ni para fertilizante y lo mejor es tirarla. Preste atención el que sabe entender mis palabras.

15

A MENUDO ENTRE los que acudían a escuchar a Jesús había cobradores de impuestos deshonestos y pecadores notorios. [2]Esto tenía descontentos a los fariseos y escribas, quienes deploraban que el Maestro se codeara con gente así y que hasta comiera con ellos. [3]Jesús les tuvo que decir la siguiente parábola:

⁴—Si alguno de ustedes tiene cien ovejas y una se le pierde en el desierto, ¿no deja las noventa y nueve restantes y se va a buscar la perdida hasta que la halla? ⁵Ah, y cuando la encuentra se la echa al hombro lleno de alegría ⁶y corre a contarlo a sus amigos para que éstos se regocijen con él. ⁷Pues bien, lo mismo sucede en el cielo; hay más alegría por un pecador perdido que regresa a Dios que por los noventa y nueve justos que nunca se han alejado.

⁸"Otro ejemplo: Cierta mujer tenía diez valiosas monedas de plata y perdió una. ¿Qué hizo? Encendió una lámpara, buscó por todos los rincones de la casa y barrió hasta el último escondrijo hasta que la encontró. ⁹Entonces reunió a sus amigas y vecinas para darles la maravillosa noticia. ¹⁰De la misma manera hay gozo entre los ángeles de Dios cada vez que un pecador se arrepiente.

Para que de veras entendieran bien lo que estaba tratando de enseñarles, les refirió la siguiente parábola:

¹¹—Un hombre tenía dos hijos. ¹²Un día el menor se le acercó y le dijo: "Quiero que me entregues la parte de los bienes que me corresponde. No deseo tener que esperar hasta que mueras". El padre accedió y dividió sus bienes entre sus hijos. ¹³Días después el menor empaquetó sus pertenencias y se fue a una tierra lejana, donde malgastó el dinero en fiestas y mujeres malas. ¹⁴Cuando se le acabó, hubo una gran escasez en aquel país, y el joven comenzó a pasar hambre. ¹⁵Tuvo que suplicarle a un granjero de los alrededores que lo empleara para cuidar cerdos. ¹⁶Tanta era el hambre que tenía, que le habría gustado comerse las algarrobas que comían los cerdos. Y nadie le daba nada. ¹⁷Un día reflexionó y se dijo: "En mi casa los jornaleros tienen comida en abundancia, y yo aquí me estoy muriendo de hambre. ¹⁸Iré a mi padre y le diré: 'Padre, he pecado contra el cielo y contra ti. ¹⁹Ya no soy digno de que me llames hijo. Tómame como a uno de tus jornaleros' ". ²⁰Y así lo hizo. Cuando todavía estaba lejos, el padre lo vio acercarse y, lleno de compasión, corrió, lo abrazó y lo besó. ²¹"Padre, he pecado contra el cielo y contra ti", dijo el joven. "Ya no soy digno de que me llames hijo..." ²²"¡Pronto!", lo

interrumpió el padre, dirigiéndose a sus esclavos. "Traigan la mejor ropa que encuentren y pónganansela. Y denle también un anillo y zapatos. ²³Y maten el becerro más gordo. ¡Tenemos que celebrar esto! ²⁴¡Este hijo mío estaba muerto y ha revivido, estaba perdido y apareció!"

"Y comenzó la fiesta. ²⁵Mientras tanto, el hijo mayor, que había estado trabajando, regresó a la casa y oyó la música y las danzas, ²⁶y preguntó a uno de los esclavos qué estaba pasando. ²⁷"Tu hermano ha regresado", le dijo, "y tu padre mandó matar el becerro más gordo y ha organizado una gran fiesta para celebrar que regresó bueno y sano". ²⁸El hermano mayor se enojó tanto que se negó a entrar. El padre tuvo que salir a suplicarle que entrara, ²⁹pero él le respondió: "Todos estos años he trabajado sin descanso para ti y jamás me he negado a hacer lo que has pedido. Sin embargo, nunca me has dado ni un cabrito para que me lo coma con mis amigos. ³⁰En cambio, cuando este otro regresa después de gastar tu dinero con mujeres por ahí, matas el becerro más gordo para celebrarlo?"

³¹"Mira, hijo", le respondió el padre, "tú siempre estás conmigo y todo lo que tengo es tuyo. ³²Pero tu hermano estaba muerto y ha revivido, estaba perdido y apareció. ¡Eso hay que celebrarlo!"

16 JESÚS REFIRIÓ LA siguiente parábola a sus discípulos:

—Cierto hombre rico tenía un administrador que manejaba los bienes de la familia, pero un día comenzaron a circular rumores de que aquel administrador no era honrado. ²El patrón lo llamó un día y le dijo: "¿Qué es eso que se dice por ahí de que me estás robando? Quiero que ahora mismo me prepares un informe sobre mis bienes, porque no me queda más remedio que despedirte". ³El administrador pensó para sí: "Y ahora, ¿qué hago? Fuerzas no tengo para irme a picar piedras, y orgullo me sobra para mendigar. ⁴¡Ah, ya sé! ¡Cuando salga de aquí tendré amigos que me reciban!"

⁵"Invitó, pues, a los que debían dinero al hombre rico. Al primero que se presentó le preguntó: "¿Cuánto le debes?" ⁶"Cien barriles de aceite de oliva", respondió. "Exac-

tamente, dijo el administrador. "Aquí está el contrato que firmaste. Rómpelo y haz otro por cincuenta barriles". [7]Y al siguiente deudor le preguntó: "¿Cuánto le debes?" "Cien medidas de trigo". "Sí, aquí está la nota. Pero vamos a anotar que debes ochenta".

[8]"El patrón de aquel hombre no pudo dejar de admirar la sagacidad del administrador. Tristemente, la gente del mundo es más sagaz en su maldad que los hijos de Dios. [9]Pero ¿debemos acaso hacer lo mismo? ¿Debemos ganar amigos con artimañas? [10]¡No! El que es fiel en lo poco es fiel en lo mucho. [11]Si no somos fieles en cuanto a las insignificantes riquezas de este mundo, ¿cómo podremos serlo en cuanto a las riquezas celestiales? [12]Si no eres fiel en cuanto al dinero de los demás, no se te podrá confiar ni siquiera lo que es tuyo. [13]Nadie puede servir a dos señores, porque aborrecerá a uno y mostrará lealtad al otro, o viceversa: mostrará lealtad a uno y aborrecerá al otro. Nadie puede servir a la vez a Dios y al dinero.

[14]Los fariseos, que vivían apegados al dinero, naturalmente se burlaron de El.

[15]—Sí, en público se hacen los muy justos —les respondió Jesús—, pero Dios sabe que tienen perverso el corazón. Aunque ese fingimiento les gana la admiración de la gente, para Dios es una abominación. [16]Hasta el momento mismo en que Juan el Bautista comenzó a predicar, la ley y los escritos de los profetas les servían de guía. Pero Juan trajo al mundo la maravillosa noticia de que el reino de Dios se estaba acercando, y desde entonces multitudes ansiosas se esfuerzan por entrar en él. [17]Esto no quiere decir, desde luego, que la ley ha perdido vigor. ¡Ni en lo más mínimo! La ley se mantiene con el mismo vigor inalterable del cielo y de la tierra. [18]Ahora, como antes, el que se divorcia de su esposa y se casa con otra, adultera; y el que se casa con la divorciada adultera también.

[19]Continuó Jesús:

—Hubo una vez cierto rico que vestía a las mil maravillas y a diario organizaba espléndidos banquetes. [20]Lázaro, mendigo que estaba muy enfermo, solía sentarse a la puerta del rico, [21]y mientras suspiraba por comerse las migajas que caían de la mesa,

los perros le lamían las llagas. [22]Un día el mendigo murió y los ángeles lo llevaron junto a Abraham, al lugar donde van los fieles. El rico murió también y lo enterraron, [23]y despertó en el infierno. En medio de sus tormentos, vio a lo lejos a Lázaro junto a Abraham. [24]"¡Padre Abraham", gritó, "ten compasión de mí! ¡Envía a Lázaro a que siquiera se moje el dedo en agua y me refresque la lengua, porque sufro mucho en esta llama!"

[25]"Pero Abraham le respondió: "Hijo, recuerda que en la vida tuviste cuanto quisiste, y que Lázaro no tenía nada. Ahora él recibe consolación y tú recibes tormento. [26]Además, un gran abismo nos separa, y nadie puede ir de aquí a allá, ni de allá hacia acá. [27]Y el rico dijo: "Padre Abraham, te suplico que lo envíes a casa de mi padre. [28]Tengo cinco hermanos, y me gustaría que estuvieran enterados de cómo puede uno evitar venir a parar a este lugar de tormento". [29]Pero Abraham le respondió: "En las Escrituras se les advierte repetidas veces el mortal peligro que corren. Tus hermanos pueden leerlo cuantas veces quieran".

[30]"No, padre Abraham", replicó el rico, "no se molestan en leer las Escrituras. Pero si algún muerto fuera y les hablara, se apartarían del pecado". [31]"Si no escuchan ni a Moisés ni a los profetas, tampoco escucharán aunque un muerto se les aparezca", respondió Abraham.

17 —EN ESTE MUNDO siempre habrá tentaciones —dijo un día Jesús a los discípulos—, pero ¡ay de la persona que tienta! [2]Mejor le sería que la echaran al mar con una piedra de molino atada al cuello, que sufrir el castigo que le espera por perjudicar espiritualmente a uno de mis creyentes humildes. [3]¡Ya lo saben! Si tu hermano peca contra ti, repréndelo; si se arrepiente, perdónalo. [4]Si siete veces al día peca contra ti y siete veces te pide perdón, perdónalo.

[5]Un día los apóstoles le dijeron:

—Necesitamos más fe. Auméntanosla.

[6]—Si la fe que tienen tuviera el tamaño de un grano de mostaza —les respondió Jesús—, podrían decirle a ese sicómoro: "Desarráigate y plántate en el mar", y el

árbol los obedecería. [7]Cuando un siervo regresa de arar o de cuidar el ganado, no va y se sienta a comer. [8]¡Primero le prepara la comida al amo y después que éste termina de comer se sienta y come! [9]Y el amo no le da las gracias, porque el siervo no ha hecho más que cumplir con su deber. [10]De igual manera, si lo único que has hecho es cumplir lo que te he ordenado, no te creas digno de elogio. ¡Simplemente has cumplido con tu deber!

[11,12]Siguieron rumbo a Jerusalén. Al entrar en un pueblo situado entre Samaria y Galilea, diez leprosos le salieron al encuentro [13]y le gritaron desde cierta distancia:

—¡Jesús, Maestro, ten misericordia de nosotros!

[14]El Señor los miró y les dijo:

—¡Vayan y muestren a los sacerdotes que ya están sanos!

Y mientras iban, la lepra desapareció. [15,16]Uno de los diez regresó gritando:

—¡Gloria a Dios! ¡Ya estoy bien! ¡Ya estoy bien!

Y se tiró a los pies de Jesús, rostro en tierra, y le dio las gracias por lo que le había hecho. Aquel hombre era samaritano.

[17]—¿No fueron diez los que curé? ¿Dónde están los demás? [18]¿Sólo este extranjero regresó a dar gloria a Dios? [19]—preguntó Jesús, y se volvió al samaritano—. Levántate y vete. Tu fe te ha salvado.

[20]Un día los fariseos le preguntaron:

—¿Cuándo se instaurará el reino de Dios?

—El reino de Dios no vendrá precedido de señales visibles —respondió Jesús—. [21]Nadie podrá decir: "Aquí está" ni "está allí", porque el reino de Dios ya está entre ustedes.

[22]Más tarde dijo a los discípulos:

—Se acerca la hora en que anhelarán que esté con ustedes aunque sea un solo día, y no estaré. [23]Ahora bien, aunque oigan decir que regresé y que estoy en este lugar o en el otro, no lo crean ni salgan a buscarme. [24]Cuando regrese no les cabrá duda de que habré regresado, porque mi regreso será tan visible como la luz de un relámpago que va de un lado al otro del cielo. [25]Pero primero he de sufrir enormemente y he de

ser rechazado por esta generación. [26]Cuando yo regrese, el mundo estará tan indiferente a las cosas de Dios como lo estaba en los días de Noé. [27]En los días de Noé la gente estuvo comiendo, bebiendo y casándose hasta el instante mismo en que Noé entró en el arca y llegó el diluvio y los destruyó. [28]Y será también como en los días de Lot. La gente siguió como de costumbre comiendo, bebiendo, comerciando, cosechando y construyendo edificios, [29]hasta el día en que Lot salió de Sodoma, y del cielo cayó fuego y azufre que los destruyó. [30]Así mismo será el día en que yo venga. [31]El que en aquel día esté en la azotea, no descienda a recoger sus pertenencias; y los que estén en el campo, no regresen al pueblo. [32]¡Recuerden lo que sucedió a la esposa de Lot! [33]El que procure salvar su vida la perderá, y el que la pierda se salvará. [34]Aquella noche habrá dos personas en una misma cama, y una será tomada y la otra no. [35]Dos mujeres estarán realizando los quehaceres de la casa, y una será tomada y la otra no. [36]Y habrá dos hombres trabajando en el campo, y uno será tomado y el otro no.

[37]—Señor, ¿y a dónde los llevarán? —preguntaron los discípulos.

Y Jesús les respondió:

—Los buitres se juntan donde el cuerpo está tirado.

18 UN DÍA JESÚS refirió a sus discípulos el siguiente relato que ilustra la necesidad de orar con perseverancia y de orar hasta que la respuesta llegue:

[2]—En cierta ciudad había un juez que se caracterizaba por dos cosas: no creía en Dios y despreciaba a todo el mundo. [3]Pero había también una viuda que no se cansaba nunca de suplicarle que castigara a cierta persona que le había hecho daño. [4]Al principio el juez no le hizo caso, pero la mujer insistía. Un día, hastiado ya, el juez se dijo: "Aunque ni creo en Dios ni me importa nada la gente, [5]esta mujer ya me tiene cansado. Para que me deje tranquilo, le haré justicia."

[6]Y el Señor preguntó:

—Si aquel juez malvado se cansó e hizo aquello, [7]¿no creen que Dios hará justicia a los hijos suyos que día y noche se lo suplican? [8]¡Sí! ¡No tardará en hacerlo! Pero me pregunto: ¿A cuántos hallaré perseverando con fe en la oración cuando yo regrese?

⁹A algunos que se gloriaban de ser muy justos y menospreciaban a los demás les dijo:

¹⁰—Dos hombres fueron al Templo a orar. Uno de ellos era un orgulloso fariseo, y el otro un deshonesto cobrador de impuestos. ¹¹El fariseo oró así: "Gracias, Dios mío, porque no soy pecador como los demás, y muchísimo menos como ese cobrador de impuestos que está allí. Nunca engaño ni cometo adulterio. ¹²Ayuno dos veces a la semana, y te doy el diezmo de todo lo que gano". ¹³El cobrador de impuestos, en cambio, se paró a cierta distancia y no se atrevía a elevar los ojos al cielo. Lleno de dolor, se golpeaba el pecho y exclamaba: "¡Dios mío, ten misericordia de mí, pecador!" ¹⁴Les aseguro que este último, y no el fariseo, regresó a su casa justificado. Porque el que se ensalza será humillado y el que se humilla será ensalzado.

¹⁵Un día los discípulos reprendieron a varias madres que trataban de acercarse a Jesús para que bendijera a sus hijos. ¹⁶Jesús los escuchó e intervino:

—No, no. No impidan que los niños vengan a mí, porque de ellos es el reino de Dios. ¹⁷El que no tenga el corazón tierno y creyente como el de cualquiera de estos niños, no entrará jamás en el reino de Dios.

¹⁸En una ocasión un jefe religioso judío le formuló la siguiente pregunta:

—Maestro bueno, ¿qué debo hacer para ir al cielo?

¹⁹—¿Por qué dices que soy bueno? —le preguntó Jesús—. Dios es el único que es bueno. ²⁰Pero bien, te contestaré. Tú sabes que los Diez Mandamientos son: "No cometerás adulterio, no matarás, no hurtarás, no mentirás, honra a tu padre y a tu madre..."

²¹—¡Desde niño los he guardado! —lo interrumpió el joven.

²²—Sí, pero te falta algo —le dijo Jesús—. Vende todo lo que tienes y reparte el dinero a los pobres. Así tendrás un tesoro en el cielo. Cuando lo hayas hecho, ven y sígueme.

²³Al oír aquello se fue muy triste. ¡Tenía demasiadas riquezas! ²⁴Jesús lo vio irse y dijo a los discípulos:

—¡Qué difícil le es a un rico entrar al reino de Dios! ²⁵¡Le es más fácil a un camello pasar por el ojo de una aguja que a un rico entrar en el reino de Dios!

²⁶—Si es tan difícil, ¿quién puede salvarse? —dijeron los presentes.

²⁷—Dios puede lograr lo que para el hombre es imposible —les respondió.

²⁸—Nosotros lo hemos dejado todo por seguirte —dijo Pedro.

²⁹—Sí —respondió Jesús—. Y cualquiera que deje casa, esposa, hermanos, padres o hijos por el reino de Dios, ³⁰recibirá en este mundo mucho más de lo que ha dejado, y en el mundo venidero la vida eterna.

³¹Un día reunió a los doce y les dijo:

—Como saben, nos dirigimos a Jerusalén. Allí se cumplirán las predicciones de los profetas referentes a mí. ³²Me entregarán a los gentiles, se burlarán de mí, me afrentarán, ³³me azotarán y, por último, me matarán. Mas al tercer día resucitaré.

³⁴Los discípulos no entendieron ni una palabra de todo aquello. Para ellos era como un acertijo.

³⁵Se acercaban a Jericó. Sentado junto al camino, un ciego mendigaba. ³⁶Al escuchar el murmullo de la multitud que pasaba, preguntó qué sucedía, ³⁷y le respondieron que Jesús de Nazaret se acercaba. ³⁸Entonces desde donde estaba, gritó:

—¡Jesús, Hijo de David, ten misericordia de mí!

³⁹El gentío que precedía a Jesús le ordenó que se callara, pero no les hizo caso y siguió gritando:

—¡Hijo de David, ten misericordia de mí!

⁴⁰Cuando Jesús llegó al lugar, se detuvo y ordenó:

—¡Traigan al ciego!

Cuando el ciego llegó, ⁴¹el Señor le preguntó:

—¿Qué quieres de mí?

—Señor, ¡quiero que me des la vista!

⁴²Y Jesús le dijo:

—Pues ahí la tienes. Tu fe te ha sanado.

⁴³Y al instante el ciego vio, y fue tras Jesús, alabando a Dios. Y los que habían presenciado el milagro también alababan a Dios.

19 YA EN JERICÓ, un jefe de los cobradores de impuestos, muy rico por cierto, llamado Zaqueo, [3]trataba de ver a Jesús. Pero tan bajito era que no alcanzaba a ver por sobre los hombros del gentío. [4]No le quedó otro remedio: corrió a un árbol sicómoro, y se subió para verlo pasar. [5]Cuando Jesús pasaba miró a Zaqueo ¡y lo llamó por su nombre!

—Zaqueo —le dijo—, baja en seguida. Deseo hospedarme en tu casa.

[6]Lleno de emoción, Zaqueo descendió a la carrera y llevó a Jesús a su casa.

[7]Esto no agradó al gentío.

—¡Se fue a casa de ese sinvergüenza! —murmuraban.

[8]Mientras tanto Zaqueo, de pie ante el Señor, le dijo:

—Señor, daré la mitad de mis bienes a los pobres, y si a alguien le he cobrado de más, le devolveré cuatro veces lo que le robé.

[9]—Eso demuestra que hoy ha llegado la salvación a esta casa —dijo Jesús—. Este era uno de los hijos perdidos de Abraham[10]y yo, el Hijo del Hombre, he venido a buscar y a salvar a las almas perdidas como ésta.

[11]Por cuanto se acercaban a Jerusalén, y para corregir la idea errónea que tenían de que el reino de Dios quedaría instaurado inmediatamente, les refirió la siguiente parábola:

[12]—Un noble que vivía en cierta provincia recibió la noticia de que debía presentarse inmediatamente en la capital del imperio, donde lo coronarían rey de la provincia. [13]Antes de partir llamó a diez de sus ayudantes y entregó a cada uno una buena suma de dinero para que lo invirtieran mientras estuviera ausente. [14]Algunos de sus conciudadanos, que lo odiaban, enviaron a la capital una delegación para hacer constar que no lo aceptarían como rey. [15]La gestión de la delegación, sin embargo, no tuvo resultados satisfactorios, y el noble, que ya había recibido el reino, regresó y llamó a los diez ayudantes a los que había entregado dinero para ver qué habían hecho con él y cuánta ganancia habían obtenido. [16]El primero le informó que había obtenido una ganancia equivalente a diez veces el capital invertido.

[17]"¡Estupendo!", exclamó el rey. "Eres un gran hombre. Has sido fiel en lo poco que te encomendé, y como recompensa te nombro gobernador de diez ciudades".

[18]El segundo informó que había obtenido una ganancia equivalente a cinco veces el capital invertido. [19]"¡Estupendo!", exclamó de nuevo el rey. "Te nombro gobernador de cinco ciudades".

[20]"Pero uno de los diez regresó exactamente con el dinero que se le había entregado. "Guardé el dinero cuidadosamente", dijo. [21]"Temía que después de todo te quedaras con mis ganancias. Sé que eres tan duro que te apoderas de lo que no es tuyo y arrebatas las cosechas que no sembraste".

[22]"¡Esclavo perverso y malvado!", le dijo el rey. "¡Conque soy duro! Bueno, y si sabías que era duro, [23]¿por qué no depositaste el dinero en el banco para que por lo menos ganara algún interés?" [24]Entonces, volviéndose a los demás presentes, ordenó: "¡Quítenle el dinero y entréguenselo al que obtuvo mayores ganancias!" [25]"Pero, señor", replicaron, "ya le has dado bastante". [26]"Sí", respondió el rey, "pero en la vida los que tienen mucho obtienen más, y los que tienen poco pierden hasta lo poco que tienen. [27]Ah, y en cuanto a aquellos enemigos míos que se rebelaron, tráiganlos aquí y córtenles la cabeza en mi presencia".

[28]Al terminar de relatarles aquella parábola, siguió hacia Jerusalén. Iba a la cabeza del grupo. [29]Cuando estuvieron cerca de Betfagé y Betania, ya en el monte de los Olivos, envió a dos discípulos [30]a que en el próximo pueblo buscaran un burrito que estaba atado junto al camino. El dijo que era un burrito que nadie había montado todavía.

—Desátenlo y tráiganmelo. [31]Si alguien les pregunta por qué lo hacen, díganle simplemente: "El Señor lo necesita".

[32]Hallaron el burrito tal como Jesús dijo. [33]Efectivamente, mientras lo desataban, el dueño se presentó a ver qué estaba pasando.

—¿Por qué desatan mi burrito? —preguntó.

[34]—Porque el Señor lo necesita —le respondieron.

[35]Poco después llevaron el burrito a Jesús y le pusieron encima sus mantos para

que Jesús lo montara. [36,37]La multitud, enardecida, tendía sus mantos en el camino delante de El. Y cuando llegaban a la bajada del monte de los Olivos, la procesión entera prorrumpió en gritos y cantos de alabanzas a Dios por las maravillas que Jesús había realizado.

[38]—¡Dios nos ha mandado un Rey! —gritaban con alegría—. ¡Viva el Rey! ¡Gloria a Dios en las alturas!

[39]Algunos de los fariseos de entre la multitud dijeron a Jesús:

—Señor, reprende a los que dicen esas cosas.

[40]—¡Si se callaran, las piedras del camino clamarían! —les respondió.

[41]Al ver perfilarse Jerusalén en la distancia, lloró.

[42]—Oh, si comprendieras la paz eterna que rechazaste —dijo con la voz quebrada por el llanto—. Pero ya es demasiado tarde. [43]Tus enemigos te rodearán de vallado y te sitiarán y te irán estrangulando [44]hasta que caigas en tierra con tus hijos dentro. No dejarán en ti piedra sobre piedra, porque rechazaste la oportunidad que Dios te brindó.

[45]Cuando llegó al Templo se puso a echar fuera a los mercaderes que allí operaban. [46]Y al echarlos les decía:

—Escrito está: "Mi casa es casa de oración"; pero ustedes la han convertido en cueva de ladrones.

[47]Después de aquel incidente enseñaba todos los días en el Templo. Los principales sacerdotes, los escribas y los principales de la comunidad trataban mientras tanto de hallar la manera de deshacerse de El. [48]Pero no hallaban cómo, porque el pueblo lo tenía como un héroe y lo escuchaba en suspenso.

20 UNO DE LOS días en que predicaba las buenas noticias en el Templo, tuvo que enfrentarse a los principales sacerdotes, escribas y ancianos, [2]quienes exigían que les explicara con qué autoridad había echado a los mercaderes del Templo.

[3]—Muy bien —les respondió—, pero contéstenme primero otra pregunta: [4]¿Era Juan un enviado de Dios o simplemente estaba actuando por su propia cuenta?

[5]Sus inquisidores deliberaron entre sí:

—Si decimos que el mensaje que proclamaba Juan era del cielo, caeremos en una trampa porque nos preguntará por qué no le creímos. [6]Y si decimos que Dios no envió a Juan, el pueblo nos apedreará, porque están convencidos de que era profeta.

[7]Por fin respondieron:

—No, no sabemos.

[8]—Pues yo tampoco les contestaré lo que me preguntaron.

[9]Jesús se volvió de nuevo al pueblo y le contó lo siguiente:

—Un hombre plantó una viña, la arrendó a varios labradores y partió a una tierra distante donde habría de permanecer varios años. [10]Cuando llegó la primera cosecha, envió a uno de sus hombres a cobrar lo que le correspondía. Mas los labradores lo golpearon y lo despidieron con las manos vacías. [11]El dueño envió a otro, pero le hicieron lo mismo: lo golpearon, lo humillaron y lo despidieron con las manos vacías. [12]Envió entonces a un tercero y le hicieron lo mismo: lo hirieron y lo echaron fuera. [13]"¿Qué haré?" se preguntó el dueño. "¡Ah, ya sé! Enviaré a mi querido hijo. Estoy seguro de que le tendrán respeto".

[14]Pero cuando los labradores vieron que el hijo del dueño se acercaba, se dijeron: "¡Esta es nuestra oportunidad! Ese que viene allí es el que heredará todo esto cuando su padre muera. Matémoslo y la herencia será nuestra". [15]Entonces lo echaron de la viña y lo mataron.

"¿Qué creen ustedes que hará el dueño? [16]Pues irá y los matará y arrendará la viña a otros.

—¡Dios nos libre de hacer algo semejante! —dijeron los presentes.

[17]Jesús los miró y dijo:

—Entonces, ¿qué quieren decir las Escrituras con: "La piedra que rechazaron los constructores ha sido puesta como piedra principal"?

[18]Y añadió:

—El que caiga sobre esa piedra se hará pedazos; pero si la piedra le cae encima lo pulverizará.

[19]Los principales sacerdotes y escribas entendieron entonces que Jesús se refería a ellos. Ellos, y nadie más, eran los labrado-

res malvados de la parábola. ¡Con cuánto gusto lo habrían arrestado allí mismo! Pero no; sabían que si lo intentaban, provocarían una revuelta entre el pueblo. ²⁰¡Lo mejor sería tratar de hacerle decir algo que fuera lo suficientemente comprometedor para poder acusarlo ante el gobernador romano!

Poco después ordenaron a varios individuos que fingieran religiosidad con el propósito de espiar a Jesús. ²¹Un día éstos le preguntaron:

—Señor, sabemos que hablas y enseñas lo recto, que dices la verdad, gústele a quien le guste, y que enseñas el camino de Dios. ²²Dinos: ¿Está bien que paguemos impuestos al gobierno romano o no?

²³Jesús comprendió lo que se traían entre manos y les dijo:

²⁴—Muéstrenme una moneda. ¿De quién dice ahí que es esa imagen?

—Del César —le respondieron—, del emperador romano.

²⁵—Pues denle al César lo que es del César y a Dios lo que es de Dios.

²⁶Quedaron maravillados ante la agudeza de aquella respuesta. ¡Habían fracasado en sus intentos de sorprenderlo diciendo alguna imprudencia ante el pueblo! Tuvieron que callar.

²⁷Varios saduceos, los que creían que la muerte era el fin de la existencia y que no habría resurrección, ²⁸se le acercaron a preguntarle:

—Las leyes de Moisés dicen que si un hombre muere sin hijos, el hermano del muerto debe casarse con la viuda para que, al tener hijos, legalmente el muerto tenga descendencia. ²⁹Conocimos a una familia de siete hermanos. El mayor se casó y murió sin descendencia. ³⁰El hermano que le seguía se casó con la viuda y murió también sin hijos. ³¹Y así fueron casándose con ella los restantes hasta que todos murieron sin hijos. ³²Por último, la mujer murió también. ³³Lo que nos preguntamos es lo siguiente: Cuando resuciten, ¿de cuál de ellos será esa mujer? ¡En vida lo fue de los siete!

³⁴,³⁵—El matrimonio es algo terrenal —les respondió—. Pero los que son tenidos por dignos de resucitar e ir al cielo no estarán casados en el cielo. ³⁶Una vez resucitados, no volverán a morir. Serán en este

respecto como los ángeles. Y como resucitan, son hijos de Dios. ³⁷Ahora bien, en cuanto a si hay o no hay resurrección, los escritos de Moisés lo demuestran. Cuando relatan cómo Dios se le apareció a Moisés en la zarza ardiendo, hablan de Dios como "el Dios de Abraham, el Dios de Isaac, y el Dios de Jacob". ³⁸Claro está; Dios no es Dios de muertos sino de vivos. ¡Para El todos viven!

³⁹—Muy buena respuesta, Maestro —dijeron algunos de los escribas presentes.

⁴⁰Y no se atrevieron a preguntarle nada más.

⁴¹Entonces fue El quien les preguntó:

—¿Por qué se dice que el Cristo es hijo de David? ⁴²,⁴³David mismo escribió en el libro de los Salmos: "Dios dijo a mi Señor, el Cristo: 'Siéntate a mi derecha hasta que postre a tus enemigos a tus pies'". ⁴⁴¿Es posible que el Mesías sea a la vez hijo de David y Dios de David?

⁴⁵Consciente de que la multitud le escuchaba, dijo a los discípulos:

⁴⁶—Cuídense de los escribas, que les gusta exhibirse con ropas de prestigio y que el pueblo se incline ante ellos en las plazas. ¡Y cómo les gustan los puestos de honor en las sinagogas y en las festividades religiosas! ⁴⁷Pero a pesar de las oraciones largas que elevan para que crean que son muy religiosos, siempre se las arreglan para despojar a las viudas. ¡Grande es el castigo de Dios que les espera!

21 CUANDO ALZÓ LA VISTA, vio que varios ricos echaban dinero en el arca de las ofrendas, ²y que una viuda muy pobre echaba dos insignificantes monedas de cobre.

³—Fíjense —señaló—. Esa pobre viuda echó más que todos aquellos ricos juntos. ⁴Los ricos dieron algo de lo mucho que les sobra. La viuda, en cambio, dio todo lo que tenía.

⁵En cierta ocasión en que sus discípulos admiraban las piedras y los adornos votivos que decoraban el Templo, ⁶Jesús les dijo:

—Se acerca el día en que esas piedras y esos adornos serán destruidos, y todo quedará en ruinas.

⁷—Maestro —dijeron ellos—, ¿cuándo sucederá eso? ¿Habrá señales que presa-

gien la cercanía de tales acontecimientos? [8]—No dejen que nadie los engañe —les respondió—. Muchos vendrán diciendo que son el Mesías y que el tiempo se acerca. ¡No les crean! [9]Cuando oigan de guerras e insurrecciones incipientes, no se asusten. Sí, primero habrá guerras, pero el fin no será inmediatamente. [10]Se levantará nación contra nación y reino contra reino, [11]y habrá espantosos terremotos; en muchos lugares habrá hambre y epidemias, y en el cielo aparecerán aterradoras e inmensas señales. [12]Pero antes que esto ocurra, habrá grandes persecuciones contra ustedes, y los arrastrarán a las sinagogas, a las cárceles, y los harán comparecer ante reyes y gobernadores por mi causa. [13]Como resultado de esto, en todas partes oirán de mí: [14]Propónganse no preocuparse por la respuesta que han de dar a los cargos que presenten contra ustedes, [15]porque yo les daré oportunamente la palabra adecuada y una lógica tan formidable que nadie la podrá rebatir. [16]Aun sus seres queridos: padres, hermanos, parientes y amigos, los traicionarán y los entregarán. Y a algunos de ustedes los matarán. [17]El mundo entero los aborrecerá porque son míos y llevan mi nombre. [18]¡Pero ni uno de sus cabellos perecerá! [19]Los que permanezcan firmes ganarán el alma.

[20]"Cuando vean a Jerusalén rodeada de ejércitos sabrán que la hora de la destrucción ha llegado. [21]El que en ese momento esté en Judea, huya a las montañas. El que esté en Jerusalén, trate de escapar, y los que estén fuera de la ciudad no traten de regresar. [22]Aquellos serán días de juicio de Dios, y se cumplirán las cosas que los profetas predicen en sus escritos. [23]¡Ay de la que esté encinta en aquellos días, y de la que tenga hijo de meses! ¡Grande será la calamidad que caerá sobre esta nación, y grande la ira que descenderá contra este pueblo! [24]Los matarán brutalmente o se los llevarán cautivos a todas las naciones. Y los gentiles estarán hollando a Jerusalén hasta que Dios decida poner fin al tiempo de los gentiles.

[25]"Entonces aparecerán extrañas señales en el sol, en la luna y en las estrellas. En la tierra habrá angustia y perplejidad ante el bramido del mar y las olas. [26]Muchos desfallecerán ante la horrible suerte que les espera cuando la furia de los acontecimientos se desate sobre la tierra y las potencias de los cielos se conmuevan. [27]Entonces la humanidad entera me verá descender en una nube con poder y gran gloria. [28]Cuando estas cosas empiecen a acontecer, pónganse derechos y levanten la cabeza: ¡la salvación estará cerca!

[29]A continuación les refirió la siguiente parábola:

—Fíjense en la higuera o en cualquier árbol. [30]Cuando las hojas comienzan a brotar se sabe que la primavera se acerca. [31]Asimismo, cuando vean que las cosas de que les hablé comienzan a acontecer, pueden estar seguros de que el reino de Dios está cerca. [32]Solemnemente declaro que cuando estas cosas sucedan, el fin de esta era habrá llegado. [33]Y aunque los cielos y la tierra pasarán, mis palabras permanecerán para siempre. [34,35]¡Cuídense! ¡Que mi regreso no los sorprenda en glotonerías y borracheras, ni demasiado afanados por los problemas de esta vida, como el resto del mundo! Porque vendré repentinamente. [36]Manténganse vigilantes. Oren que si es posible puedan llegar a mi presencia sin tener que sufrir los horrores que vendrán.

[37]Así fueron transcurriendo los días. Por el día solía enseñar en el Templo, y por las noches se retiraba al monte de los Olivos. [38]Cada mañana era inmensa la multitud que se congregaba a escucharlo.

22 SE ACERCABA LA Pascua, festividad judía en que solía comerse pan sin levadura. [2]Los principales sacerdotes y escribas planeaban cuidadosamente la muerte de Jesús. Deseaban matarlo sin provocar al pueblo, pues temían que se les rebelara.

[3]Un día Satanás entró en Judas Iscariote, uno de los doce discípulos, [4]y éste corrió a ponerse de acuerdo con los principales sacerdotes y los jefes de la guardia sobre cómo lo entregaría. [5]Estos, desde luego, se pusieron tan contentos con la oportunidad que se les presentaba que convinieron en darle dinero. [6]Y Judas se puso a buscar la oportunidad de entregar a Jesús sin que el pueblo se enterara.

[7]Llegó por fin el día de la Pascua, día en

que se comía pan sin levadura y se sacrificaba un cordero. [8]Jesús envió a Pedro y a Juan a buscar un lugar en donde comer la cena pascual.

[9]—¿A dónde quieres que vayamos? —preguntaron.

[10]—Al entrar en Jerusalén —respondió—, verán a un hombre que lleva un cántaro de agua. Síganlo hasta la casa en que entre, [11]y díganle al hombre que vive allí que digo yo que les enseñe el lugar donde podremos comer la cena. [12]El los llevará a un aposento alto ya listo. Preparen allí la cena.

[13]Cuando los dos discípulos llegaron a la ciudad, todo pasó exactamente como Jesús dijo, y prepararon la cena pascual. [14]Más tarde llegaron Jesús y los demás discípulos y se sentaron a la mesa.

[15]Una vez sentados les dijo:

—¡Cuánto había deseado comer con ustedes esta cena pascual antes que comiencen mis sufrimientos! [16]Les aseguro que no volveré a celebrar la Pascua hasta que lo que simboliza se cumpla en el reino de Dios.

[17]Tomó entonces un vaso de vino, y después de dar gracias por él, dijo:

—Vayan tomando y pasándolo a los demás. [18]No volveré a tomar vino hasta que el reino de Dios venga.

[19]Entonces tomó el pan, dio gracias por él, lo partió y se lo fue dando.

—Esto es mi cuerpo, que por ustedes es dado. Cómanlo en memoria de mí.

[20]Después de la cena tomó la copa y dijo:

—Este es el nuevo pacto que ha de salvarlos. Dicho pacto quedará sellado con la sangre que derramaré para pagar el rescate por sus almas. [21]Pero en esta mesa, como amigo, está sentado el que me traicionará. [22]He de morir, eso es parte del plan de Dios, pero ¡ay del que me entrega!

[23]Los discípulos, como es natural, comenzaron a preguntarse quién iba a ser el traidor [24]y a discutir quién sería el mayor en el reino venidero. [25]Jesús les dijo:

—En este mundo los reyes hacen de sus súbditos lo que se les antoja, y a éstos no les queda otro remedio que gustarles. [26]Pero entre ustedes el que sirva mejor, dirigirá. [27]En el mundo los amos se sientan a la mesa y los esclavos los sirven. ¡Pero aquí no!

¡Aquí yo soy el esclavo! [28]Ustedes han permanecido fieles a mí en estos días tan terribles. [29]En premio a esa fidelidad, y por cuanto mi Padre me ha asignado un reino, ahora mismo les concedo el derecho [30]de comer y beber en mi mesa en mi reino. Ustedes se sentarán en tronos a juzgar a las doce tribus de Israel. [31]Simón, Simón, Satanás ha pedido que se le permita zarandearte como a trigo. [32]He orado que no falles completamente. Cuando te hayas arrepentido, Pedro, y hayas vuelto a mí, fortalece y cultiva la fe de tus hermanos.

[33]—Señor, estoy dispuesto a ir a la cárcel contigo, ¡y hasta a morir contigo!

[34]—Pedro —le respondió el Señor—, déjame decirte algo. ¡Antes que el gallo cante, negarás tres veces que me conoces!

[35]Y a los demás les dijo:

—Cuando los envié a predicar sin dinero, sin alforja y sin calzado, ¿les faltó algo?

—Nada —respondieron.

[36]—Pues ahora el que tenga dinero, que lo tome, y que no se le quede la alforja. Y el que no tenga espada, venda la ropa y cómprese una. [37]Ha llegado la hora en que se ha de cumplir aquella profecía acerca de mí que dice: "Lo condenarán como a delincuente". Todo, absolutamente todo lo que los profetas dijeron de mí se cumplirá.

[38]—Maestro —le respondieron—, tenemos aquí dos espadas.

—¡Basta! —dijo, y salió seguido de sus discípulos.

[39]Se dirigieron, como de costumbre, al monte de los Olivos. [40]Allí les dijo:

—Pídanle a Dios que no los venza la tentación.

[41]Se apartó, quizás a una distancia de un tiro de piedra, y se tiró de rodillas a orar:

[42]—Padre, si quieres, aparta de mí esta copa de espantoso dolor. Pero deseo que se haga tu voluntad y no la mía.

[43]Mientras oraba, un ángel del cielo se presentó a fortalecerlo. [44]Era tal su agonía, era tan intensa su oración, que el sudor que le brotaba de la frente parecía enormes gotas de sangre que caían al suelo. [45]Por último, se puso de pie y volvió junto a sus discípulos...y los encontró dormidos: ¡el cansancio y la tristeza los habían vencido!

[46]—¿Durmiendo? —les dijo—. ¡Leván-

tense! Pídanle a Dios que no los deje caer en tentación.

[47]Mientras decía esto, una turba se acercaba con Judas al frente. Judas, que era uno de los doce discípulos, se paró frente a Jesús y lo besó en la mejilla como fiel amigo.

[48]—Judas, ¿con un beso entregas al Hijo del Hombre? —le dijo el Señor.

[49]Cuando los demás discípulos se dieron cuenta cabal de lo que estaba sucediendo, exclamaron:

—Maestro, ¿nos defendemos? Aquí tenemos las espadas.

[50]Y uno de ellos le arrancó de un tajo la oreja derecha a un siervo del sumo sacerdote.

[51]—Basta ya —dijo Jesús mientras tocaba el sitio de donde le habían arrancado la oreja a aquel hombre para restaurársela.

[52,53]—¿Soy yo tan temible ladrón que han tenido que venir con espadas y palos a prenderme? —preguntó Jesús a los principales sacerdotes, a los jefes de la guardia del Templo y a los jefes judíos que encabezaban la turba—. ¿Por qué no me arrestaron en el Templo? Todos los días iba allí. Pero, claro, éste es el momento que esperaban; Satanás reina.

[54]La turba condujo prisionero a Jesús a casa del sumo sacerdote. Y Pedro los seguía de lejos. [55]Los soldados prendieron una hoguera en el patio y se sentaron alrededor a calentarse. Pedro se sentó entre ellos. [56]Una criada, al verlo sentado al calor de la hoguera, exclamó:

—¡Este hombre andaba con Jesús!

[57]—Mujer —dijo Pedro nerviosamente—, ¡ni siquiera lo conozco!

[58]Al poco rato alguien lo vio también y dijo:

—¡Tú tienes que ser uno de ellos!

—No, señor. ¡No soy uno de ellos!

[59]Como una hora después alguien afirmó categóricamente:

—Este es uno de los discípulos de Jesús. ¡Es galileo también!

[60]—Hombre, no sé de qué hablas —le respondió Pedro.

Y mientras hablaba, el gallo cantó.

[61]En el instante mismo en que el gallo cantaba, Jesús se volvió y miró a Pedro, y éste recordó lo que le había dicho: "Antes

que el gallo cante mañana, negarás tres veces que me conoces". [62]Y Pedro salió a llorar amargamente.

[63]Los que custodiaban a Jesús se burlaban de El. [64]Por ejemplo, en una ocasión le vendaron los ojos y varios le pegaron en el rostro:

—A ver, profeta, ¿quién te golpeó? —le dijeron.

[65]Y no cesaban de insultarlo.

[66]Cuando despuntó el día a la mañana siguiente, se juntó la corte suprema judía, compuesta de los principales sacerdotes y las más altas autoridades religiosas de la nación. Llevaron a Jesús ante ellos.

[67]—A ver, ¿eres tú el Cristo? —le preguntaron.

—Si digo que sí, no me lo van a creer, [68]ni van a dejar que me defienda. [69]Pero ya se acerca la hora en que yo, el Hijo del Hombre, me sentaré a la derecha de Dios todopoderoso.

[70]—Luego entonces, eres el Hijo de Dios, ¿no? —dijeron a una voz.

—Ustedes lo han dicho.

[71]—¿Qué más testigos necesitamos? —gritaron—. ¡Ya nos lo dijo El mismo!

23 INMEDIATAMENTE LO LLEVARON ante Pilato, el gobernador.

[2]—Este hombre pervierte al pueblo diciendo que no se debe pagar impuestos al gobierno romano y que es el Cristo y, por lo tanto, rey.

[3]—¿Eres tú el Rey de los judíos? —le preguntó Pilato.

—Tú lo dices —respondió Jesús.

[4]Pilato, volviéndose a los principales sacerdotes y a la gente, dijo:

—Bueno, ¿y qué? ¡Eso no es delito!

[5]Pero, porfiados, insistieron:

—¿Cómo que no? ¡Por todas partes incita al pueblo contra el gobierno! ¡Y ya ha andado por toda Judea, desde Galilea hasta Jerusalén!

[6]—Luego entonces es galileo, ¿verdad? —preguntó Pilato.

[7]Cuando le respondieron afirmativamente, ordenó que lo remitieran a Herodes, porque Galilea estaba bajo su jurisdicción, y Herodes estaba en Jerusalén en aquellos días.

[8]Herodes se alegró, porque había oído

hablar mucho de Jesús y tenía la esperanza de verle realizar algún milagro. [9]Pero Jesús ni siquiera le contestó sus muchas preguntas. [10]Ante esto, e incitados por las acusaciones que con vehemencia formulaban los principales sacerdotes y escribas, [11]Herodes y sus soldados se pusieron a burlarse de Jesús, a ofenderlo. Por último, le tiraron encima un manto real y lo enviaron de vuelta a Pilato. [12]Aquel día Herodes y Pilato, enemigos hasta entonces, se reconciliaron.

[13]Pilato convocó a los principales sacerdotes, a los dirigentes judíos y al pueblo, [14]y les declaró:

—Me trajeron a este hombre acusado de incitar a la rebelión contra el gobierno romano. Yo lo interrogué y lo hallo inocente. [15]Herodes llegó a la misma conclusión y me lo devolvió. Este hombre no ha hecho nada que merezca pena de muerte. [16]Por lo tanto, mandaré que lo azoten antes de soltarlo.

[17]Era costumbre que en aquella fecha festiva soltaran a algún preso. [18]Un fuerte murmullo brotó de la multitud y a una voz gritaron:

—¡Mátalo y suéltanos a Barrabás!

[19]Barrabás era un sujeto que estaba en prisión por haber provocado una insurrección en Jerusalén, y por asesinato. [20]Pilato trató de disuadirlos de aquella idea, pues deseaba soltar a Jesús, [21]pero el gentío no cesaba de gritar:

—¡Crucifícalo! ¡Crucifícalo!

[22]—Pero, ¿por qué? —dijo Pilato por tercera vez—. ¿Por qué? ¿Qué delito ha cometido? No he hallado en El nada por lo cual deba condenarlo a muerte. Voy a ordenar que lo azoten y lo suelten.

[23]Pero el gentío gritó aún más fuerte que querían que mataran a Jesús, y sus voces prevalecieron por fin. [24]Pilato accedió a mandar matar a Jesús. [25]Luego de ordenar que soltaran a Barrabás, el hombre que estaba preso por sedición y homicidio, les entregó a Jesús para que hicieran con El lo que les viniera en gana.

[26]Cuando la turba conducía a Jesús hacia la muerte, Simón de Cirene entraba a la ciudad procedente del campo, y lo obligaron a cargar la cruz que doblegaba el cuerpo del Señor. [27]Detrás marchaba una gran multitud, y un gran número de mujeres lloraban y lamentaban la suerte del Señor. [28,29]Jesús se detuvo y les dijo:

—Hijas de Jerusalén, no lloren por mí. Lloren por ustedes y por sus hijos, porque se acerca el día en que la mujer sin hijos se considerará afortunada. [30]Entonces la humanidad deseará que las montañas le caigan encima y que los collados la cubran. [31]¡Si esto me lo hacen a mí, el árbol vivo, qué no harán a ustedes!

[32]Junto a Jesús marchaban dos delincuentes que también iban a ser crucificados. [33]Cuando llegaron al lugar llamado la Calavera, los crucificaron. Jesús quedó al centro con un delincuente a cada lado.

[34]—¡Padre, perdónalos! —exclamó Jesús—. ¡No saben lo que hacen!

Los soldados se sorteaban su ropa, [35]mientras el gentío contemplaba la escena. Los dirigentes judíos, satisfechos, se burlaban:

—Si a otros ayudó con tantos milagros, sálvese ahora y demuéstrenos que es el Cristo, el Escogido de Dios.

[36]Unos soldados que le ofrecían vinagre se burlaban también:

[37]—Si eres el Rey de los judíos —decían—, sálvate ahora.

[38]Encima de la cruz clavaron un letrero que decía: ESTE ES EL REY DE LOS JUDIOS.

[39]Uno de los delincuentes que morían con El en la cruz le dijo con burla:

—¡Conque eres el Mesías! ¡Demuéstralo salvándote y salvándonos a nosotros!

[40,41]—¡Calla! —le respondió el otro—. ¿Ni siquiera temes a Dios en la hora de la muerte? ¡Nosotros merecemos esto, pero este hombre es inocente!

[42]Y dijo a Jesús:

—¡Acuérdate de mí cuando estés en tu reino!

[43]—Solemnemente te lo prometo: hoy estarás conmigo en el paraíso.

[44]Como al mediodía, todo quedó a oscuras, y la oscuridad se prolongó como hasta las tres de la tarde. [45]La luz del sol se fue, y el velo del Templo se rasgó por la mitad. [46]En aquel mismo instante Jesús gritó:

—Padre, en tus manos encomiendo mi espíritu.

Y tras decir esto murió.

⁴⁷Cuando el jefe de los soldados romanos encargados de la ejecución vio lo ocurrido, alabó a Dios y dijo:

—Verdaderamente, este hombre era inocente.

⁴⁸Y cuando la multitud vio que Jesús ya estaba muerto, y todos los prodigios, regresó llena de dolor profundo. ⁴⁹Pero los amigos de Jesús, entre los que estaban las mujeres que lo habían seguido desde Galilea, lo contemplaban todo a una prudente distancia.

⁵⁰José de Arimatea, miembro de la corte suprema judía, varón bueno y justo, ⁵¹que al igual que muchos esperaba el advenimiento del Mesías y no había estado de acuerdo con los últimos acuerdos y acciones de los demás miembros de la corte, ⁵²fue a Pilato a solicitar el cuerpo de Jesús. ⁵³Obtenido el permiso, corrió hasta el lugar de la ejecución, bajó el cuerpo de Jesús, lo envolvió en una sábana y lo colocó en una tumba completamente nueva labrada en una peña.

⁵⁴Esto sucedió el viernes por la tarde, día en que se preparaban para el sábado. ⁵⁵Las mujeres que habían seguido a Jesús desde Galilea lo acompañaron hasta la tumba misma, y presenciaron el entierro. ⁵⁶Una vez concluido todo, regresaron y prepararon especias aromáticas y ungüentos, y descansaron el día del reposo según demandaba la ley.

24 MUY TEMPRANO EN la mañana del domingo, tomaron las especias aromáticas que habían preparado y se dirigieron a la tumba con algunas otras mujeres. ²Para asombro de ellas, hallaron que la piedra del sepulcro había sido removida ³y que el cuerpo del Señor Jesús no estaba allí. ⁴Perplejas, trataron de descifrar qué había sucedido. En eso dos varones se les presentaron delante con ropa resplandeciente, deslumbrante. ⁵Atemorizadas, las mujeres se postraron rostro en tierra.

—¿Por qué buscan en la tumba al que vive? ⁶,⁷¡Aquí no está! ¡Ya resucitó! ¿No recuerdan que en Galilea les dijo que era necesario que el Mesías fuera entregado en manos de los pecadores, que lo crucificarían y que resucitaría al tercer día?

⁸Entonces recordaron que sí, que era cierto, ⁹y corrieron a Jerusalén a contar a los once discípulos y a los demás lo que había sucedido. ¹⁰Aquellas mujeres eran María Magdalena, Juana, María la madre de Jacobo y varias más.

¹¹Aquello era demasiado difícil para que ellos lo creyeran. ¹²Sin embargo, Pedro corrió a la tumba. Al llegar a la entrada se detuvo y miró: ¡allí estaban los lienzos solos! Y regresó intrigado por lo que había sucedido.

¹³Aquel mismo día, domingo, dos de los discípulos se dirigían al pueblo de Emaús, a doce kilómetros de Jerusalén. ¹⁴En el camino iban hablando de la muerte de Jesús. ¹⁵Apenas se dieron cuenta que alguien se les había acercado y caminaba con ellos. ¡Era Jesús mismo! ¹⁶Pero Dios no quiso que lo reconocieran en seguida.

¹⁷—¿De qué están hablando y por qué están tan tristes? —les preguntó.

Se detuvieron. En el rostro de aquellos dos hombres se reflejaba el inmenso dolor que los embargaba. ¹⁸Uno de ellos, Cleofas, le dijo:

—Al parecer, eres la única persona en Jerusalén que no sabe lo que ha estado pasando en estos días.

¹⁹—¿Qué ha estado pasando?

—Pues que a Jesús de Nazaret, profeta milagroso y extraordinario Maestro que gozaba de la más alta estimación de Dios y los hombres, ²⁰los principales sacerdotes y jefes religiosos lo entregaron a los romanos para que lo condenaran a morir en la cruz. ²¹Creíamos que era el Mesías y que había venido a rescatar a Israel. Pero bueno...hace tres días que murió. ²²Lo más curioso del caso es que varias mujeres que lo seguían fueron a la tumba esta mañana ²³y regresaron contando que el cuerpo no estaba allí, y que unos ángeles les dijeron que Jesús estaba vivo. ²⁴Algunos de los nuestros corrieron al sepulcro y, de veras, allí no estaba. Las mujeres tenían razón.

²⁵—Insensatos y tardos de corazón —les dijo Jesús entonces—. ¿Así que les cuesta creer lo que los profetas afirman en las Escrituras? ²⁶¿No está claro allí que el Mesías había de sufrir todas esas cosas antes de entrar en su gloria?

²⁷A continuación les fue citando pasajes de las Escrituras desde el Génesis hasta los profetas, y a medida que los citaba les iba

La tumba del huerto donde sepultaron a Jesús después de la crucifixión.

El huerto de Getsemaní, el sitio de la agonía de Jesús antes de su detenimiento y proceso.

explicando lo que decían de El.

[28]Llegaron a Emaús y Jesús hizo como que iba a seguir, [29]pero ellos le suplicaron que se quedara con ellos, porque ya había anochecido. Y se quedó.

[30]Una vez sentados a la mesa, tomó el pan, lo bendijo y lo fue pasando. [31]En aquel mismo instante, los discípulos sintieron como si los ojos se les hubieran abierto de pronto y lo reconocieron. Pero se les desapareció de la vista.

[32]—¿No nos ardía el corazón mientras nos explicaba las Escrituras a lo largo del camino? —se dijeron pasmados de asombro.

[33,34]Al poco rato partían de regreso a Jerusalén. Cuando llegaron a donde estaban los once discípulos y los demás miembros del grupo, éstos los recibieron con una gran noticia:

—¡El Señor ha resucitado de veras! ¡Se le apareció a Pedro!

[35]Los recién llegados relataron en seguida que Jesús se les había aparecido y que lo habían reconocido al partir el pan.

[36]Y mientras hablaban, Jesús mismo se apareció entre ellos y los saludó. [37]Los discípulos, temblando de miedo, creían que era un fantasma.

[38]—¿Por qué están tan asustados? —les preguntó—. ¿Por qué dudan de que sea yo? [39]Mírenme las manos y los pies. Tóquenme si quieren y verán que soy yo. Los fantasmas no tienen cuerpo.

[40]Y al decir esto les mostró las manos y los pies traspasados por los clavos de la crucifixión. [41]Los discípulos no sabían si dudar o saltar de alegría.

—¿Tienen algo de comer? —les preguntó.

[42]Le dieron un pedazo de pescado asado y un panal de miel, [43]y se los comió delante de ellos.

[44]—¿No recuerdan que cuando todavía estaba con ustedes les dije que cuanto Moisés, los profetas y los salmos dicen tenía que cumplirse?

[45]Entonces les abrió el entendimiento y comprendieron las Escrituras, [46]y les explicó:

—Está escrito y era necesario que el Mesías sufriera, muriera y resucitara al tercer día, [47]y que, comenzando en Jerusalén, en el mundo entero se proclamara que hay perdón de los pecados para los que se arrepienten y creen en mí. [48]Ustedes son testigos de que las Escrituras se cumplieron. [49]Pronto enviaré sobre ustedes al Espíritu Santo, tal como lo prometió el Padre. No salgan ahora mismo a proclamar el mensaje. Quédense en Jerusalén hasta que descienda el Espíritu Santo y los llene con poder de lo alto.

[50]Tras aquellas palabras los condujo a Betania. Una vez allí, alzó las manos y los bendijo. [51]Y mientras los bendecía fue elevándose hasta que desapareció. ¡Acababa de ser llevado al cielo!

[52]Después de adorar, los discípulos regresaron a Jerusalén henchidos de gozo. [53]Desde aquel día en adelante pasaban el Tiempo en el Templo, alabando y bendiciendo a Dios.

HECHOS

1 AMIGO MÍO QUE amas a Dios:
En mi primera carta[a] te hablé de la vida de Jesucristo, de sus enseñanzas, [2]y de cómo regresó al cielo después de comunicar algunas instrucciones adicionales, a través del Espíritu Santo, a los apóstoles que había escogido.

[3]Durante los cuarenta días siguientes a su crucifixión, repetidas veces se presentó ante los apóstoles y les demostró hasta la saciedad la realidad de su presencia corporal. Y en todas las ocasiones les habló del reino de Dios.

[4]En uno de aquellos encuentros les pidió que no salieran de Jerusalén hasta que, tal como ya se había dicho, el Espíritu Santo descendiera sobre ellos en cumplimiento de la promesa del Padre.

[5]—Juan los bautizó con agua —les recordó—, pero dentro de pocos días serán bautizados con el Espíritu Santo.

[6]En otra ocasión los discípulos le preguntaron:
—Señor, ¿vas ahora a libertar a Israel de Roma y a restaurar la independencia de nuestra nación?

[7]—El Padre es el que señala esas fechas —les contestó—, y a ustedes no les corresponde saberlas. [8]Sin embargo, cuando el Espíritu Santo descienda sobre ustedes, recibirán poder para proclamar con efectividad mi muerte y resurrección ante el pueblo de Jerusalén, en toda Judea, en Samaria y hasta lo último de la tierra.

[9]No mucho después ascendió al cielo y desapareció envuelto en una nube ante los ojos atónitos de sus discípulos.

[10]Mientras éstos seguían con la mirada fija en la figura que se perdía en las alturas, dos varones vestidos de blanco se pusieron junto a ellos.

[11]—Varones galileos —les dijeron—, ¿por qué se han quedado mirando al cielo? Jesús se ha ido, sí, pero algún día regresará de la misma forma en que lo han visto ascender al cielo.

[12]Como estaban en el monte de los Oli-vos, tuvieron que caminar casi un kilómetro para regresar a Jerusalén. [13,14]Allí, en el aposento alto de la casa en que vivían, celebraron un culto de oración. Estuvieron presentes Pedro, Juan, Santiago, Andrés, Felipe, Tomás, Bartolomé, Mateo, Santiago el hijo de Alfeo, Simón el Zelote, Judas el hijo de Santiago y los hermanos de Jesús, además de varias mujeres, entre las que se encontraba la madre de Jesús.

[15]La reunión se prolongó varios días. En una ocasión en que había ciento veinte personas presentes, Pedro se puso de pie y pronunció el siguiente discurso:

[16]—Hermanos, era necesario que se cumplieran las Escrituras en cuanto a Judas, el que sirvió de guía a la turba que apresó a Jesús, porque su traición la predijo hace mucho tiempo el Espíritu Santo por boca del rey David.

[17]"Judas era uno de nosotros, tan escogido para ser apóstol como lo somos nosotros; [18]sin embargo, con el dinero que recibió en pago a su traición, compró un terreno en el que al precipitarse de cabeza, se le reventó el vientre y se le salieron las entrañas. [19]La noticia de su muerte se corrió rápidamente entre los habitantes de Jerusalén, quienes bautizaron el lugar con el nombre de "Campo de Sangre".

[20]"El rey David lo predijo así en el libro de los Salmos: "Quede desierta su casa y no haya quien more en ella". Y luego añade: "¡Que otro se encargue de su trabajo!"

[21]"Por lo tanto, tenemos que elegir a la persona que ocupará el puesto de Judas y se unirá a nosotros como testigo de la resurrección de Jesús. [22]Seleccionemos, pues, a alguien que haya estado con nosotros desde el momento mismo en que nos unimos al Señor, o sea, desde que Juan lo bautizó hasta que ascendió al cielo.

[23]La asamblea postuló a José Justo (llamado también Barsabás) y a Matías.

[24,25]Luego oraron: "Señor, tú que conoces los corazones, muéstranos cuál de estos hombres has escogido para asumir el apos-

---

1a El evangelio según San Lucas —vea la nota en Lucas 1:1.

tolado de Judas el traidor, quien ya está donde le corresponde estar".

²⁰Y a continuación echaron suertes y la suerte cayó sobre Matías. El nombre de Matías, pues, se sumó al de los once apóstoles.

2 SIETE SEMANAS DESPUÉS de la muerte y resurrección de Jesucristo llegó el día de Pentecostés.

Los creyentes que se reunieron aquel día ²escucharon de pronto en el cielo un estruendo semejante al de un vendaval, que hacía retumbar la casa en que estaban congregados. ³Acto seguido aparecieron llamas o lengüetas de fuego que se les fueron posando en la cabeza. ⁴Entonces cada uno de los presentes quedó lleno del Espíritu Santo y empezó a hablar en idiomas que no conocía, pero que el Espíritu Santo le permitía articular.

⁵En aquellos días de celebraciones religiosas había en Jerusalén una gran cantidad de judíos piadosos de muchas nacionalidades diferentes. ⁶Al escuchar el estruendo que se producía sobre la casa, multitudes de personas corrieron a ver qué sucedía, y los extranjeros se quedaron pasmados al oír el idioma de sus respectivos países en boca de los discípulos.

⁷,⁸—¿Cómo es posible? —exclamaban—. ¡Estos hombres son galileos y sin embargo los escuchamos hablar en el idioma que se habla en los países en que hemos nacido! ⁹Entre nosotros hay gente de Partia, Media, Elam, Mesopotamia, Judea, Capadocia, Ponto, ¹⁰Frigia, Panfilia, Egipto, las regiones de Africa más allá de Cirene, Creta y Arabia, aparte de los judíos y conversos que han venido de Roma. ¹¹Sin embargo, cada cual los oye relatar en su propia lengua los grandes milagros de Dios.

¹²—¿Qué significará esto? —se preguntaban algunos, atónitos y perplejos.

¹³—¡Es que están borrachos! —les respondían otros en son de burla.

¹⁴Entonces Pedro se puso de pie con los once apóstoles y tomó la palabra:

—¡Escúchenme bien, visitantes y residentes de Jerusalén! Algunos de ustedes están diciendo que estos hombres están borrachos. ¹⁵No es cierto, no. ¡La gente no se emborracha a las nueve de la mañana!

¹⁶Ustedes han presenciado esta mañana lo que el profeta Joel predijo hace siglos:

¹⁷"En los postreros días, dijo Dios, derramaré mi Espíritu Santo sobre la humanidad, y sus hijos e hijas profetizarán, sus jóvenes verán visiones y sus viejos soñarán sueños. ¹⁸Sí, el Espíritu Santo vendrá sobre mis siervos y siervas, y ellos profetizarán. ¹⁹Y provocaré extrañas manifestaciones en el cielo y en la tierra en forma de sangre, fuego y nubes de humo; ²⁰el sol se pondrá negro y la luna adquirirá un color rojo sangre antes que llegue el pavoroso día del Señor. ²¹Pero todo aquel que le implore a Dios misericordia, se salvará.

²²,²³"¡Escúchenme, varones israelitas! Como ustedes bien saben, Dios respaldó a Jesús de Nazaret con los milagros prodigiosos que realizó a través de El. Pero, de acuerdo al plan que ya se tenía trazado, permitió primero que ustedes lo clavaran en la cruz y lo asesinaran por mediación del gobierno romano, ²⁴pero luego lo soltó de los horrores de la muerte y le devolvió la vida, porque la muerte no podía mantener clavadas en El sus garras perpetuamente.

²⁵"El rey David se expresó en nombre de Jesús de la siguiente manera:

Sé que el Señor está siempre conmigo y que me está ayudando. Su omnipotencia me sostiene.

²⁶Por eso tengo el corazón lleno de gozo y la lengua de alabanza. Sé que no me pasará nada al morir, ²⁷porque no dejarás mi alma en el infierno ni permitirás que el cuerpo de tu santo Hijo se pudra.

²⁸Al contrario, me llenarás de gozo en tu presencia.

²⁹"Amados hermanos, piensen. David no se refería a sí mismo al expresar las palabras que he citado, porque murió, lo enterraron y su tumba está todavía entre nosotros. ³⁰Pero, como profeta, sabía que Dios había prometido bajo juramento inquebrantable que un descendiente suyo sería el Mesías y se sentaría en el trono que ocupaba. ³¹Mirando, pues, al futuro, predijo la resurrección del Mesías, cuya alma no quedaría en el infierno y cuyo cuerpo no se corrompería.

³²"Al hacerlo, hablaba de Jesús, porque nosotros mismos somos testigos de que

Jesús se levantó de la muerte, [33]y está ahora en el cielo sentado en un trono junto a Dios. Luego, tal como lo prometiera, el Padre envió al Espíritu Santo, lo cual trajo como resultado lo que ustedes han visto y escuchado.

[34]"No, David, no hablaba de sí mismo, porque nunca había ascendido al cielo. Sin embargo añade: "Dios le habló a mi Señor, el Mesías, y le dijo: Siéntate aquí junto a mí [35]hasta que ponga a tus enemigos bajo completa sumisión".

[36]"Por lo tanto, ciudadanos de Israel, declaro que Dios ha hecho Señor y Cristo al Jesús que ustedes crucificaron.

[37]Aquellas palabras de Pedro los conmovieron tan profundamente que le dijeron a Pedro y a los demás apóstoles:

—Hermanos, ¿qué haremos?

[38]—Cada uno de ustedes, arrepentido, tiene que darle la espalda al pecado —les respondió Pedro—, regresar a Dios y bautizarse en el nombre de Jesucristo, si desea alcanzar el perdón de los pecados. Entonces recibirán también el don del Espíritu Santo, [39]porque Cristo prometió que lo recibiría cada uno de los que el Señor nuestro Dios llame, los hijos de éstos y aun los que viven en tierras lejanas.

[40]Entonces Pedro predicó un largo sermón acerca de Jesús y exhortó ardientemente a los oyentes a huir de las perversidades del mundo. [41]Los que creyeron sus palabras, unos tres mil en total, se bautizaron [42]y se unieron a los demás creyentes que se congregaban regularmente para escuchar las enseñanzas de los apóstoles y para participar en los servicios de comunión y oración. [43]Un profundo temor reverencial los dominaba; y los apóstoles seguían realizando milagros incontables.

[44,45]Los creyentes permanecían constantemente reunidos y compartían entre sí todas las cosas; a tal efecto, vendían sus propiedades y repartían el dinero entre los que estaban en necesidad. [46]Todos los días se reunían en el Templo; luego se reunían en pequeños grupos para celebrar la comunión en diferentes hogares, para compartir los alimentos con profundo regocijo y gratitud, [47]y para alabar a Dios. La ciudad entera simpatizaba con ellos, y todos los días el Señor añadía al grupo a los que

habían de ser salvos.

3 EN CIERTA OCASIÓN Pedro y Juan fueron al Templo a participar en el servicio de oración de las tres de la tarde. [2]Al acercarse, vieron que por la calle traían a un lisiado de nacimiento y lo colocaban junto a la puerta del Templo llamada la Hermosa, tal como solían hacerlo todos los días.

[3,4]Cuando Pedro y Juan pasaron junto al lisiado, éste les pidió dinero. Los apóstoles lo miraron fijamente.

—¡Míranos! —le dijo Pedro.

[5]El lisiado los miró con ansiedad, esperando recibir una limosna.

[6]—No tenemos dinero que darte —continuó Pedro—. Pero te daremos otra cosa. ¡En el nombre de Jesucristo de Nazaret, te ordeno que camines!

[7]Entonces lo tomó de la mano y lo levantó. Al instante los pies y los tobillos se le sanaron y fortalecieron [8]a tal grado que logró dar un salto, detenerse un instante y luego echar a andar. Más tarde entró al Templo con ellos, caminando, saltando y alabando a Dios.

[9]Cuando las personas que estaban dentro lo vieron caminando y alabando a Dios, [10]reconocieron en él al lisiado que tan acostumbrados estaban a ver junto a la Hermosa y quedaron mudos de asombro. [11]Inmediatamente, atónitos, corrieron al portal de Salomón, donde el exlisiado tenía firmemente asidos a Pedro y a Juan. [12]Y Pedro comprendió que era la oportunidad de dirigirles la palabra.

—Varones israelitas —les dijo—, ¿qué hay de sorprendente en esto? ¿Por qué nos miran como si hubiéramos hecho andar a este hombre mediante nuestro propio poder y piedad? [13]El Dios de Abraham, de Isaac, de Jacob y de nuestros antepasados, a través de este milagro ha glorificado a su siervo Jesús, al Jesús que ustedes rechazaron delante de Pilato, a pesar de que éste estaba resuelto a ponerlo en libertad. [14]No, ustedes no quisieron que libertaran al Santo y Justo; al contrario, demandaron la libertad de un asesino [15]y mataron al autor de la vida. Pero Dios le devolvió la vida, de lo cual Juan y yo somos testigos, porque lo vimos con vida después que lo mataron.

[16]"Este hombre sanó en el nombre de Jesús, y ustedes saben cuán inválido estaba. La fe en el nombre de Jesús, fe que nos dio el Señor, logró la perfecta curación de este individuo.

[17]"Amados hermanos, comprendo que lo que ustedes le hicieron a Jesús lo hicieron en ignorancia, y lo mismo podría decirse de los dirigentes de ustedes, [18]porque Dios estaba cumpliendo así las profecías acerca de los sufrimientos del Mesías. [19]Arrepiéntanse, pues, cambien de actitud hacia Dios y vuélvanse a El para que El pueda limpiarles sus pecados; para que El les envíe desde su misma presencia tiempos de deleitoso refrigerio, [20]y para que les envíe de nuevo al Mesías, [21,22]quien ha de permanecer en el cielo hasta que todas las cosas queden libres de los efectos del pecado, como está profetizado desde tiempos remotos. Moisés, por ejemplo, hace siglos dijo: "Dios el Señor levantará entre ustedes un profeta parecido a mí. Presten esmerada atención a cuanto él les diga. [23]Quien no lo escuche será totalmente destruido". [24]Samuel y los profetas que le sucedieron hablaron de lo que está sucediendo hoy en día. [25]Ustedes son los hijos de aquellos profetas y están incluidos entre los beneficiarios de la promesa que Dios les hiciera a nuestros antepasados, de bendecir al mundo entero a través de la raza judía. Dios se lo prometió así a Abraham. [26]Y cuando Dios le devolvió la vida a su Siervo, lo envió primero a ustedes los israelitas, a fin de concederles la bendición de poder apartarse del pecado.

4 MIENTRAS HABLABAN AL pueblo, los principales sacerdotes, el jefe de la guardia del Templo y varios de los saduceos se presentaron ante ellos. [2]Enojados porque Pedro y Juan estaban proclamando que Jesús se había levantado de entre los muertos, [3]los arrestaron y los mantuvieron presos hasta el día siguiente. [4]Pero a pesar de todo, muchos de los que oyeron el mensaje lo creyeron, y el número de los creyentes se elevó a cinco mil hombres.

[5]Al siguiente día se reunió en Jerusalén el concilio de dirigentes judíos. [6]Entre los presentes se encontraba Ananías el sumo sacerdote, Caifás, Juan, Alejandro y todos los miembros de la familia pontifical.

[7]Cuando los dos discípulos comparecieron ante ellos, les preguntaron:
—¿Quién les ha dado potestad o autoridad para hacer esto?

[8]Entonces Pedro, lleno del Espíritu Santo, les respondió:
—Distinguidos dirigentes y ancianos de nuestra patria: [9]Si se refieren al bien que le hicimos al lisiado y si desean saber cómo fue sanado, [10]permítanme declarar ante ustedes y ante todo el pueblo de Israel que este hombre recibió la salud en el nombre y mediante el poder de Jesús de Nazaret, el Mesías, el hombre que ustedes crucificaron pero que Dios resucitó. Gracias a El este hombre está hoy aquí sano.

[11]"Jesús, el Mesías, es el que las Escrituras llaman "la piedra que rechazaron los edificadores, que se convirtió en cabeza de ángulo". [12]¡En ningún otro hay salvación! No hay otro nombre bajo el cielo que los hombres puedan invocar para salvarse.

[13]Ante la osadía de Pedro y Juan, quienes a todas luces carecían de instrucción profesional, los miembros del concilio se maravillaban y comprendían el alcance de la obra que Jesús había realizado en ellos. [14]Y no podían negar la curación de aquel hombre que estaba allí mismo de pie junto a ellos. [15]Les ordenaron entonces que salieran de la reunión y continuaron discutiendo el caso.

[16]—¿Qué vamos a hacer con estos hombres? —se preguntaban—. No podemos negar que han realizado un gran milagro, porque ya toda Jerusalén está enterada. [17]Pero quizás podamos evitar que lo sigan divulgando. Digámosles que si este hecho se repite, haremos caer sobre ellos el peso de la ley.

[18]Los llamaron, pues, y les ordenaron que no volvieran a hablar de Jesús. [19]Mas Pedro y Juan respondieron:
—Díganos, ¿preferirá Dios que los obedezcamos a ustedes antes que a El? [20]No podemos dejar de hablar de las maravillas que vimos realizar y que escuchamos junto a Jesús.

[21]Entonces los volvieron a amenazar, pero luego los soltaron. No hallaban la manera de castigarlos sin suscitar desórdenes, pues no había quien no estuviera alabando a Dios por el portentoso milagro [22]de

sanar a un hombre que había estado tullido cuarenta años.

[23]Una vez libres, Pedro y Juan fueron en busca de los demás discípulos y les contaron lo que el concilio les había dicho. [24]Entonces los creyentes, unánimemente, oraron así: "Soberano Señor, creador del cielo, de la tierra, del mar y de cuanto en ellos existe: [25]Hace mucho tiempo el Espíritu Santo se expresó a través del rey David, tu siervo, de esta manera:

¿Por qué braman los paganos contra el Señor y por qué hablan en vano las naciones contra el omnipotente Dios? [26]Los reyes de la tierra se unieron para pelear contra El, contra el ungido Hijo de Dios.

[27]"Eso es exactamente lo que está sucediendo en esta ciudad. Porque el rey Herodes, el gobernador Poncio Pilato y los demás romanos, así como el pueblo de Israel, están unidos contra Jesús, tu ungido, tu santo siervo, [28]y no vacilarán en hacer cuanto tú en tu sabiduría infinita les permitas.

[29,30]"Ahora, oh Señor, mira sus amenazas y concede a tus siervos denuedo al predicar; y envía tu poder sanador para que muchos milagros y maravillas se realicen en el nombre de tu santo siervo Jesucristo".

[31]Después de esta oración, el edificio donde estaban reunidos se estremeció y quedaron llenos del Espíritu Santo, y se entregaron a predicar con arrojo el mensaje de Dios. [32]Unidos enteramente en alma y corazón, ninguno tenía por suyo lo que poseía, sino que lo compartía con los demás. [33]Los sermones que predicaban los apóstoles acerca de la resurrección del Señor eran poderosísimos, y el compañerismo que había era tan cálido [34,35]que no existía entre ellos la pobreza, porque los dueños de haciendas o casas las vendían y entregaban el dinero a los apóstoles para repartirlo entre los necesitados. [36]Lo hizo así, por ejemplo, José, el que los apóstoles apodaron Bernabé el predicador, miembro de la tribu de Leví y natural de la isla de Chipre, [37]que vendió un terreno que poseía y llevó el dinero para que los apóstoles lo distribuyeran entre los necesitados.

5 PERO SE DIO el caso de un hombre llamado Ananías, esposo de Safira, que vendió cierta propiedad [2]y, haciéndose el que entregaba el importe total de la venta, entregó a los apóstoles sólo una parte del dinero. Su esposa, desde luego, estaba enterada de todo.

[3]—Ananías —lo reprendió Pedro—, ¿por qué has permitido que Satanás te llene el corazón? ¿Por qué dices que éste es el importe total de la venta? Le estás mintiendo al Espíritu Santo. [4]¿Acaso no era tuya esa propiedad? ¿No podías hacer de ella lo que te viniera en gana? ¿Acaso no tenías el derecho de decidir la cantidad que ibas a ofrendar? ¿Por qué lo has hecho, dime? No nos has mentido a nosotros, sino a Dios.

[5]Al escuchar estas palabras, Ananías cayó al suelo y murió, y un gran temor se apoderó de los presentes. [6]Los jóvenes cubrieron entonces el cadáver con una sábana y salieron a enterrarlo.

[7]Como tres horas más tarde, llegó la esposa, sin saber lo ocurrido.

[8]—¿Vendiste el terreno en tal precio? —le preguntó Pedro.

Sí —respondió.

[9]—¿Cómo se les ocurrió hacer tal cosa? —le dijo Pedro—. ¿Es que acaso no creen que es demasiado atrevimiento poner a prueba la capacidad del Espíritu Santo para conocer la realidad de los hechos? Tras de esa puerta están los jóvenes que acaban de enterrar a tu esposo y te sacarán también a ti.

[10]Instantáneamente cayó al suelo muerta. Los jóvenes entraron y, al verla muerta, la sacaron y la enterraron junto a su esposo. [11]En vista de lo ocurrido, un gran terror se apoderó de la iglesia y las personas que presenciaron los hechos.

[12]Los apóstoles siguieron reuniéndose regularmente en el portal de Salomón, y realizando milagros extraordinarios entre el pueblo. [13]Aunque los demás creyentes no se atrevían a unírseles, a pesar del alto aprecio que les tenían, [14]el número de hombres y mujeres que creían en el Señor aumentaba constantemente. [15]La gente colocaba a los enfermos en las calles y en camas y en lechos para que la sombra de Pedro los tocara aunque fuera al pasar. [16]Grandes

multitudes acudían de los suburbios de Jerusalén trayendo enfermos y endemoniados, los cuales sanaban.

[17]El sumo sacerdote y sus colegas de la secta de los saduceos reaccionaron con violento celo, [18]y arrestaron a los apóstoles y los metieron en la cárcel. [19]Mas un ángel del Señor abrió de noche las puertas de la cárcel y los sacó de allí.

[20]—Vayan al Templo y prediquen acerca de la Vida —les ordenó el ángel.

[21]Llegaron, pues, al Templo al rayar el día, e inmediatamente se pusieron a predicar.

Aquella misma mañana el sumo sacerdote llegó al Templo acompañado de su corte y, tras reunir al concilio judío y la junta de ancianos, ordenó que trajeran a los apóstoles para someterlos a juicio. [22]Pero cuando los policías llegaron a la cárcel, no los encontraron allí y regresaron a notificarlo.

[23]—Las puertas de la cárcel estaban cerradas —dijeron— y los guardias estaban fuera, pero al abrir la puerta no encontramos a nadie.

[24]Después de escuchar esto, el jefe de la guardia y los principales sacerdotes, enfurecidos, se preguntaban qué ocurriría luego y a dónde iría a parar todo aquello. [25]En ese preciso instante llegaban con la noticia de que los prisioneros estaban en el Templo predicándole al pueblo y, [26]sin pérdida de tiempo, el jefe de la guarnición corrió con los alguaciles a arrestarlos. Poco después, tratando por todos los medios de evitar la violencia por temor a que el pueblo los matara si maltrataban a los discípulos, [27]los condujeron ante el concilio. Entonces el sumo sacerdote demandó:

[28]—¿No les habíamos prohibido que volvieran a predicar acerca de Jesús? Ustedes han llenado a Jerusalén de sus enseñanzas y tratan de descargar en nosotros la culpa de la muerte de ese hombre.

[29]—Tenemos que obedecer a Dios antes que a los hombres —respondieron Pedro y los apóstoles—. [30]El Dios de nuestros antepasados resucitó a Jesús, el que ustedes mataron, colgándolo en una cruz. [31]Luego, con su gran poder, lo exaltó a Príncipe y Salvador, para que el pueblo de Israel tuviera la oportunidad de arrepentirse y alcanzar el perdón de sus pecados. [32]Nosotros somos testigos de ese milagro, y testigo es también el Espíritu Santo que Dios ha concedido a los que lo obedecen.

[33]Entonces el concilio, rabiando de furia, decidió matarlos. [34]Pero uno de sus miembros, un fariseo llamado Gamaliel, experto en cuestiones de leyes religiosas y muy popular entre el pueblo, pidió la palabra y solicitó que sacaran a los apóstoles del salón para que no escucharan lo que iba a decir. [35]A continuación se dirigió a sus colegas con las siguientes palabras:

—Varones de Israel, mediten bien lo que van a hacer con estos hombres. [36]Hace algún tiempo se levantó con sueños de grandeza un tal Teudas, al que se le unieron unas cuatrocientas personas; pero murió asesinado y los seguidores se dispersaron sin provocar mayores dolores de cabeza. [37]Después de éste, durante los días del censo, surgió Judas de Galilea, quien logró que muchas personas se hicieran discípulos suyos; pero también murió y sus seguidores se dispersaron. [38]Por lo tanto, recomiendo que dejen tranquilos a estos hombres. Si lo que enseñan y hacen obedece a impulsos personales, pronto se desvanecerá. [39]Mas si es de Dios, ustedes no podrán detenerlos. ¡Quién quita que, si lo intentan, un día descubran que han estado peleando contra Dios!

[40]El concilio aceptó la recomendación, llamó a los apóstoles y, después de azotarlos, les exigieron que no volvieran a hablar en el nombre de Jesús. Finalmente, los pusieron en libertad.

[41]Al salir del concilio, los discípulos iban gozosos de haber sido tenidos por dignos de sufrir ultrajes por la causa de Cristo. [42]Y siguieron enseñando y predicando todos los días, en el Templo y de casa en casa, que Jesús era el Mesías.

6 PERO CON LA rápida multiplicación de los creyentes, aparecieron nubes de descontento. Los que sólo hablaban griego se quejaban de que sus viudas sufrían discriminación y de que, en la distribución diaria de los alimentos, no recibían la misma cantidad que las viudas de los que hablaban hebreo.

[2]Entonces los doce convocaron a los cre-

yentes a una reunión.

—Nosotros, los apóstoles, debemos dedicarnos a predicar y no a administrar el programa de alimentación —dijeron—. ³Por lo tanto, amados hermanos, seleccionen de entre ustedes a siete hombres sabios, llenos del Espíritu Santo y que gocen de buena reputación, y pongámoslos al frente de este trabajo. ⁴Así podremos nosotros dedicarnos a orar, predicar y enseñar.

⁵La asamblea en pleno aprobó la recomendación y eligieron a Esteban, varón extraordinario, lleno de fe y del Espíritu Santo, y también a Felipe, Prócoro, Nicanor, Timón, Parmenas y Nicolás de Antioquía (gentil que primero aceptó la fe judía y después se convirtió al cristianismo).

⁶Presentaron entonces a estos siete ante los apóstoles, quienes oraron por ellos y los bendijeron, poniéndoles las manos encima.

⁷La predicación del mensaje de Dios alcanzaba círculos cada vez más amplios, y el número de los discípulos aumentaba enormemente en Jerusalén, donde muchos de los sacerdotes judíos llegaron a convertirse.

⁸Esteban, lleno de fe y del Espíritu Santo, realizaba milagros asombrosos entre el pueblo. ⁹Pero un día varios miembros de la congregación judía llamada "los Libertos" se pusieron a discutir con él. Pronto se les unieron en contra de Esteban varios judíos de Cirene, de Alejandría, de la provincia turca de Cilicia y de Asia. ¹⁰Pero como no podían resistir la sabiduría ni el Espíritu que tenía Esteban, ¹¹contrataron a testigos falsos para que dijeran que lo habían escuchado blasfemar contra Moisés y aun contra Dios.

¹²Tal acusación encendió los ánimos del pueblo contra Esteban, y los dirigentes judíos lo arrestaron y lo presentaron ante el concilio. ¹³Allí, una vez más, los falsos testigos afirmaron que Esteban no cesaba de hablar contra el Templo y la ley de Moisés.

¹⁴—Le oímos decir —declararon— que Jesús de Nazaret destruirá el Templo y proscribirá las leyes de Moisés.

¹⁵Entonces los presentes en el salón del concilio vieron que el rostro de Esteban se volvía radiante como el de un ángel.

7 —¿SON CIERTAS ESTAS acusaciones? —le preguntó el sumo sacerdote. ²Entonces Esteban formuló su larga respuesta:

—El Dios de la gloria se le apareció a nuestro antepasado Abraham en Irak antes de que éste se trasladara a Siria, ³y le pidió que saliera de su tierra natal, se despidiera de sus familiares y emprendiera viaje hacia una tierra a la que lo conduciría.

⁴"Salió entonces Abraham de la tierra de los caldeos y vivió en Harán, Siria, hasta la muerte de su padre. Al producirse ésta, Dios lo condujo hasta la tierra de Israel, ⁵pero no le concedió que poseyera en ella ni el más mínimo pedazo de terreno. En cambio, le prometió que a su debido tiempo él y sus descendientes poseerían todo aquel país. ¡Y Abraham no tenía hijos! ⁶Sin embargo, Dios le dijo además que sus descendientes saldrían del país rumbo a una tierra extraña, donde pasarían cuatrocientos años sometidos a esclavitud. ⁷"Pero yo castigaré a la nación que los esclavice", añadió Dios, "y mi pueblo regresará a Palestina y me adorará allí".

⁸"Para que sirviera como evidencia de su pacto con el pueblo de Abraham, Dios instituyó la ceremonia de la circuncisión. E Isaac, el hijo de Abraham, fue circuncidado a los ocho días de nacido. Isaac fue el padre de Jacob y Jacob fue el padre de los doce patriarcas de la nación judía.

⁹"Estos últimos, encendidos de envidia, vendieron a José como esclavo a Egipto. Pero Dios, que estaba con él, ¹⁰lo libró de angustias y le concedió el favor del faraón, rey de Egipto. Además, lo dotó de una sabiduría tan extraordinaria que el faraón lo nombró gobernador de todo el Egipto, además de encargado de los asuntos palaciegos.

¹¹"Hubo entonces hambre en Egipto y Canaán, para aflicción de nuestros antepasados. Cuando se les estaban terminando los alimentos, ¹²Jacob se enteró de que todavía en Egipto había trigo, y envió a sus hijos a comprar el que necesitaban. ¹³"En el segundo viaje que los hijos de Jacob hicieron a Egipto, José se dio a conocer a sus hermanos, y se los presentó al faraón. ¹⁴Luego mandó traer a su padre Jacob y a las familias de sus hermanos,

setenta y cinco personas en total.

[15]"A medida que fueron muriendo en Egipto Jacob y sus hijos, [16]fueron transportando sus cadáveres a Siquem para enterrarlos en la tumba que Abraham les había comprado a los hijos de Hamor, padre de Siquem. [17]Y pasó el tiempo. Cuando se acercaba el día en que Dios cumpliría la promesa que le hiciera a Abraham de arrancar a sus descendientes de las garras de la esclavitud, ya el pueblo judío se había multiplicado enormemente en Egipto. [18]Ocupó entonces el trono de Egipto un rey que no le guardaba respeto a la memoria de José. [19]Dicho rey se puso en contra de nuestro pueblo y obligó a los padres a abandonar a sus hijos a la intemperie.

[20]"Bajo esas circunstancias nació Moisés, niño de divina hermosura. Sus padres lo escondieron en la casa tres meses. [21]Cuando ya no pudieron seguir escondiéndolo y se vieron obligados a abandonarlo, la hija del faraón lo encontró, lo adoptó [22]y le enseñó la sabiduría de los egipcios, hasta convertirlo en príncipe poderoso y gran orador.

[23]"Un día, estando a punto de cumplir los cuarenta años de edad, se le ocurrió a Moisés visitar a sus hermanos, los israelitas. [24]Durante la visita, al ver que un egipcio maltrataba a un israelita, Moisés mató al egipcio.

[25]"Moisés pensaba que sus hermanos comprenderían que Dios lo había enviado para ayudarlos, pero no fue así. [26]Al siguiente día volvió a visitarlos y al ver que dos israelitas peleaban, corrió a separarlos. "Caballeros", les dijo, "los hermanos no deben pelear. ¡No es correcto que lo hagan!" [27]"¿Quién te ha puesto de gobernante o juez?", le dijo uno de los dos, el que estaba maltratando al otro. [28]"¿O es que piensas matarme como mataste ayer al egipcio?"

[29]"Al escuchar aquello, Moisés huyó del país y se fue a vivir a la tierra de Madián, donde le nacieron dos hijos.

[30]"Cuarenta años más tarde, en el desierto del monte Sinaí, un ángel se le apareció en la llama de una zarza que ardía. [31]Al ver aquel fuego, Moisés, maravillado, se acercó para verla de cerca, y al acercarse, la voz del Señor le dijo: [32]"Yo soy el Dios de tus padres, Abraham, Isaac y Jacob".

"Moisés, aterrorizado, no se atrevía ni a mirar. [33]El Señor añadió: "Quítate los zapatos, porque estás sobre tierra santa. [34]He visto los sufrimientos que pasa mi pueblo en Egipto y he escuchado sus clamores. He venido a libertarlos. Ven, te enviaré a Egipto".

[35]"Y lo envió de regreso al pueblo que lo había rechazado diciendo: "¿Quién te ha puesto de gobernante o juez?" Dios lo enviaba a aquel mismo pueblo como gobernante y libertador.

[36]"Por medio de innumerables y portentosos milagros, Moisés guio a Israel en la huida de Egipto, al cruzar el Mar Rojo y en las vueltas y revueltas que estuvieron dando en el desierto durante cuarenta años.

[37]"Mas Moisés le dijo al pueblo de Israel que de entre sus hermanos Dios levantaría un profeta muy semejante a él. [38]¡Qué al pie de la letra se cumplieron sus palabras! En el desierto, Moisés fue el intermediario, el mediador entre el pueblo de Israel y el Ángel que en la cumbre del Sinaí les entregó la ley de Dios, la palabra viviente. [39]Pero nuestros padres rechazaron a Moisés y, como sentían deseos de regresar a Egipto, [40]le dijeron a Aarón: "Constrúyenos ídolos que nos sirvan de dioses que nos guíen de regreso, porque no sabemos qué le ha sucedido a Moisés, el que nos sacó de Egipto".

[41]"Se hicieron, pues, un becerro y le ofrecieron sacrificios y se regocijaron por haberlo hecho ellos mismos. [42]Pero entonces Dios se apartó de ellos, y los dejó entregarse a la adoración del sol, la luna y las estrellas.

"En el libro del profeta Amós el Señor pregunta: "¿Fue a mí al que le estuviste ofreciendo sacrificios durante los cuarenta años que pasaste en el desierto, Israel? [43]No, quienes te interesaban eran los dioses paganos como Moloc, la estrella del dios Renfán y los demás ídolos que te hiciste. Por lo tanto, te enviaré cautivo más allá de Babilonia".

[44]"Nuestros antepasados anduvieron por el desierto con un Templo portátil o Tabernáculo, en el que guardaban las piedras donde estaban escritos los Diez Mandamientos. El Tabernáculo en cuestión es-

taba construido exactamente de acuerdo al plan que el Ángel le había mostrado a Moisés.

⁴⁵"Años más tarde, cuando Josué conducía las batallas contra las naciones gentiles, Israel llevó consigo el Tabernáculo al nuevo territorio, y lo estuvieron usando hasta los días de David.

⁴⁶"Dios bendijo enormemente a David, y David solicitó el privilegio de edificar un Templo permanente para el Dios de Jacob. ⁴⁷Mas fue Salomón el que lo construyó. ⁴⁸Sin embargo, Dios no vive en Templo hecho por hombres. ⁴⁹"El cielo es mi trono," dijo el Señor a través de los profetas, "y la tierra es mi estrado. ¿Qué casa me pueden edificar ustedes? ¿Podré yo vivir en ella? ⁵⁰¿No fui yo el que hizo los cielos y la tierra?"

⁵¹"¡Tercos! ¡Infieles! ¿Hasta cuándo van a estar resistiendo al Espíritu Santo? Claro, ¡a tal padre tales hijos! ⁵²¿A cuál de los profetas no persiguieron los padres de ustedes, que hasta mataron a los que predijeron la venida del Justo, del Mesías que ustedes acaban de traicionar y asesinar? ⁵³Sí, sí, ustedes quebrantan deliberadamente las leyes divinas que recibieron de mano de los ángeles.

⁵⁴Los jefes judíos, al escuchar la acusación de Esteban, rabiaban de furia y crujían los dientes amenazadoramente. ⁵⁵Pero Esteban, lleno del Espíritu Santo, elevó los ojos al cielo y contempló la gloria de Dios y a Jesús a la derecha del Altísimo.

⁵⁶—En este mismo instante —les dijo— veo los cielos abiertos y a Jesucristo a la derecha de Dios.

⁵⁷Entonces ellos, tapándose los oídos y gritando para no escucharlo más, se le echaron encima, y lo sacaron de la ciudad. ⁵⁸Los testigos oficiales, convertidos en verdugos, se quitaron la ropa, la pusieron a los pies de un joven llamado Pablo, y apedrearon a Esteban hasta matarlo.

⁵⁹Mientras las piedras asesinas le golpeaban el cuerpo, Esteban oraba:

—Señor Jesús, recibe mi espíritu.

⁶⁰Luego cayó de rodillas.

—Señor, no les tomes en cuenta este pecado.

Y al terminar de pronunciar aquellas palabras, reposó en el Señor.

8 PABLO ESTUVO COMPLETAMENTE de acuerdo en que asesinaran a Esteban.

Aquel mismo día, una gran ola de persecución se levantó contra los creyentes y barrió la iglesia de Jerusalén. Todos, excepto los apóstoles, huyeron a Judea y Samaria. ²Pero varios judíos piadosos, llenos de tristeza, enterraron a Esteban.

³Pablo actuaba como un salvaje. Su misión era ir por todas partes asolando a la cristiandad. A veces entraba a las casas y arrastraba a hombres y mujeres y los metía en la cárcel.

⁴A pesar de todo, los creyentes que huyeron de Jerusalén continuaron predicando las buenas noticias acerca de Jesús. ⁵Felipe, por ejemplo, huyó a Samaria y se puso a hablarle de Cristo al pueblo. ⁶Grandes grupos lo escuchaban atentamente, intrigados por los milagros que realizaba, ⁷tales como el de echar fuera demonios, que salían de sus víctimas dando gritos, y el de sanar paralíticos y cojos. ⁸Y había gran gozo en la ciudad.

⁹⁻¹¹Vivía en Samaria un tal Simón que había ejercido la magia durante muchos años, muy influyente y muy orgulloso de las maravillas que podía realizar, de quien muchas veces los samaritanos decían que era el Mesías. ¹²Cuando los samaritanos creyeron el mensaje de Felipe, en el que afirmaba que Jesús era el Mesías y hablaba del reino de Dios, y se bautizaban en Samaria muchos hombres y mujeres, ¹³Simón también creyó, recibió el bautismo y se dio a seguir a Felipe a dondequiera que éste iba, maravillado por los milagros que realizaba.

¹⁴Cuando los apóstoles que estaban en Jerusalén se enteraron de que el pueblo de Samaria había aceptado el mensaje de Dios, les enviaron a Pedro y a Juan. ¹⁵Tan pronto llegaron a Samaria, comenzaron a orar para que los nuevos cristianos recibieran el Espíritu Santo, ¹⁶que todavía no había descendido sobre ellos y sólo estaban bautizados en el nombre de Jesús. ¹⁷Entonces pusieron las manos sobre los creyentes y ellos recibieron el Espíritu Santo.

¹⁸,¹⁹Al ver Simón que el Espíritu Santo descendía sobre quienes los apóstoles ponían las manos, les hizo una oferta.

—Este dinero es para que me permitan

obtener ese poder —les dijo—. Quiero que al imponer las manos sobre la gente, reciban el Espíritu Santo.

[20]—Que tu dinero perezca contigo —le contestó Pedro—, que piensas que los dones de Dios se pueden comprar. [21]Tú no puedes tener parte en esto porque tu corazón no es recto ante Dios. [22]Arrepiéntete de esta maldad y ora. Quizás Dios te perdone los malos pensamientos, [23]porque veo que tienes el corazón lleno de envidia y de pecado.

[24]—Oren por mí —suplicó Simón—. No quiero que eso tan horrible me suceda.

[25]Tras testificar y predicar en Samaria, Pedro y Juan regresaron a Jerusalén. A lo largo del camino fueron deteniéndose en los pueblos samaritanos, a predicar las buenas noticias.

[26]En cuanto a Felipe, un ángel del Señor le dijo:

—Vé hacia el sur por el camino que va de Jerusalén al desierto de Gaza.

[27]Así lo hizo. Por el camino se encontró nada menos que con el ministro de economía de Etiopía, funcionario poderoso de la reina Candace, que había ido a Jerusalén a adorar en el Templo. [28]En el viaje de regreso, el funcionario iba leyendo en la carroza el libro del profeta Isaías.

[29]—Da alcance a esa carroza —le dijo el Espíritu Santo a Felipe—, y marcha junto a ella.

[30]Felipe obedeció presuroso y, al acercarse, escuchó lo que el funcionario iba leyendo.

—¿Entiendes eso? —le preguntó.

[31]—¿Cómo lo voy a entender si nadie me lo ha explicado? —contestó.

Entonces le suplicó a Felipe que subiera a la carroza y se sentara con él.

[32]El pasaje de las Escrituras que el funcionario estaba leyendo era el siguiente:

Como oveja a la muerte lo llevaron, y como cordero mudo ante los que lo trasquilan, no abrió la boca. [33]En su humillación, no se le hizo justicia. ¿Quién puede expresar con palabras la perversidad de la gente de su generación?, porque quitaron su vida de esta tierra.

[34]—¿Hablaba Isaías de sí mismo o de otra persona? —le preguntó el funcionario

de la reina Candace a Felipe.

[35]Y Felipe, basado en aquel pasaje bíblico y en muchos otros, se puso a hablarle de Jesús.

[36]A un lado del camino encontraron agua.

—¡Mira! ¡Aquí hay agua! —exclamó el funcionario—. ¿Por qué no me bautizas?

[37]—Siempre y cuando creas de corazón, no hay nada que lo impida —le dijo Felipe.

—Creo que Jesucristo es el Hijo de Dios.

[38]Detuvieron entonces la carroza, bajaron ambos al agua y Felipe lo bautizó.

[39]Al salir del agua, el Espíritu del Señor se llevó a Felipe y el funcionario ya no lo vio. Pero a pesar de esto, siguió gozoso su camino.

[40]Mientras tanto, Felipe descubría que estaba en Azoto, y allí, como en cada una de las ciudades que encontró en el viaje a Cesarea, predicó las buenas noticias.

9 PABLO, RESPIRANDO AMENAZAS de muerte contra los cristianos, acudió al sumo sacerdote de Jerusalén [2]para pedirle una carta dirigida a cada una de las sinagogas de Damasco, en la que se solicitara cooperación de éstas en la persecución de cualquier hombre o mujer creyente que Pablo pudiera hallar, así como en el traslado de los mismos, encadenados, a Jerusalén.

[3]Cuando se aproximaba a Damasco a donde se dirigía para cumplir su misión, una luz celestial deslumbrante lo bañó de pronto. [4]Cayó al suelo, e inmediatamente escuchó una voz que le decía:

—Pablo, Pablo, ¿por qué me persigues?

[5]—¿Quién eres, Señor? —preguntó Pablo.

—Yo soy Jesús —le contestó la voz—, el que tú persigues. Duro te es dar coces contra el aguijón. [6]Pero levántate, entra en la ciudad y espera instrucciones.

[7]Los hombres que iban con Pablo quedaron mudos de asombro, porque escucharon la voz, pero no vieron a nadie.

[8]Pablo se levantó del suelo trabajosamente; ¡estaba ciego! [9]Entonces lo llevaron de la mano a Damasco, donde permaneció tres días ciego, sin tomar alimentos ni agua.

[10]Vivía en Damasco un creyente llamado Ananías, y el Señor le habló en visión:

—¡Ananías!

—Aquí estoy, Señor —respondió el interpelado.

[11]—Vete a la calle la Derecha, a la casa de un hombre llamado Judas. Pregunta allí por Pablo de Tarso. Ahora mismo él está orando, porque [12]yo le he mostrado en visión a un hombre llamado Ananías que se le acerca y le pone las manos en la cabeza para que recupere la vista.

[13]—Pero, Señor —exclamó Ananías—, he oído contar cosas horribles acerca de las atrocidades que ese hombre ha cometido contra los creyentes de Jerusalén. [14]Y sabemos que tiene órdenes de arresto, firmadas por los principales sacerdotes, contra cada uno de los creyentes de Damasco.

[15]—Vé y haz lo que te digo —le respondió el Señor—. Yo he escogido a Pablo para que pregone mi mensaje entre las naciones, delante de reyes y al pueblo de Israel. [16]Y yo le mostraré cuánto tendrá que sufrir por mí.

[17]Ananías obedeció. Al llegar a donde estaba Pablo, le puso las manos encima y le dijo:

—Hermano Pablo, el Señor Jesús, el que se te apareció en el camino, me ha enviado para que recobres la vista y recibas el Espíritu Santo.

[18]Al instante recobró la vista y cayeron de sus ojos algo así como escamas. Inmediatamente lo bautizaron. [19]Luego comió para recuperar sus fuerzas.

Después de permanecer con los creyentes de Damasco varios días, [20]salió por las sinagogas a contar abiertamente las buenas noticias de Jesús, quien, no le cabía duda, era el Hijo de Dios.

[21]Los que lo escuchaban quedaban atónitos.

—¿No es éste el mismo que perseguía tan encarnizadamente a los seguidores de Jesús en Jerusalén? —se preguntaban—. Según sabíamos, venía a arrestarlos y a llevárselos encadenados a los principales sacerdotes.

[22]Pablo, mientras tanto, se volvía cada vez más ferviente en la predicación, y los judíos de Damasco no podían refutarle los argumentos con que probaba que Jesús era el Cristo.

[23,24]Los judíos decidieron matarlo, pero el plan llegó a oídos de Pablo y, como sus enemigos vigilaban día y noche las puertas de la ciudad para matarlo, [25]una noche varios de sus conversos lo descolgaron en una canasta a través de una abertura en la muralla.

[26]Cuando llegó a Jerusalén trató de reunirse con los creyentes, pero éstos estaban temerosos de caer víctimas de un engaño. [27]Pero Bernabé lo presentó a los apóstoles y les contó cómo Pablo había visto al Señor en el camino de Damasco, lo que el Señor le había dicho y el poder con que predicaba en el nombre de Jesús. [28]Entonces lo aceptaron. Desde aquel instante anduvo constantemente con los creyentes, [29]y predicó resueltamente en el nombre del Señor.

No pasó mucho tiempo sin que algunos judíos de habla griega, con los cuales había discutido, se pusieran de acuerdo para matarlo. [30]Cuando los demás creyentes se enteraron del peligro que corría, lo llevaron a Cesarea y de allí lo enviaron a Tarso, su ciudad natal.

[31]Mientras tanto, las iglesias de Judea, Galilea y Samaria tenían paz y crecían en fortaleza y número. Los creyentes aprendían cómo andar en el temor del Señor y en la consolación del Espíritu Santo.

[32]Pedro viajaba de lugar en lugar visitándolos. En uno de sus viajes visitó a los creyentes del pueblo de Lida. [33]Allí conoció a un tal Eneas, paralítico que hacía ocho años que estaba en cama.

[34]—¡Eneas —le dijo Pedro—, Jesucristo te sana! Levántate y arregla tu cama.

El paralítico quedó curado instantáneamente. [35]Al verlo caminando, los habitantes de Lida y Sarón se convirtieron al Señor.

[36]En la ciudad de Jope vivía una mujer llamada Dorcas (Gacela), creyente que siempre estaba haciendo algo por los demás, especialmente por los pobres. [37]En aquellos días precisamente, cayó enferma y murió. Los amigos que la amortajaron y la colocaron en una sala del segundo piso, [38]al enterarse de que Pedro andaba cerca de Lida, enviaron a dos hombres a rogarle que fuera a Jope.

[39]Pedro accedió. Al llegar, lo llevaron a

la sala donde reposaba el cadáver de Dorcas. El cuarto estaba lleno de viudas que sollozaban mientras mostraban las túnicas y vestidos que Dorcas les había hecho.

[40]Pedro les ordenó que salieran del cuarto y se arrodilló a orar. Luego se volvió hacia el cadáver:

—Levántate, Dorcas —le ordenó.

Inmediatamente Dorcas abrió los ojos, y al ver a Pedro, se incorporó. [41]El le dio la mano, la ayudó a ponerse de pie y llamó a los creyentes y a las viudas para que la vieran.

[42]Y cuando la noticia se esparció por el pueblo, muchos creyeron en el Señor.

[43]Pedro permaneció varios días en Jope en casa de Simón el curtidor.

10 EN CESAREA VIVÍA un oficial del ejército romano llamado Cornelio, capitán de un regimiento italiano. [2]Hombre piadoso, al igual que su familia, daba limosnas a manos llenas y oraba sin cesar. [3]Una tarde en que estaba bien despierto tuvo una visión. Eran aproximadamente las tres de la tarde. En la visión vio a un ángel de Dios que se le acercaba.

—¡Cornelio! —le dijo el ángel. [4]Cornelio se quedó mirándolo lleno de temor.

—¿Qué quieres, Señor? —le preguntó al ángel.

—Dios no ha pasado por alto tus oraciones ni tus limosnas. [5,6]Envía varios hombres a Jope en busca de un hombre llamado Simón Pedro, que está alojado en casa de Simón el curtidor, y pídele que te venga a visitar.

[7]Al irse el ángel, Cornelio llamó a dos de sus sirvientes y a un soldado piadoso miembro de su guardia personal. [8]Tras contarles lo sucedido, los envió a Jope.

[9]Al siguiente día, mientras los emisarios se aproximaban a la ciudad, Pedro subió a la azotea de la casa a orar. [10]Era medio día y tenía hambre. Mientras le preparaban el almuerzo, cayó en éxtasis y [11]vio el cielo abierto y un gran lienzo que bajaba a la tierra sostenido por las cuatro puntas. [12]En el lienzo había toda clase de cuadrúpedos, reptiles y pájaros de los que a los judíos les estaba prohibido comer.

[13]—Pedro —le dijo una voz—, mata y come lo que desees.

[14]—¡Señor, no! —exclamó Pedro—. Nunca en la vida he comido animales que estén prohibidos en nuestra ley judía.

[15]—No contradigas a Dios —le volvió a decir la voz—. Lo que Dios ha limpiado, limpio está.

[16]La misma visión se le presentó tres veces. Luego el lienzo volvió a ser recogido en el cielo.

[17]Pedro quedó perplejo. ¿Qué significaría aquella visión? ¿Qué esperaba Dios que hiciera?

En aquel preciso momento, los hombres de Cornelio ya habían encontrado la casa y estaban de pie a la puerta, [18]preguntando si allí vivía Simón Pedro.

[19]Pedro, que estaba tratando de descifrar el significado de la visión, escuchó que el Espíritu Santo le decía:

—Tres hombres han venido a verte. [20]Baja, recíbelos y vé con ellos. Está bien que lo hagas, porque yo los he enviado.

[21]Pedro bajó entonces.

—Yo soy el hombre que ustedes andan buscando —les dijo—. ¿Qué desean?

[22]Entonces le contaron cómo a Cornelio, oficial del ejército romano, hombre bueno y piadoso, de buena reputación entre los judíos, un ángel le había ordenado que mandara a buscar a Pedro para que le dijera lo que Dios quería de él.

[23]Pedro entonces los invitó a pasar y los albergó aquella noche. Por la mañana partió con ellos, acompañado de algunos creyentes de Jope. [24]Llegaron a Cesarea al día siguiente. Cornelio, que los estaba esperando, había reunido a sus familiares y amigos más íntimos para que conocieran a Pedro. [25]Al entrar a la casa, Cornelio se tiró al suelo delante de él para adorarlo.

[26]—¡Levántate! —le gritó Pedro—. ¡Yo no soy Dios!

[27]El militar se levantó. Tras intercambiar algunas palabras, fueron a donde los demás estaban reunidos.

[28]—Ustedes saben que al entrar yo aquí estoy quebrantando la ley judía que prohíbe entrar a la casa de un gentil. Pero Dios me ha mostrado en visión que no debo considerar inferior a ninguna persona. [29]Por eso acudí tan pronto llegaron a buscarme. Díganme, pues, qué desean.

[30]—Hace cuatro días —contestó Corne-

lio—, mientras oraba en la tarde como es mi costumbre, se me presentó de pronto un hombre vestido con un manto resplandeciente. [31,32]"Cornelio", me dijo, "Dios ha tomado en cuenta tus oraciones y tus limosnas. Envía varios hombres a Jope en busca de Simón Pedro, quien está alojando en casa de Simón el curtidor, junto a la orilla del mar". [33]En seguida te mandé a buscar, e hiciste bien en venir pronto. Aquí estamos delante del Señor, ansiosos de escuchar lo que El te ha ordenado que nos digas.

[34]—¡Ya veo que Dios no favorece sólo a los judíos! [35]En todas las naciones tiene personas que lo adoran y practican el bien, de las cuales se agrada. [36,37]Estoy seguro que ya ustedes habían oído hablar de las buenas noticias que recibió el pueblo de Israel sobre la paz con Dios que se puede obtener mediante Jesús el Mesías, Señor de la creación. Este mensaje ha estado resonando en Judea desde que Juan el Bautista comenzó a predicar en Galilea. [38]Sin duda ustedes saben que Dios ungió con el Espíritu Santo y con poder a Jesús de Nazaret; y que El anduvo haciendo el bien y sanando a los oprimidos por el diablo, porque Dios estaba con El. [39]Nosotros, los apóstoles, somos testigos presenciales de las obras que realizó en todo Israel y en Jerusalén. En Jerusalén lo condenaron a morir en la cruz, [40]pero Dios le devolvió la vida al tercer día y lo presentó, [41]no delante de todo el pueblo, sino delante de ciertos testigos que había seleccionado de antemano: nosotros, los apóstoles. Sí, nosotros comimos y bebimos con El después que resucitó de entre los muertos, [42]y luego nos envió a predicar las buenas noticias por todas partes y a testificar que El es el que Dios ha nombrado juez de todas las personas, vivas o muertas. [43]Y los profetas afirmaron que cualquiera que crea en El, alcanzará el perdón de los pecados en virtud de su nombre.

[44]Todavía Pedro no había terminado de decir estas cosas, cuando el Espíritu Santo cayó sobre los que lo escuchaban. [45]Y los judíos que andaban con Pedro estaban asombrados de que el don del Espíritu Santo lo recibieran también los gentiles. [46]Pero no cabía duda de que era así, porque los oían hablando en lenguas y alabando a

Dios.

[47]—¿Quién puede oponerse a que yo bautice a estas personas que han recibido el Espíritu Santo de la misma forma que lo recibimos nosotros?

[48]Y los bautizó en el nombre de Jesús, el Mesías.

Entonces Cornelio le suplicó que se quedara con ellos varios días.

11 LA NOTICIA DE que también los gentiles se estaban convirtiendo no tardó en llegar a oídos de los apóstoles y de los demás hermanos de Judea. [2]Cuando Pedro llegó a Jerusalén, los creyentes judíos le armaron una discusión.

[3]—¿Por qué anduviste con gentiles y hasta comiste con ellos? —le preguntaron.

[4]Pedro se limitó a contarles los pormenores del caso.

[5]—Un día en Jope —les dijo—, mientras oraba, se me presentó una visión: del cielo bajaba un gran lienzo atado por las cuatro puntas. [6]Sobre el lienzo había toda clase de cuadrúpedos, reptiles y pájaros que no comemos. [7]Entonces escuché una voz que me dijo: "Mata y come lo que quieras". [8]"Señor, no", repliqué. "Porque nunca he comido nada que las leyes judías prohíban comer". [9]Entonces la voz me dijo: "No contradigas a Dios. Lo que Dios ha limpiado, limpio está".

[10]"La visión se repitió tres veces. Luego el lienzo y todo lo que contenía desapareció en el cielo.

[11]"En aquel mismo instante llegaron a la casa donde yo estaba tres hombres que me venían a invitar para ir a Cesarea. [12]El Espíritu Santo me dijo que fuera con ellos y que no me preocupara de que fueran gentiles. Estos seis hermanos que están aquí conmigo me acompañaron, y llegamos a la casa del hombre que había enviado a los mensajeros.

[13]"Aquel hombre nos contó cómo un ángel se le había aparecido y le había dicho que enviara mensajeros a Jope a buscar a un tal Simón Pedro. [14]El ángel le aseguró que yo le diría como él y su familia podrían alcanzar la salvación.

[15]"Pues bien, cuando apenas estaba comenzando a contarles las buenas noticias, el Espíritu Santo cayó sobre ellos de la

misma forma en que cayó sobre nosotros al principio. [16]Eso me hizo recordar las palabras del Señor: "Sí, Juan bautizó con agua, pero ustedes serán bautizados con el Espíritu Santo". [17]Y, díganme, si Dios mismo les dio a los gentiles el mismo don que nos dio a nosotros cuando creímos en el Señor Jesucristo, ¿quién era yo para ponerme a discutir?

[18]Aquellas palabras bastaron para acallar las objeciones, y alabaron a Dios.

—Sí —exclamaban—, Dios ha concedido también a los gentiles el privilegio de volverse a El para recibir la vida eterna.

[19]Los creyentes que habían huido de Jerusalén durante la persecución, después de la muerte de Esteban, fueron a parar a Fenicia, Chipre y Antioquía. A lo largo del camino fueron esparciendo las buenas noticias, pero sólo entre los judíos. [20]Sin embargo, varios de los creyentes que fueron a Antioquía desde Chipre y Cirene, comunicaron también el mensaje de Jesucristo a varios griegos. [21]El Señor apoyó el esfuerzo y un gran número de aquellos gentiles se hicieron creyentes.

[22]Cuando la iglesia de Jerusalén se enteró de lo que estaba pasando, enviaron a Bernabé a Antioquía a ayudar a los nuevos conversos. [23]Al llegar éste a Antioquía y al ver las maravillas que Dios estaba haciendo, lleno de emoción y regocijo, alentó a los creyentes a permanecer cerca del Señor a cualquier costo.

[24]Bernabé era bondadoso, lleno del Espíritu Santo y poseedor de una fe robusta. Como resultado de sus palabras, un gran número de personas quedaron añadidas al pueblo del Señor.

[25]Después fue a Tarso a buscar a Pablo, y lo llevó a Antioquía, [26]donde permanecieron juntos un año entero dedicados a adoctrinar a los nuevos conversos.

Fue en Antioquía donde por primera vez llamaron cristianos a los creyentes.

[27]En aquellos días llegaron a Antioquía, procedentes de Jerusalén, varios profetas. [28]Uno de ellos, Agabo, se puso de pie en una de las reuniones y predijo a través del Espíritu Santo que una gran hambre clavaría sus garras en Israel[a] (lo cual se cumplió durante el reinado de Claudio).

[29]Ante aquel presagio, los creyentes decidieron enviar ayuda a los cristianos de Judea, para lo cual cada uno contribuyó en la medida de sus fuerzas. [30]Y encomendaron a Bernabé y a Pablo la tarea de llevar las ofrendas a los ancianos de la iglesia de Jerusalén.

12 PRECISAMENTE EN AQUELLOS días el rey Herodes se volvió de nuevo contra los creyentes, [2]y mató al apóstol Santiago, hermano de Juan. [3]Al ver lo mucho que con aquello había agradado a los dirigentes judíos, arrestó a Pedro durante la celebración de la Pascua, [4]y lo puso en prisión bajo la custodia de dieciséis soldados. La intención de Herodes era entregar a Pedro en manos de los judíos para que lo ejecutaran después de la Pascua.

[5]La iglesia, al enterarse, se entregó a orar fervientemente por la seguridad del apóstol mientras estuviera en prisión.

[6]La noche antes de la ejecución, cuando Pedro dormía encadenado entre dos soldados, mientras los demás custodiaban la entrada de la prisión, [7]una luz repentina inundó la celda y un ángel del Señor se paró junto a Pedro. El ángel, tras darle unas palmadas en el costado para despertarlo, le dijo:

—¡Levántate! ¡Rápido!

Y las cadenas se le cayeron de las manos.

[8]—¡Vístete y ponte el calzado! —le ordenó el ángel—. Muy bien. Ponte ahora el manto y sígueme.

[9]Entonces Pedro salió de la prisión tras el ángel. Aquello no le parecía real; para él no era más que una visión.

[10]Cruzaron la primera y la segunda unidad de celdas y llegaron a la puerta de hierro que daba a la calle. Esta se les abrió automáticamente. La atravesaron y caminaron juntos una cuadra, tras lo cual el ángel lo dejó solo.

[11]Fue entonces cuando Pedro comprendió la realidad. "No cabe duda", se dijo. "El Señor ha enviado a su ángel a salvarme de Herodes y de lo que los judíos esperaban hacer de mí".

11a O, "toda la tierra".

[12]Con este pensamiento fue a casa de María, la madre de Juan Marcos, donde muchos estaban reunidos orando. [13]Tocó a la puerta del patio.

[14]Una muchacha llamada Rode fue a abrir, pero al reconocer la voz de Pedro se emocionó tanto que corrió llena de alegría a informar a los demás de la casa que Pedro estaba en el patio.

[15]—¿Estás loca? —le dijeron incrédulos.

Pero como la múchacha insistía en afirmarlo, argumentaron:

—Pues tiene que ser su ángel, porque a estas alturas ya tienen que haber matado a Pedro.

[16]Mientras tanto, Pedro seguía tocando a la puerta. Cuando finalmente la abrieron, se quedaron pasmados de sorpresa. [17]Pero el apóstol, después de hacerles señas para que se callaran, les relató cómo el Señor lo había libertado de la cárcel.

—Mándenle a decir a Jacobo y a los demás lo que ha ocurrido —les dijo, y se fue a otro lugar más seguro.

[18]Al despuntar el alba, se armó un gran alboroto en la cárcel. ¿Qué se había hecho Pedro? [19]Y cuando Herodes lo mandó buscar y supo que no estaba allí, mandó arrestar a los dieciséis guardias, les formó consejo de guerra y los sentenció a muerte. Después se fue a vivir un tiempo a Cesarea.

[20]Una delegación de Tiro y Sidón fue a verlo a Cesarea. Herodes estaba enojado con los habitantes de esas dos ciudades, pero los miembros de la delegación se compraron la amistad de Blasto, el secretario del rey, y solicitaron la paz, porque sus ciudades dependían económicamente del comercio con el territorio de Herodes.

[21]Herodes les concedió audiencia. El día señalado se vistió sus mantos reales, se sentó en el trono y pronunció un discurso ante ellos. [22]Al concluir, el público le concedió una gran ovación mientras gritaba:

—¡Ha hablado un dios, no un hombre!

[23]En aquel mismo instante un ángel del Señor lo hirió con una enfermedad tan terrible que Herodes expiró, comido por los gusanos. ¡Era el castigo por haber aceptado la adoración del pueblo en vez de darle la gloria a Dios!

[24]Las buenas noticias de Dios se propagaban rápidamente y había un buen grupo de nuevos creyentes. [25]Bernabé y Pablo, quienes estaban de visita en Jerusalén, concluyeron sus actividades allí y regresaron a Antioquía, acompañados de Juan Marcos.

13 ENTRE LOS PROFETAS y maestros de la iglesia de Antioquía estaban Bernabé, Simón el Negro, Lucio de Cirene, Manaén (hermano de crianza del rey Herodes) y Pablo.

[2]Un día en que estos hombres estaban adorando y ayunando, el Espíritu Santo les dijo:

—Apártenme a Bernabé y a Pablo para cierta tarea que les voy a encomendar.

[3]Después de ayunar y orar un poco más, les pusieron las manos encima y los despidieron.

[4]Dirigidos por el Espíritu Santo, Pablo y Bernabé fueron a Seleucia y de allí navegaron a Chipre. [5]Juan Marcos viajaba con ellos como ayudante.

Después de predicar en la sinagoga del pueblo de Salamina, [6]fueron predicando de pueblo en pueblo por toda la isla hasta llegar a Pafos, donde conocieron a cierto mago y falso profeta llamado Barjesús, [7]quien se había apegado al gobernador Sergio Paulo, hombre de percepción clara y gran entendimiento. El gobernador invitó a Bernabé y a Pablo a visitarlo, porque deseaba escuchar el mensaje de Dios; [8]pero Elimas el mago (así se llamaba en griego), procurando apartarlo de la fe en el Señor tomó cartas en el asunto y urgió al gobernador a no prestarle atención a lo que Pablo y Bernabé decían.

[9]Entonces Pablo, lleno del Espíritu Santo, clavó con enojo los ojos en el mago y le dijo:

[10]—Hijo del diablo, mentiroso y villano, enemigo del bien, ¿hasta cuándo vas a estar oponiéndote al Señor? [11]La mano de Dios se está levantando en este momento contra ti para castigarte, y quedarás temporalmente ciego.

Instantáneamente cayeron sobre él oscuridad y tinieblas y comenzó a andar a tientas, suplicando que alguien le tomara una mano y lo guiara.

[12]Cuando el gobernador vio aquello, creyó, maravillado del poder del mensaje de Dios.

¹³Pablo y los que andaban con él zarparon de Pafos rumbo a Turquía, y desembarcaron en la ciudad portuaria de Perge. Allí Juan Marcos los abandonó para regresar a Jerusalén, ¹⁴pero Bernabé y Pablo continuaron su viaje a Antioquía, ciudad de la provincia de Pisidia.

Al llegar el día del reposo, asistieron a los servicios de la sinagoga de Antioquía. ¹⁵Después de la acostumbrada lectura en los libros de Moisés y los profetas, los encargados del culto les mandaron el siguiente mensaje: "Hermanos, si tienen alguna enseñanza que ofrecernos, pasen adelante y tomen la palabra".

¹⁶Pablo se puso entonces de pie, los saludó con la mano, y les dijo:

—Varones de Israel, y cualquiera que tema al Señor, permítanme comenzar con un breve recuento histórico.

¹⁷,¹⁸"El Dios de la nación israelita escogió a nuestros antepasados y, después de enaltecerlos en Egipto, rescatándolos milagrosamente de la esclavitud, los estuvo alimentando durante cuarenta años de peregrinación en el desierto. ¹⁹,²⁰Luego destruyó siete naciones de Canaán y le dio a Israel aquel territorio como herencia. Después de esto, durante unos cuatrocientos cincuenta años, les estuvo dando jueces que los gobernaran, el último de los cuales fue el profeta Samuel. ²¹Entonces el pueblo imploró un rey, y Dios les dio a Saúl, hijo de Cis, varón de la tribu de Benjamín, quien reinó cuarenta años. ²²Al cabo de los cuarenta años, Dios lo quitó y puso en su lugar a David, hombre de quien Dios mismo dijo: "David, hijo de Isaí, es un hombre conforme a mi corazón y me obedecerá". ²³Precisamente, uno de los descendientes del rey David, Jesús, es el Salvador que Dios le prometió a Israel.

²⁴"Antes que El viniera, Juan el Bautista proclamó la necesidad que tenían los israelitas de arrepentirse de sus pecados y de volverse a Dios. ²⁵Al final de su carrera, Juan declaró: "¿Creen ustedes acaso que soy el Mesías? ¡No! Pero El vendrá pronto. En comparación con El yo no valgo nada".

²⁶"Hermanos, hijos de Abraham, y cualquier gentil que reverencie a Dios, esta salvación es para todos nosotros. ²⁷Los judíos y los jefes judíos de Jerusalén cumplieron la profecía al matar a Jesús. Ellos no lo reconocieron, ni se dieron cuenta que El era Aquél de quien los profetas habían escrito, a pesar de que escuchaban la lectura de los profetas todos los sábados. ²⁸Como no hallaban ninguna causa justa para condenarlo, buscaron la manera de que Pilato lo matara.

²⁹"Después de que se cumplieron las profecías acerca de la muerte del Mesías, lo bajaron de la cruz y lo colocaron en una tumba. ³⁰Pero Dios lo resucitó. ³¹Y muchos de los hombres que lo habían acompañado a Jerusalén desde Galilea, lo vieron varias veces. Y aquellos hombres, testigos presenciales del milagro, constantemente han estado testificándolo en público.

³²,³³"Bernabé y yo hemos venido aquí para darles a conocer la buena noticia de que Dios, al resucitar a Jesús, ha cumplido la promesa que les hiciera a nuestros antepasados. El Salmo dos, refiriéndose a Jesús, expresa lo siguiente: "Hoy te he concedido el honor de ser hijo mío". ³⁴Porque Dios había prometido que lo levantaría de entre los muertos y no volvería a morir. Así lo declaran las Escrituras: "Yo te daré las maravillas que le prometí a David". ³⁵En otro Salmo lo dice más claramente: "Dios no dejará que su Santo se pudra". ³⁶Esto, por cierto, no se refería a David, porque después que David sirvió a su generación de acuerdo a la voluntad de Dios, murió, fue enterrado y su cuerpo se descompuso. ³⁷No; se refería a otra persona, a alguien a quien Dios resucitaría, cuyo cuerpo no sufriría en lo más mínimo los estragos de la muerte.

³⁸,³⁹"¡Hermanos! ¡Escúchenme! ¡Jesús perdona los pecados! Cualquiera que crea en El queda libre de culpa y se le declara justo, lo cual la ley judía nunca pudo hacer.

⁴⁰"¡Cuidado, por favor! Procuren que las siguientes palabras de los profetas no se apliquen a ustedes: ⁴¹Miren y perezcan, menospreciadores de la verdad, porque en los días de ustedes estoy realizando una obra que no creerán cuando alguien se la anuncie."

⁴²Al salir de la sinagoga, le pidieron a Pablo que regresara a hablarles la siguiente semana. ⁴³Pero muchos judíos y gentiles piadosos que adoraban en la sinagoga siguieron a Pablo y a Bernabé, quienes iban

por la calle, apremiándolos a aceptar las mercedes que Dios les ofrecía.

[44]A la semana siguiente, casi la ciudad entera fue a escucharlos predicar la palabra de Dios. [45]Pero cuando los dirigentes judíos vieron el gentío, llenos de celos se pusieron a blasfemar y a rebatir las palabras de Pablo. [46,47]Entonces Pablo y Bernabé valientemente les dijeron:

—Era necesario que las buenas noticias de Dios las conocieran primero ustedes los judíos. Pero como se muestran indignos de la vida eterna, no nos queda otro remedio que ofrecérselas a los gentiles. Después de todo, el Señor nos lo ha ordenado: "Te he convertido en luz que ilumina a los gentiles y, por lo tanto, les has de llevar la salvación hasta lo más recóndito del mundo".

[48]Al oír esto los gentiles sintieron una gran alegría y se regocijaron con el mensaje de Pablo. Los que estaban ordenados para obtener la vida eterna, creyeron, [49]y el mensaje de Dios se propagó en toda aquella región.

[50]Pero un día, los dirigentes judíos instigaron a mujeres piadosas y a los jefes de la comunidad a que expulsaran a Pablo y Bernabé de la localidad. [51]Los dos misioneros se sacudieron entonces el polvo de los pies contra la ciudad y se fueron a Iconio. [52]Pero sus conversos continuaron llenos de gozo y del Espíritu Santo.

14 PABLO Y BERNABÉ fueron juntos a la sinagoga de Iconio y predicaron con tanto poder que un gran número de gentiles y judíos se entregó a la fe. [2]Pero los judíos que desdeñaban el mensaje de Dios se pusieron a hablar mal de Pablo y Bernabé, con el propósito de sembrar desconfianza entre los gentiles. [3]Sin embargo, los misioneros permanecieron allí bastante tiempo predicando abiertamente; y el Señor les concedía el poder de hacer grandes milagros que demostraban el origen divino del mensaje que predicaban.

[4]La opinión de los habitantes de la ciudad estaba dividida. Unos estaban de parte de los dirigentes judíos; y otros respaldaban a los apóstoles. [5]Cuando Pablo y Bernabé se enteraron de que estaban urdiendo un plan para incitar a una turba de gentiles, judíos y dirigentes judíos para que los atacaran y

apedrearan, [6]huyeron a Listra y a Derbe, ciudades de Licaonia, y a las regiones adyacentes, [7]y allí predicaron el evangelio.

[8]Estando en Listra, pasaron junto a un hombre inválido de nacimiento, que nunca había caminado porque tenía los pies tullidos, [9]que estaba prestando atención a la predicación de Pablo. Pablo, al notarlo, comprendió que aquel hombre tenía suficiente fe para obtener la salud.

[10]—¡Levántate! —le ordenó Pablo.

E inmediatamente el hombre se puso de pie y salió caminando.

[11]Cuando el gentío vio lo que Pablo había hecho, gritaron (en el dialecto local, por supuesto):

—¡Estos son dioses con cuerpos humanos!

[12]¡Habían llegado a la conclusión de que Bernabé era Júpiter, el dios griego, y de que Pablo, por cuanto era el orador principal, era Mercurio! [13]El sacerdote del templo de Júpiter de la localidad, situado en las afueras de la ciudad, corrió a buscar carretadas de flores y toros para ofrecerles sacrificio delante del gentío. [14]Pero Bernabé y Pablo se dieron cuenta de lo que estaba ocurriendo y horrorizados, se rasgaron la ropa y se lanzaron entre la multitud gritando:

[15]—¡Señores! ¿Qué están haciendo? ¡Nosotros somos seres humanos como cualquiera de ustedes! Hemos venido a traerles las buenas noticias de que están invitados a apartarse de la necedad de sus adoraciones y orar al Dios viviente que hizo los cielos, la tierra, el mar y cuanto en ellos existe. [16]En el pasado, Dios permitió que las naciones anduvieran en sus propios caminos, [17]pero nunca las dejó sin algo que hablara de El. ¡Y qué mejores testigos que la lluvia, las buenas cosechas, los alimentos y la alegría tan maravillosa que nos proporciona!

[18]Mas aun así, Pablo y Bernabé por poco no pudieron evitar que el gentío les ofreciera sacrificio.

[19]Sin embargo, pocos días más tarde, llegaron de Antioquía e Iconio varios judíos que convirtieron aquel mismo gentío en una turba asesina que apedreó a Pablo y, creyéndolo muerto, lo arrastró fuera de la ciudad. [20]Pero luego, mientras los creyentes lo rodeaban, se levantó y regresó a la ciu-

dad. Al día siguiente él y Bernabé partieron rumbo a Derbe.

[21] Después de predicar el evangelio en Derbe y ganar muchos discípulos, regresaron a Listra, a Iconio y a Antioquía, [22] donde se dedicaron a cultivar el amor de los creyentes hacia Dios y a los demás hermanos y a exhortarlos a permanecer en la fe a pesar de las persecuciones, ya que era necesario que entraran al reino de Dios a través de muchas tribulaciones.

[23] Además, nombraron oficiales en cada iglesia, a los cuales, después de orar y ayunar con ellos, los encomendaron al cuidado del Señor en quien habían creído.

[24] Luego, ya de regreso, pasaron por Pisidia y Panfilia, [25] predicaron de nuevo en Perge y fueron a Atalia. [26] Finalmente, regresaron por barco a Antioquía de Siria, el punto de partida, donde los habían encomendado a Dios para que realizaran el trabajo que acababan de completar.

[27] Sin perder tiempo, reunieron a los creyentes y les rindieron informes sobre el viaje, y les contaron cómo Dios había abierto la puerta de la fe también a los gentiles.

[28] Y permanecieron mucho tiempo con los creyentes de Antioquía.

15 PABLO Y BERNABÉ estaban en Antioquía cuando llegaron varias personas de Judea y empezaron a enseñar a los creyentes que, a menos que adoptaran la antigua costumbre judía de circuncidarse, no podrían alcanzar la salvación.

[2] Como Pablo y Bernabé discutieron y se opusieron con todas sus fuerzas, los creyentes los enviaron a Jerusalén, acompañados de varios miembros de la comunidad, para que consultaran el asunto con los apóstoles y los ancianos de Jerusalén.

[3] Después de despedirse de la congregación en pleno, ésta los acompañó hasta las afueras de la ciudad, los delegados continuaron su viaje hacia Jerusalén. A lo largo del camino fueron deteniéndose en las ciudades de Fenicia y Samaria para visitar a los creyentes y contarles cómo, para regocijo de todos, los gentiles también estaban convirtiéndose.

[4] Al llegar a Jerusalén, se reunieron con los dirigentes de la iglesia. Todos los após-

toles y los ancianos estaban presentes, y Pablo y Bernabé los pusieron al tanto de lo que Dios había hecho a través del trabajo de ellos dos. [5] Entonces algunos de los que antes de convertirse habían sido fariseos se pusieron de pie y declararon que era necesario circuncidar a los gentiles conversos y exigirles que adoptaran las costumbres y los ritos judíos.

[6] En vista de esto, los apóstoles y los ancianos de la iglesia convocaron a otra reunión para tratar el asunto. [7] En dicha reunión, y en medio de las discusiones, Pedro se puso de pie y pidió la palabra:

—Hermanos, ustedes saben que Dios me escogió de entre ustedes hace mucho tiempo para que predicara las buenas noticias entre los gentiles, a fin de que éstos pudieran creer. [8] Dios, que conoce los corazones de los hombres, nos demostró que aceptaba a los gentiles al otorgarles el Espíritu Santo de la misma forma en que nos lo había otorgado a nosotros. [9] Y no hizo ninguna distinción entre ellos y nosotros, porque les había limpiado sus vidas de la misma forma que a nosotros: por medio de la fe. [10] ¿Nos atreveremos a tratar de enmendar la obra de Dios, poniendo sobre los gentiles un yugo que ni nosotros ni nuestros padres hemos podido llevar? [11] ¿No creen ustedes que los gentiles se salvan de la misma forma en que nos salvamos nosotros, es decir, por medio de la gracia del Señor Jesús?

[12] Allí mismo terminaron las discusiones, y todo el mundo prestó atención a las palabras de Bernabé y de Pablo que relataban los milagros que Dios había realizado a través de ellos entre los gentiles.

[13] Cuando Pablo y Bernabé terminaron, Jacobo pidió la palabra:

—Hermanos —les dijo—, escúchenme. [14] Ya Pedro les ha relatado cómo Dios visitó por primera vez a los gentiles para escoger de entre ellos un pueblo que honre su nombre. [15] La conversión de gentiles concuerda perfectamente con lo que los profetas predijeron. Escuchen lo que dice este pasaje del profeta Amós:

[16] Después de esto, dice el Señor, regresaré y renovaré el contrato de David que quedó roto, [17] para que encuentren también al Señor los gen-

tiles marcados con mi nombre. [18]Esto lo dijo el Señor, el que da a conocer el plan que tenía trazado desde el principio.

[19]"Por lo tanto, opino que no debemos insistir en que los gentiles que se hayan convertido al Señor obedezcan nuestras leyes judías. [20]Pero mandémosles a decir por carta que se abstengan de comer las carnes sacrificadas a los ídolos, de los vicios sexuales y de comer carnes de animales sin desangrar o ahogados. [21]Estas son las cosas contra las cuales a través de los tiempos se ha estado predicando en las sinagogas judías de todas partes del mundo.

[22]Entonces los apóstoles, los ancianos y la congregación en pleno decidieron nombrar delegados que fueran con Pablo y Bernabé a Antioquía a dar a conocer la decisión. Los delegados escogidos fueron dos dirigentes de la iglesia, llamados Judas (conocido también como Barsabás) y Silas. [23]Y llevaron con ellos la siguiente carta:

"Los apóstoles, ancianos y hermanos de Jerusalén, a los hermanos gentiles de Antioquía, Siria y Cilicia: ¡Saludos!

[24]"Hemos sabido que varios creyentes de Judea, sin la autorización nuestra, los han estado molestando y poniendo en duda la salvación de ustedes.

[25]"Nos ha parecido sabio, y así lo hemos acordado unánimemente, enviar con Pablo y Bernabé —quienes han expuesto la vida por la causa de nuestro Señor Jesucristo— a dos representantes oficiales nuestros. [26]Judas y Silas, nuestros representantes, confirmarán oralmente lo que hemos acordado en cuanto al caso de ustedes.

[27-29]"Porque nos ha parecido bien al Espíritu Santo y a nosotros no imponer sobre ustedes ninguna carga de leyes judías mayor que la necesaria. Por lo tanto, sólo les pedimos que se abstengan de comer carnes ofrecidas a los ídolos y carnes sin desangrar de animales ahogados, y que, por supuesto, se aparten de los vicios sexuales. Bastará que se abstengan de estas cosas. Adiós".

[30]Los cuatro mensajeros partieron inmediatamente rumbo a Antioquía, donde convocaron a una reunión general de todos los cristianos y les leyeron la carta. [31]Al hacerlo, un júbilo desbordante se fue apode-

rando de la iglesia. [32]Luego Judas y Silas, oradores dotados, predicaron extensos sermones ante los creyentes con el propósito de fortalecerlos en la fe.

[33]Judas y Silas permanecieron varios días en Antioquía, al cabo de los cuales los despidieron para que regresaran a Jerusalén con saludos y palabras de agradecimiento para aquellos que los habían enviado. [34]Pablo y Bernabé se quedaron [35]para ayudar a los que predicaban y enseñaban en aquella ciudad.

[36]Varios días más tarde Pablo le propuso a Bernabé regresar a Turquía y visitar las ciudades donde anteriormente habían predicado, a fin de ver cómo andaban los nuevos convertidos. [37]Bernabé estuvo de acuerdo, y sugirió que Juan Marcos fuera con ellos; [38]pero a Pablo no le agradó la idea, porque Juan los había abandonado en Panfilia. [39]El desacuerdo que surgió entre ellos fue tan grande que se separaron. Bernabé tomó entonces a Marcos y zarpó con él hacia Chipre, [40,41]mientras que Pablo se unía a Silas y, con la bendición de los creyentes, partía hacia Siria y Cilicia a alentar a las iglesias de aquellos lugares.

16 PABLO Y SILAS fueron primero a Derbe y luego a Listra, donde conocieron a un creyente llamado Timoteo, hijo de una judía cristiana, pero de padre griego.

[2]Como Timoteo gozaba del aprecio de los hermanos de Listra e Iconio, [3]Pablo le pidió que fuera con él en el viaje. Y como todos sabían que no estaba circuncidado porque su padre, que era griego, no lo había permitido, lo circuncidó antes de salir como una deferencia a los judíos de la región.

[4]Entonces emprendieron el viaje, y de ciudad en ciudad fueron comunicando a los gentiles la decisión que, en cuanto a ellos, habían tomado los apóstoles y los ancianos en Jerusalén. [5]De esta forma, las iglesias se afianzaban en la fe y crecían en número todos los días.

[6]Seguidamente atravesaron Frigia y Galacia, porque el Espíritu Santo por el momento les tenía prohibido ir a predicar a la provincia turca de Asia. [7]Luego bordearon las fronteras de Misia y tomaron rumbo norte con el propósito de ir hasta la

provincia de Bitinia; pero el Espíritu les ordenó que no lo hicieran. [8]En vista de esto, atravesaron la provincia de Misia y llegaron a Troas.

[9]Aquella noche Pablo tuvo una visión. En el sueño vio a un varón de Macedonia, Grecia, que le suplicaba: "Ven y ayúdanos".

[10]No había nada más que decir. Iríamos a Macedonia, porque la única conclusión lógica era que Dios nos estaba enviando allá a predicar las buenas noticias.

[11]En Troas tomamos un barco y navegamos en línea recta hacia Samotracia, y de allí a Neápolis al siguiente día. [12]Por último, llegamos a Filipos, colonia romana situada inmediatamente al otro lado de los límites de Macedonia, y nos quedamos allí varios días.

[13]El día del reposo, fuimos a la orilla del río que está al otro lado de la muralla, donde sabíamos que varias personas acostumbraban reunirse para orar, y tuvimos la oportunidad de explicarles las Escrituras a las mujeres que se habían reunido. [14]A una de ellas, llamada Lidia, que era vendedora de púrpura en Tiatira y ya desde antes adoraba a Dios, mientras escuchaba, el Señor le abrió el corazón para que aceptara lo que Pablo decía.

[15]Entonces la bautizamos junto con los demás miembros de su familia.

—Si ustedes creen que soy fiel al Señor —nos dijo después del servicio bautismal—, vengan a hospedarse a mi casa.

Su insistencia fue tal que aceptamos.

[16]Un día en que nos dirigíamos al lugar donde acostumbrábamos orar, junto al río, nos salió al encuentro una joven esclava endemoniada que tenía la facultad de adivinar y les estaba proporcionando jugosas ganancias a sus amos con las adivinaciones. [17]La joven empezó a seguirnos.

—¡Estos hombres son siervos de Dios que han venido a enseñarles cómo obtener el perdón de sus pecados! —gritaba a nuestras espaldas.

[18]El problema se repitió varios días hasta que Pablo, muy molesto, se volvió y le dijo al demonio que estaba en la joven:

—Te ordeno en el nombre de Jesucristo que salgas de esta joven.

E instantáneamente el demonio obedeció.

[19]Pero como con la salida del demonio se desvanecieron las esperanzas de riqueza de los dueños de la esclava, éstos tomaron a Pablo y lo llevaron ante los magistrados de la plaza pública.

[20,21]—Estos judíos están corrompiendo nuestra ciudad —dijeron—. Están enseñándole al pueblo costumbres contrarias a las leyes romanas.

[22]El pueblo se agolpó entonces contra Pablo y Silas, y los jueces ordenaron que los desvistieran y azotaran con varas.

[23]Así se hizo, y los azotes rasgaron repetidas veces las espaldas desnudas y bañadas de sangre de los dos misioneros. Al terminar el suplicio, los arrojaron en una prisión y le advirtieron al carcelero que le costaría la vida si los prisioneros escapaban. [24]Ante tal amenaza el carcelero no quiso correr riesgos; además de encerrarlos en el calabozo de más adentro, les aprisionó los pies en el cepo.

[25]Era ya media noche. Pablo y Silas todavía estaban orando y cantando himnos al Señor. Los demás prisioneros escuchaban. [26]De pronto un gran terremoto sacudió los cimientos de la cárcel y las puertas se abrieron y las cadenas saltaron de las carnes de los prisioneros.

[27]El carcelero, al despertar y al ver las puertas abiertas, creyó que los prisioneros habían escapado y sacó la espada para matarse.

[28]—¡No lo hagas! —le gritó Pablo—. ¡Todos estamos aquí!

[29]Temblando de miedo, el carcelero ordenó que trajeran luz, corrió al calabozo y se tiró de rodillas ante Pablo y Silas.

[30]—Señores, ¿qué tengo que hacer para salvarme? —les preguntó suplicante, después de sacarlos.

[31]—Cree en el Señor Jesucristo y serán salvos tú y tu familia —le respondieron.

[32]Entonces le contaron delante de sus familiares las buenas noticias del Señor. [33]Y en aquella misma hora, el carcelero les lavó las heridas y se bautizó junto con los demás miembros de su familia. [34]Después prepararon un banquete y los invitaron a comer. El carcelero rebosaba de gozo, al igual que sus familiares, porque ya todos creían en Dios.

¹⁵A la siguiente mañana se presentaron ante el carcelero varios alguaciles.

—Dicen los magistrados que sueltes a esos hombres —le dijeron.

¹⁶El carcelero corrió a notificarle a Pablo que estaba en libertad. ³⁷Pero éste le respondió:

—¡Ah, no! ¡Así que a pesar de que somos ciudadanos romanos nos azotan públicamente sin someternos a juicio, nos encarcelan y ahora quieren ponernos en libertad secretamente! ¡No, señor! ¡Qué vengan ellos mismos a sacarnos!

³⁸Los alguaciles transmitieron a los magistrados estas palabras y éstos, muertos de miedo al enterarse de que Pablo y Silas eran ciudadanos romanos, ³⁹corrieron a la cárcel a suplicarles que salieran y abandonaran la ciudad.

⁴⁰Pablo y Silas entonces regresaron a casa de Lidia y allí volvieron a reunirse con los creyentes para predicarles una vez más antes de partir.

17 VIAJARON A TRAVÉS de las ciudades de Anfípolis y Apolonia y llegaron a Tesalónica, donde había una sinagoga judía. ²Como ya era costumbre en Pablo, entró allí a predicar, y tres días de reposo consecutivos estuvo disertando sobre las Escrituras, ³explicándole al pueblo las profecías acerca de los sufrimientos del Mesías y su resurrección, y probándoles que Jesús era el Mesías.

^{4,5}Varios de los oyentes, convencidos, se convirtieron, entre ellos un gran número de griegos piadosos y muchas mujeres importantes de la ciudad. Pero los dirigentes judíos, celosos, anduvieron por las calles incitando revueltas entre individuos de la peor calaña. Luego la turba se dirigió a casa de Jasón, con el propósito de apoderarse de Pablo y Silas y llevarlos ante el consejo municipal para que los castigaran.

⁶Al no hallarlos allí, arrastraron fuera a Jasón y a varios creyentes más y los llevaron ante el consejo municipal.

—Pablo y Silas tienen al mundo trastornado y ahora andan por la ciudad provocando disturbios —gritaron—. ⁷Y Jasón los tiene alojados en su casa. Estos son unos traidores, porque andan diciendo que el rey es Jesús y no el César.

⁸Los ciudadanos y las autoridades de la ciudad, se sobresaltaron ante aquellas acusaciones, ⁹pero como Jasón y los demás pagaron una fianza, los pusieron en libertad.

¹⁰Aquella misma noche los cristianos mandaron para Berea a Pablo y a Silas.

En Berea, como de costumbre, se fueron a predicar a la sinagoga. ¹¹Los bereanos eran mucho más abiertos que los tesalonicenses, y escucharon gustosos el mensaje. Todos los días examinaban las Escrituras para comprobar si lo que Pablo y Silas decían era cierto. ¹²En consecuencia, un buen grupo creyó junto con varias griegas prominentes y muchos hombres.

¹³Pero cuando los judíos de Tesalónica se enteraron de que Pablo estaba predicando en Berea, se apresuraron a ocasionarle problemas. ¹⁴Los creyentes se movilizaron inmediatamente y mandaron a Pablo para la costa; mas Silas y Timoteo se quedaron.

¹⁵Los acompañantes de Pablo lo condujeron a Atenas y de allí regresaron a Berea con un mensaje para Silas y Timoteo, en el que Pablo les suplicaba que fueran cuanto antes.

¹⁶Mientras los esperaban en Atenas, Pablo se sentía afligido ante la gran cantidad de ídolos que veía por todas partes. ¹⁷Por eso, además de concurrir a la sinagoga, donde discutía con los judíos y los devotos gentiles, hablaba diariamente en la plaza pública ante quienes estuvieran allí. ¹⁸En una ocasión se enfrentó a varios filósofos epicúreos y estoicos.

—¡Pobre iluso! —exclamaron algunos cuando lo oyeron hablar acerca de Jesús y de su resurrección.

Otros, en cambio, pensaron que era un extranjero que intentaba introducir alguna religión nueva, ^{19,20}y lo invitaron a ir al cerro de Marte o Areópago.

—Ven y cuéntanos más acerca de esa nueva religión —le dijeron—, porque has estado diciendo algunas cosas bastantes sorprendentes y quisiéramos oírlas bien. ²¹Era que a los atenienses, al igual que a los extranjeros que residían en Atenas, les gustaba matar el tiempo discutiendo cualquier idea nueva.

²²Al llegar ante el Areópago, Pablo se

expresó así:

—Varones atenienses, he notado que ustedes son muy religiosos, [23]porque al andar por la ciudad hallé que entre todos los altares que poseen hay uno con la siguiente inscripción: "Al Dios desconocido". En este día deseo hablarles de ese Dios que ustedes han estado adorando sin conocer.

[24]"Ese Dios fue el que hizo el mundo y cuanto en él existe y, por cuanto es Señor del cielo y de la tierra, no habita en templos que el hombre construya, [25]ni necesita que los seres humanos satisfagan sus necesidades, porque no tiene necesidades. El es el que da vida y aliento a las cosas y el que satisface cualquier necesidad. [26]De un solo hombre, Adán, creó a la humanidad y luego distribuyó las naciones sobre la faz de la tierra, tras decidir de antemano cuáles habrían de surgir y desmoronarse, y cuándo ocurriría esto. Y determinó sus fronteras. [27]En todo esto el propósito de Dios era que las naciones lo buscaran y, quizás palpando, descubrieran el camino donde se le pudiera hallar. Pero El no está lejos de ninguno de nosotros, [28]porque en El vivimos, nos movemos y somos. Como uno de sus poetas dijo: "Somos los hijos de Dios".

[29]"Si esto es verdad, no debíamos llamar dios a un ídolo que un grupo de hombres se hayan hecho de oro, plata y piedra esculpida. [30]Dios toleró la ignorancia que el hombre tenía en cuanto a esto en el pasado, pero ahora ordena que todos arrojen a un lado los ídolos y lo adoren sólo a El, [31]porque ha establecido un día en el cual juzgará al mundo con justicia por medio del varón que escogió y que nos señaló al levantarlo de entre los muertos.

[32]Al oírlo hablar de la resurrección de un muerto, algunos se rieron; pero otros dijeron:

—Queremos que después nos hables de esto.

[33]Allí terminó el diálogo. [34]Sin embargo, algunos creyeron y se les unieron; como por ejemplo, Dionisio (miembro del consejo municipal) y una mujer llamada Dámaris.

18 PABLO SALIÓ DE Atenas y se fue a Corinto. [2]En Corinto conoció a un judío llamado Aquila, natural de Ponto, que acababa de llegar de Italia con Priscila su mujer. Habían salido de Italia a raíz de la orden de Claudio César de expulsar de Roma a todos los judíos. [3]Como eran fabricantes de tiendas al igual que Pablo, éste se fue a vivir y a trabajar con ellos.

[4]No había sábado que no sorprendiera a Pablo en la sinagoga tratando de convencer a judíos y a griegos. [5]Y después que Silas y Timoteo llegaron de Macedonia, se dedicó por entero a predicar y testificar entre los judíos. [6]Pero cuando éstos se le enfrentaron y blasfemaron el nombre de Cristo, se sacudió el polvo de su ropa y les dijo:

—Que su sangre caiga sobre sus cabezas. Yo he cumplido ya con mi deber. De ahora en adelante me iré a predicar entre los gentiles.

[7]Después del incidente se fue a vivir con Tito Justo, gentil que adoraba a Dios y que vivía al lado de la sinagoga.

[8]Crispo, el principal de la sinagoga, creyó en el Señor y se bautizó. Lo mismo hicieron todos los de su familia y muchos otros corintios.

[9]Una noche el Señor se le apareció a Pablo en visión.

—¡No tengas miedo! —le dijo—. ¡No calles! ¡No te des por vencido! [10]Nadie podrá hacerte daño, porque yo estoy a tu lado. En esta ciudad hay un buen grupo de personas que me pertenecen.

[11]Pablo, pues, se quedó allí otro año y medio enseñando las verdades de Dios.

[12]Pero cuando Galión tomó posesión como gobernador de Acaya, los judíos conspiraron contra Pablo y lo llevaron a juicio ante el gobernador, [13]bajo la acusación de "andar persuadiendo a la gente a adorar a Dios en maneras contrarias a las leyes romanas". [14]Mas apenas Pablo expresó algunas palabras en defensa propia, Galión se volvió contra los que acusaban al apóstol.

—Escúchenme, judíos. Si este individuo hubiera cometido algún delito, me vería obligado a atender el caso. [15]Pero como se trata de cuestiones de semánticas y personalidades en relación con un montón de leyes judías tontas, arréglenselas ustedes. A mí no me interesa.

[16]Y los echó del juzgado.

[17]Entonces unos griegos se apoderaron de Sóstenes, el nuevo jefe de la sinagoga, y lo golpearon frente al juzgado. Y a Galión no le importó que lo hicieran.

[18]Pablo permaneció en la ciudad varios días más y luego se despidió de los cristianos para zarpar hacia las costas de Siria en compañía de Priscila y Aquila. En Cencrea, se afeitó la cabeza según la costumbre judía, porque tenía hecho voto.*

[19]Al llegar al puerto de Efeso, nos dejó a bordo y se fue a predicar entre los judíos. [20]Estos le pidieron que se quedara unos días más, pero al apóstol no le fue posible complacerlos.

[21]—Tengo de todas maneras que estar en Jerusalén durante la fiesta —les dijo—. Pero les prometo volver a Efeso algún día, si Dios me lo permite.

Zarpamos de nuevo. [22]El próximo puerto de parada fue Cesarea, desde donde visitó la iglesia de Jerusalén antes de seguir su viaje a Antioquía. [23]De Antioquía, donde pasó algún tiempo, se dirigió de nuevo a Turquía a través de Galacia y Frigia, oportunidad que aprovechó para visitar a los creyentes de esas regiones y alentarlos a crecer en el Señor.

[24]Mientras tanto, un judío llamado Apolos, maestro de la Biblia y formidable predicador, llegaba a Efeso procedente de Alejandría, Egipto. [25]En Egipto alguien le había hablado de Juan el Bautista y lo que éste había dicho acerca de Jesús; pero hasta ahí llegaban sus conocimientos acerca del cristianismo. Como desconocía los demás acontecimientos, [26]en su mensaje en la sinagoga se limitó a proclamar valiente y fervientemente: "¡El Mesías viene! ¡Prepárense para recibirlo!"

Entre los que escucharon aquel poderoso mensaje estaban Priscila y Aquila. Al final del servicio se presentaron a Apolos y le explicaron lo que le había sucedido a Jesús después de las predicaciones de Juan, y el significado de cada uno de los acontecimientos.

[27]Como Apolos había estado acariciando la idea de ir a Grecia, los creyentes lo animaron a hacerlo y escribieron a los cristianos para que le dieran la bienvenida. En Grecia, Dios lo usó para el fortalecimiento de la iglesia, [28]porque él refutaba ardiente y abiertamente los argumentos judíos, y demostraba por medio de las Escrituras que Jesús era el Mesías.

19 MIENTRAS APOLOS ESTABA en Corinto, Pablo viajaba a través de Turquía y llegaba a Efeso, donde encontró a varios discípulos.

[2]—¿Recibieron ustedes el Espíritu Santo cuando creyeron? —les preguntó.

—No —le respondieron—. ¿Qué quiere decir eso? ¿Qué es el Espíritu Santo?

[3]—¿Qué creencias manifestaron tener al bautizarse? —les preguntó.

—Las que Juan el Bautista enseñó —le respondieron.

[4]Entonces Pablo les explicó que el bautismo de Juan simbolizaba el deseo de darle la espalda al pecado y volverse a Dios, y que los que recibían tal bautismo tenían que creer en Jesús del que Juan dijo que habría de venir.

[5]Al oír esto, se bautizaron en el nombre del Señor Jesús. [6]Y cuando Pablo les puso las manos sobre la cabeza, el Espíritu Santo vino sobre ellos y hablaron en lenguas extrañas y profetizaron. [7]Eran en total unos doce hombres.

[8]Durante los tres meses siguientes Pablo estuvo visitando la sinagoga, y se pasó los días de reposo proclamando abiertamente sus creencias, contando porqué las había adoptado y persuadiendo a muchos a creer en Jesús. [9]Pero como muchos rechazaron el mensaje y se expresaron públicamente en contra de Cristo, Pablo decidió no predicarles más. Separó entonces a los creyentes y comenzó a celebrar reuniones diarias de predicación en el salón de conferencias de Tirano.

[10]Así continuó durante los dos años siguientes. No quedó en la provincia turca de Asia, judío o griego, que no escuchara el mensaje del Señor. [11]Dios le dio a Pablo el poder de hacer milagros asombrosos; [12]a veces bastaba poner sobre el enfermo un pañuelo o alguna prenda de Pablo para que

---

18* Próbablemente, un voto de hacer sacrificio en Jerusalén en acción de gracias. La cabeza se rapaba 30 días antes de presentarse en el Templo con las ofrendas.

el enfermo sanara o los demonios salieran.
¹³A unos judíos que viajaban de pueblo en pueblo echando fuera demonios, se les ocurrió invocar el nombre del Señor Jesús, a manera de experimento. Decidieron emplear las siguientes palabras: "¡Te conjuro por Jesús, el que Pablo predica, que salgas!"
¹⁴Los siete hijos de un tal Esceva, sacerdote judío, pusieron en práctica la idea. ¹⁵Pero cuando intentaron usarla con un hombre endemoniado, el demonio les respondió:

—Conozco a Jesús y sé quién es Pablo, pero ¿quiénes son ustedes?

¹⁶Y el endemoniado se apoderó de ellos y los golpeó de tal manera que salieron de la casa desnudos y mal heridos. ¹⁷La noticia se corrió en un dos por tres entre los judíos y los griegos de Efeso. Un temor solemne cayó sobre la ciudad y todos glorificaban el nombre del Señor Jesús.

¹⁸Muchos creyentes que habían practicado la magia negra lo confesaron y ¹⁹trajeron sus libros de magias y sortilegios para quemarlos en una hoguera pública. Se calcula que el valor de aquellos libros era de unas cincuenta mil piezas de plata. ²⁰Esto indica lo profundo que el mensaje del evangelio había penetrado en los corazones de los habitantes de aquella región.

²¹Al cabo de cierto tiempo, Pablo sintió que el Espíritu Santo lo impulsaba a emprender un recorrido por Grecia antes de regresar a Jerusalén.

—Y de Jerusalén tendré que ir a Roma —dijo.

²²Pero decidió enviar a Timoteo y a Erasto a Grecia, mientras él permanecía un poco más de tiempo en Turquía.

²³En aquellos días se produjo en Efeso un gran disturbio contra los cristianos. ²⁴,²⁵Todo comenzó cuando Demetrio, platero que tenía empleado un considerable grupo de artífices que hacían templecillos de Diana, la diosa griega, reunió a sus empleados y a varias otras personas que se dedicaban al mismo oficio, y les dijo:

—Señores, nosotros nos ganamos la vida en este negocio. ²⁶Como ustedes bien saben, porque lo han visto y oído, ese tal Pablo ha convencido a un grupo numeroso de personas de que los dioses fabricados no

son dioses. Como resultado, nuestras ventas están decayendo. Y esto no es evidente sólo aquí en Efeso, sino en toda la provincia. ²⁷"Claro está que no es sólo el aspecto comercial del asunto y la disminución de nuestros ingresos lo que nos preocupa. Sobre todas las cosas, nos preocupa la posibilidad de que el templo de la gran diosa Diana pierda su influencia, y que Diana, la gran diosa que recibe adoración no sólo en esta parte de Turquía sino en todo el mundo, quede abandonada al olvido.

²⁸,²⁹Al decir esto, sus oyentes montaron en cólera y comenzaron a gritar:

—¡Grande es Diana de los efesios!

El gentío fue aumentando hasta que la ciudad entera estuvo llena de confusión. Entonces una turba se apoderó de Gayo y Aristarco, compañeros de viaje de Pablo, y los llevaron al anfiteatro para juzgarlos.

³⁰Pablo quería presentarse ante el pueblo, pero los discípulos no lo dejaron. ³¹Además, varios oficiales romanos amigos de Pablo le enviaron mensajes en los que le suplicaban que no arriesgara la vida yendo al teatro.

³²En el anfiteatro todo era confusión. Unos gritaban una cosa y otros otra, y muchos ni siquiera sabían por qué estaban allí. ³³Pero varios judíos descubrieron que entre la multitud se encontraba Alejandro y lo arrastraron al frente. Alejandro pidió que guardaran silencio e intentó hablarles. ³⁴Pero al darse cuenta el gentío de que Alejandro era judío, se pusieron a gritar de nuevo:

—¡Grande es Diana de los efesios! ¡Grande es Diana de los efesios!

Y la gritería duró dos horas. ³⁵Cuando al fin el alcalde pudo acallarla lo suficiente para poder hablar, dijo:

—Varones efesios, todo el mundo sabe que Efeso es el centro religioso de la gran diosa Diana, cuya imagen nos cayó del cielo. ³⁶Como esto es un hecho incontrovertible, ustedes no tienen por qué perder los estribos por lo que digan ni deben obrar precipitadamente. ³⁷Ustedes han traído aquí a estos hombres, pero ellos ni se han robado nada del templo ni han difamado a nuestra diosa. ³⁸Si Demetrio y los artífices tienen algo de qué acusarlos, pueden llevar el caso ante los jueces, que las cortes están siempre listas a atenderlos. Dejen que utilicen los canales legales. [39]Y si hay algunas otras quejas además, podemos ventilarlas en alguna sesión del consejo municipal. [40]Tenemos que evitar que el gobierno romano nos llame a cuentas por causa de estos disturbios, ya que no tenemos ninguna excusa que los justifique. Y si Roma demanda alguna explicación, no sabríamos qué responder.

[41]Entonces los despidió y se dispersaron.

20 DESPUÉS QUE CESARON los disturbios, Pablo mandó buscar a los discípulos y les predicó un sermón de despedida. Poco después les decía adiós y partía rumbo a Grecia. [2]A lo largo del viaje fue predicando entre los creyentes de las ciudades que encontraba. [3]Tres meses estuvo en Grecia. Cuando se disponía a zarpar hacia Siria, descubrió que los judíos planeaban atentar contra su vida, y decidió por lo tanto tomar la ruta norte que pasa por Macedonia.

[4]Varios hombres lo acompañaron hasta Turquía. Entre éstos se encontraban Sópater de Berea, hijo de Pirro; Aristarco y Segundo, de Tesalónica; Gayo de Derbe; Timoteo; y Tíquico y Trófimo, que viajaban de regreso a Turquía, donde residían. [5]Los acompañantes partieron primero y nos esperaron en Troas. [6]Tan pronto terminaron las ceremonias de la Pascua, tomamos un barco en Filipos, al norte de Grecia, y cinco días más tarde arribábamos a Troas, Turquía, donde permanecimos una semana.

[7]El domingo nos reunimos a celebrar un servicio de comunión, y Pablo predicó. Como al siguiente día partía, estuvo hablando hasta la medianoche. [8]La habitación que ocupábamos en el tercer piso estaba iluminada por la parpadeante luz de varias lámparas. Como el discurso de Pablo se prolongaba, [9]un joven llamado Eutico, que estaba sentado en la ventana, se quedó dormido y cayó a la calle. Lo levantaron muerto.

[10]Pablo corrió escaleras abajo y lo tomó en brazos.

—¡No se alarmen! —dijo—. ¡No morirá!

¡Y no murió! [11,12]Una ola de temor y alegría a la vez llenó los corazones de los presentes, y regresaron al tercer piso a comer juntos la cena del Señor. Luego Pablo predicó otro sermón que se prolongó hasta el alba, y al terminar, partió.

[13]Se fue por tierra a Asón, mientras nosotros nos adelantamos por barco. [14]Nos volvimos a reunir en Asón y desde allí zarpamos hacia Mitilene. [15]Al siguiente día pasábamos por Quío, y al otro, hacíamos escala en Samos. Veinticuatro horas más tarde llegábamos a Mileto.

[16]Pablo había decidido no visitar Efeso esa vez, porque deseaba llegar a tiempo a Jerusalén para la celebración del Pentecostés. [17]Pero cuando desembarcamos en Mileto, envió un mensaje a los ancianos de la iglesia de Efeso en el cual les suplicaba que lo fueran a ver al barco. [18]Al llegar, les dijo:

—Ustedes saben bien que, desde el día en que puse los pies por primera vez en Turquía hasta hoy, [19]he estado trabajando para el Señor con humildad y lágrimas, y que he corrido el grave peligro de caer en los atentados que los judíos han preparado contra mi vida. [20]Pero a pesar de todo, jamás he vacilado en decirles la verdad en público o en privado. [21]Para judíos y gentiles he tenido siempre el mismo mensaje: que necesitan arrepentirse de sus pecados y volverse a Dios por medio de la fe en nuestro Señor Jesucristo. [22]Al ir a Jerusalén lo hago guiado por el impulso irresistible del Espíritu Santo. No sé lo que me espera, [23]pero sé que el Espíritu Santo me ha estado repitiendo en cada ciudad que visito, que me esperan prisiones y sufrimientos. [24]Mas no me importa cuánto haya de sufrir; después de todo, la vida carecería de valor si no la empleara para terminar con gozo la tarea que me señaló el Señor Jesús: pregonar las buenas noticias acerca del inmenso amor de Dios. [25]Sé que ninguno de ustedes, entre quienes he andado pregonando el reino de Dios, me volverá a ver. [26]Mas puedo declarar con la frente bien alta que si alguno perece, la culpa no es mía, [27,28]porque jamás he eludido la responsabilidad de declararles el mensaje de Dios. Por lo tanto, ¡cuídense y cuiden el rebaño de Dios! ¡Que a la iglesia que El compró con su sangre no le falte alimento ni cuidado! ¡El

Espíritu Santo les ha dado a ustedes la responsabilidad de cuidarla!

[29]"Sé bien que después que yo parta, se presentarán ante ustedes falsos maestros que, como lobos rapaces, no perdonarán el rebaño. [30]Y algunos de ustedes mismos falsearán la verdad para arrastrar seguidores. [31]¡Estén alertas! Recuerden los tres años que pasé con ustedes, el cuidado constante que de día y noche les dispensé, y las lágrimas que derramé por ustedes. [32]Ahora los encomiendo al cuidado de Dios y a su maravillosa palabra que es capaz de fortalecer la fe y de darles la herencia con los demás que están apartados para Dios.

[33]"Jamás he codiciado dinero ni ropa lujosa. [34]Ustedes saben que con estas manos he trabajado para ganar el sustento propio y el de los que andaban conmigo. [35]Y les fui un ejemplo constante de cómo se debe ayudar a los pobres, porque recordaba las palabras del Señor Jesús que dicen: "Es más bienaventurado dar que recibir".

[36]Al terminar el discurso, se arrodilló y oró con ellos. [37]Luego uno a uno se fueron despidiendo de él con un abrazo. No podían contener el llanto [38]al pensar que, según las palabras del apóstol, no lo volverían a ver. Luego lo acompañaron al barco.

21 DESPUÉS DE SEPARARNOS de los ancianos de Efeso, navegamos en línea recta hasta Cos. Al siguiente día llegamos a Rodas, y de Rodas seguimos a Pátara. [2]Allí abordamos un barco que se dirigía a la provincia siria de Fenicia. [3]En la travesía avistamos a la izquierda la isla de Chipre, pero seguimos de largo hasta el puerto de Tiro, en Siria, donde descargaron el barco. [4]Desembarcamos. Inmediatamente nos pusimos en contacto con los creyentes de la localidad y estuvimos una semana con ellos. Estos, iluminados por el Espíritu Santo, le advirtieron a Pablo que no fuera a Jerusalén. [5]Al cabo de la semana, cuando regresamos al barco, la congregación en pleno, incluyendo esposas e hijos, nos acompañaron hasta la orilla del mar, donde oramos y nos despedimos de ellos. [6]Abordamos entonces la nave, y ellos regresaron a sus casas.

[7]Tras partir de Tiro, hicimos escala en Tolemaida, donde tuvimos la oportunidad de saludar a los creyentes y estar con ellos un día. [8]De allí fuimos a Cesarea, y nos alojamos en casa de Felipe el evangelista, uno de los primeros siete diáconos. [9]Felipe tenía cuatro hijas solteras que poseían el don de la profecía.

[10]Durante nuestra estancia, que se prolongó varios días, un hombre llamado Agabo, profeta también, llegó procedente de Judea [11]y fue a visitarnos. Al ver a Pablo, le arrebató el cinturón, se ató con él de pies y manos y dijo:

—El Espíritu Santo dice: "Así atarán los judíos de Jerusalén al dueño de este cinturón y lo entregarán a los romanos".

[12]Al escuchar aquello, los creyentes de Cesarea y nosotros, sus compañeros de viaje, le suplicamos que no fuera a Jerusalén.

[13]—¿A qué viene tanto llanto? —nos respondió—. ¿Quieren destrozarme el corazón? Estoy dispuesto no sólo a sufrir las prisiones de Jerusalén sino también a morir por la causa del Señor Jesús.

[14]Al darnos cuenta que no podríamos disuadirlo, nos dimos por vencidos y dijimos:

—Hágase la voluntad del Señor.

[15]Poco después recogimos el equipaje y partimos hacia Jerusalén, [16]acompañados por varios discípulos de Cesarea.

En Jerusalén, nos hospedamos en la casa de Mnasón, oriundo de Chipre y uno de los primeros creyentes, [17]y los creyentes de Jerusalén nos dieron una bienvenida cordial.

[18]Al segundo día, Pablo nos llevó consigo a visitar a Jacobo y a los ancianos de la iglesia de Jerusalén. [19]Luego de intercambiar saludos, les hizo un recuento de lo que Dios había realizado entre los gentiles a través de su persona. [20]Los allí presentes alabaron a Dios, pero le dijeron:

—Hermano, como sabes, miles de judíos han creído también, e insisten en que los creyentes de origen judío continúen guardando las costumbres y las tradiciones judaicas. [21]Y el caso es que los cristianos judíos de Jerusalén han oído decir que te opones a la ley de Moisés y a nuestras costumbres judías, y que prohíbes que circunciden a los niños. [22]¿Qué vamos a hacer? Como no podemos ocultarles que has venido, [23]se nos ocurre lo siguiente: Aquí tenemos cuatro hombres que se van a rasurar las cabezas para cumplir sus votos. [24]Vé con ellos al Templo, aféitate la cabeza y paga para que los afeiten a ellos. Así todo el mundo se convencerá de que apruebas esta costumbre como cristiano hebreo, que obedeces las leyes judaicas y que andas conforme a nuestra opinión sobre estos asuntos. [25]En cuanto a los cristianos gentiles, no les vamos a pedir que observen las costumbres judías, sino que cumplan aquello acerca de lo cual les escribimos: no comer alimentos ofrecidos a los ídolos, no comer carne sin desangrar de animales ahogados, y no fornicar.

[26]Pablo estuvo de acuerdo, y al día siguiente fue al Templo con aquellos individuos a observar la ceremonia y a proclamar su voto de ofrecer siete días más tarde un sacrificio junto con los demás. [27]Casi al final de los siete días varios judíos de Turquía lo vieron en el Templo y provocaron un desorden contra él.

[28]—¡Varones israelitas! —gritaron agarrándolo por los brazos—. ¡Ayúdennos! Este es el hombre que predica contra nuestro pueblo y anda por ahí aconsejando que desobedezcan las leyes judías. ¡Y hasta se ha atrevido a hablar contra el Templo y a profanarlo introduciendo gentiles en él!

[29]Seguramente decían esto porque en las primeras horas del día lo habían visto por la ciudad con Trófimo, un gentil de Efeso, Turquía, y pensaban que Pablo lo había metido en el Templo. [30]Al escuchar la acusación, la ciudad entera, exaltada, se agolpó contra él y lo sacaron del Templo, e inmediatamente le cerraron la puerta.

[31]Cuando estaban a punto de matarlo, alguien le avisó al jefe de la guarnición romana que la ciudad de Jerusalén estaba alborotada. [32]Este corrió entonces a la zona de los disturbios, acompañado de soldados y oficiales. Cuando la turba vio que el ejército se acercaba, dejó de golpear a Pablo.

[33]El jefe de la guarnición arrestó al apóstol y ordenó que lo ataran con cadenas dobles. Luego preguntó quién era Pablo y qué estaba haciendo. [34]Unos contestaron una cosa y otros contestaron otra. Al ver que en medio de aquel tumulto no podía entender nada, ordenó que llevaran a Pablo a la fortaleza.

[35]Al aproximarse a las gradas de la fortaleza, la turba se volvió tan violenta que los soldados tuvieron que levantar en peso a Pablo para protegerlo.

[36]—¡Muera! ¡Muera! —gritaba la multitud detrás de ellos.

[37]Ya lo iban a meter en la fortaleza cuando el apóstol le dijo al comandante:

—¿Puedo decirte algo?

—¡Conque sabes griego! —le dijo el comandante, sorprendido—. [38]¿No eres tú el egipcio que encabezó una rebelión hace varios años y se fue al desierto seguido de cuatro mil asesinos?

[39]—No —respondió Pablo—. Soy sólo un judío de Tarso, ciudad de Cilicia no demasiado pequeña. Quisiera que me dejaras hablarle al pueblo.

[40]El comandante accedió. Pablo erguido en las gradas, pidió silencio con las manos. Pronto un profundo silencio envolvió a la multitud, y Pablo se dirigió a ellos en hebreo.

22 —VARONES HERMANOS Y padres, presten ahora atención a mi defensa. [2]Al oírlo hablar en hebreo, el silencio se hizo aún mayor. Pablo continuó:

[3]—Soy judío, natural de Tarso, ciudad de Cilicia, pero estudié aquí en Jerusalén con el maestro Gamaliel, a cuyos pies aprendí a observar meticulosamente las costumbres y las leyes judaicas. Y a los pies de Gamaliel aprendí también a honrar celosamente el nombre de Dios en todos mis actos. Por cierto, realicé actos semejantes a los que ustedes trataron de realizar hoy [4]y perseguía a los cristianos hasta la muerte, y al hallarlos los ataba y encarcelaba sin importarme si eran hombres o mujeres. [5]El sumo sacerdote y los miembros del concilio me son testigos de que fue así, porque les pedí cartas para los jefes judíos de Damasco, para que me permitieran traer encadenado a Jerusalén a todo cristiano que encontrara, para que fueran castigados.

[6]"Pero al aproximarme a Damasco, a eso del mediodía, el repentino resplandor de una luz celestial me envolvió. [7]Caí al

suelo e inmediatamente escuché una voz que me decía: "Saulo, Saulo, ¿por qué me persigues?" [8]"¿Quién eres, Señor?" pregunté. "Soy Jesús de Nazaret, el que tú persigues", me respondió.

[9]"Los hombres que andaban conmigo vieron la luz, pero no entendieron lo que me decían. [10]"¿Qué haré, Señor?" le pregunté. "Levántate", me respondió el Señor, "y vete a Damasco. Allí se te dirá lo que te espera en los años venideros".

[11]"Como quedé ciego por causa del intenso y celeste resplandor, mis compañeros me tuvieron que conducir de la mano hasta Damasco. [12]Allí, un señor llamado Ananías, piadoso, obediente a la ley y de buena reputación entre los judíos de Damasco, [13]vino a donde yo estaba y me dijo: "Hermano Saulo, recibe la vista". Y en aquel mismo instante recobré la vista y lo miré. [14]Él prosiguió: "El Dios de nuestros padres te ha escogido para que conozcas su voluntad y veas al Mesías y lo escuches. [15]Tú habrás de ir por todas partes proclamando el mensaje y contando lo que has visto y oído. [16]No hay tiempo que perder. Levántate y bautízate, y lava tus pecados en el nombre del Señor".

[17]"Un día, ya de regreso en Jerusalén, mientras oraba en el Templo, caí en éxtasis [18]y contemplé a Dios que en visión me decía: "¡Date prisa! Sal de Jerusalén, porque la gente de este lugar no creerá en ti cuando tú les expreses mi mensaje". [19]"Pero, Señor", repliqué, "ellos saben que yo andaba por las sinagogas encarcelando y azotando a los que creían en ti, [20]y que cuando mataban a Esteban, tu testigo, estuve presente y no sólo consentí que lo mataran sino que cuidé la ropa de los que lo apedrearon". [21]Pero Dios me dijo: "Sal de Jerusalén, porque quiero enviarte lejos a los gentiles".

[22]Al oír esto último, la turba dejó de escucharlo.

—¡Muera! —gritaron a una voz—. ¡Mátenlo! ¡No merece la vida! [23]Y mientras gritaban, lanzaban su ropa y arrojaban al aire puñados de polvo.

[24]Entonces el jefe de la guarnición lo llevó dentro y ordenó que le dieran latigazos hasta que confesara el delito que había cometido. Quería saber por qué la multitud estaba tan enardecida.

[25]—¿Es legal que azoten a un ciudadano romano que ni siquiera ha sido juzgado? —le preguntó Pablo a uno de los soldados que lo ataban para azotarlo.

[26]El soldado corrió inmediatamente a donde estaba el jefe.

—¿Sabes lo que estás haciendo? ¡Ese hombre es ciudadano romano!

[27]Sin pérdida de tiempo, el jefe fue adonde estaba Pablo.

—Dime —le preguntó—, ¿es verdad que eres ciudadano romano?

—Sí, señor; soy ciudadano romano.

[28]—Te voy a decir una cosa —masculló el militar—. ¡A mí me costó muchísimo dinero lograr la ciudadanía!

—Sí, pero yo lo soy de nacimiento.

[29]Los soldados que iban a azotarlo, al oír que Pablo era ciudadano romano se apartaron de él inmediatamente, mientras el jefe palidecía de temor al pensar en las consecuencias que le traería el haber ordenado que lo ataran y azotaran.

[30]Al siguiente día ordenó que le quitaran las cadenas a Pablo y convocó a los principales sacerdotes a una reunión del concilio judío. Ante ellos presentó a Pablo. Quería saber cuál era en verdad la raíz del problema.

23 PABLO CLAVÓ LA mirada en cada uno de los miembros del concilio.

—Hermanos —les dijo—, siempre he procurado tener limpia la conciencia delante de Dios.

[2]—¡Denle un tapaboca! —ordenó el sumo sacerdote Ananías a los que estaban junto al apóstol.

[3]—¡Dios te tape la boca a ti, corral de cerdos blanqueado! —le respondió Pablo—. ¿Qué clase de juez eres que quebrantas la ley ordenando que me golpeen?

[4]—¿Cómo te atreves a hablarle así al sumo sacerdote de Dios? —terciaron los que estaban cerca de Pablo.

[5]—Perdonen, hermanos —les respondió Pablo—. No sabía que él era el sumo sacerdote. Sé que las Escrituras dicen: "No maldecirás a ningún príncipe de tu pueblo".

[6]Como una parte del concilio estaba compuesta de saduceos y la otra de fari-

seos, a Pablo se le ocurrió una idea genial.

—¡Hermanos —exclamó—, soy fariseo, al igual que mis antepasados! ¡Y se me está juzgando porque creo en la resurrección de los muertos!

[7]Al escuchar aquello, el concilio se dividió en dos grupos adversos, fariseos y saduceos, [8]porque los saduceos afirman que no hay resurrección ni ángeles ni espíritu eterno en nosotros, mientras que los fariseos afirman que sí los hay. [9]La algarabía que se formó era indescriptible. Varios de los dirigentes judíos saltaron de sus asientos para discutir que Pablo estaba en lo cierto.

—¡Este hombre no ha hecho nada malo! —gritaban—. ¡Quizás un espíritu o un ángel le habló en el camino a Damasco!

[10]La gritería iba aumentando. Entre ambos bandos traían a Pablo de un lado a otro. Finalmente, el comandante, temiendo que despedazaran al apóstol, ordenó a los soldados que lo retiraran a la fuerza y lo llevaran de vuelta a la fortaleza.

[11]Aquella noche el Señor se presentó delante de Pablo.

—No temas, Pablo —le dijo—. De la misma manera que has hablado de mí en Jerusalén, lo harás en Roma.

[12,13]A la siguiente mañana, más de cuarenta judíos se juramentaron bajo maldición que no comerían ni beberían hasta que mataran a Pablo, [14]y fueron hasta donde estaban los principales sacerdotes y ancianos a contarles la decisión que habían tomado.

[15]—Pídanle al jefe de la guarnición que vuelva a presentar a Pablo ante el concilio —les solicitaron—. Díganle que quieren formularle dos o tres preguntas más. Nosotros lo mataremos en el camino.

[16]Pero el sobrino de Pablo se enteró de la celada que estaban preparando y corrió a la fortaleza a poner sobre aviso al apóstol.

[17]Inmediatamente Pablo llamó a uno de los soldados y le dijo:

—Lleva a este muchacho donde está el comandante. El tiene algo importante que decirle.

[18]El soldado obedeció.

—Pablo, el prisionero, me pidió que trajera a este joven ante ti, pues tiene algo que decirte.

[19]El comandante, tomando al muchacho de la mano, lo condujo hacia un rincón.

—¿Qué tienes que decirme, hijo?

[20]Que los judíos te van a pedir que mañana presentes de nuevo a Pablo ante el concilio, con el pretexto de querer formularle algunas preguntas más. [21]No les hagas caso. En el camino habrá más de cuarenta hombres emboscados que asaltarán a la comitiva y matarán a Pablo. Se han juramentado bajo maldición que no comerán ni beberán hasta matar a mi tío. Allá afuera están ellos esperando que tú accedas a la petición.

[22]—No le digas a nadie que me has dicho esto —le advirtió el oficial, y salió.

[23]Sin pérdida de tiempo, el jefe de la guarnición llamó a dos oficiales y les ordenó:

—Prepárenme doscientos soldados para que salgan a Cesarea esta noche a las nueve. Ah, y tengan listos también doscientos flecheros y setenta jinetes. [24]Consíganse un caballo para Pablo y que lo lleven sano y salvo a Félix el gobernador.

[25]Entonces escribió la siguiente carta:

[26]"De: Claudio Lisias

"Al Excelentísimo Gobernador Félix.

"¡Saludos!

[27]"Los judíos se apoderaron de este hombre y lo habrían matado si yo no me entero que era ciudadano romano y envío soldados a rescatarlo. [28]Luego lo presenté ante el concilio judío para averiguar de qué se le acusaba. [29]No tardé en descubrir que se trataba de una disputa sobre creencias judías, y que el acusado no era digno de prisión ni de muerte. [30]Pero al enterarme que estaban urdiendo un plan para matarlo, decidí pedirles a los acusadores que presenten las acusaciones ante ti. Que te vaya bien".

[31]Aquella noche, cumpliendo las órdenes, los soldados llevaron a Pablo a Antípatris. [32]Al día siguiente regresaron a la fortaleza, tras dejar al apóstol al cuidado de la caballería que lo había de conducir a Cesarea.

[33]Ya en Cesarea, entregaron en manos del gobernador a Pablo y la carta de Claudio Lisias.

[34]Félix leyó la carta, y luego le preguntó a Pablo dónde había nacido.

—Soy de Cilicia —respondió Pablo.

[35] —Oiré el caso completo cuando lleguen tus acusadores —le dijo el gobernador, y ordenó que lo guardaran en la prisión del palacio de Herodes.

24 CINCO DÍAS MÁS tarde llegó el sumo sacerdote Ananías, acompañado de varios dirigentes judíos y de Tértulo el abogado, a presentar las acusaciones contra Pablo. [2]Cuando se le concedió la palabra, Tértulo dio un paso al frente y se expresó contra Pablo de la siguiente manera:

—Excelencia, gracias a ti los judíos gozamos de paz y tranquilidad y ha disminuido la discriminación contra nosotros. [3]Te estamos infinitamente agradecidos. [4]Pero, si no te es molestia, quisiera que tuvieras la bondad de prestarme atención sólo un instante, mientras expreso brevemente las acusaciones que tenemos contra este hombre. [5]Según hemos comprobado, este individuo es un perturbador que anda constantemente incitando a los judíos del mundo entero a armar desórdenes y rebelarse contra el gobierno romano. El es uno de los cabecillas de la secta de los nazarenos. [6]Cuando lo arrestamos, estaba tratando de profanar el Templo. Quisimos aplicarle el castigo que justamente merecía; [7]pero Lisias, el jefe de la guarnición, llegó y nos lo arrancó de las manos, [8]pues opinaba que debía juzgársele según las leyes romanas. Si quieres que no te queden dudas de la veracidad de nuestras acusaciones, interrógalo tú mismo.

[9]Los demás judíos, claro está, ratificaron las palabras de Tértulo.

[10]Le llegó el turno a Pablo. El gobernador le hizo señas para que se pusiera de pie y hablara.

—Sé que hace años que juzgas cuestiones judías —comenzó Pablo—, y esto me hace sentirme confiado al pronunciar mi defensa. [11]"Como bien podrás cerciorarte, no hace más de doce días que llegué a Jerusalén con el propósito de adorar en el Templo, [12]y jamás he incitado revueltas en ninguna sinagoga ni en las calles de ninguna ciudad. [13]Estos hombres jamás podrán probar las acusaciones que presentan contra mí.

[14]"Admito que creo en el Camino de la salvación que ellos llaman herejía, y que practico ese sistema de servir al Dios de nuestros antepasados; pero creo firmemente en la ley judía y en cuanto está escrito en los libros de la profecía. [15]Creo, al igual que estos individuos, que habrá resurrección de justos e injustos. [16]Y como esas son mis creencias, trato con todas mis fuerzas de mantener la conciencia limpia delante de Dios y los hombres.

[17]"Tras varios años de ausencia, regresé a Jerusalén a entregar el dinero que recogí para ayudar a los judíos, y a ofrecer un sacrificio a Dios. [18]Mis acusadores me vieron en el Templo mientras presentaba mi ofrenda de acción de gracias. Me había afeitado la cabeza, tal como lo requiere la ley, y a mi alrededor no había ningún gentío ni se produjo ningún tumulto. Los únicos que estaban allí eran varios judíos de Turquía, [19]quienes debían estar aquí para acusarme si algo malo hice. [20]Pero ya que no es así, pregúntales a estos individuos qué delito encontró en mí el concilio, [21]aparte de algo que dije que quizás nunca debí decir: que estaba allí delante del concilio para defender mi creencia en que los muertos resucitarán.

[22]Félix, que sabía que los cristianos no acostumbraban provocar desórdenes, dijo a los judíos que esperaría la llegada de Lisias, el jefe de la guarnición, para que entonces pronunciaría el fallo. [23]Ordenó que mantuvieran a Pablo en prisión, pero que lo trataran bien y que no prohibieran que los amigos del prisionero lo visitaran o le llevaran regalos para hacerle la estadía un poco más llevadera.

[24]Pocos días después Félix, acompañado de Drusila, la judía con quien estaba legítimamente casado, mandó buscar a Pablo para oírlo hablar de su fe en Cristo. [25]Pero cuando el apóstol tocó el tema de la justicia, el dominio propio y el juicio venidero, Félix se espantó.

—¡Está bueno ya! —le dijo—. Cuando encuentre un momento oportuno te volveré a llamar.

[26]Como tenía la esperanza de que Pablo le ofreciera dinero, de vez en cuando lo mandaba a buscar para hablar con él. [27]Así transcurrieron dos años, hasta que Porcio

Festo llegó para sustituir a Félix. Y como Félix quería ganarse el favor de los judíos, dejó preso a Pablo.

25 TRES DÍAS DESPUÉS de arribar Festo a Cesarea para tomar posesión de su nuevo cargo, partió para Jerusalén.

[2]Los principales sacerdotes y demás dirigentes judíos, enterados de su presencia allí, acudieron presurosos a contarle su versión acerca de Pablo, [3]y suplicarle que lo llevara a Jerusalén inmediatamente. Tenían el plan de tenderle una celada y matarlo. [4]Pero Festo les respondió que como Pablo estaba en Cesarea y dentro de poco regresaría, [5]las personas interesadas en el asunto tenían que regresar con él para celebrar allá el juicio.

[6]Ocho o diez días después, regresó a Cesarea y al siguiente día abrió el juicio contra Pablo. [7]Cuando el apóstol apareció en la corte, los judíos lo rodearon y presentaron acusaciones serias que no podían probar.

[8]—Soy inocente —declaró Pablo tras negar los cargos—. Jamás me he opuesto a las leyes judías ni he profanado el Templo ni me he rebelado contra el gobierno romano.

[9]Entonces Festo, ansioso de complacer a los judíos, le preguntó:

—¿Quieres que yo mismo te juzgue en Jerusalén?

[10]—¡No! —respondió Pablo—. ¡Demando que se me concedan mis derechos de comparecer ante el emperador mismo! Tú sabes bien que soy inocente. [11]Si he hecho algo digno de muerte, no me niego a morir. Pero si soy inocente, ni tú ni nadie tiene el derecho de entregarme a estos hombres para que yo me maten. ¡Apelo al César!

[12]Festo entonces conferenció con el consejo.

—Muy bien —dijo al fin—. ¡Al César has apelado y ante el César comparecerás!

[13]No muchos días después llegó el rey Agripa, acompañado de su hermana Berenice, a visitar a Festo. [14]Durante su estadía, que se prolongó varios días, Festo discutió con el rey el caso de Pablo.

—Tengo aquí un prisionero —le dijo— cuyo caso me dejó Félix para que lo resolviera. [15]En Jerusalén, los principales sacer-

dotes y dirigentes judíos me contaron su versión del caso y me pidieron que lo matara. [16]Por supuesto, inmediatamente les recordé que las leyes romanas no condenan a un hombre sin someterlo a juicio, y que se le daría al acusado la oportunidad de defenderse en presencia de sus acusadores. [17]Al llegar éstos a Cesarea, convoqué a juicio para el siguiente día y ordené que presentaran a Pablo. [18]Pero las acusaciones que presentaron contra él no eran ni remotamente lo que yo suponía. [19]Tenían que ver con religión y un tal Jesús que murió, pero que Pablo insiste que está vivo. [20]Sin saber qué juicio formular en cuanto al caso, le pregunté si estaría dispuesto a responder a los cargos delante de mí en Jerusalén. [21]¡Pero apeló al César! En vista de eso, ordené que lo metieran en la celda de nuevo hasta que le consiga audiencia con el emperador.

[22]—Me gustaría escuchar a ese hombre —le dijo Agripa.

—¡Pues lo escucharás mañana!

[23]Al siguiente día, después que el rey y Berenice llegaron'a la audiencia en medio de gran pompa, acompañados de oficiales del ejército y hombres prominentes de la ciudad, Festo ordenó que trajeran a Pablo.

[24]—¡Rey Agripa y demás presentes —dijo Festo al entrar Pablo—, éste es el hombre cuya muerte demandan los judíos de la localidad y de Jerusalén! [25]En mi opinión, no ha hecho nada digno de muerte; sin embargo, ha apelado al César y no me queda más remedio que enviarlo a él. [26]¿Qué le debo decir por carta al emperador? ¡No hay ninguna acusación válida contra este preso! Por eso lo he traído ante ustedes y, especialmente ante ti, rey Agripa, para que lo examines y me digas qué debo decir en la carta. [27]¡No me parece razonable enviarle un preso al emperador si no hay acusación válida contra él!

26 ENTONCES AGRIPA LE dijo a Pablo:
—A ver, dinos qué es lo que pasa.

Entonces Pablo extendió la mano y expuso su defensa:

[2]—Me siento dichoso, rey Agripa, de poder exponer mi defensa ante ti, [3]porque sé que eres un experto en leyes y costumbres judías. ¡Te ruego que me escuches con

paciencia!

⁴"Como bien saben los judíos, estuve recibiendo la mejor educación judaica desde mi más tierna infancia en Tarso y luego en Jerusalén, donde viví de acuerdo a lo aprendido. ⁵Si ellos quisieran, podrían atestiguar que siempre he sido el más estricto de los fariseos en lo que a obediencia a las leyes y a las costumbres judías se refiere. ⁶Pero la verdadera razón que se esconde tras la acusación que presentan es que yo tengo la mirada puesta en el cumplimiento de la promesa que Dios hiciera a nuestros antepasados.

⁷"¡Las doce tribus de Israel se empeñan día y noche por alcanzar la esperanza que yo tengo! Sin embargo, oh rey, según ellos es un delito en mí. ¿Es acaso un delito creer en la resurrección de los muertos? ⁸¿Te parece increíble que Dios pueda devolverle la vida a los hombres?

⁹"Yo antes me creía en el deber de hostigar a los seguidores de Jesús de Nazaret. ¹⁰Yo encarcelé a muchos de los santos de Jerusalén, autorizado por los principales sacerdotes; y cuando los condenaban a muerte, daba mi voto de aprobación. ¹¹Yo torturé a los cristianos para obligarlos a blasfemar contra Cristo. Tan violentamente me opuse a ellos que aun los anduve cazando en ciudades extranjeras.

¹²"En cierta ocasión en que me dirigía a Damasco a cumplir una de aquellas misiones, amparado por la autoridad que me confería el ir comisionado por los principales sacerdotes, ¹³una luz del cielo más brillante que el sol del mediodía que nos alumbraba cayó sobre mí y mis acompañantes. ¹⁴Caímos al suelo y yo escuché una voz que me decía en hebreo: "Pablo, Pablo, ¿por qué me persigues? Tú mismo te estás haciendo daño". ¹⁵"¿Quién eres, Señor?" pregunté. Y el Señor me respondió: "Soy Jesús, el que tú persigues. ¹⁶¡Levántate! Me he aparecido a ti porque quiero que seas mi esclavo y mi testigo. Has de ir por el mundo contando esta experiencia y relatando las demás ocasiones en que yo me aparezca ante ti. ¹⁷Yo te protegeré de tu propio pueblo y de los gentiles. Sí, porque te voy a enviar a los gentiles. ¹⁸Tú has de abrirles los ojos al verdadero estado en que se encuen-

tran, para que se arrepientan y vivan en la luz de Dios y no en las tinieblas de Satanás, y para que reciban por fe en mí el perdón de sus pecados y la herencia de Dios junto con las personas que han quedado limpias de pecado y están consagradas al Señor".

¹⁹"Por lo tanto, oh rey Agripa, no quise desobedecer aquella visión celestial. ²⁰Primero prediqué en Damasco, después en Jerusalén y en toda Judea, y luego entre los gentiles. El tema de mi mensaje es que debían apartarse del pecado, volverse a Dios y demostrar arrepentimiento por medio de buenas obras.

²¹"Los judíos me arrestaron en el Templo por predicar esto y trataron de matarme, ²²pero Dios me protegió y todavía estoy vivo y dispuesto a proclamar estas verdades ante cualquier persona, pequeña o grande. Mis enseñanzas se limitan a lo que dijeron Moisés y los profetas: ²³que el Mesías sufriría, y que sería el primero en levantarse de entre los muertos para dar luz a judíos y a gentiles.

²⁴—¡Pablo, estás loco! —gritó de pronto Festo—. ¡Los muchos estudios te han perturbado el juicio!

²⁵—No, no estoy loco, excelentísimo Festo —respondió Pablo—. Mis palabras están revestidas de la más excelsa verdad, ²⁶y el rey Agripa lo sabe. He hablado con toda franqueza porque estoy seguro que está familiarizado con los hechos que he narrado, ya que no se produjeron en ningún rincón oculto. ²⁷¿Crees, oh rey Agripa, a los profetas? Yo sé que sí...

²⁸—¿Crees que me vas a persuadir a ser cristiano con tan débiles argumentos? —le interrumpió Agripa.

²⁹—¡Ojalá que, débiles o fuertes mis argumentos, tú y todos los que están aquí llegaran a tener lo que yo tengo, excepto estas cadenas!

³⁰Entonces el rey, el gobernador, Berenice y los demás se pusieron de pie y salieron. ³¹Luego, comentando el caso, llegaron a la conclusión de que aquel hombre no había hecho nada digno de muerte ni de prisión.

³²—Lo habríamos podido poner en libertad si no hubiera apelado al César —le dijo Agripa a Festo.

27 POR FIN TODO quedó dispuesto para que iniciáramos el viaje a Roma por barco. Pablo y varios otros prisioneros quedaron bajo la custodia de un oficial llamado Julio, miembro de la guardia imperial.

[2]Zarpamos en una nave que se dirigía a Grecia, e iba a ir haciendo escala a lo largo de la costa de Turquía. Debo añadir que Aristarco, griego de Tesalónica, iba con nosotros.

[3]Al siguiente día, al llegar a Sidón, Julio se mostró bondadoso con Pablo y lo dejó desembarcar, visitar varios amigos y aceptar la hospitalidad que le ofrecían.

[4]De allí nos hicimos a la mar y encontramos vientos contrarios que, al hacernos difícil mantener el rumbo, nos obligaron a navegar al norte de Chipre, entre la isla y la tierra firme [5]y a lo largo de la costa de las provincias de Cilicia y Panfilia. Por fin, desembarcamos en Mira, provincia de Licia. [6]En Mira, el oficial encontró un barco egipcio de Alejandría que se dirigía a Italia, y nos embarcó en él.

[7]Tuvimos varios días de navegación tan difícil que a duras penas llegamos frente a Gnido; los vientos llegaron a ser tan fuertes que nos vimos obligados a navegar directamente hacia Creta, hasta llegar frente al puerto de Salmón. [8]Luchando contra los vientos, fuimos bordeando con gran dificultad la costa sur de la isla hasta que arribamos a un lugar llamado Buenos Puertos, cerca de la ciudad de Lasea. [9]Allí nos pasamos varios días. Como el tiempo estaba demasiado peligroso para viajes largos, dado lo avanzado de la fecha en el año, Pablo les dijo a los oficiales del barco:

[10]—Señores, creo que si zarpamos ahora vamos a naufragar, y no sólo se perderá el cargamento, sino que habrá entre nosotros heridos y muertos.

[11]Pero el oficial encargado de los prisioneros prestó más atención al capitán del barco y al patrón de la nave que a Pablo. [12]Y como Buenos Puertos era un lugar incómodo para pasar el invierno, la mayoría de los tripulantes recomendó que se intentara llegar a Fenice, para pasar el invierno allí. Fenice es un buen puerto, pues mira sólo al nordeste y al sudeste.

[13]Precisamente entonces comenzaba a soplar una brisa del sur que parecía pronosticar un perfecto día para el viaje. Sin pérdida de tiempo, levaron anclas y navegaron a lo largo de la costa.

[14]Pero poco después el tiempo cambió bruscamente y un viento huracanado o viento del nordeste, como lo llamaban, sorprendió el barco y lo llevó a mar abierto. [15]Al principio trataron de dar la vuelta y poner proa a tierra, pero no lo lograron y se vieron obligados a darse por vencidos y dejar la nave a merced del viento.

[16]Por fin navegamos al otro lado de una isla llamada Clauda, donde con gran dificultad logramos subir a bordo el bote salvavidas que llevábamos a remolque, [17]y entonces reforzaron con sogas el casco de la nave. Los marineros temiendo ir a dar contra los bancos de arena de la costa africana, arriaron las velas y dejaron barco a la deriva.

[18]Al siguiente día, al ver que las olas aumentaban de tamaño, la tripulación comenzó a arrojar la carga. [19]Al tercer día arrojaron los aparejos de la nave y cuanto tenían al alcance de la mano.

[20]La terrible tormenta nos azotó sin clemencia durante varios días, y llegamos a perder las esperanzas de sobrevivir. [21]Como hacía tiempo que no comíamos, Pablo reunió a la tripulación y le dijo:

—Señores, si me hubieran hecho caso y no hubieran salido de Buenos Puertos, nos habríamos evitado este perjuicio y esta pérdida. [22]¡Pero no teman! ¡Ninguno de nosotros perderá la vida, aunque el barco se hundirá! [23]Anoche un ángel de Dios, a quien pertenezco y sirvo, estuvo junto a mí [24]y dijo: "No temas, Pablo, porque de todas maneras vas a comparecer ante el César. Y es más, Dios ha escuchado tus ruegos y te concederá las vidas de los que navegan contigo". [25]Por lo tanto, ¡ánimo! Creo en Dios y sé que sucederá tal como me lo dijo el ángel. [26]Pero vamos a ser arrojados contra una isla.

[27]A la medianoche del décimocuarto día de tormenta, mientras éramos llevados de acá para allá en el mar Adriático, los marineros sospecharon que estaban cerca de tierra. [28]Sondearon y hallaron que estaban en una zona de trienta y seis metros de profundidad. Poco después volvieron a sondear y midieron solamente veintisiete me-

tros y medio. A juzgar por el promedio de profundidad, pronto llegarían a la costa; [29]y como temían que hubiera escollos a lo largo de la costa, lanzaron cuatro anclas por la popa y ansiaron que amaneciera pronto.

[30]Varios de los marineros, con intenciones de abandonar el barco, echaron al agua el bote salvavidas haciéndose los que iban a echar las anclas de proa. [31]Pero Pablo dijo al oficial y a los soldados:

—Si esa gente no se queda a bordo, ustedes perecerán.

[32]Entonces los soldados cortaron las sogas y dejaron el bote al garete.

[33]Cuando la oscuridad fue cediendo ante la luz de la mañana, Pablo suplicó a todo el mundo que comiera.

—No han probado bocado desde hace dos semanas —les dijo—. [34]Por su propio bien, coman, que ni un solo cabello de su cabeza perecerá.

[35]Y dicho y hecho, tomó pan, dio gracias a Dios en presencia de todos, y se puso a comer.

[36]Inmediatamente, al verlo comer pan, se animaron a ponerse a comer también. [37]En total los que íbamos en el barco éramos doscientos setenta y seis.

[38]Después de comer, la tripulación aligeró aún más el barco tirando por la borda el trigo que llevaba. [39]Cuando ya fue de día, aunque no podían reconocer el lugar donde estaban, alcanzaron a ver una bahía bordeada de playa a la que quizás podrían llegar entre los escollos, para varar la nave en la playa.

[40]Decidieron intentarlo. Tras cortar las anclas y dejarlas abandonadas en el mar, soltaron el timón, alzaron la vela de proa y enfilaron hacia la playa.

[41]Desafortunadamente, fueron a dar contra un bajío de arena y la nave encalló. La proa no tardó en quedar hincada e inmóvil; la popa, en cambio, quedó expuesta a la violencia de las olas y comenzó a partirse en dos.

[42]Los soldados le pidieron al oficial que los dejara matar a los prisioneros para que ninguno pudiera nadar a la orilla y escapar. [43]Pero Julio, por salvarle la vida a Pablo, negó el permiso y ordenó que los que pudieran nadar saltaran sobre la borda y trataran de llegar a la orilla, [44]y que los demás

trataran de lograrlo sobre los tablones y los escombros del navío. Todos llegamos a tierra salvos.

28 NO TARDAMOS EN enterarnos que acabábamos de llegar a la isla de Malta. [2]Los isleños, bondadosamente, encendieron una hoguera en la playa para darnos la bienvenida y calentarnos en medio del frío y la lluvia que caía.

[3]Mientras Pablo recogía una brazada de leña para echarla en el fuego, una serpiente venenosa que huía del calor se le prendió en la mano. [4]Los isleños, al ver que le colgaba de la mano, se dijeron:

—¡No cabe duda que es un asesino! Escapó de las furias del mar, pero la justicia no le permite que viva.

[5]Pero Pablo sacudió la serpiente en el fuego y no le pasó nada. [6]La gente esperaba que comenzara a hincharse o que en cualquier momento cayera muerto; pero después de esperar bastante y ver que nada le pasaba, cambiaron de opinión y pensaron que era un dios.

[7]Cerca del lugar donde habíamos llegado, el gobernador de la isla, Publio, tenía una propiedad, y nos acogió solícitamente y nos estuvo alimentando tres días.

[8]Precisamente en aquellos días, el padre de Publio estaba enfermo de fiebre y disentería. Pablo se le acercó, le puso las manos encima, después de orar y lo sanó. [9]Al enterarse de esto, los demás enfermos de la isla acudieron a Pablo y él los curó. [10]Agradecidos, nos trajeron regalos, y cuando llegó el momento de partir, pusieron en el barco de todo lo que pudiéramos necesitar para el viaje.

[11]Tres meses después del naufragio nos hicimos de nuevo a la mar en una nave alejandrina llamada Los Gemelos, que había invernado en la isla.

[12]Nuestra primera escala fue en Siracusa, donde permanecimos tres días. [13]De allí, costeando la isla, llegamos a Regio; al siguiente día un viento del sur comenzó a soplar y veinticuatro horas más tarde llegamos a Puteoli, [14]donde hallamos algunos creyentes. Cediendo a las súplicas de éstos, nos quedamos con ellos siete días, al cabo de los cuales partimos para Roma.

[15]Los hermanos de Roma, enterados de

que íbamos, fueron a recibirnos al Foro de Apio. En las Tres Tabernas nos esperaba otro grupo. Al verlos, Pablo dio gracias a Dios, alentado.

¹⁶Ya en Roma, le permitieron a Pablo vivir donde quisiera, aunque bajo la custodia de un soldado.

¹⁷Tres días después de su llegada, convocó a los dirigentes judíos de la localidad y les habló en estos términos:

—Hermanos, los judíos de Jerusalén me arrestaron y me entregaron al gobierno romano para que me juzgara, a pesar de que no le he hecho daño a nadie ni he violado las costumbres de nuestros antepasados. ¹⁸Los romanos me sometieron a juicio y me querían soltar, porque hallaron que yo no merecía la pena de muerte que demandaban los dirigentes judíos.

¹⁹"Pero cuando los judíos protestaron contra aquella decisión, creí necesario, sin ninguna mala intención contra ellos, apelar al César. ²⁰Yo les he pedido que vengan aquí hoy para que nos conozcamos y para poder decirles que si estoy atado a estas cadenas es porque creo que el Mesías ya vino.

²¹—¡Nadie nos ha hablado mal de ti! Ninguno de los que han llegado de Jerusalén nos ha traído ninguna carta o informe de Judea. ²²Pero nos gustaría saber lo que

crees, porque lo único que sabemos de los cristianos es que en todas partes se les persigue.

²³Señalaron entonces una fecha, y un gran número de personas acudió a la cita. Pablo les habló del reino de Dios y les explicó los pasajes de las Escrituras que hablan de Jesús, desde los cinco libros de Moisés hasta los libros proféticos. Las conferencias empezaban en la mañana y se prolongaban hasta por la noche.

²⁴Algunos creyeron; otros no. ²⁵Al terminar de intercambiar argumentos entre ellos mismos, salieron de allí con las palabras finales de Pablo resonándoles en los oídos.

—Bien dijo el Espíritu Santo cuando, a través del profeta, ²⁶dijo a los judíos: "Ustedes me oirán y verán pero no entenderán, ²⁷porque tienen el corazón endurecido y no escuchan con los oídos y tienen cerrados los ojos del entendimiento, porque no quieren ver ni oír ni entender ni volverse a mí para que yo los sane". ²⁸,²⁹Quiero que sepan que esta salvación de Dios está también al alcance de los gentiles, y que ellos la aceptarán.

³⁰Dos años más vivió Pablo en aquella casa alquilada. Allí recibió a los que lo visitaron, ³¹y les habló abiertamente del reino de Dios y del Señor Jesucristo. Y nadie intentó impedírselo.

ROMANOS

1 MIS QUERIDOS AMIGOS de Roma:
¹Les escribe Pablo, esclavo de Jesucristo, escogido para ser misionero y enviado a predicar las Buenas Noticias de Dios.

²Dios, a través de los profetas del Antiguo Testamento, había prometido estas Buenas Noticias; ³Buenas Noticias acerca de su Hijo, Jesucristo nuestro Señor, quien nació como niño en el seno de la familia del rey David, ⁴y al resucitar de entre los muertos probó ser el todopoderoso Hijo de Dios, y poseedor de la naturaleza santa de Dios mismo.

⁵A través de Cristo, Dios derramó sus misericordias sobre nosotros, y luego nos

envió alrededor del mundo a contar a las gentes de todas partes las grandes cosas que Dios ha hecho por ellos, para que crean y lo obedezcan.

⁶Ustedes, mis amigos de Roma, están incluidos entre los que El ama con vehemencia; ⁷sí, ustedes también están invitados a ser de Jesucristo, a formar parte de su santo pueblo. ¡Que la gracia y la paz de Dios nuestro Padre y de nuestro Señor Jesucristo se derrame sobre ustedes! ⁸Antes que nada les diré que dondequiera que voy oigo hablar bien de ustedes. Casi el mundo entero sabe la fe que tienen en Dios. No saben cuántas gracias le doy a Dios a través de Jesucristo por esto, y por cada

uno de ustedes. [9]Dios sabe cuántas veces de día y de noche los llevo en oración ante Aquél a quien sirvo con todas mis fuerzas, dando a conocer a otros las Buenas Noticias del Hijo de Dios.

[10]Una de mis repetidas oraciones es que, si es la voluntad de Dios, me permita ir a visitarlos y me conceda un buen viaje. [11]Tengo muchos deseos de verlos para llevarles algún alimento espiritual que los ayude a crecer fuertes en el Señor. [12]Yo necesito también la ayuda de ustedes, y no quiero sólo comunicarles mi fe sino alentarme con la de ustedes. Así nos seremos de mutua bendición.

[13]Quiero que sepan, amados hermanos, que muchas veces he tratado de ir a visitarlos para trabajar entre ustedes y ver buenos resultados, como en las otras iglesias gentiles en que he estado, pero Dios no me ha dejado. [14]Me siento en deuda con ustedes y con la humanidad entera, con los pueblos civilizados y con las naciones paganas; lo mismo con el hombre culto que con el inculto. [15]Así que, en cuanto a lo que a mí respecta, estoy listo a ir a Roma para predicar también allí las Buenas Noticias de Dios.

[16]Porque nunca me avergüenzo de las Buenas Noticias de Cristo. Ellas constituyen el poderoso método de Dios para llevar al cielo a los que creen. Los judíos fueron los primeros en escuchar la predicación de este mensaje, pero ya el mundo entero está invitado a acercarse a Dios en la misma forma.

[17]Las Buenas Noticias nos dicen que Dios nos acepta por la fe y sólo por la fe. Como dice el Antiguo Testamento: "El que es aceptado y halla la vida, es aceptado por creer en Dios".

[18]Mas Dios muestra desde el cielo su ira contra los pecadores malvados que hacen a un lado la verdad; [19]ellos conocen la verdad de Dios por instinto, pues El ha puesto ese conocimiento en sus corazones. [20]Desde los tiempos más remotos, los hombres han estado contemplando la tierra, el cielo, la creación entera; y han sabido que Dios existe, que su poder es eterno. Por lo tanto, no podrán excusarse diciendo que no sabían si Dios existía o no. [21]Lo sabían muy bien, pero no querían admitirlo, ni adorar a Dios, ni darle gracias por el cuidado de todos los días. Al contrario, se pusieron a concebir ideas estúpidas sobre la semejanza de Dios y lo que El quiere de ellos. En consecuencia, sus necios entendimientos se oscurecieron y confundieron. [22]Y al creerse sabios sin Dios, se volvieron aún más necios.

[23]Luego, en vez de adorar al glorioso y sempiterno Dios, tomaron madera y piedra y se tallaron dioses con forma de pájaros, animales, reptiles y simples mortales, y los proclamaron y adoraron como al gran Dios eterno. [24]Por eso Dios los dejó caer en toda clase de pecado sexual, y hacer lo que les viniera en gana, aun los más viles y perversos actos los unos con los otros.

[25]En vez de creer la verdad de Dios que conocían, deliberadamente creyeron la mentira. Oraron a las cosas que Dios hizo, pero no quisieron obedecer al bendito Dios que hizo aquellas cosas. [26]Por eso Dios los dejó desbordarse y realizar perversidades hasta el punto de que sus mujeres se rebelaron contra el plan natural de Dios y se entregaron al sexo unas con otras. [27]Y los hombres, en vez de sostener relaciones sexuales normales con mujeres, se encendieron en sus deseos entre ellos mismos, y cometieron actos vergonzosos hombres con hombres y, como resultado, recibieron en sus propias almas el pago que bien se merecían.

[28]A tal grado llegaron que, al dejar a un lado a Dios y no querer ni siquiera tenerlo en cuenta, Dios los abandonó a que hicieran lo que sus mentes corruptas pudieran concebir. [29]Sus vidas se llenaron de toda clase de impiedades y pecados, de codicias y odios, de envidias, homicidios, contiendas, engaños, amarguras y chismes. [30]Se volvieron murmuradores, aborrecedores de Dios, insolentes, engreídos, siempre pensando en nuevas formas de pecar y continuamente desobedeciendo a sus padres. [31]Fingiendo no entender, quebrantaron sus promesas y se volvieron crueles, inmisericordes.

[32]Sabían hasta la saciedad que el castigo que impone Dios a esos delitos es la muerte, y sin embargo continuaron cometiéndolos, e incitaron a otros a cometerlos también.

2 "¡QUÉ GENTE TAN horrible!", te estarás diciendo.

¡Espera un momento!

¡Tú eres tan malo como ellos! Cuando me dices que aquellos malvados deben ser castigados, estás hablando contra ti mismo, porque cometes los mismos actos. [2]Y sabemos que Dios, en su justicia, castigará a cualquiera que actúe de esa forma.

[3]¿Es que acaso crees que Dios juzgará y condenará a los demás y te perdonará a ti que haces las mismas cosas? [4]¿No ves que ha estado aguardando sin castigarte para darte tiempo de apartarte de tus pecados? El propósito de su magnanimidad es guiarte al arrepentimiento. [5]Pero no le haces caso, y en consecuencia estás almacenando contra ti mismo un terrible castigo por la terca dureza del corazón, porque llegará el día de la ira en que Dios se constituirá en el justo juez de todos.

[6]El dará a cada quien el pago que merece. [7]Dará la vida eterna a quienes con paciencia cumplan la voluntad de Dios y busquen gloria, honra y vida eterna. [8]Pero castigará terriblemente a quienes luchen contra la verdad de Dios y anden en caminos perversos; la ira de Dios caerá sobre ellos.

[9]Habrá dolor y sufrimiento para los judíos y los gentiles que continúen en sus pecados. [10]Mas habrá gloria, honra y paz de Dios para quienes obedezcan al Señor, ya sean judíos o gentiles, [11]pues para Dios no hay diferencia.

[12,13]El condenará el pecado dondequiera que se manifieste. Castigará a los paganos por sus pecados, [14]porque aun cuando éstos nunca hayan tenido escrita la ley de Dios, en lo más profundo de sus corazones conocen el bien y el mal. La ley de Dios está escrita dentro de ellos mismos; [15]su conciencia los acusa a veces, y a veces los excusa. Y Dios castigará a los judíos por sus pecados, porque tienen la ley de Dios escrita y no la obedecen. Conocen el bien, pero no lo hacen. Al fin de cuentas, no se otorga salvación a los que conocen el bien, sino a los que lo practican. [16]Ciertamente vendrá el día en que, por mandato del Padre, Jesucristo juzgará la vida íntima de cada uno, sus más recónditos pensamientos e impulsos; esto forma parte del gran plan de Dios de que les he estado hablando.

[17]Tú, como judío, piensas que todo anda bien entre ti y Dios porque El te dio la ley; te jactas de ser su amigo preferido. [18]Sí, sabes cuál es la voluntad de Dios; conoces la diferencia entre el bien y el mal, y apruebas el bien, porque te han enseñado la ley desde la niñez. [19]Estás tan seguro de conocer el camino a Dios que podrías señalárselo a un ciego. [20]Te autoconsideras un faro luminoso que conduce hombres a Dios. Crees que puedes guiar al simple y enseñar a los niños las cosas de Dios, porque conoces de verdad la ley, la cual está llena de sabiduría y verdad.

[21]Mas si instruyes a otros, ¿por qué no te instruyes a ti mismo?

Dices que no se ha de robar. ¿No robas tú?

[22]Dices que es malo cometer adulterio. ¿No lo cometes tú?

Dices que no se ha de rezar a los ídolos, pero saqueas los templos de los ídolos, lo cual es igualmente abominable.

[23]Te jactas de conocer la ley de Dios, pero la deshonras al violarla. [24]No en vano las Escrituras declaran que el mundo aborrece a Dios por culpa tuya.

[25]El ser judío es de valor cuando se obedece la ley de Dios; si no la obedeces no estás en mejor posición que los paganos. [26]Y si los paganos obedecen la ley de Dios, ¿no es justo que Dios les conceda los derechos y honores que esperaba otorgar a los judíos? [27]En honor a la verdad, tales paganos están en mejor posición que los judíos que saben mucho de Dios y sus promesas, pero no obedecen la ley divina.

[28]Nadie es verdadero judío por haber nacido de familia judía, ni por haber pasado la ceremonia judía de iniciación conocida como la circuncisión. [29]No, judío es aquel cuyo corazón es recto ante Dios. Dios no anda en busca de quienes se marquen el cuerpo con la circuncisión, sino de individuos con corazones e intelectos transformados. Quienes hayan experimentado ese tipo de transformación en la vida recibirán la alabanza de Dios, aun cuando no la reciban de ustedes.

3 ENTONCES, ¿DE QUÉ vale ser judío? ¿Tiene Dios alguna bendición extraordinaria para ellos? ¿Qué valor tiene la ceremonia judía de la circuncisión?

[2]Sí, el ser judío ofrece muchas ventajas. En primer lugar, Dios les encomendó la ley para que conocieran su voluntad y la cumplieran. [3]Es cierto que muchos no han sido fieles, pero ¿puede Dios faltar a sus promesas para los que lo aman, por el hecho de que algunos hayan faltado a la promesa que habían hecho a Dios? [4]¡Por supuesto que no! Aunque el mundo entero sea mentiroso, Dios no lo es. ¿Recuerdan lo que dice el libro de los Salmos acerca de esto? Dice que las promesas de Dios son verdaderas y justas, dúdelo quien lo dude.

[5]"Pero al fin y al cabo", dicen algunos, "es bueno que faltemos a nuestra fe en Dios. Nuestros pecados sirven a un buen propósito en el sentido de que la gente comprende mejor la bondad de Dios al ver lo malo que somos. Y si esto es así, ¿es justo que Dios nos castigue cuando con nuestros pecados lo estamos ayudando?"

[6]¡Dios nos libre! ¿Qué clase de Dios sería si pasara por alto el pecado? ¿Cómo podría condenar después? [7]No podría juzgarme ni condenarme por pecador si con mi infidelidad se glorificara al resaltar su verdad en contraste con mi mentira. Si mantuviéramos la misma línea de pensamiento, llegaríamos a afirmar que mientras más malos somos más se complace Dios. [8]Los que dicen tales cosas tienen bien merecida la condenación. ¡Y hay quien se atreve a decir que esto es lo que yo predico!

[9]Bueno, ¿somos los judíos mejores que los demás? En ninguna manera. Ya les he demostrado que todos los hombres son pecadores, ya sean judíos o gentiles. [10]Como dicen las Escrituras: "Nadie es bueno, nadie en lo absoluto". [11]Nadie ha llegado a conocer de verdad los senderos de Dios, ni nadie ha querido de veras conocerlos.

[12]Todos han pecado; todos son despreciables ante Dios. Nadie vive siempre correctamente; nadie. [13]Sus conversaciones son necias y obscenas como el hedor de una tumba abierta. Sus lenguas están cargadas de mentiras. [14]Cuanto dicen está impregnado de mortal veneno de serpientes. Sus bocas están llenas de maldición y amargura. [15]Matan con ligereza, y aborrecen a

los que no están de acuerdo con ellos. [16]Dondequiera que van, dejan tras sí quebranto y desventura. [17]Nunca han sabido lo que es ser bondadoso y bueno. [18]No les importa Dios ni lo que Él piense de ellos.

[19]Así que la maldición de Dios pesa enormemente sobre los judíos, porque siendo los encargados de preservar la ley de Dios, cometen toda clase de perversidades como las que mencionamos. Ninguno de ellos tiene excusa; es más, el mundo entero tiene que callar ante el Todopoderoso y admitir su culpabilidad.

[20]Así que, como ustedes ven, nadie puede alcanzar el favor de Dios por ser lo suficientemente bueno. Porque mientras mejor conocemos la ley de Dios, más nos damos cuenta de que no la obedecemos; la ley nos hace vernos pecadores.

[21]Pero Dios nos ha mostrado ahora una forma de ir al cielo que antes no entendíamos —no es nueva, por cierto, porque el Antiguo Testamento la declaró hace tiempo—, y que no consiste en ser lo suficientemente buenos ni en tratar de guardar la ley. [22]Dios dice que nos aceptará, purificará y llevará al cielo si dejamos por fe que Jesucristo nos limpie de pecados. Y todos podemos salvarnos en la misma forma, acercándonos con fe a Cristo, no importa quiénes seamos ni cómo hayamos sido.

[23]Sí, todos hemos pecado; ninguno de nosotros alcanza el glorioso ideal divino. [24]Pero Dios nos declara inocentes del delito de haberlo ofendido si confiamos en Jesucristo, quien gratuitamente borró nuestros pecados. [25,26]Porque Dios envió a Jesucristo para que sufriera el castigo de nuestros pecados y extinguiera el enojo de Dios contra nosotros. El usó la sangre de Cristo y nuestra fe para salvarnos de la ira divina. De este modo actuó con justicia absoluta, aun cuando no castigó a los que pecaron en los tiempos antiguos. No lo hizo porque en ese entonces proyectaba la mirada al momento en que Cristo vendría a quitar nuestros pecados. Y ahora, en el presente, puede El recibir también a los pecadores en la misma forma, porque Jesús quitó los pecados de ellos. Pero, ¿no es injusto el que Dios absuelva a los transgresores y los declare inocentes? No, porque lo hace con base en la fe de ellos en Jesús, quien quitó

sus pecados.

[27]¿De qué podemos jactarnos entonces en lo que a la salvación se refiere?

Absolutamente de nada.

¿Por qué?

Porque el fundamento de nuestra salvación no está en nuestras buenas obras, sino en la obra de Cristo y en nuestra fe en El. [28]Tan es así que nos salvamos por fe en Cristo y no en virtud del bien que hayamos hecho. [29]¿Sólo a los judíos salva Dios de esta forma? No, los gentiles también pueden acercarse a El de la misma manera. [30]Dios nos trata por igual; ya seamos judíos o gentiles, se nos aprueba si tenemos fe. [31]¿Quiere decir esto que si nos salvamos por la fe ya no tenemos que obedecer totalmente la ley de Dios? Mil veces no. Es más, sólo se puede obedecer la ley cuando se confía en Cristo.

4 ABRAHAM FUE, HUMANAMENTE hablando, el fundador de la nación hebrea.

¿Cuáles fueron sus experiencias en cuanto a la salvación por fe?

[2]¿Lo aceptó Dios por las buenas obras que había realizado? Si así hubiera sido tendría de qué gloriarse.

[3]Pero, desde el punto de vista divino, Abraham no tiene nada de qué gloriarse. Las Escrituras nos dicen que Abraham creyó a Dios, y por eso Dios pasó por alto sus pecados y lo declaró inocente.

[4]¿Obtuvo su derecho al cielo en virtud del bien que hizo?

No, porque la salvación es un regalo; si alguien pudiera ganarla siendo bueno, no sería gratis. ¡Y es gratis! [5]Se concede a los que no hacen nada para obtenerla. Porque Dios declara sin culpa a los pecadores que simplemente tengan fe en que Cristo es el que los puede librar de la ira de Dios.

[6]El rey David se refirió a esto al describir la alegría del pecador indigno que Dios declara inocente.

[7]"Bienaventurados y dignos de envidia", dijo, "aquéllos cuyos pecados han sido perdonados y encubiertos. Sí, dichoso el hombre a quien el Señor no le toma en cuenta los pecados".

[8,9]Entonces surge la pregunta: ¿Es esta bendición sólo para quienes tengan fe en Cristo y a la vez guarden la ley judaica, o se otorga también a quienes no la guardan, pero creen en Cristo?

¿Qué decimos de Abraham? Decimos que recibió estas bendiciones por fe.

¿Por fe solamente, o por haber guardado también la ley?

[10]Como respuesta a esta pregunta, contéstense esta otra: *¿Cuándo* le dio Dios la bendición a Abraham? Fue antes de hacerse judío, es decir, *antes de iniciarse como judío* por medio de la circuncisión. [11]El no se circuncidó sino hasta después que Dios prometiera bendecirlo *en virtud de la fe* que tenía. La circuncisión constituyó la señal de que Abraham ya tenía fe y de que Dios ya lo había aceptado y lo había declarado justo y bueno ante sus ojos, hecho que ocurrió *antes de que se circundidara*.

[12,13]Abraham, pues, es ejemplo del creyente que se salva sin obedecer la ley judaica.

Vemos, entonces, que Dios justifica por medio de la fe a los que no guardan la ley. Y los que la guardan y están circuncidados pueden estar seguros de que no es esta ceremonia lo que los salva, porque Abraham alcanzó el favor de Dios por fe solamente, antes de circuncidarse. Está claro que Dios prometió otorgar toda la tierra a Abraham y su descendencia, no en virtud de la obediencia de Abraham a la ley, sino en virtud de la confianza de éste en que Dios cumpliría su promesa.

[14]Pero si ustedes insisten en que Dios bendice sólo a los que son lo suficientemente buenos, están dando a entender que la promesa de Dios a los creyentes carece de valor y que es tonto tener fe. [15]Mas lo cierto es que, cuando tratamos de guardar la ley para ganar la bendición de Dios y la salvación, nos buscamos su ira, porque no podemos guardarla. ¡La única forma de no quebrantar la ley sería no tener ninguna ley que quebrantar!

[16]Así que las bendiciones de Dios se obtienen por fe, gratuitamente; y estamos seguros de recibirlas, guardemos o no guardemos las costumbres judías, si tenemos una fe como la de Abraham, porque Abraham es nuestro padre en lo que a fe se refiere. [17]Eso es lo que quieren decir las

Escrituras cuando expresan que Dios hizo a Abraham el padre de muchas naciones. Dios aceptará a cualquier persona de cualquier nación que crea en Dios como Abraham lo hizo. ¡Y es una promesa del mismo Dios que hace que los muertos resuciten y que habla de los acontecimientos futuros con tanta certeza como si hubieran ocurrido ya!

[18]Por eso, cuando Dios le dijo a Abraham que le iba a dar un hijo cuya descendencia sería tan numerosa como para formar una nación, Abraham lo creyó, aun cuando aquello estaba al borde de lo imposible. [19]Y porque su fe era robusta, no se preocupó del hecho de que, a la edad de cien años, era demasiado viejo para ser padre, ni de que su esposa Sara tuviera noventa años y por lo tanto fuera demasiado vieja para tener hijos. [20]Pero Abraham no dudó jamás. Con la más profunda fe y confianza, creyó a Dios, y le dio las gracias por aquella bendición antes de que se produjera. [21]¡Estaba completamente seguro de que Dios podría cumplir cualquier promesa!

[22]En vista de aquella fe, Dios perdonó los pecados de Abraham y lo declaró justo e inocente.

[23]Pero aquella maravillosa promesa, la promesa de ser aceptado y aprobado por fe, no era sólo para Abraham. [24]También nos beneficia a nosotros, al asegurarnos que Dios nos ha de aceptar bajo las mismas condiciones en que aceptó a Abraham; esto es, si creemos las promesas del Padre, quien levantó a Jesús, nuestro Señor, de entre los muertos. [25]El murió por nuestros pecados y resucitó para poder presentarnos justos ante Dios y llenarnos de las virtudes divinas.

5 ASÍ QUE, AHORA que Dios nos ha declarado rectos por haber creído sus promesas, podemos disfrutar una verdadera paz con Dios gracias a lo que Jesucristo hizo por nosotros. [2]Porque, en vista de nuestra fe, El nos ha situado en la posición altamente privilegiada que ocupamos, donde confiada y gozosamente esperamos alcanzar a ser lo que Dios quiere que seamos.

[3]Si vienen aflicciones a nuestras vidas, podemos regocijarnos también en ellas, porque nos enseñan a tener paciencia; [4]y la paciencia engendra en nosotros fortaleza de carácter y nos ayuda a confiar cada vez más en Dios, hasta que nuestra esperanza y nuestra fe sean fuertes y constantes. [5]Entonces podremos mantener la frente en alto en cualquier circunstancia, sabiendo que todo irá bien, pues conocemos la ternura del amor de Dios hacia nosotros, y sentiremos su calor dondequiera que estemos, porque El nos ha dado el Espíritu Santo para que llene nuestros corazones de su amor.

[6]Cuando, impotentes, no teníamos medio de escape, Cristo llegó en el momento oportuno y murió por nosotros, a pesar de nuestra impiedad.

[7]Ni aún siendo buenos podría esperarse que alguien muriera por nosotros, aunque pudiera suceder. [8]Mas Dios nos demostró la inmensidad de su amor enviando a Cristo a morir por nosotros, aun cuando éramos pecadores.

[9]Y si siendo pecadores hizo esto en nosotros por medio de su sangre, ¿cuánto más no hará ahora que nos ha declarado justos y buenos? Nos salvará de la ira de Dios que ha de venir. [10]Y si siendo enemigos se nos reconcilió con Dios por la muerte de su Hijo, ¡gloriosas serán sus bendiciones ahora que somos amigos y El vive en nosotros! [11]Ahora tenemos la maravillosa alegría del Señor en nuestras vidas, gracias a que Cristo murió por nuestros pecados y nos hizo sus amigos

[12]Al pecar Adán, el pecado entró a la raza humana. Su pecado esparció la muerte en el mundo y todos comenzaron a envejecer y a morir, porque todos pecaron. [13]Antes de la ley, los hombres pecaban; pero como no había ley, no se les podía declarar culpables de haberla transgredido. [14]Mas la gente continuó muriendo desde Adán hasta Moisés, aunque su pecado no fue igual que el de Adán, que había trasgredido una ley de Dios que prohibía comer cierta fruta.

[15]Es inmenso el contraste entre Adán y el Cristo que habría de venir. ¡Y qué contraste tan grande entre el pecado del hombre y el perdón de Dios! El primer hombre, Adán, provocó la muerte de muchos con su pecado. Pero otro hombre, Jesucristo, trajo el perdón de muchos por la misericordia de

Dios. [16]Aquel solo pecado de Adán trajo condenación a muchos, mientras que Cristo borra abiertamente los muchos pecados y ofrece una vida gloriosa. [17]El pecado de aquel solo hombre, Adán, trajo por consecuencia el que la muerte reinara sobre nosotros, pero los que aceptan de Dios el regalo del perdón y la aprobación, reinan en la vida mediante otro hombre: Jesucristo. [18]Sí, el pecado de Adán nos trajo castigo, pero el acto misericordioso de Cristo hace a los hombres rectos ante Dios, para que puedan vivir. [19]En otras palabras, al desobedecer a Dios, Adán hizo que nos volviéramos pecadores, pero Cristo, que obedeció, nos hizo aceptables ante Dios.

[20]El propósito de los Diez Mandamientos es que podamos ver la magnitud de nuestra desobediencia a Dios. Y mientras mayor es nuestra pecaminosidad, mucho mayor es la abundante gracia perdonadora de Dios.

[21]Así que el pecado se enseñoreó del hombre y lo condujo a la muerte, pero ahora la gracia de Dios nos gobierna, y nos coloca en buena estima ante Dios, lo cual trae por resultado la vida eterna a través de Cristo nuestro Señor.

6 BUENO, ¿SEGUIREMOS PECANDO entonces para que Dios pueda seguir mostrando cada vez más misericordia y perdón?

[2,3]¡Por supuesto que no!

¿Seguiremos pecando ahora que no tenemos que hacerlo? El poder que ejercía el pecado en nosotros quedó roto cuando nos hicimos cristianos y nos bautizamos para entrar a formar parte de Jesucristo, cuya muerte desbarató el poder de nuestra naturaleza pecadora. [4]Simbólicamente nuestra vieja naturaleza amante del pecado quedó sepultada con El en el bautismo en el momento que moría, y cuando Dios el Padre, con poder glorioso, lo volvió a la vida, se nos concedió su maravillosa nueva vida para que la disfrutáramos. [5]Así que pasamos a formar parte de El mismo, y por decirlo así, morimos con El cuando murió; pero ahora compartimos su nueva vida, porque resucitamos con El en su resurrección. [6]Ciertamente también nuestros viejos deseos pecaminosos fueron

clavados en la cruz junto con El; y aquella porción de nuestras vidas que amaba el pecado quedó aplastada y mortalmente herida, de manera tal que nuestro cuerpo pecador ya no está bajo el dominio del pecado, ni tiene que someterse a la esclavitud del mismo; [7]porque al morir al pecado quedamos libres de su dominio y del poder que ejercía en nosotros. [8]Y, por cuanto nuestra naturaleza pecadora murió con Cristo, creemos que ahora compartimos su nueva vida.

[9]Cristo resucitó y no volverá a morir jamás. Nunca más la muerte ejercerá en El poder alguno.

[10]Murió una vez por todas para poner fin al poderío del pecado, mas ahora vive para siempre en inquebrantable unión con Dios. [11]Así que considérense ustedes muertos a la vieja naturaleza pecadora, sordos al pecado, y vivan para Dios alertas a El, a través de Jesucristo nuestro Señor. [12]No dejen que el pecado domine sus débiles cuerpos; no lo obedezcan; no se entreguen a los deseos pecaminosos. [13]No dejen que ninguna parte de su cuerpo se convierta en instrumento del mal, útil al pecado; entréguense por completo a Dios, enteramente, porque ustedes han escapado de la muerte y desean ser instrumentos en las manos de Dios que El use para sus buenos propósitos.

[14]¡Que el pecado no vuelva a dominarlos! Ya no estamos atados a la ley, bajo la cual nos esclavizó el pecado; ahora somos libres bajo la gracia y la misericordia de Dios.

[15]Entonces, como nuestra salvación no depende de guardar la ley sino de aceptar la gracia de Dios, ¿podemos pecar y despreocuparnos?

¡Claro que no! [16]¿No comprenden que ustedes pueden escoger de quién ser esclavos? Pueden escoger el pecado y morir, o la obediencia y ser justos. Aquello que escojan se apoderará de ustedes y los esclavizará. [17]Gracias a Dios que, si bien antes habían escogido ser esclavos del pecado, ya están obedeciendo de todo corazón las enseñanzas que Dios les ha dado. [18]Y ya están libres del viejo amo, el pecado; y han pasado a servir a un Señor benevolente y justo.

[19]Les hablo así, usando el ejemplo del esclavo y el amo, para que me entiendan

mejor; así como antes eran esclavos de toda clase de pecados, ahora deben volverse esclavos de lo que es justo y santo. [20]En aquellos días en que eran esclavos del pecado, no les importaba mucho la virtud. [21]¿Con qué resultado?

No muy bueno, por cierto; y por eso se avergüenzan ahora al pensar en lo que antes hacían, que tanto los degradaba. [22]Mas ahora están libres del dominio del pecado y son esclavos de Dios, y esto les trae como beneficio la santidad y la vida eterna. [23]Porque si bien la paga del pecado es muerte, el regalo que nos da Dios es vida eterna a través de Jesucristo nuestro Señor.

7 ¿ES QUE NO comprenden todavía, mis hermanos en Cristo conocedores de la ley, que cuando una persona muere, la ley pierde todo su poder sobre ella? [2]Por ejemplo, cuando una mujer se casa, la ley la ata al esposo mientras éste viva. Pero si el esposo muere, ella deja de estar atada a él y deja de estar sujeta a las leyes matrimoniales. Si desea casarse de nuevo, puede hacerlo. [3]Esto sería incorrecto si el esposo viviera, pero es correcto si éste muere.

[4]Como ustedes murieron con Cristo en la cruz, y están muertos, ya no están "casados con la ley", ni ella sigue teniendo poder sobre ustedes. Después, al volver a la vida con la resurrección de Cristo, lo hicieron como nuevas personas. Y ahora están casados, por decirlo así, con Aquel que resucitó, para producir buenos frutos, es decir, para hacer buenas obras para Dios.

[5]Cuando nuestra naturaleza vieja estaba activa, los deseos pecaminosos actuaban dentro de nosotros; nos hacían desear lo que Dios había prohibido, y producían en nosotros el fruto maligno de la muerte. [6]Mas no tenemos ya que preocuparnos de las tradiciones judías, porque estamos muertos con respecto a ellas, y ahora podemos servir de verdad a Dios, no como antes, cuando obedecíamos mecánicamente un montón de leyes, sino de todo corazón y con todo propósito.

[7]¿Es que acaso estoy dando a entender que la ley de Dios es pecado? ¡Claro que no!

La ley no es pecado, pero fue la ley la que me enseñó que en mí había pecado. Jamás me habría dado cuenta del pecado que había en mi corazón, ni de todos los deseos perversos que encerraba, si la ley no me hubiera dicho: "No darás albergue en tu corazón a los deseos impuros". [8]Pero el pecado usó aquella ley que condena los deseos perversos para despertar en mí los deseos impuros. Si no hubiera ninguna ley que transgredir, técnicamente nadie pecaría.

[9]Por eso, antes de entender lo que la ley demanda realmente, me sentía bien. Pero cuando lo entendí, comprendí que había quebrantado la ley y que estaba sentenciado a muerte por pecador. [10]Es decir, que la santa ley que debía haberme mostrado el camino de la vida, me condenó a muerte; [11]porque el pecado me engañó, pues tomó las santas leyes de Dios y las usó para hacerme digno de muerte. [12]Así que, como ven, la ley en sí es santa y buena.

[13]¿Y acaso la ley no causó mi perdición? ¿Cómo va a ser buena entonces? No, el pecado, diabólicamente usó lo que era bueno para acarrearme condenación. Así que, a juzgar por la forma en que el pecado utiliza la santa ley de Dios para lograr sus malvados propósitos, es astuto, mortal e infame. [14]La ley es buena. El problema no está en ella sino en mí, porque estoy vendido en esclavitud al pecado, que es mi dueño.

[15]Yo no me entiendo a mí mismo, porque quiero sinceramente hacer lo bueno, pero no puedo. Hago lo que no quiero hacer, lo que aborrezco. [16]Sé bien que no estoy actuando correctamente y la conciencia me dice que las leyes que estoy quebrantando son buenas. [17]Mas de nada me sirve, porque no soy yo el que lo hace. Es el pecado que está dentro de mí, que es más fuerte que yo, el que me hace cometer perversidades. [18]Sé que en cuanto a mi vieja y malvada naturaleza soy un hombre corrupto. Haga lo que haga, no me puedo corregir. Lo deseo, pero no puedo. [19]Cuando quiero hacer el bien, no lo hago; y cuando trato de no hacer lo malo, lo hago de todos modos. [20]Entonces, si hago lo que no quiero hacer, está claro cuál es el problema: el pecado tiene aún clavadas en mí sus perversas garras. [21]Parece que la

vida es así, que cuando quiero hacer lo recto, inevitablemente hago lo malo. [22]A mi nueva naturaleza le encanta obedecer la voluntad de Dios, [23]pero hay algo allá en lo más profundo de mi ser, en mi baja naturaleza, que está en guerra contra mi voluntad y gana las peleas y me lleva cautivo al pecado, que está todavía en mí. Mi intención es ser un siervo de la voluntad de Dios, pero me hallo esclavo del pecado. Así que ya ven: mi nueva vida me indica lo que es recto, pero a la vieja naturaleza que está aún en mí le encanta el pecado.

¡Qué triste es el estado en que me encuentro! [24]¿Quién me libertará de la esclavitud de esta mortal naturaleza pecadora? [25]¡Gracias a Dios que Cristo lo ha logrado!

¡Jesús me libertó!

8 ASÍ QUE A los que pertenecen a Jesucristo ya no les espera ninguna condenación, [2]porque el poder vivificador del Espíritu, poder que reciben a través de Jesucristo, los libera del círculo vicioso del pecado y de la muerte.

[3]El conocer los mandamientos de Dios no nos arranca de las garras del pecado, porque no podemos guardar la ley ni la guardamos. Pero Dios, para salvarnos, puso en vigor un plan diferente. Envió a su propio Hijo con un cuerpo humano igual en todo al nuestro, salvo que no era pecador, y al entregarlo en sacrificio por nuestros pecados, destruyó el dominio del pecado sobre nosotros.

[4]Por lo tanto, si nos dejamos conducir por el Espíritu Santo y negamos obediencia a la vieja naturaleza pecaminosa que está en nosotros, podemos obedecer la ley de Dios.

[5]Los que se dejan dominar por la baja naturaleza, viven sólo para autocomplacerse, pero los que viven de acuerdo con el Espíritu Santo se conducen como agrada a Dios.

[6]El dejarse conducir por el Espíritu Santo produce vida y paz, pero el dejarse conducir por la vieja naturaleza produce muerte, [7]porque la vieja naturaleza pecaminosa que está en nosotros, siempre se rebela contra Dios. Nunca ha obedecido la ley de Dios y nunca podrá obedecerla.

[8]Por eso, los que continúan bajo el dominio de su antiguo yo pecador y se empeñan en continuar con sus perversidades, jamás podrán agradar a Dios.

[9]Pero ustedes no son así. Si el Espíritu de Dios mora en ustedes, están bajo el dominio de la nueva naturaleza. (Y recuerden que no es cristiano quien en su interior no tenga el Espíritu de Cristo.) [10]Mas aunque Cristo viva en ustedes, sus cuerpos están muertos a consecuencia del pecado; pero sus espíritus viven porque Cristo los ha perdonado.

[11]Y si el Espíritu de Dios que levantó a Jesús de entre los muertos vive en ustedes, El hará que sus cuerpos mortales despierten a la vida después de la muerte por medio del mismo Espíritu Santo que vive en ustedes.

[12]Así que, amados hermanos, ustedes no están obligados a hacer lo que la vieja naturaleza les dice. [13]Si lo siguen haciendo están perdidos y perecerán; pero si mediante el poder del Espíritu Santo destruyen la vieja naturaleza y sus obras, vivirán. [14]Porque los que se dejan conducir por el Espíritu de Dios son hijos de Dios.

[15]No debemos actuar como esclavos serviles y cobardes, sino como verdaderos hijos de Dios, como miembros adoptivos de su familia que pueden llamarlo: "Padre, Padre". [16]Porque el Espíritu Santo nos habla a lo más profundo del alma y nos asegura que somos hijos de Dios.

[17]Y como somos sus hijos, compartimos sus riquezas, pues todo lo que Dios le da a Jesucristo es ahora también nuestro.

Pero si compartimos su gloria, también hemos de compartir sus sufrimientos.

[18]Sin embargo, lo que ahora sufrimos no tiene comparación con la gloria que nos dará después. [19]Porque la creación aguarda con paciencia y esperanza el día en que Dios ha de resucitar a sus hijos. [20,21]Ese día, las espinas, los cardos, el pecado, la muerte y la podredumbre, impuestos al mundo por mandato de Dios, desaparecerán; y el mundo que nos circunda compartirá la gloriosa libertad del pecado que disfrutan los hijos de Dios.

[22]Sabemos que la naturaleza misma, los animales, las plantas, sufren enfermedades

y muerte mientras esperan el gran acontecimiento. Y aun nosotros los cristianos, que llevamos dentro del Espíritu Santo como un anticipo de la gloria que nos espera, clamamos que se nos libre de penas y sufrimientos. ²³Nosotros también esperamos ansiosamente el día en que se nos concedan nuestros plenos derechos como hijos de Dios, que incluyen el tener los cuerpos nuevos que nos ha prometido, cuerpos que jamás volverán a enfermar ni a morir.

²⁴Uno se salva si tiene fe. Y tener fe significa esperar algo que no se ha recibido todavía. Si uno lo tiene ya, no tiene que esperar ni confiar en recibirlo. ²⁵Pero mantenernos esperando de Dios lo que todavía no se ha manifestado nos enseña a tener paciencia y confianza. ²⁶De igual manera, por fe, el Espíritu Santo nos ayuda en nuestros problemas diarios y en la oración. Porque no sabemos qué debemos pedir ni sabemos pedir como debemos; pero el Espíritu Santo ora por nosotros con un ardor tal que no se puede expresar con palabras. ²⁷Y el Padre, que además conoce los corazones, claro está que entiende lo que el Espíritu dice, porque El pide por nosotros de acuerdo a la voluntad de Dios.

²⁸Además, sabemos que si amamos a Dios y nos adaptamos a sus planes, todo cuanto nos sucede ha de ser para el bien nuestro. ²⁹Desde el mismo principio Dios decidió que los que se le acercaran (y El sabía quiénes se le habrían de acercar) fueran como el Hijo, para que El fuera el mayor entre muchos hermanos. ³⁰Y tras escogernos, nos llamó; y al ir a El, nos declaró inocentes, nos llenó de las virtudes de Cristo, nos puso en buena estima ante sí mismo, y nos prometió su gloria.

³¹Ante tanta maravilla, ¿qué más se puede decir? Si Dios está de parte nuestra, ¿quién podrá estar contra nosotros? ³²Si no vaciló al entregar a su Hijo por nosotros, ¿no nos dará también todas las cosas?

³³¿Quién se atreve a acusarnos si somos los escogidos de Dios? ¡Nadie! Dios mismo nos ha perdonado y nos ha puesto en buena estima ante El. ³⁴¿Quién nos condenará entonces? ¿Cristo? ¡No! El fue el que murió por nosotros y volvió a la vida por nosotros y está en el cielo en un sitial de honor junto a Dios Padre intercediendo por

nosotros. ³⁵¿Quién podrá apartarnos del amor de Cristo? Si nos vienen problemas o calamidades, si nos persiguen o matan, ¿es acaso que El ha dejado de amarnos? Y si tenemos hambre o necesidad, o si estamos en peligro, amenazados de muerte, ¿es acaso que Dios nos ha abandonado? ³⁶No, las Escrituras dicen que debemos estar dispuestos a morir en cualquier momento por la causa de Cristo, que somos como ovejas de matadero, ³⁷pero que a pesar de todo, nuestra victoria es absoluta, gracias a Cristo que nos amó hasta la muerte.

³⁸Estoy convencido que nada podrá apartarnos de su amor. Ni la muerte, ni la vida, ni los temores al presente, ni nuestra preocupación por el futuro, ³⁹ni el lugar donde estemos (ya sea el más alto o el más profundo), ni los ángeles, ni los poderes del mismo infierno, ¡Nada, podrá separarnos del amor de Dios que demostró nuestro Señor Jesucristo al morir por nosotros!

9

¡OH ISRAEL, MI pueblo! ¡Hermanos míos! ¡Cuánto anhelo que se acerquen a Cristo! ²Me duele el corazón y siento día y noche una gran amargura al pensar en ustedes. ³Cristo y el Espíritu Santo saben que no miento al decir que estaría dispuesto a condenarme eternamente si con ello ustedes se salvaran.

⁴Dios les ha dado muchas cosas, mas ustedes no le prestan atención. El los tomó por pueblo suyo, los guio mediante el resplandor de una nube de gloria y les expresó lo mucho que deseaba bendecirlos. El les dio preceptos para la vida diaria, para que supieran lo que El deseaba que hicieran. El les dio la oportunidad de adorarlo y les prometió grandes cosas. ⁵Los padres de ustedes fueron grandes hombres de Dios, y Cristo mismo, que ahora gobierna todas las cosas, fue también judío en lo que a la naturaleza humana se refiere. ¡Bendito sea Dios para siempre!

⁶Entonces, ¿perdieron valor las promesas de Dios a su pueblo judío al rehusar éste la salvación?

Por supuesto que no.

Pero las promesas de Dios son para los que aceptan la salvación. Los que la aceptan forman parte del verdadero pueblo de Dios, son los judíos verdaderos. ⁷Así que no todo el que nace de familia judía es judío verdadero. El simple hecho de descender de Abraham no los hace verdaderos hijos de Abraham. Porque las Escrituras dicen que las promesas se aplican sólo a un hijo de Abraham, Isaac, y a los descendientes de éste, aunque Abraham tuvo más hijos. ⁸Esto quiere decir que no todos los hijos de Abraham son hijos de Dios. Hijo de Dios es el que cree en la promesa de salvación que El hiciera a Abraham. ⁹Porque lo que el Señor prometió fue esto: "El año que viene les daré a ti y a Sara un hijo".

¹⁰,¹¹Años más tarde, al crecer aquel hijo, Isaac, y casarse, estando Rebeca su mujer a punto de dar a luz mellizos, ¹²Dios le dijo que Esaú, el que nacería primero, serviría a Jacob, el hermano mellizo. ¹³Como dicen las Escrituras: "Escogí bendecir a Jacob y no a Esaú". ¹⁴,¹⁵Y Dios lo dijo antes que los niños nacieran, antes que hubieran hecho bien o mal. Esto prueba que Dios estaba haciendo lo que ya había decidido desde el principio; no era que los niños lo merecieran sino que Dios así lo había deseado y determinado.

¿Es Dios injusto?

¡Claro que no! Una vez le dijo a Moisés: "Si quiero ser bondadoso con alguien, lo soy. Y me apiadaré de quien yo quiera". ¹⁶Así que las bendiciones de Dios no las obtienen los que se deciden a buscarlas, ni los que se esfuerzan por obtenerlas. Dios otorga sus bendiciones a aquellos de quienes desea apiadarse. ¹⁷Encontramos un ejemplo de esto en la historia del faraón, rey de Egipto. Dios le dijo que le había dado el trono de Egipto con determinado propósito de mostrar en él lo terrible del poder divino, para que el mundo entero conociera el nombre de Dios.

¹⁸Como ven, Dios se apiada de algunos cuando le place, y hace que algunos se nieguen a escuchar. ¹⁹,²⁰Entonces, ¿por qué los condena después por no escuchar? ¿Acaso no actúan como Dios hizo que actuaran? No, no digan eso. ¿Quiénes son ustedes para criticar a Dios? ¿Podrá un objeto decirle a quien lo hizo: "por qué me has hecho así"? ²¹¿No tiene acaso el derecho el que hace vasos de barro a hacer con el mismo barro una vasija hermosa que sirva de florero y otra que sirva para echar

basura?

²²¿No tiene Dios el mismo perfecto derecho a desatar su ira y su poder contra los que ha preparado precisamente para destrucción, con los cuales ha sido hasta entonces paciente? ²³,²⁴El tiene también derecho a tomar a personas como nosotros, judíos o gentiles, a quienes creó para derramar en ellas las riquezas de su gloria, y tener misericordia de ellas, con el propósito de mostrar al mundo la inmensidad de su gloria.

²⁵¿Recuerdan lo que dice la profecía de Oseas? Dice que Dios buscaría hijos fuera de la familia judía y los amaría a pesar de que ellos jamás habían amado a Dios. ²⁶Y añade que los paganos, a los cuales había dicho: "No eres mi pueblo", serían llamados "hijos del Dios viviente".

²⁷El profeta Isaías clamó tocante a los judíos que, aunque fueran millones, sólo un pequeño grupo se salvaría. ²⁸"Porque el Señor ejecutará su sentencia sobre la tierra y súbitamente, con justicia, terminará sus relaciones con ellos". ²⁹Y añade en otro lugar que si no fuera por su misericordia, Dios destruiría por completo a los judíos, como destruyó a los habitantes de Sodoma y Gomorra.

³⁰Bueno, ¿qué diremos a esto? Pues que Dios ha dado a los gentiles la oportunidad de salir absueltos por fe, a pesar de que no se puede decir que andaban buscando a Dios. ³¹Pero los judíos, que con tanto ardor trataron de guardar la ley para ponerse bien con Dios, nunca lo lograron. ³²¿Por qué no? Porque trataban de salvarse cumpliendo con la ley y haciendo buenas obras, en vez de depender de la fe. Dieron contra la gran piedra de tropiezo.

³³Dios se lo advirtió en las Escrituras al decir: "He puesto una Roca (a Jesús) en el camino de los judíos, y muchos tropezarán con ella. Mas los que crean en ella jamás se arrepentirán de haberlo hecho".

10

AMADOS HERMANOS, EL anhelo de mi corazón y mi oración es que el pueblo judío se salve.

²Yo sé el celo que sienten por la causa de Dios, pero es un celo equivocado. ³Como no entienden que Cristo murió para disculparlos ante Dios, tratan de hacerse justos guar-

dando la ley y las costumbres judías con el propósito de conquistar el favor de Dios. Pero Dios no nos salva de esa manera. ⁴Entiéndanlo bien: Cristo concede a quienes creen en El lo que ustedes están tratando de lograr por esfuerzo propio, pues Cristo es el fin de la ley. ⁵Como dijo Moisés: "Si una persona llega a ser enteramente buena, y se guarda para siempre de la tentación y nunca peca, Dios la podrá perdonar y salvar".

⁶Mas acerca de la salvación por fe dice: "No tienes que subir al cielo a pedirle a Cristo que descienda a ayudarte, ⁷ni tienes que ir a donde están los muertos para retornar a Cristo a la vida", ⁸porque la salvación que se obtiene confiando en Cristo, que es la que predicamos, está a nuestro alcance, está tan cerca de nosotros como el corazón y la boca. ⁹Y si declaras con tus propios labios que Jesucristo es tu Señor, y crees de corazón que Dios lo levantó de entre los muertos, te salvarás. ¹⁰Porque cuando un individuo cree de corazón, Dios lo da por justo; y cuando confiesa ante los demás que tiene fe, asegura la salvación, ¹¹pues las Escrituras afirman que los que creen en Cristo jamás se sentirán defraudados.

¹²El judío y el gentil son iguales en cuanto a esto: los dos tienen un mismo Señor, y El otorga generosamente sus riquezas a los que se las pidan.

¹³Porque todo aquel que invoque el nombre de Cristo será salvo. ¹⁴Pero, ¿cómo van a invocar a alguien en quien no creen? ¿Y cómo van a creer en alguien de quien no han oído hablar? ¿Y cómo van a oír de El si no se les habla? ¹⁵¿Y quien puede ir a hablarles si no lo envía nadie? De esto hablan las Escrituras cuando expresan: "¡Qué hermosos son los pies de los que proclaman el evangelio de la paz con Dios y pregonan sus buenas noticias! En otras palabras: ¡Benditos los que van pregonando las Buenas Noticias de Dios!"

¹⁶No todos los que escuchan las Buenas Noticias las reciben con gozo. El profeta Isaías exclamó: "Señor, ¿quién ha creído lo que he dicho?" ¹⁷Mas la fe nace cuando se presta atención a las Buenas Noticias acerca de Jesucristo.

¹⁸¿Y qué han hecho los judíos? ¿Han oído el mensaje de Dios? Sí, porque ha llegado a todas partes; las Buenas Nuevas han llegado hasta los confines del mundo.

¹⁹¿Entenderían ellos que Dios iba a dar la salvación a otros si la rechazaban? Sí, porque aun en tiempos de Moisés, Dios dijo que concedería la salvación a los insensatos pueblos paganos, para que Israel sintiera celos y despertara. ²⁰Luego dice claramente, en Isaías, que naciones que ni siquiera andaban buscando a Dios lo hallarían.

²¹Mas El sigue esperando a los judíos con los brazos abiertos, a pesar de que éstos continúan discutiendo con El y negándose a ir.

11 PREGUNTO ENTONCES: ¿HA rechazado o abandonado Dios a su pueblo judío? ¡No, no, no! Recuerden que yo mismo soy judío, descendiente de Abraham y miembro de la familia de Benjamín. ²No, Dios no ha descartado al pueblo que El mismo escogió desde el principio. ¿Recuerdan lo que dicen las Escrituras en cuanto a esto? ³Elías el profeta se quejaba a Dios de que los judíos habían matado a los profetas y derrumbado los altares de Dios, de que él era el único que quedaba de los que amaban a Dios, y trataban de matarlo también. ⁴¿Recuerdan lo que le respondió Dios? "No, tú no eres el único que me queda. ¡Tengo además siete mil personas que todavía me aman y no se han arrodillado ante los ídolos!"

⁵En la actualidad sucede lo mismo. No todos los judíos están apartados de Dios y algunos se están salvando, gracias a que Dios en su bondad los ha escogido. ⁶Y decimos "gracias a la bondad de Dios" porque no es que sean lo suficientemente buenos. Si así fuera, la salvación dejaría de ser gratuita. ¡Lo que es gratis, gratis es!

⁷El caso, pues, es el siguiente: la mayoría de los judíos no han alcanzado el favor de Dios que andaban buscando. Algunos lo han alcanzado porque Dios los ha escogido, mas los demás están ciegos. ⁸A esto se refieren las Escrituras cuando dicen que Dios los ha adormecido, que les ha cerrado los ojos y oídos para que no entiendan el significado de nuestras palabras al hablarles de Cristo. Eso es lo que está

pasando. [9]Y David, también exclamó: "¡Que las buenas comidas y las bendiciones se conviertan en trampas que los hagan creer que andan bien con Dios! ¡Que los placeres se les conviertan en castigo! [10]¡Que se les oscurezca la vista y no puedan ver! ¡Que anden para siempre con la espalda agobiada bajo un gran peso!"

[11]¿Quiere decir esto que Dios ha arrojado lejos de sí al pueblo judío para siempre? ¡Naturalmente que no! El sólo ha querido poner la salvación al alcance de los gentiles, para que los judíos sientan celo y deseen obtenerla.

[12]Ahora bien, si el mundo entero se ha enriquecido con la oferta de la salvación al tropezar con ella los judíos y rechazarla, ¿cuánto más grande no serán las bendiciones que recibirá el mundo cuando también los judíos se acerquen a Cristo?

[13]Como ustedes saben, Dios me nombró mensajero especial para ustedes los gentiles. Pongo énfasis en esto y cada vez que puedo se lo recuerdo a los judíos, [14]para ver si así se interesan por obtener lo que ustedes tienen, y se salvan algunos. [15]¡Qué glorioso será cuando ellos acepten a Cristo! El que Dios diera la espalda a los judíos significó que se volvía al resto del mundo a ofrecerle salvación. ¡Por eso es tan maravilloso cada vez que un judío se convierte a Cristo! Es como si un muerto despertara a la vida.

[16]Como Abraham y los profetas pertenecen al pueblo de Dios, sus hijos pertenecerán también a ese pueblo. Si las raíces de un árbol son santas, las ramas lo son también. [17]Mas algunas de las ramas del árbol de Abraham (es decir, algunos de los judíos) se quebraron. Y ustedes los gentiles, que eran, digamos, ramas de olivo silvestre, han sido injertados. En vista de esto participan de las bendiciones que Dios prometió a Abraham y a sus hijos, y se nutren también de la rica savia del olivo de Dios.

[18]Sin embargo, cuídense de no jactarse de estar suplantando las ramas desgajadas. Recuerden que lo único importante que tienen ustedes es el hecho de formar parte del árbol de Dios, y sólo como ramas, no como raíces.

[19]Bueno, quizás te estés diciendo: "Si desgajaron aquellas ramas para colocarme

a mí, será porque soy lo suficientemente bueno".

[20]¡Cuidado! Recuerda que aquellas ramas (los judíos) fueron taladas por no creer en Dios, y tú estás allí porque crees. No estés orgulloso; sé humilde, agradecido y prudente. [21]Si Dios no vaciló en cortar las ramas que había puesto allí primero, no vacilará tampoco en cortarte.

[22]Fíjate que Dios es a la vez bondadoso y severo. Aunque es implacable contra los que lo desobedecen, es bondadoso contigo si lo amas y confías en El. Pero si no lo haces, también te cortará.

[23]Por otro lado, los judíos echaran a un lado su incredulidad y volvieran a Dios, Dios los restauraría al árbol. ¡El puede hacerlo! [24]Porque si Dios te amó a ti, que estabas alejadísimo de El como rama de olivo silvestre, y te injertó en su propio buen olivo (lo cual no se acostumbra a hacer), ¿no crees que estará mucho más dispuesto a reinjertar a los judíos, que estaban allí primero?

[25]Quiero que sepan bien, amados hermanos, esta verdad de Dios, para que no sean arrogantes ni se jacten de nada. Sí, es cierto que algunos de los judíos se han vuelto contra el evangelio, pero esto será sólo hasta que todos los gentiles se hayan acercado a Cristo, es decir, los que lo han de hacer. [26]Y después de esto todo Israel obtendrá la salvación. ¿Recuerdan lo que dijeron los profetas en cuanto a esto? "De Sión saldrá un Libertador que apartará a los judíos de la impiedad. [27]Y entonces les quitaré sus pecados, como he prometido".

[28]Hoy día hay muchos judíos enemigos del evangelio, que lo aborrecen. Esto los ha beneficiado a ustedes, porque en vista de ello Dios ha otorgado sus dádivas a los gentiles. Sin embargo, Dios aún ama a los judíos como lo prometió a Abraham, Isaac y Jacob. [29]Dios jamás retira sus dádivas ni sus reclamos, ni se retracta de sus promesas. [30]Anteriormente ustedes se rebelaban contra Dios, pero, al rechazar los judíos las dádivas divinas, Dios dirigió hacia ustedes su compasión. [31]Ahora los rebeldes son los judíos, mas algún día alcanzarán también misericordia. [32]Porque a judíos y a gentiles Dios los ha encerrado en la cárcel de la desobediencia para después poder tener mi-

Cesarea en el Mar Mediterráneo. Pablo salió de allí en barco para Roma.

El lago de Galilea.

sericordia de ambos.

³³¡Qué maravilloso es nuestro Dios! ¡Qué inmensa su sabiduría, sus conocimientos, sus riquezas! ¡Qué imposible nos es entender sus determinaciones y métodos! ³⁴¿Quién de nosotros podrá escudriñar los pensamientos del Señor? ¿Quién es lo suficientemente sabio como para constituirse en consejero o guía del Altísimo? ³⁵¿Y quién puede haber ofrecido al Señor suficiente para sentirse con derecho a demandar recompensa? ³⁶Porque, ¿qué no proviene de Dios? Su poder sustenta la vida, y las cosas existen para gloria suya.

¡A El sea la gloria siempre! Así sea.

12 POR ESTO, AMADOS hermanos, les ruego que se entreguen de cuerpo entero a Dios, como sacrificio vivo y santo; éste es el único sacrificio que El puede aceptar. Teniendo en cuenta lo que El ha hecho por nosotros, ¿será demasiado pedir?

²No imiten la conducta ni las costumbres de este mundo; sean personas nuevas, diferentes, de novedosa frescura en cuanto a conducta y pensamiento. Así aprenderán por experiencia la satisfacción que se disfruta al seguir al Señor. ³Como mensajero de Dios les advierto: no se consideren mejores de lo que son; valórense de acuerdo al grado de fe que Dios les ha permitido.

⁴El cuerpo de Cristo, al igual que nuestros propios cuerpos, tiene muchas partes. Cada uno de nosotros forma parte de ese cuerpo, y éste no estaría completo si faltara alguno, ya que cada quien desempeña una tarea diferente. ⁵Así que entre nosotros hay dependencia mutua; nos necesitamos unos a otros.

⁶Dios ha concedido a cada persona el don de realizar bien cierta tarea. Así que si Dios te ha dado el don de profetizar, ejercítalo de acuerdo a la proporción de la fe que posees. ⁷Si posees el don de servir a los demás, sirve bien. Si eres maestro, sé un buen maestro. ⁸Si eres predicador, procura que tu sermón sea poderoso y útil. Si Dios te ha dado dinero, ayuda generosamente a los demás. Si Dios te ha concedido habilidades administrativas y te ha hecho responsable del trabajo de otros, cumple con seriedad tu deber. Y quienes consuelen a los afligidos,

háganlo con alegría cristiana.

⁹No finjas amar; ama de veras. Aborrece lo malo. Ponte de parte del bien. ¹⁰Amense con cariño de hermanos y deléitense en el respeto mutuo.

¹¹No seas perezoso en el trabajo; sirve al Señor con entusiasmo. ¹²Regocíjate en los planes que Dios tiene para ti. Ten paciencia si sufres, y nunca dejes de orar.

¹³Cuando veas a algún hijo de Dios en necesidad, sé tú el que corra a ayudarlo. Y fórmate el hábito de invitar a comer en tu casa y ofrecer alojamiento a los que lo necesiten.

¹⁴Si alguien te maltrata por ser cristiano, no lo maldigas; al contrario, ora que Dios lo bendiga.

¹⁵Si alguien se alegra, alégrate con él. Si alguien está triste, acompáñalo en la tristeza. ¹⁶Trabaja con armonía. No te afanes por conquistar sólo el favor de los importantes; alégrate en la compañía de la gente común. ¡Y no te hagas el que lo sabe todo!

¹⁷Nunca pagues mal con mal. Actúa siempre honrada y limpiamente.

¹⁸No riñas con nadie. Procura en lo que te sea posible estar en paz con todo el mundo. ¹⁹Querido hermano, nunca tomes venganza. Déjasela a Dios, porque El ha dicho que castigará a los que se lo merezcan. ²⁰Al contrario, da de comer al enemigo hambriento. Si tiene sed, dale de beber. Así estarás "amontonando ascuas de fuego sobre su cabeza". En otras palabras, así se avergonzará de lo que te ha hecho. ²¹No te dejes, pues, vencer por el mal, sino vence el mal haciendo el bien.

13 OBEDECE A LOS superiores legales, porque Dios es quien les ha otorgado el cargo. No hay ningún gobierno en la tierra que Dios no haya permitido llegar al poder. ²Así que los que se niegan a obedecer las leyes recibirán castigo. ³La gente de bien no teme a los jueces; pero los maleantes tiemblan ante ellos. Así que si no deseas temerles, obedece las leyes y no tendrás problemas. ⁴Dios ha puesto a los jueces para ayudarte. Pero si estás haciendo algo malo, claro que tienes que temerles, porque ellos harán que te castiguen. Para eso los ha puesto Dios, para actuar con justicia. ⁵Obedece las leyes, pues, por dos motivos; primero, para que no te castiguen; segundo, porque es tu deber obedecerlas.

⁶Por esos mismos motivos, paga los impuestos. Los empleados del gobierno tienen que recibir salario para poder continuar sirviéndote en el trabajo que Dios les ha encomendado. ⁷Cumple con alegría tus obligaciones; paga los impuestos y las contribuciones, obedece a tus superiores, y honra y respeta a quienes haya que honrar y respetar.

⁸Paga las deudas, excepto las deudas de amor hacia otros; pues éstas nunca se terminan de pagar. Al amarlos estarás obedeciendo la ley de Dios y satisfaciendo sus demandas. ⁹Porque si amas a tu prójimo como a ti mismo, jamás sentirás deseos de perjudicarlo, engañarlo, matarlo ni robarle; jamás pecarás con su esposa ni desearás lo que le pertenece. No harás contra él nada que los Diez Mandamientos prohíban, porque todos se resumen en uno solo: Amarás a tu prójimo como a ti mismo. ¹⁰El amor no hace mal a nadie y, por lo tanto, satisface las demandas de Dios. Es la única ley que necesitamos.

¹¹Tenemos que vivir como Dios manda, por otro motivo: sabemos que se está haciendo tarde; el tiempo vuela. ¡Despertemos! El regreso del Señor está más cerca ahora que cuando creímos en El. ¹²La noche ya se extingue; el día de su regreso despuntará pronto. Dejemos de actuar en las tinieblas y vistámonos las armaduras del bien, como corresponde a quienes viven a la luz del día. ¹³Seamos siempre decentes y honrados, para que nadie pueda criticarnos. No gastemos el tiempo en fiestas exageradas, borracheras, adulterios, sensualidad, pleitos ni envidias. ¹⁴Pidámosle a Jesucristo que nos ayude a vivir como debemos, y no tramemos complacernos con impiedades.

14 RECIBAN CON UNA calurosa bienvenida a cualquier hermano que desee unírseles, aun cuando la fe de éste sea débil. No lo critiquen si sus ideas no concuerdan con las de ustedes en cuanto a lo que está bien o mal. ²Por ejemplo, no discutan con él acerca de si se debe o no se debe comer las carnes ofrecidas a los ídolos. Quizá uno piense que no es malo comerlas, pero el otro, el de la fe más débil, puede pensar que

no es correcto hacerlo, y quizás preferiría vivir comiendo sólo vegetales que comer ese tipo de carne. ³Los que creen correcto el comer tales carnes no deben menospreciar a los que creen lo opuesto. Si tú eres de los que no las comen, no critiques a los que lo hacen, porque Dios los ha aceptado como a hijos. ⁴Ellos son siervos de Dios, no de ustedes. Y son responsables ante Dios, no ante ustedes. Dejen que sea El el que les diga si están haciendo bien o mal. Dios puede persuadirlos a actuar como es debido.

⁵Hay quienes creen que los cristianos deben observar las festividades judaicas como días especiales de adoración, y hay los que dicen que es incorrecto y disparatado hacerlo, porque no hay día que no sea de Dios. En cuestiones como éstas, cada uno debe escoger. ⁶Si observas ciertos días especiales de adoración al Señor tratando de honrarlo, haces bien. Asimismo, si la persona que come carne ofrecida a los ídolos da gracias al Señor, hace bien. Pero la persona que no se atreve ni siquiera a tocar tales carnes trata también de agradar al Señor, y también le da las gracias.

⁷Nosotros no somos tan independientes como para poder vivir o morir según nos plazca. ⁸Al vivir o morir lo hacemos por El. Al vivir o morir suyos somos. ⁹Cristo murió y resucitó precisamente para poder ser nuestro Señor mientras vivimos y cuando muramos.

¹⁰Tú no tienes derecho a criticar a tu hermano ni a menospreciarlo. Recuerda que cada uno de nosotros tendrá que comparecer personalmente ante el tribunal de Cristo. ¹¹Porque está escrito: "Yo vivo", dice el Señor, "y ante mí se doblará toda rodilla, y toda lengua reconocerá en público a Dios". ¹²Sí, cada uno tendrá que dar cuentas a Dios de sus actos.

¹³Así que dejen de estarse criticando. Traten de vivir de tal manera que ningún hermano se tambalee al verlos haciendo algo que crea incorrecto. ¹⁴En cuanto a mí, como siervo de Jesucristo, tengo la seguridad más absoluta de que no es malo comer de la carne ofrecida a los ídolos. Mas si alguien piensa que es malo, no debe comerla, porque sería malo si lo hiciera. ¹⁵Y si a tu hermano le molesta lo que comes, sería

una falta de amor persistir en hacerlo. No permitas que tu comer arruine la vida de aquél por quien Cristo murió. [16]No hagas nada por lo cual se te pueda criticar, ni aun cuando sepas que no es malo. [17]Después de todo, para el cristiano lo más importante no es comer ni beber sino procurar virtud, paz y gozo del Espíritu Santo. [18]Si dejas que Cristo te guíe en estas cuestiones, Dios se alegrará y tus amigos también. [19]Además, estarás contribuyendo a la armonía en la iglesia, y a la edificación mutua. [20]No destruyas la obra de Dios por un trozo de carne. Recuerda, lo malo no es la carne; lo malo es comerla si con ello alguien tropieza. [21]Lo mejor que uno puede hacer es dejar de comer carne, beber vino o cualquier cosa que pueda ofender al hermano o inducirlo a pecar.

[22]Quizás estés convencido de que no es malo lo que haces, ni siquiera desde el punto de vista divino; mas guárdalo para ti solo. No te jactes de tus opiniones ante quienes podrían sentirse heridos. En un caso así, dichoso el hombre que no peca haciendo lo que sabe que no es malo. [23]Mas si piensa que lo que desea hacer pudiera no estar correcto, no debe hacerlo. Y peca si lo hace, porque cree que es malo y por lo tanto es malo para él. Cualquier cosa que se haga fuera de lo que uno cree correcto, es pecado.

15 AUN CUANDO CREAMOS que a Dios lo tiene sin cuidado el que lo hagamos, no debemos hacerlo por el simple hecho de que nos plazca. Debemos llevar sobre nuestros hombros la responsabilidad de velar por las dudas y los temores de los que piensan que aquello es incorrecto. [2]Agrademos al prójimo, no a nosotros mismos; hagamos cuanto contribuya al bien y a la edificación de la fe del prójimo.

[3]Cristo no trató de complacerse. Como dice el Salmista: "Vino precisamente a sufrir los insultos de los enemigos de Dios". [4]Y esto fue escrito hace tiempo para enseñarnos a tener paciencia y a animarnos a fijar la mirada en el día final en que Dios ha de vencer en nosotros el pecado y la muerte.

[5]¡Dios, que da paciencia, estímulo y consolación, les ayude a vivir en armonía con los demás, tal como Cristo nos lo enseñó, [6]para que podamos juntos y a una voz alabar y glorificar a Dios, el Padre de nuestro Señor Jesucristo!

[7]Así que, para gloria de Dios, trátense en la iglesia con el mismo afecto con que Cristo los ha recibido.

[8]Recuerden que Jesucristo vino a demostrar que Dios es fiel a su promesa, y a ayudar a los judíos. [9]Recuerden que El vino también para que los gentiles pudieran salvarse y alabar a Dios por sus mercedes hacia ellos. A esto se refiere el Salmista cuando dice: "Te alabaré entre los gentiles, cantaré a tu nombre". [10]Y en otro lugar exclama: "Gentiles, alégrense juntamente con el pueblo judío". [11]Y además: "Gentiles, alaben al Señor; que nadie deje de alabarlo". [12]Y el profeta Isaías añade: "Habrá un heredero en la casa de Isaí y reinará sobre los gentiles; sólo en El depositarán éstos sus esperanzas". [13]Por lo tanto, gentiles, oro que el Dios que les concedió esperanza los inunde siempre de felicidad y paz al creer en El. Oro que Dios los haga rebosar de esperanza en El a través del poder del Espíritu Santo que está en ustedes.

[14]Sé que ustedes son sabios y bondadosos, hermanos míos, y que están tan empapados en estos asuntos que podrían enseñar a otros; [15]mas he sido bien franco porque he deseado puntualizarlos a manera de recordatorio, que es todo lo que ustedes necesitan. [16]Soy, por la gracia de Dios, un mensajero especial de Cristo a los gentiles; mi tarea es traerles el evangelio, y luego presentarlos ante Dios como ofrenda perfumada, porque el Espíritu Santo los ha purificado y los ha hecho agradables a Dios.

[17]Así que no está mal que me sienta algo orgulloso de lo que Jesucristo ha hecho a través de mi persona. [18]No me atrevería a evaluar la efectividad del trabajo de los demás, pero sí sé esto: Dios me ha usado para ganar a los gentiles. Los he ganado con mi palabra, con el ejemplo de la vida que he vivido ante ellos, [19]y con los milagros que, a manera de señales, he realizado mediante el poder del Espíritu Santo. He estado predicando así desde Jerusalén hasta Ilírico. [20]Siempre ha sido mi ambición predicar, no donde ya otros han co-

menzado iglesias, sino más allá, donde el nombre de Cristo jamás ha sido proclamado. ²¹He cumplido lo que Isaías predijo en las Escrituras: "Quienes nunca antes habían escuchado el nombre de Cristo, verían y entenderían".

²²En realidad, por eso me he demorado tanto en ir a visitarlos. ²³Pero al fin, tras años de espera, ya he terminado mi trabajo por estos lugares y puedo ir. ²⁴Estoy pensando ir a España; cuando lo haga, pasaré por Roma y tendré el gusto de estar con ustedes algún tiempo, tras lo cual ustedes mismos me encaminarán de nuevo.

²⁵Pero antes tengo que ir a Jerusalén a llevar un regalo a los cristianos judíos. ²⁶No sé si saben que los cristianos de Macedonia y Acaya han estado recogiendo dinero para los hermanos de Jerusalén, que tantas necesidades están pasando. ²⁷Ellos lo han hecho con alegría porque se sienten en deuda con los cristianos de Jerusalén. ¿Por qué? Porque las noticias acerca de Cristo les llegaron a través de la iglesia de Jerusalén. Y como recibieron de ellos el maravilloso donativo espiritual del evangelio, piensan que lo menos que pueden hacer en reciprocidad es ofrecerles ayuda material. ²⁸Tan pronto entregue el dinero y concluya tan buena acción, llegaré a verlos de paso a España. ²⁹Estoy seguro de que cuando vaya, el Señor les enviará conmigo grandes bendiciones.

³⁰¿Orarán por mí? En nombre del Señor Jesucristo y en nombre del amor que me profesan, y que el Espíritu Santo ha puesto en ustedes, les ruego que oren por mi trabajo. ³¹Oren que el Señor me proteja en Jerusalén de los que no son cristianos. Oren que los cristianos de allí acepten el dinero que les llevo. ³²Podré entonces, Dios mediante, ir a ustedes con el corazón alegre y nos confortaremos unos a otros. ³³¡Que el Dios de paz esté con todos ustedes! Amén.

16 FEBE, UNA CRISTIANA de Cencrea muy amada, irá pronto a visitarlos. Ella ha trabajado mucho en la iglesia de ese pueblo. ²Recíbanla como a una hermana en el Señor, con una calurosa bienvenida. Ayúdenla en todo cuanto puedan, porque ella ha ayudado mucho a otras personas y a mí mismo.

³Saluden en mi nombre a Priscila y a Aquila. Ellos han colaborado mucho conmigo en la obra de Jesucristo. ⁴Hasta han arriesgado la vida por mí. Y no soy el único que les está agradecido; las iglesias gentiles lo están también.

⁵Salúdenme también a las personas que se congregan en la casa de Priscila y Aquila a adorar al Señor. También a Epeneto, mi gran amigo: él fue el primero en convertirse al cristianismo en Asia.

⁶Recuerdos a María, quien se ha esforzado tanto por ayudarnos.

⁷Lo mismo a Andrónico y a Junias, parientes míos y compañeros de prisión. Los apóstoles los aprecian mucho; ellos se hicieron cristianos antes que yo. Denles mis saludos.

⁸Saludos a Amplias, a quien amo como verdadero hijo de Dios, ⁹y a Urbano, nuestro compañero de trabajo, y al muy amado Estaquis. ¹⁰Luego salúdenme a Apeles, buen hombre a quien el Señor aprueba. Y recuerdos a los que trabajan en casa de Aristóbulo.

¹¹Recuerdos también a mi pariente Herodión, a los esclavos cristianos de la casa de Narciso; ¹²a Trifena y a Trifosa, obreras del Señor; y a mi querida Pérsida, que ha trabajado tanto por el Señor.

¹³Saludos a Rufo, a quien el Señor escogió para ser suyo, así como a su querida madre, que ha sido como una madre para mí. ¹⁴Y denles saludos a Asíncrito, a Flegonte, a Hermas, a Patrobas, a Hermes y a los otros hermanos que están con ellos.

¹⁵Cariños a Filólogo, a Julia, a Nereo y a su hermana, a Olimpas y a los demás cristianos que estén con ellos.

¹⁶Y dense todos un fuerte abrazo en mi nombre. Las iglesias de por acá les envían saludos.

¹⁷Y antes de terminar esta carta, déjenme decirles algo más: Apártense de los que causan divisiones y perjudican la fe de los demás con enseñanzas acerca de Cristo que están en contra de lo que a ustedes se les ha enseñado.

¹⁸Dichos maestros no están trabajando para Jesucristo, sino para su propio beneficio personal. Son buenos oradores, y engañan fácilmente a los ingenuos. ¹⁹Mas todo el mundo sabe que ustedes son leales y

obedientes. Esto me alegra mucho. Quiero que estén siempre bien claros en cuanto a qué es lo correcto y que permanezcan inocentes de todo mal. [20]Pronto el Dios de paz aplastará a Satanás bajo sus pies. Que la gracia de nuestro Señor esté con ustedes.

[21]Timoteo, mi colaborador, y Lucio, Jasón y Sosípater, mis parientes, les envían el más afectuoso saludo.

[22]Yo, Tercio, a quien Pablo ha dictado esta carta, les envío saludos también como hermano en Cristo. [23]Gayo me pide que los salude en su nombre. Yo estoy alojado en su casa. Aquí también se reúne la iglesia. Erasto, el tesorero municipal, les envía saludos, al igual que el hermano Cuarto. [24]Adiós. Que la gracia de nuestro Señor Jesucristo esté con todos ustedes. [25]Los dejo con Dios, quien puede fortalecerlos y afirmarlos en el Señor, como dice el evangelio y como yo les he dicho. Este es el plan de salvación que Dios tenía para ustedes los gentiles, y que había estado en secreto desde el principio de los tiempos. [26]Mas, tal como lo predijeron los profetas y tal como Dios lo ordena, en todas partes se está predicando este mensaje, para que los pueblos del mundo tengan fe en Cristo y lo obedezcan. [27]A Dios, el único verdaderamente sabio, para siempre sea la gloria a través de Jesucristo nuestro Señor. Amén.

Los quiere,
Pablo

---

1 CORINTIOS

1 REMITENTES: PABLO, A quien Dios llamó para ser misionero de Jesucristo, y el hermano Sóstenes.

[2]*Destinatarios:* Esta carta está dirigida a los cristianos de Corinto, a quienes Dios llamó a ser pueblo suyo y santificó por medio de Jesucristo; y a los que en cualquier lugar invocan el nombre de Jesucristo, Señor de ellos y nuestro.

[3]Que Dios nuestro Padre y el Señor Jesucristo derramen en ustedes bendiciones y paz.

[4]No ceso de dar gracias a Dios por las maravillosas dádivas que les concedió por medio de Cristo. [5]El les ha dado una vida más rica, les ha ayudado a hablar en nombre de El y les ha dado entendimiento cabal de la verdad. [6]Cuanto les dije de Cristo se ha plasmado en realidad en ustedes, [7]porque no les falta ya ninguna gracia ni ninguna bendición; ya han recibido las dádivas espirituales y el poder que se necesita para cumplir la voluntad divina mientras esperan el regreso de nuestro Señor Jesucristo. [8]El los mantendrá firmes hasta el fin, para que nadie los pueda culpar de nada cuando El retorne. [9]Sí, porque Dios siempre cumple su palabra, y El los llamó a participar de la gloriosa amistad de su Hijo, Jesucristo nuestro Señor.

[10]Pero, amados hermanos, les suplico en el nombre de nuestro Señor Jesucristo que no discutan más, que reine entre ustedes la armonía y cesen las divisiones. Les ruego encarecidamente que mantengan unidad de pareceres, sentimientos y propósitos. [11]Porque, hermanos míos, los de la familia de Cloé me han hablado de las discusiones y las riñas que se traen entre ustedes. [12]Me cuentan que algunos dicen: "Yo soy de Pablo"; y que otros responden que son de Apolos o que son de Pedro; y algunos hasta se creen que son los únicos cristianos verdaderos. [13]¿Resultado? ¡Que han despedazado a Cristo! A ver, díganme, ¿morí yo por los pecados de ustedes? ¿Fue alguno bautizado en mi nombre?

[14]¡Gracias a Dios que a nadie bauticé entre ustedes excepto a Crispo y a Gayo! [15]Así a nadie podrá ocurrírsele que estaba promoviendo u organizando una "iglesia de Pablo". [16]Ah, y también bauticé a la familia de Estéfanas. Creo que no bauticé a nadie más, [17]porque Cristo no me envió a bautizar sino a predicar el evangelio. Es más, mi predicación debe haberles parecido pobre, porque no acostumbro a introducir en mis sermones palabras ni ideas rimbombantes por temor a debilitar el extraordinario poder del sencillo mensaje de

la cruz de Cristo. ¹⁸Sé bien que para los perdidos es insensato que se les diga que Cristo murió para salvarlos. Pero para los salvos no es insensatez; es poder de Dios. ¹⁹Porque Dios dice: "Destruiré los planes humanos de salvación por sabios que parezcan, y haré caso omiso de las mejores ideas humanas por más brillantes que sean". ²⁰Y ¿qué de los sabios, de los eruditos, de los más destacados polemistas de este mundo? Dios los ha hecho lucir tontos al mostrar que la sabiduría de que hacían gala era insensatez. ²¹En su sabiduría, Dios comprendió que el mundo jamás lo encontraría por medio de la inteligencia humana, y determinó salvar precisamente a los que creen de corazón este mensaje que el mundo tilda de tonto e insensato.

²²Es insensato para los judíos porque piden señales en el cielo que confirmen la veracidad de lo que se les anuncia; y es insensato para los griegos porque sólo confían en lo que concuerda con sus filosofías y en lo que consideran sabio. ²³Por eso, cuando les predicamos que Cristo que murió puede salvarlos, los judíos se ofuscan y los griegos dicen que es tontería. ²⁴Mas para los llamados, ya sean judíos o griegos, Cristo es el gran poder de Dios que los salva, el centro mismo del sabio plan de salvación divina. ²⁵El supuestamente "insensato" plan de Dios es mucho más sabio que el más sabio plan humano, y el Dios "débil" que muere en la cruz es más fuerte que todos los hombres juntos.

²⁶Fíjense, hermanos: entre ustedes, pocos son los sabios, los poderosos, los célebres. ²⁷Deliberadamente Dios ha escogido a los que el mundo considera tontos y débiles para avergonzar a los que el mundo considera sabios y fuertes. ²⁸Ha escogido a los que en el mundo no tienen importancia alguna, a los despreciados, a los que nada son, para destronar a los que el mundo considera grandes, ²⁹de modo que nadie pueda jactarse en la presencia del Señor. ³⁰Por Dios es que ustedes están en Jesucristo, quien ante Dios es nuestra sabiduría, nuestra justificación, nuestra santificación y nuestra redención. ³¹Al fin de cuentas, como dicen las Escrituras: "El que va a gloriarse, sólo puede gloriarse en lo que el Señor ha hecho".

2 ¹HERMANOS, CUANDO ME presenté ante ustedes para comunicarles el mensaje de Dios no empleé palabras altisonantes ni conceptos profundos, ²porque me había propuesto hablar sólo de Jesucristo y de su muerte en la cruz. ³Me les acerqué en debilidad, con temor y temblor. ⁴Mi predicación fue sencilla, despojada por completo de oratoria y sabiduría humana; pero el Espíritu Santo la respaldaba con poder y demostraba a los oyentes que el mensaje que les comunicaba lo había enviado Dios. ⁵Prediqué así porque deseaba que la fe que naciera en ustedes se afirmara en Dios, no en los grandes conceptos humanos.

⁶Sin embargo, cuando estoy entre cristianos maduros imparto sabiduría, pero no sabiduría terrena, ni sabiduría como la que atrae a los grandes de este mundo que están destinados a desaparecer. ⁷Nuestras palabras son sabias porque provienen de Dios, porque revelan el sabio plan de Dios para llevarnos a la gloria del cielo, plan que estaba antes oculto, aunque fue ideado para beneficio nuestro desde antes de la creación del mundo. ⁸Los grandes del mundo no lo han comprendido. Si lo hubieran comprendido, no habrían crucificado al Señor de la gloria. ⁹Esto es lo que las Escrituras quieren decir cuando afirman que ningún simple mortal ha visto, oído ni imaginado las maravillas que Dios tiene preparadas para los que aman al Señor. ¹⁰Nosotros las conocemos porque Dios envió a su Espíritu a revelárnoslas, y su Espíritu escudriña y nos revela los secretos más profundos de Dios.

¹¹Nadie sabe con exactitud lo que otro está pensando, ni nadie conoce con exactitud al otro, excepto el espíritu de aquella persona. Y nadie conoce lo que piensa Dios excepto el Espíritu de Dios. ¹²Y Dios nos ha dado su Espíritu (no el espíritu del mundo) para que nos cuente las gloriosas dádivas de gracia y bendición que Dios nos ha concedido. ¹³Y al hablarles de esas dádivas, hemos usado las palabras que puso en nosotros el Espíritu Santo, no las palabras que quizás como hombres habríamos escogido. En otras palabras, usamos las palabras del Espíritu Santo para explicar las verdades espirituales a los espirituales.

¹⁴El que no es cristiano, y por lo tanto

está en su estado natural, no puede entender ni aceptar los conceptos de Dios que el Espíritu Santo nos enseña. Les parecen insensatos porque únicamente los espirituales, que tienen al Espíritu Santo dentro, pueden entender las cosas del Espíritu Santo. A los demás les es completamente imposible. ¹⁵El espiritual lo entiende todo, y esto molesta y desconcierta al hombre mundano, que nada entiende. ¹⁶Y ¿cómo podría entender? ¿Quién en su estado natural conoce el pensamiento de Cristo? ¿Qué podrían enseñarle a Cristo, que es el Maestro de los sabios? En cambio, aunque parezca extraño, en lo espiritual el pensamiento de los cristianos es el mismo de Cristo.

3 HERMANOS MÍOS, LES he estado hablando como si fueran niños en la vida cristiana, como si no estuvieran siguiendo al Señor sino a sus propios deseos; no he podido hablarles como a cristianos robustos y llenos del Espíritu. ²Siempre les he dado leche y no alimentos sólidos, porque no habrían podido digerirlos. Aun ahora es menester que los alimente con leche, ³porque son apenas niños en la fe, dominados por sus propios deseos, no por los de Dios. ¿Acaso no lo demuestra el hecho de que se dejan dominar por los celos y andan siempre en contiendas y disensiones? Están actuando como los que no pertenecen al Señor. ⁴¿Qué les parece? ¡Discutiendo si yo soy mayor que Apolos o no, y dividiendo a la iglesia! ¿No demuestra esto lo poco que han crecido en el Señor?

⁵¿Quién soy yo y quién es Apolos para que se peleen por nosotros? No somos más que siervos de Dios por medio de los cuales ustedes creyeron. ⁶Mi tarea fue sembrarles la semilla en el corazón, y la de Apolos fue regarla; pero Dios, y no nosotros, fue el que permitió que germinara. ⁷Aquí el que vale no es el que plantó ni el que regó, sino Dios que hizo germinar la semilla. ⁸El que siembra y el que riega tienen la misma categoría, si bien es cierto que cada uno recibirá recompensa según la labor realizada. ⁹No somos más que colaboradores de Dios. Ustedes son huerto de Dios, no nuestro; son edificio de Dios, no nuestro.

¹⁰Dios, en su bondad, me enseñó cómo edificar con pericia. Yo puse los cimientos y otro edificó encima. El que edifica encima tiene que andar con cuidado, ¹¹porque nadie puede poner otro cimiento que el que ya está puesto: Jesucristo.

¹²Hay varias clases de materiales que pueden emplearse al construir sobre cimiento. Algunos usan oro, plata o piedras preciosas; otros, madera, heno y hasta hojarasca. ¹³El día en que Cristo juzgue se sabrá qué material han empleado los constructores. Cada obra será pasada por fuego para que se sepa su verdadero valor perdurable. ¹⁴Entonces los constructores que hayan sobreedificado con material perdurable, cuya obra estará todavía en pie, recibirán su recompensa. ¹⁵Pero si el fuego consume el edificio, el constructor sufrirá una gran pérdida. Se salvará, sí, pero como el que escapa de un edificio en llamas.

¹⁶¿No se dan cuenta que son el templo de Dios, y que el Espíritu de Dios mora en su templo? ¹⁷El templo de Dios es santo y limpio, y Dios destruirá al que profane o corrompa su templo, y ustedes son templo de Dios. ¹⁸Basta ya de estarse engañando. Si alguno cree que tiene más inteligencia que cualquiera según las normas de este mundo, vuélvase ignorante según esas normas, no sea que esa "inteligencia" lo prive de alcanzar la verdadera sabiduría, que viene de lo alto. ¹⁹Porque la sabiduría de este mundo es insensatez para Dios. Como dice el libro de Job: "Dios enreda a los sabios en la sabiduría que hacen gala, y tropiezan con esa "sabiduría" y caen. ²⁰Además, el libro de los Salmos nos dice que el Señor conoce plenamente los razonamientos humanos, y cuán insensatos e inútiles son. ²¹Por lo tanto, nadie debe sentirse orgulloso de seguir a ningún hombre, pues todo es de ustedes. ²²De ustedes son Pablo, Apolos, Pedro, el mundo, la vida, la muerte, lo presente, lo por venir. ²³Y ustedes son de Cristo y Cristo es de Dios.

4 ASÍ QUE DEBEN tenernos por siervos de Cristo encargados de impartir la bendición de conocer los secretos del Señor. ²Ahora bien, lo más importante en un siervo es que cumpla exactamente las órdenes del amo. ³¿Qué de mí? ¿He sido buen siervo? En realidad no me interesa lo que opinen ustedes de mí, ni lo que opine nadie. No confío ni siquiera en mi propia opinión al respecto. [4]Tengo limpia la conciencia, pero eso no quiere decir que sea justo. El Señor es el que tiene que examinarme y juzgarme. [5]En otras palabras, no se precipiten a sacar conclusiones sobre si alguien es buen siervo o no. Esperen a que venga el Señor. Cuando el Señor venga, prenderá la luz para que nos veamos exactamente como somos en lo más profundo del corazón. Cuando ese momento llegue, sabrán de veras qué nos impulsa a trabajar para el Señor, y cada uno recibirá de Dios la alabanza que merece.

[6]He estado poniendo a Apolos y a mí mismo como ejemplos para aclarar lo que he venido diciendo: que no debemos tener favoritos. No deben preferir un maestro de Dios a otro. [7]¿A qué viene tanto ensoberbecimiento? ¿Qué tienes que Dios no te haya dado? Y si cuanto tienes te lo ha dado Dios, ¿por qué te las das de grande, como si hubieras logrado algo por esfuerzo propio? [8]Al parecer ya tienen el alimento espiritual que necesitan. Se sienten llenos y satisfechos espiritualmente, se sienten reyes y nos echan a un lado. Ojalá reinaran ya, pues cuando eso suceda sepan que nosotros estaremos reinando también con ustedes. [9]Me parece a veces que Dios nos ha colocado a nosotros los apóstoles al final de la cola, como reos que marchan al cadalso detrás de un desfile triunfal, para que el mundo, los ángeles y los hombres nos contemplen. [10]Al parecer somos un puñado de religiosos tontos, mientras que ustedes, claro, son sabios y prudentes. Nosotros somos débiles, ustedes fuertes. Ustedes honorables, nosotros despreciables. [11]Hasta el momento hemos pasado hambre y sed, y ni siquiera hemos tenido suficiente ropa para abrigarnos. Nos maltratan, no tenemos hogar [12]y hemos trabajado agotadoramente con nuestras manos para ganar el sustento. Nos maldicen y bendecimos, y hemos soportado con paciencia a los que nos injurian. [13]Hemos respondido con suavidad cuando han hablado mal de nosotros. Hasta el momento no hemos sido más que la escoria del mundo, el desecho de todos.

[14]No les escribo estas cosas para avergonzarlos, sino como advertencia y consejo a hijos amados. [15]Porque aunque haya diez mil personas más que les enseñen de Cristo, el padre espiritual de ustedes soy yo. Yo los engendré en Cristo por medio de la predicación del evangelio. [16]Por lo tanto, imítenme. [17]Para eso les envío a Timoteo. Lo envío porque es uno de los que he ganado para Cristo y porque es un hijo del Señor, amado y digno de confianza. El les recordará lo que enseño en las iglesias que visito.

[18]Sé que algunos de ustedes, envanecidos, piensan que temo enfrentármeles. [19]Pero he de ir y pronto, si el Señor me lo permite, y veremos si esos individuos tienen de veras el poder de Dios o si son simples habladores. [20]El reino de Dios no consiste en hablar por hablar sino en vivir por el poder de Dios. [21]¿Qué prefieren? ¿Que vaya a castigarlos y a regañarlos, o que vaya con ternura y mansedumbre?

5 POR AHÍ SE dice que entre ustedes se cometen pecados tan terribles que ni aun los inconversos los cometen. Se dice, por ejemplo, que un miembro de la iglesia vive en pecado con la esposa de su padre.[a] [2]¡Y todavía se creen ser espirituales! ¡Deberían sentirse tristes y avergonzados, y echarlo de la congregación!

[3]Aunque no estoy allí en persona, he estado pensando mucho en este problema, y he llegado a una conclusión: [4]En el nombre de Jesucristo nuestro Señor, convoquen a una reunión de la iglesia —en la que el poder de nuestro Señor Jesucristo ha de estar presente, y en la que estaré en espíritu— [5]y, como castigo, expulsen a ese hombre de la iglesia y entréguenlo a Satanás, con la esperanza de que su alma se salve cuando nuestro Señor Jesucristo regrese.

[6]Es terrible que se jacten de ser puros y a la vez dejen que estas cosas ocurran. ¿No se dan cuenta de que si a una persona se le tolera el pecado contaminará a los demás? [7]Extirpen ese cáncer de maldad que hay en la iglesia, para que todos se mantengan en pureza. Cristo, el Cordero de Dios, ya fue

---

5a Quizás su madrastra.

sacrificado por nosotros. [8]Regocijémonos en El, crezcamos en la vida cristiana y dejemos atrás nuestra vieja y cancerosa vida con sus malicias y perversidades. Celebrémoslo con el purísimo pan del honor, la sinceridad y la verdad.

[9]En mi carta anterior les supliqué no se juntaran con los malvados. [10]Pero no me refería a los incrédulos que viven en pecado sexual, en avaricias, en robos o en idolatrías. Para vivir en este mundo tenemos que estar entre gente así. [11]Lo que quise decir fue que no se codearan con los que llamándose cristianos andan en pecados sexuales, avaricias, idolatrías, borracheras y robos. Con ellos ni a comer se junten. [12]Nuestra tarea no es juzgar a los de afuera. Pero ciertamente tenemos la responsabilidad de juzgar y actuar enérgicamente contra los miembros de la iglesia que se entregan a los pecados mencionados. [13]Dios juzgará a los de afuera. Mas a ustedes corresponde enfrentarse a ese perverso y expulsarlo de la iglesia.

6 ¿CÓMO ES QUE ustedes cuando tienen algo contra algún cristiano acuden a las autoridades para que las cortes paganas juzguen el asunto, en vez de acudir a otros cristianos para que determinen quién tiene la razón? [2]¿Ignoran acaso que un día los cristianos van a juzgar y gobernar el mundo? ¿Por qué entonces no resuelven entre ustedes los pequeños litigios? [3]¿No ven que los cristianos van a juzgar a los mismos ángeles? Por lo tanto podrán muy bien resolver las pequeñas dificultades terrenales. [4]¿Por qué acudir entonces a jueces que no son cristianos? [5]Lo digo para que se avergüencen. ¿Es que no hay nadie en la iglesia que sea lo suficientemente sabio para resolver las disputas? [6]¿Debe un cristiano demandar a un hermano en la fe delante de los incrédulos? [7]De por sí el hecho de que haya litigios entre ustedes es una vergüenza. ¿Por qué no se quedan callados cuando los maltratan? Ciertamente honrarían más al Señor sufriendo en silencio los engaños.

[8]Más doloroso es aún que ustedes mismos cometan agravios y defrauden a otros hermanos. [9]¿No saben que los que hacen eso no tendrán parte en el reino de Dios?

Sépanlo bien. Los que llevan vidas inmorales —los fornicarios, los idólatras, los adúlteros, los homosexuales— no tendrán parte en el reino de Dios. [10]Tampoco la tendrán los ladrones, los avaros, los borrachos, los calumniadores, los estafadores. [11]Varios de ustedes merecían antes algunos de estos calificativos, pero ya el Señor les lavó sus pecados, los santificó y los justificó en virtud de lo que el Señor Jesucristo y el Espíritu de nuestro Dios hicieron por ustedes.

[12]Hay ciertas cosas que en sí no son malas, que no están prohibidas, pero que no me convienen. Aunque me esté permitido hacerlo, no hago nada que luego pueda dominarme. [13]Por ejemplo, Dios me ha dado apetito y estómago para digerir los alimentos. Pero esto no quiere decir que debo comer más de lo necesario. Comer no es demasiado importante, porque un día el Señor destruirá estómagos y alimentos. Ahora bien, los pecados sexuales siempre son ilícitos; nuestros cuerpos no están hechos para eso, sino para el Señor, y el Señor desea que estén impregnados de El. [14]Un día, con su poder, va a resucitar nuestro cuerpo al igual que resucitó al Señor Jesucristo.

[15]¿No comprenden que nuestros cuerpos son miembros de Cristo? ¿Tomaremos un miembro de Cristo y lo uniremos a una prostituta? ¡Jamás! [16]¿No saben que cuando un hombre se une a una prostituta se hace parte de ella y ella de él? Dios nos dice en las Escrituras que para El "los dos se vuelven una sola persona". [17]Pero cuando alguien se une al Señor, el Señor y esa persona se vuelven uno.

[18]Por eso les digo que huyan de los pecados sexuales. Ningún otro tipo de pecado afecta al cuerpo como éste. Cuando uno comete este pecado, peca contra su propio cuerpo. [19]¿No saben que el cuerpo del cristiano es templo del Espíritu Santo que Dios le dio, y que el Espíritu Santo lo habita? El cuerpo no es nuestro, [20]porque Dios nos compró a gran precio. Dediquemos íntegramente el cuerpo y el espíritu a glorificar a Dios, porque a El pertenecen.

7 EN CUANTO A lo que me preguntaron por carta: si no se casan, magnífico.

²Pero por lo general es mejor que se casen, que cada hombre tenga su propia mujer y que cada mujer tenga su propio marido, para evitar caer en pecado.

³El hombre debe satisfacer los derechos conyugales de su esposa, y lo mismo la esposa hacia su esposo. ⁴La mujer que se casa deja de reservarse por entero los derechos sobre su cuerpo, porque éste pertenece también a su esposo. Asimismo, el esposo deja de reservarse los derechos sobre su cuerpo, porque éste pertenece también a su esposa. ⁵Por lo tanto, no se nieguen los derechos conyugales, a menos que se pongan de acuerdo en no ejercerlos durante un período de tiempo definido para dedicarse por entero a la oración. Pero luego únanse de nuevo para evitar que no se puedan dominar y Satanás los tiente.

⁶No digo que tengan que casarse, pero bien pueden hacerlo si lo desean. ⁷Me gustaría que se quedaran solteros, como yo; pero no todos somos iguales. A unos Dios les ha concedido esposa o esposo, y a otros les ha dado el don de permanecer solteros y ser felices. ⁸En otras palabras, los solteros y las viudas deberían quedarse solteros como yo. ⁹Pero si no pueden dominarse, cásense. Mejor es casarse que quemarse de concupiscencia.

¹⁰Pero para los casados tengo una orden, no una sugerencia. Y la orden no es mía, sino del Señor: La esposa no debe separarse del esposo, ¹¹y si se separa, quédese sin casarse o reconcíliese con su esposo. El esposo, por su parte, no debe divorciarse de su esposa.

¹²Deseo añadir aquí algunas ideas propias. Esto no lo ha ordenado el Señor, pero lo creo correcto: Si un cristiano tiene una esposa que no es creyente, pero desea continuar con él de todas maneras, no debe dejarla ni divorciarse de ella. ¹³Y si una cristiana tiene un esposo que no lo es, pero desea que ella se quede con él, no lo deje. ¹⁴Quizá el esposo incrédulo se convierta con la ayuda de la esposa creyente. De otra manera, si la familia se separa, puede ser que los hijos jamás conozcan al Señor; mientras que si permanece unida, Dios mediante, puede resultar en la salvación de los hijos. ¹⁵Pero si el esposo incrédulo o la esposa incrédula desea irse, dejen se vaya. El cónyuge cristiano no debe insistir en que el incrédulo se quede, porque Dios

desea que en la familia reinen la paz y la armonía; ¹⁶después de todo no sabes, mujer, si tu esposo va a convertirse si se queda; y lo mismo digo al esposo en cuanto a la esposa.

¹⁷Pero al tomar cualquier decisión en cuanto a estos asuntos, traten de vivir de acuerdo a la voluntad de Dios, casándose o no casándose según Dios los guíe y ayude, y aceptando las circunstancias que el Señor les ponga delante. Esto ordeno en todas las iglesias. ¹⁸Por ejemplo, el que pasó por la ceremonia judía de la circuncisión antes de hacerse cristiano no debe hacer nada al respecto; y si no se circuncidó, no se circuncide. ¹⁹El que el cristiano se haya circuncidado o no, no tiene importancia. Lo que sí es importante de veras es agradar a Dios y guardar los mandamientos divinos.

²⁰En general, las personas deben continuar siendo lo que eran cuando Dios las llamó. ²¹¿Que eres esclavo? No te preocupes; desde luego, si tienes la oportunidad de obtener la libertad, procúrala. ²²Si eras esclavo y el Señor te llamó, recuerda que Cristo te libertó de la horrible esclavitud del pecado. Si eras libre cuando te llamó, recuerda que eres ahora esclavo de Cristo. ²³Has sido comprado por Cristo y a Cristo perteneces; vive libre de los orgullos y las aprensiones terrenales. ²⁴Cada uno de ustedes, hermanos, permanezca en el estado en que se encontraba cuando se hizo cristiano, porque ahora tienen al Señor que les ayuda.

²⁵Y ahora voy a tratar de contestarles otra de las preguntas. ¿Qué de las solteras? ¿Debe permitírseles quedarse así? No tengo ningún mandamiento del Señor al contestarles esta pregunta, pero les daré mi opinión, que es la opinión de uno en quien por la misericordia de Dios pueden confiar. ²⁶Los cristianos estamos en el presente afrontando grandes peligros, y en tiempos como éstos creo que es siempre mejor que la gente se quede soltera. ²⁷Desde luego, al que esté casado no se le ocurra divorciarse. Pero si no lo está, mejor es que no se apure en casarse. ²⁸Pero si resuelven casarse de todas maneras, está bien; y si una muchacha decide casarse a pesar de las circunstancias, no es pecado. Sin embargo, el matrimonio les traerá problemas adicionales que estoy seguro no ansían.

²⁹Lo más importante de todo es que recuerden siempre que el tiempo que nos

queda es corto, y que no quedan demasiadas oportunidades de servir al Señor. Por tal motivo, los que tengan esposa deben dedicar el mayor tiempo posible al Señor, como si no la tuvieran. [30]Ni la alegría ni la tristeza ni la prosperidad económica deben impedirnos realizar la obra de Dios. [31]Los que suelen disfrutar las cosas buenas que este mundo ofrece, deben aprovechar bien las oportunidades de servir a Dios, sin dejar de disfrutar lo que tienen; porque el mundo, tal como lo conocemos, pronto pasará.

[32]Sea lo que sea, deseo que estén libres de preocupaciones. El soltero está libre para trabajar para el Señor y meditar en cómo agradarle. [33]El casado, en cambio, no está tan libre, porque tiene que ocuparse de sus responsabilidades terrenas y de cómo agradar a su esposa. [34]Sus intereses están divididos. Y lo mismo le pasa a la que se casa. La soltera está siempre ansiosa de agradar al Señor en cuanto es y hace. Pero la casada tiene que tomar en cuenta los quehaceres de su casa y los gustos de su esposo.

[35]Digo esto para ayudarles, no para que dejen de casarse. Deseo que hagan lo que más convenga al servicio del Señor, lo que menos les impida servirle con dedicación. [36]El que crea que su hija debe casarse porque los años le están cayendo encima, está bien, no peca, que se case. [37]Pero si alguno cree que su hija no debe casarse y puede inducirla a ello, hace bien. [38]Es decir, si quiere que se case, bien; y si no quiere que se case, mejor.

[39]La esposa es parte del esposo mientras éste vive; si el esposo muere, puede volver a casarse, con tal que se case con un cristiano. [40]Pero en mi opinión será más feliz si no se vuelve a casar; y creo que cuando digo esto les estoy dando el consejo del Espíritu de Dios.

8 Y AHORA, PASEMOS a la pregunta que me formulan en cuanto a si se debe comer lo que ha sido sacrificado a los ídolos, o no comerlo. Es cierto que más o menos todos estamos bien instruidos en cuanto a esto. Sin embargo, aunque el ser "sabelotodo" nos hace sentirnos orgullosos, lo que de veras se necesita para edificar a la iglesia es amor. [2]El que cree que lo sabe todo es un ignorante. [3]Pues bien, Dios sabe quién lo ama de veras.

[4]Entonces, ¿qué? ¿Debemos comer carnes sacrificadas a los ídolos? Bueno, sabemos bien que el ídolo no es un dios, y que sólo hay un Dios. [5]Según algunos, hay muchos dioses poderosos en el cielo y en la tierra, [6]pero nosotros sabemos que sólo hay un Dios: el Padre, de quien vienen todas las cosas y quien nos hizo para El; y un Señor: Jesucristo, quien lo creó todo y nos da vida. [7]Sin embargo, algunos cristianos no se dan cuenta de esto. Están acostumbrados a pensar que los ídolos tienen vida, y han creído que los alimentos ofrecidos a los ídolos han sido ofrecidos a dioses de verdad. Por eso cuando comen esos alimentos su conciencia los molesta. [8]Recuerden que a Dios no le importa si los comemos o no. No somos peores si los comemos ni mejores si no lo hacemos.

[9]Ahora bien, cuidado; no vayan a lastimar al hermano de conciencia débil al hacer uso de la libertad que tienen de comer cualquier cosa. [10]Porque puede suceder lo siguiente: Digamos que tú, porque crees que no hay nada malo en ello, vas a comer al restaurante del templo pagano donde sirven comidas procedentes de los sacrificios, y un hermano débil pasa por allí. Pudiera ser que aquel hermano se decida entonces a comer, aunque por dentro crea que está haciendo mal. [11]Si es así, tú, que sabes lo que estás haciendo, serás responsable del daño espiritual que tu "conocimiento" cause al hermano de conciencia débil. Porque por él murió Cristo, [12]y pecar contra tu hermano alentándolo a hacer algo que cree que es incorrecto, es pecar contra Cristo. [13]Así que, si el comer carne ofrecida a los ídolos va a hacer pecar a mi hermano, mejor no la como nunca, porque dañar a mi hermano es lo que menos quiero.

9 SOY APÓSTOL MENSAJERO de Dios, y no tengo que darle cuentas a ningún hombre. He visto al Señor con mis propios ojos. Y las vidas transformadas de ustedes atestiguan la dura labor que he realizado para El.

[2]Hay quienes dicen que no soy apóstol.

Si para otros no lo soy, para ustedes sí, porque fueron ganados para Cristo por medio de mi persona. [3]Para los que ponen en duda mis legítimos derechos diré lo siguiente: [4]¿Tendré o no tendré derechos? ¿No podría yo, como los demás apóstoles, tener el privilegio de hospedarme en las casas de ustedes? [5]¿No tengo derecho a tener una esposa y llevarla en mis viajes, como hacen los demás discípulos, los hermanos del Señor y Pedro? [6]¿O es que los únicos que en la obra de Dios tienen que trabajar por su cuenta para ganarse el sustento somos Bernabé y yo? [7]¿Qué soldado tiene que pagarse los gastos mientras sirve en el ejército? ¿A qué agricultor se priva del derecho de comer de lo que ha cosechado? ¿A qué pastor de ovejas no se le permite tomar de la leche del rebaño?

[8]Y no crean que sólo los hombres opinan que es justo que se concedan esos privilegios. La ley de Dios lo dice también. [9]La ley que Dios dio a Moisés dice que no se debe poner bozal al buey para evitar que coma del trigo que está trillando. ¿Creen que Dios tenía en mente sólo a los bueyes cuando dijo esto? [10]¿No estaría pensando también en nosotros? ¡Claro que sí! Quiere decir que el obrero cristiano debe recibir salario de los individuos a quienes ayuda. A los que aran y trillan debe permitírseles alentar la esperanza de recibir parte de la cosecha. [11]Nosotros hemos plantado la buena semilla espiritual en ustedes. ¿Será demasiado pedir que, en cambio, recibamos de ustedes el sustento?

[12]Si otros disfrutan el bien merecido privilegio de recibir de ustedes el sustento, ¿cuánto más deberíamos disfrutarlo nosotros? Sin embargo, jamás hemos ejercido este derecho; al contrario, trabajamos en otras cosas para ganarnos el sustento y para que no vayan a perder interés en el mensaje de Cristo. [13]Dios dijo a los que servían en el Templo que podían tomar de los alimentos que como dádivas al Altísimo llevaban al Templo, y los que trabajaran en el altar de Dios tomaran una porción de los alimentos que se presentaban como sacrificio. [14]De igual manera, el Señor ha ordenado que los que predican el evangelio reciban el sostén de los que aceptan el mensaje. [15]Sin embargo, jamás les he pedido ni un centavo.

No les estoy escribiendo para que de ahora en adelante me den dinero. En realidad prefiero morirme de hambre antes que perder la satisfacción de predicarles gratuitamente. [16]No me enorgullezco de predicar el evangelio, porque tengo esa encomienda como una obligación y ¡ay de mí si no anuncio el evangelio! [17]Si lo hago de buena gana, recompensa tendré del Señor; pero ese no es el caso, porque Dios me escogió y me dio esta sagrada encomienda, y no puede negármele. [18]Entonces, bajo estas circunstancias, ¿cuál es mi recompensa? Mi recompensa es la satisfacción extraordinaria que siento por predicar el evangelio sin serle una carga a nadie, sin demandar jamás mis derechos.

[19]Esto tiene una gran ventaja: como nadie me paga, a nadie estoy amarrado; no obstante, voluntaria y alegremente me convierto en siervo de cualquiera para ganarlo para Cristo. [20]Cuando ando con los judíos, soy como uno de ellos para que escuchen el evangelio y se entreguen a Cristo. Cuando ando con los gentiles que guardan las costumbres y ceremonias judías, no discuto (aunque no estoy de acuerdo con ello), porque deseo ayudarles. [21]Cuando ando con los paganos, trato de llevarles la corriente; desde luego, siempre que no vaya en contra de las normas cristianas. Pero llevándoles la corriente les gano la confianza para poder conducirlos a Cristo. [22]Cuando estoy con gente de conciencia sensible, no me las doy de sabio ni los hago lucir insensatos, porque lo que me interesa es que estén dispuestos a dejarse conducir al Señor. En otras palabras, trato de acomodarme en lo posible a las personas para que me dejen hablarles de Cristo, para que Cristo pueda salvarlas. [23]Hago esto para darles el evangelio y también para alcanzar yo mismo la bendición que uno alcanza cuando guía un alma al Señor.

[24]En una carrera varios son los que corren, pero sólo uno obtiene el premio. Corran para ganar. [25]Para ganar en una competencia uno tiene que abstenerse de cualquier cosa que le impida estar en las mejores condiciones físicas. Sin embargo, un atleta se esfuerza por ganar una simple cinta azul o una copa de plata, mientras

que nosotros nos esforzamos por obtener un premio que jamás se desvanecerá. [26]Por lo tanto, corro hacia la meta con un propósito en cada paso. Peleo para ganar, no como los que en la contienda juguetean. [27]Como atleta, me golpeo el cuerpo, lo trato con rigor, para que aprenda a hacer lo que debe, no lo que quiere. De lo contrario, corro el riesgo de que, después de haber alistado a otros para la carrera, yo mismo no esté en buenas condiciones y me eliminen.

10 NO QUIERO, HERMANOS, que ignoren lo que le sucedió a nuestro pueblo siglos atrás, en el desierto. Dios, para guiarlos, envió una nube que avanzaba delante de ellos y los condujo sanos y salvos a través del Mar Rojo. [2]A esto podríamos llamarle "bautismo" —bautismo en el mar y en la nube— como seguidores de Moisés, a quien aceptaban como jefe.

[3]Luego, milagrosamente Dios les dio alimentos [4]y agua allí mismo en el desierto; y bebieron el agua que Cristo les daba. Cristo estaba allí con ellos como poderosa Roca de refrigerio espiritual. [5]Mas a pesar de todo, la mayoría de los israelitas no obedecieron a Dios, y murieron allí mismo en el desierto. [6]De aquí aprendemos una gran lección: que no debemos desear lo malo como ellos lo desearon. [7]No debemos adorar ídolos, como ellos. (Las Escrituras nos dicen que "el pueblo se sentó a comer y a beber, y se levantó a danzar" en adoración al becerro de oro.)

[8]Aprendemos otra lección de la ocasión en que varios de ellos pecaron con mujeres extrañas, y veintitrés mil cayeron muertos en un día. [9]No pongamos a prueba la paciencia del Señor, porque muchos de ellos lo hicieron y murieron mordidos por serpientes. [10]Y no murmuremos contra Dios por la manera en que nos trata, como hicieron algunos israelitas y el Señor envió a su ángel a destruirlos. [11]Estos incidentes ocurrieron para enseñarnos objetivamente que no debemos cometer las mismas faltas; fueron escritos para que pudiéramos leerlos y extraer de ellos lecciones para estos días en que el mundo se aproxima a su fin.

[12]Mucho cuidado, pues. El que piense estar firme, tenga cuidado de no caer.

[13]Pero recuerden esto: Los malos deseos que les hayan sobrevenido no son ni nuevos ni diferentes. Muchísimos han pasado exactamente por los mismos problemas. Ninguna tentación es irresistible. Puedes estar confiado en la fidelidad de Dios, que no dejará que la tentación sea más fuerte de lo que puedes resistir; Dios lo prometió y jamás falta a su palabra. Ya verás que te muestra la manera de escapar de la tentación, para que puedas resistirla con paciencia.

[14]Por lo tanto, amados míos, eviten por todos los medios cualquier tipo de idolatría. [15]Ustedes son inteligentes. Piénsenlo y díganme si no es verdad lo que les digo. [16]Cuando pedimos la bendición del Señor al tomar de la copa de vino de la Santa Cena, ¿no quiere esto decir que el que bebe de ella comparte con los demás las bendiciones de la sangre de Cristo? Y cuando partimos el pan para comerlo juntos, estamos compartiendo los beneficios de su cuerpo. [17]Por muchos que seamos, todos comemos del mismo pan, indicando que formamos parte de un solo cuerpo: el de Cristo. [18]Y el pueblo judío, que come de los sacrificios, se une en ese acto.

[19]¿Qué estoy tratando de decir? ¿Digo que los ídolos que reciben sacrificios de los paganos tienen vida y son dioses de verdad, y que tales sacrificios tienen valor? [20]No, de ninguna manera. Lo que digo es que los que ofrecen sacrificios a los ídolos participan unidos en adoración de demonios, y nunca en adoración a Dios. No quiero que ninguno de ustedes sea partícipe de esa comida con los demonios, juntamente con los paganos que la han ofrecido a los ídolos. [21]No se puede beber de la copa en la Cena del Señor y sentarse después en la mesa de Satanás. No se puede comer pan de la mesa del Señor y de la mesa de Satanás. [22]¿Qué, pues? ¿Nos arriesgaremos a poner celoso al Señor? ¿Somos más fuertes que El?

[23]Por supuesto, somos libres y podemos comer carnes sacrificadas a los ídolos si queremos; no está en contra de la ley de Dios. Sin embargo esto no quiere decir que tienes que comerla, pues no siempre es conveniente. [24]Uno no puede pensar sólo en uno mismo. Hay que pensar en los demás también, y en lo que conviene para el bien de ellos. [25]Les voy a decir lo que tienen que

hacer. Coman de cualquier carne que se venda en la carnicería. No pregunten si fue ofrecida a los ídolos o no, a menos que los moleste su conciencia. [26]Porque la tierra y cuanto en ella hay pertenecen al Señor y uno puede disfrutarlo.

[27]Si alguien que no es cristiano los invita a comer, acepten la invitación si les place. Coman cuanto les pongan delante sin preguntar nada. Y como no saben si aquella carne fue antes sacrificada o no lo fue, su conciencia no los puede molestar. [28]Pero si alguien les advierte que aquella carne fue sacrificada a los ídolos, no la coman por el bien del que lo dijo, aunque del Señor es la tierra y todo lo que en ella hay. [29]En este caso no está en juego la conciencia de uno, sino la del otro. Es probable que se estén preguntando: "¿Por qué tiene uno que guiarse por lo que otro piense y limitarse a sus opiniones? [30]Si puedo dar gracias a Dios por lo que como y disfrutar la comida, ¿por qué no he de hacerlo nada más porque el otro piense que es malo?" [31]Les diré por qué: uno debe de glorificar a Dios en todo lo que hace, hasta en lo que come y bebe. [32]No seamos piedra de tropiezo para nadie, ni para los judíos ni para los gentiles ni para los cristianos. [33]Eso trato de hacer yo. Procuro agradar a todo el mundo, y no hago sólo lo que me gusta o conviene, sino lo que es mejor para los demás, para que así puedan salvarse.

11 SIGAN MI EJEMPLO, así como yo sigo el de Cristo. [2]Me alegra muchísimo, hermanos, que hayan recordado y puesto en práctica lo que les enseñé. [3]Pero hay algo que deseo recordarles: La mujer está sujeta al esposo, el esposo a Cristo y Cristo a Dios. [4]Por eso, si un hombre no se quita el sombrero mientras ora o predica, deshonra a Cristo. [5]Y si una mujer ora o profetiza en público sin cubrirse la cabeza, deshonra al esposo, porque el estar cubierta es señal de sujeción a él. [6]Por eso, si se niega a cubrirse la cabeza, debe cortarse el pelo. Y si no quiere cortárselo porque le es vergonzoso, cúbrase la cabeza.

[7]Pero el hombre no debe ponerse nada en la cabeza, porque esto es señal de sujeción a otros hombres. La gloria de Dios es el hombre que hizo a su imagen, y la gloria del hombre es la mujer; [8]porque el primer hombre no salió de una mujer, sino que la primera mujer salió de un hombre. [9]Y el primer hombre, Adán, no fue hecho por Eva, sino ella para beneficio de Adán. [10]Por eso es que la mujer debe cubrirse la cabeza como señal de sometimiento a la autoridad del hombre, y para alegría y regocijo de los ángeles.

[11]Pero recuerden que según el plan de Dios el hombre y la mujer se necesitan; [12]porque aunque la primera mujer salió de un hombre, desde entonces a acá todos los hombres han nacido de mujer, y el hombre y la mujer proceden de Dios el Creador. [13]¿Qué opinan realmente de esto? ¿Está bien que la mujer ore en público sin cubrirse la cabeza? [14]¿No es cierto que los instintos mismos nos enseñan que la mujer debe cubrirse la cabeza? [15]La mujer, por ejemplo, se siente orgullosa de los cabellos largos, pues le sirven de velo; mientras que en el hombre el pelo largo tiende a ser vergonzoso. [16]El que quiera discutir, que discuta. Lo único que sé es que nosotros enseñamos siempre que la mujer debe cubrirse la cabeza cuando profetiza u ora en público en la iglesia; y sé también que las demás iglesias cristianas piensan lo mismo.

[17]Deseaba escribirles también acerca de algo con lo que no estoy de acuerdo. Me han dicho que cuando se congregan a tomar la Santa Cena, esto resulta más para mal que para bien. [18]Todo el mundo me cuenta que se levantan grandes discusiones en dichas reuniones, y que cada vez se pronuncian más las divisiones entre ustedes. En parte lo creo. [19]¡Supongo que creen necesarias las discusiones para que los que siempre tienen la razón resalten y la gente los admire!

[20]Cuando se juntan a comer, no comen la Cena del Señor [21]sino la de ustedes. Me dicen que al comer cada uno se sirve lo más que puede sin ver si los demás han llevado suficiente, y como resultado algunos casi no tienen comida y se quedan con hambre, mientras que otros se hartan y emborrachan. [22]¿Qué está pasando? ¿Es cierto esto? ¿Es que no pueden comer y beber en casa, para no dañar a la iglesia y avergonzar a los que por ser pobres no pueden llevar alimentos? ¿Qué debo decirles en cuanto a esto?

¿Debo alabarlos? ¡Pues no señor!

²³Les voy a repetir las enseñanzas del Señor en cuanto a la Cena de Comunión: La noche en que Judas lo traicionó, el Señor Jesús tomó pan, ²⁴y después de dar gracias a Dios por él, lo partió y dijo: "Tomen y coman. Esto es mi cuerpo que por ustedes es entregado. Hagan esto en memoria mía".

²⁵De la misma manera, tomó la copa después de haber cenado y dijo: "Esta copa es el nuevo pacto que entre Dios y ustedes ha sido establecido e iniciado por medio de mi sangre. Cada vez que la beban, háganlo en memoria mía".

²⁶Cada vez que coman este pan y beban de esta copa, estarán anunciando de nuevo el gran mensaje de que Cristo murió por ustedes. Háganlo hasta que El venga.

²⁷Así que si alguien come de este pan y bebe de esta copa del Señor indignamente, está pecando contra el cuerpo y la sangre del Señor. ²⁸Por eso cada uno debe examinarse cuidadosamente antes de comer de este pan y beber de esta copa; ²⁹porque si come de este pan y bebe de esta copa indignamente, sin pensar en el cuerpo de Cristo, juicio de Dios come y bebe por tomar a la ligera la muerte de Cristo. ³⁰Por eso tantos de ustedes están débiles y enfermos, y varios han muerto. ³¹Pero si nos examinamos cuidadosamente antes de comer, no tenemos por qué ser juzgados y castigados. ³²Mas el Señor nos juzga y castiga para que no seamos condenados con el resto del mundo. ³³En fin, hermanos, cuando se reúnan para la Santa Cena, espérense unos a otros. ³⁴El que tenga hambre, coma en la casa, para que no se busque un castigo cuando coma con los demás.

Las demás cuestiones las hablaremos cuando vaya a verlos.

12 Y AHORA, HERMANOS, deseo hablarles de los dones individuales que el Espíritu Santo concede, porque quiero que los entiendan bien. ²Como recordarán, antes de convertirse solían andar de un ídolo a otro, ídolos que no podían pronunciar ni una sola palabra. ³Pero ahora de vez en cuando se encuentran con individuos que se proclaman mensajeros del Espíritu de Dios. ¿Cómo sabe uno que una persona tiene inspiración divina y no es un farsante? Hay una manera: Ningún mensajero del Espíritu de Dios maldice a Jesús, y nadie puede decir con toda sinceridad que "Jesucristo es el Señor" si el Espíritu Santo no lo está ayudando.

⁴Ahora bien, Dios nos da muchas clases de dones, pero el Espíritu Santo es la fuente de esos dones. ⁵Hay diferentes maneras de servir a Dios, pero siempre es a un mismo Señor al que estamos sirviendo. ⁶Hay muchas maneras en que Dios puede actuar en nuestras vidas, pero siempre es un mismo Dios el que realiza la obra en nosotros y a través de cada uno de los que somos suyos.

⁷El Espíritu Santo despliega el poder de Dios a través de cada uno de nosotros para ayudar a la iglesia entera. ⁸A unos el Espíritu capacita para impartir consejos sabios; otros tienen el don de estudiar y enseñar, y es el mismo Espíritu el que los ha dado. ⁹A unos les da El una fe extraordinaria; a otros, poder para sanar enfermos. ¹⁰A unos les concede el poder de realizar milagros, y a otros el don de profetizar y predicar. A unos les da el poder de discernir si algún espíritu malo habla a través de los que se dicen mensajeros de Dios, o si es de verdad el Espíritu de Dios el que está hablando. A otros les concede que puedan hablar en lenguas que desconocen; y a otros, que no conocen aquel lenguaje tampoco, les da el don de entender lo que la otra persona está diciendo.

¹¹Un mismo espíritu, el Espíritu Santo, da tales dones y poderes, y determina cuál ha de recibir cada uno. ¹²El cuerpo humano, aunque es uno, está compuesto de muchos miembros; y esos miembros, aunque son muchos, forman un solo cuerpo. Lo mismo sucede con el "cuerpo de Cristo". ¹³Cada uno de nosotros es un miembro del cuerpo de Cristo, que es uno solo. Algunos son judíos, otros son gentiles, algunos son esclavos y otros son libres. Pero el Espíritu Santo ha formado con nosotros un cuerpo. Hemos sido bautizados en el cuerpo de Cristo por un solo Espíritu, y todos hemos recibido el mismo Espíritu Santo.

¹⁴El cuerpo tiene muchos miembros, no uno solo. ¹⁵Si el pie dice: "No soy miembro del cuerpo porque no soy mano", ¿dejará por eso de ser miembro del cuerpo? ¹⁶Y si la

oreja dice: "No soy miembro del cuerpo porque soy una simple oreja y no ojo", ¿dejará por eso de pertenecer al cuerpo? [17]Supongamos que el cuerpo entero fuera ojo, ¿cómo oiría? Y si el cuerpo entero fuera una oreja enorme, ¿cómo olería? [18]Afortunadamente Dios no nos hizo así, sino que dio al cuerpo miembros colocados como en su sabiduría quiso. [19]¡Qué extraño sería el cuerpo si tuviera un solo miembro! [20]Pero Dios lo hizo con miembros diversos que en conjunto forman un cuerpo. [21]El ojo jamás podrá decirle a la mano: "No te necesito". Ni la cabeza puede decirle al pie: "No te necesito". [22]Al contrario, los miembros del cuerpo que parecen más débiles e insignificantes son los más necesarios.

[23]¡Sí señor! Agradecidos estamos de tener esos miembros. Y con esmero ocultamos los que no deben exhibirse, [24]mientras que no hacemos lo mismo con los miembros que son más decorosos. Así que Dios armó el cuerpo de tal manera que los miembros que pudieran lucir menos importantes recibieran el honor y el cuidado adicional que necesitaban. [25]Esto crea tan buenas relaciones entre los miembros que cada uno se ocupa de los demás con la misma solicitud con que se ocupan de ellos mismos. [26]Si un miembro sufre, los demás miembros sufren con él, y si un miembro recibe algún honor, los demás se regocijan con él.

[27]Lo que estoy tratando de decir es lo siguiente: Todos ustedes, en conjunto, forman el cuerpo de Cristo, y cada uno es miembro individual y necesario del mismo. [28]He aquí una lista de algunos de los miembros que El ha puesto en su iglesia, que es su cuerpo:

apóstoles,
profetas (los que predican la Palabra de Dios),
maestros,
los que realizan milagros,
los que tienen el don de sanar,
los que pueden ayudar a los demás,
los que pueden lograr que los demás trabajen unidos,
los que hablan lenguas extrañas,

[29]¿Son todos apóstoles? Claro que no. ¿Son todos predicadores? No. ¿Son todos maestros? Por supuesto que no. [30]¿Ha dado Dios a todo el mundo el don de sanar

enfermos y de hablar en lenguas extrañas? ¿Puede cualquiera entender e interpretar lo que dicen las personas que tienen el don de hablar lenguas extrañas? [31]No, pero traten por todos los medios de obtener los mejores dones.

Ahora bien, déjenme hablarles de algo que es mejor que el más excelente de los dones.

13 SI YO TUVIERA el don de hablar en lenguas extrañas, si pudiera hablar en cualquier idioma celestial o terrenal, y no sintiera amor hacia los demás, lo único que haría sería ruido.

[2]Si tuviera el don de profecía y supiera lo que va a suceder en el futuro, si supiera absolutamente de todo, y no sintiera amor hacia los demás, ¿de qué me serviría? Y si tuviera una fe tan grande que al pronunciar una palabra los montes cambiaran de lugar, de nada serviría sin amor.

[3]Si entregara a los pobres hasta el último bien terrenal que poseyera, si me quemaran vivo por predicar el evangelio y no tuviera amor, de nada me serviría.

[4]El amor es paciente, es benigno; el amor no es celoso ni envidioso; el amor no es presumido ni orgulloso; [5]no es arrogante ni egoísta ni grosero; no trata de salirse siempre con la suya; no es irritable ni quisquilloso; no guarda rencor; [6]no le gustan las injusticias y se regocija cuando triunfa la verdad.

[7]El que ama es fiel a ese amor, cuéstele lo que le cueste; siempre confía en la persona amada, espera de ella lo mejor y la defiende con firmeza.

[8]Un día se dejará de profetizar, de hablar en lenguas, y el saber ya no será necesario. Pero siempre existirá el amor. [9]A pesar de los dones recibidos, sabemos muy poco, y la predicación de los mejores predicadores es muy pobre. [10]Pero cuando Dios nos haga perfectos y completos, no necesitaremos los limitados dones que ahora poseemos, y éstos cesarán. [11]Cuando yo era niño, hablaba, pensaba y razonaba como niño. Pero cuando alcancé madurez en la vida, mis pensamientos alcanzaron un nivel muy superior al de un niño, y dejé a un lado las cosas de niño. [12]De la misma manera, nuestros conocimientos de Dios son ahora

muy limitados, como si apenas alcanzáramos a ver su figura en un espejo defectuoso y de mala calidad; pero un día lo veremos tal como es, cara a cara. Mis conocimientos son ahora vagos, borrosos, pero en aquel día lo veré con la misma claridad con que El me ve el corazón.

[13]Tres cosas permanecerán: la fe, la esperanza y el amor. Pero lo más importante de estas tres cosas es el amor.

14 ¡QUE EL AMOR sea siempre para ustedes la más alta meta! Desde luego, pidan también los dones que da el Espíritu Santo, especialmente el don de profecía, que los capacitará para predicar el mensaje de Dios.

[2]Si tienes el don de "hablar en lenguas", en lenguas que desconoces, le estarás hablando a Dios y no a tus semejantes, y ellos no te entenderán. Estarás hablando mediante el poder del Espíritu, pero el mensaje quedará oculto. [3]El que profetiza, en cambio, proclama mensajes de Dios que edifican, exhortan y consuelan a los oyentes.

[4]Por lo tanto, la persona que "habla en lenguas" se ayuda a sí misma a crecer espiritualmente, pero el que profetiza, el que proclama mensajes de Dios, contribuye a que la iglesia crezca en santidad. [5]Ojalá todos pudieran hablar en lenguas, pero preferiría que profetizaran, que predicaran, porque éste es un don muy superior y mucho más útil que hablar en lenguas extrañas, a menos que después de hablar interpreten lo que estaban diciendo para que la iglesia se beneficie en algo. [6]Porque, díganme ustedes, hermanos, si voy y les hablo en lenguas que no entienden, ¿de qué les sirve? Pero si les digo con claridad lo que Dios me ha revelado, si les comunico lo que sé, lo que va a suceder y las grandes verdades de la Palabra de Dios, sí les estoy dando lo que les hace falta, lo que de veras les será útil.

[7]Aun los instrumentos musicales —la flauta o el arpa, digamos— ilustran con sus diferentes sonidos combinados la necesidad de hablar en un lenguaje claro, simple, familiar a los oyentes, en vez de hablar en lenguas extrañas. ¿Quién puede reconocer la melodía que la flauta está tocando si no

se toca cada nota con claridad? [8]Y si el trompetero del ejército no toca las notas que debe, ¿cómo sabrán los soldados que se les está ordenando marchar a la batalla? [9]De la misma manera, si uno le habla a una persona en un idioma que no entiende, ¿cómo sabrá lo que se le está diciendo? Sería como hablarle al aire. [10]En el mundo existen cientos de idiomas diferentes, y supongo que cada uno es excelente para el que lo entiende. [11]Sin embargo, si alguien me habla en uno de esos idiomas y no lo entiendo, yo seré extranjero para él y él lo será para mí.

[12]Si anhelan tanto tener alguno de los dones del Espíritu Santo, pídanle que les dé los mejores, los que de veras puedan ser útiles a la iglesia en general. [13]Si alguien recibe el don de hablar en lenguas extrañas, ore para que el Señor le dé también el don de interpretar; [14]porque si uno ora en un idioma que no entiende, el espíritu ora, pero uno no sabe lo que está diciendo. [15]En un caso así, ¿qué debo hacer? Debo orar con el espíritu, pero también con el entendimiento. Debo cantar con el espíritu siempre que se entienda la alabanza que estoy elevando; [16]porque si alabas y das gracias a Dios en otro idioma, ¿cómo podrán alabar a Dios contigo los que no entienden tus palabras? ¿Cómo podrán dar gracias si no saben lo que estás diciendo? [17]Tu oración de acción de gracias podrá ser hermosa, pero no edificará a los presentes.

[18]Gracias a Dios, puedo hablar en lenguas más que cualquiera de ustedes. [19]Pero cuando adoro en público prefiero hablar cinco palabras que la gente pueda entender, y que puedan serles de ayuda, que diez mil palabras en lengua desconocida.

[20]Amados hermanos, no sean niños en cuanto a la comprensión de estas cosas. Sean niños en lo que a malicia se refiere, pero maduros e inteligentes en la comprensión de asuntos como éstos.

[21]Dicen las Escrituras que Dios enviaría hombres de otras tierras a hablar en idioma extraño a su pueblo, pero que ni aun así oirían. [22]Así que, como ven, "hablar en lenguas" no beneficia a los hijos de Dios, aunque sirve para captar el interés de los incrédulos. En cambio, los cristianos necesitan la profecía, la predicación de las ver-

dades de Dios, aunque para los incrédulos no signifique mucho. ²³Aun así, si un incrédulo, o alguien que no conoce estos dones, llega a la iglesia y les oye hablar en lenguas extrañas, lo más probable es que piense que están locos. ²⁴Pero si todos profetizan (aunque tales predicaciones sean mayormente para creyentes) y un incrédulo o un cristiano nuevo que no entiende estas cosas entra, se convencerá de que es pecador, y sentirá remordimiento. ²⁵Mientras escucha, sus más íntimos pensamientos saldrán a la luz y se postrará de rodillas a adorar a Dios y sabrá que Dios de veras está entre ustedes.

²⁶Bien, hermanos míos, resumamos lo que vengo diciendo. Cuando se reúnan, unos canten, otros enseñen o comuniquen lo que Dios les haya revelado o hablen en lenguas extrañas o interpreten lo que los otros dijeron en lenguas extrañas; pero que todo sirva para la edificación de la iglesia en el Señor. ²⁷No más de dos, o cuando más tres personas, deben hablar en lengua extraña. Deben hacerlo por turno, y alguien debe estar listo para interpretar lo que se está diciendo. ²⁸Si no hay intérprete entre los presentes, no deben hablar en voz alta en el idioma desconocido; hablen para sí mismos y para Dios, pero no públicamente.

²⁹,³⁰Dos o tres pueden profetizar, si tienen el don, pero háganlo mientras los demás escuchan. Si mientras uno está profetizando otro recibe un mensaje del Señor, no debe interrumpir al que está hablando; debe dejar que termine. ³¹De esta manera los que tienen el don de profetizar podrán hablar uno tras otro, mientras los demás aprenden y se animan.

³²Recuerden que los mensajeros de Dios deben tener la fuerza de voluntad suficiente para dominarse y esperar su turno. ³³A Dios no le agradan los desórdenes ni las irregularidades. Le gusta la armonía, como la que reina en las demás iglesias.

³⁴Las mujeres deben guardar silencio en los servicios. No deben entrar en las deliberaciones, porque están subordinadas a los hombres, como lo declaran las Escrituras. ³⁵Si desean preguntar algo, pregúntenselo al esposo cuando lleguen a la casa, porque no es correcto que las mujeres expresen sus opiniones en los servicios religiosos. ³⁶¿De

acuerdo? Recuerden que ustedes no fueron los primeros en saber de Dios ni son tampoco los únicos que saben de El. Si no saben esto, están mal.

³⁷Si alguno de ustedes tiene el don de profecía o cualquier otro don del Espíritu Santo, sabrá mejor que nadie que lo que estoy diciendo es mandamiento de Dios. ³⁸Si alguno no está de acuerdo, ¿qué le vamos a hacer? Lo dejaremos en su ignorancia.

³⁹Así que, hermano mío, procura ser profeta y expresar el mensaje de Dios con claridad meridiana; y nunca digas que no se debe hablar en lenguas. ⁴⁰Pero hágase todo decentemente y con orden.

15 PERMÍTANME RECORDARLES, HERMANOS, lo que en realidad es el evangelio. Por cierto, no ha cambiado; es el mismo evangelio que les prediqué antes. Ustedes lo aceptaron entonces, y perseveran en él, porque cimentaron su fe en este glorioso mensaje. ²Es por medio de este mensaje que ustedes alcanzan la salvación; es decir, si todavía lo creen firmemente y si la fe que mostraron al principio era sincera.

³Lo primero que hice fue transmitirles lo que me enseñaron: que Cristo murió por nuestros pecados tal como las Escrituras lo habían predicho, ⁴y que fue sepultado y que al tercer día se levantó de la tumba como estaba profetizado. ⁵Pedro lo vio y más tarde se apareció a los doce. ⁶Después se apareció a más de quinientos cristianos a la vez, la mayoría de los cuales viven todavía, aunque algunos han muerto ya. ⁷Luego se apareció a Jacobo, y después a todos los apóstoles. ⁸Y por último, mucho después que a los demás, como a uno que había nacido casi demasiado tarde, se me apareció a mí. ⁹Soy el más insignificante de los apóstoles, título que ni siquiera debiera ostentar por lo mucho que perseguí a la iglesia de Dios. ¹⁰Mas lo que soy lo soy por la gracia de Dios. Y su gracia no ha sido en vano, porque he trabajado más que todos ellos, si bien es cierto que no he sido yo el que ha hecho la obra, sino Dios que ha obrado por medio de mí para bendecirme.

¹¹Pero no importa quién trabajó más; lo importante es que les predicamos el evangelio, y que lo creyeron.

[12]Ahora, díganme esto: Si creyeron lo que les predicamos, que Cristo resucitó, ¿por qué algunos andan diciendo que no existe la resurrección de los muertos? [13]Si no hay resurrección, Cristo no resucitó tampoco; [14]y si no resucitó, vana es nuestra predicación y vana es la fe que en Dios hemos depositado. [15]Y los apóstoles seríamos unos mentirosos, porque afirmamos que Dios levantó a Cristo de la tumba, y esto es imposible si los muertos no resucitan. [16]Si no resucitan, Cristo está muerto todavía, [17]y tontos son ustedes al esperar que Dios los vaya a salvar; todavía están bajo la condenación del pecado. [18]Además, los cristianos que ya han muerto están perdidos. [19]Si el ser cristiano nos fuera de valor sólo en esta vida, somos los seres más desgraciados del mundo.

[20]¡Pero Cristo sí resucitó! Y al resucitar se convirtió en el primero de los millones que resucitarán un día. [21]La muerte entró en este mundo por lo que un hombre (Adán) hizo; pero gracias a lo que otro hombre (Cristo) hizo, habrá resurrección de los muertos. [22]Morimos porque tenemos parentesco con Adán, porque somos miembros de su raza impía, y donde hay pecado hay muerte. Pero los que se unen a la familia de Cristo resucitarán. [23]Todo, sin embargo, en su debido orden: Cristo resucitó primero; luego, cuando venga Cristo, su pueblo en pleno despertará a la vida. [24]Después llegará el fin, en que Cristo entregará el reino a Dios el Padre, tras haber acabado por completo con sus enemigos. [25]Cristo tiene que reinar hasta derrotar a sus enemigos, [26]entre los que se encuentra el postrero de ellos: la muerte. Esta será también derrotada y destruida. [27]El Padre ha dado a Cristo imperio y autoridad sobre todas las cosas; por supuesto, Cristo no gobierna al Padre mismo, porque fue el Padre el que le dio autoridad para gobernar. [28]Cuando por fin Cristo haya ganado la batalla contra sus enemigos, El, el Hijo de Dios, se pondrá a las órdenes del Padre, para que éste, que le dio la victoria, tenga supremacía absoluta.

[29]Si los muertos no fueran a resucitar, ¿para qué se bautizan algunos por los muertos? ¿Para qué lo hacen si no creen que los muertos resucitarán? [30]¿Y para qué

vamos nosotros a estar constantemente jugándonos la vida? [31]Porque les aseguro que a diario arriesgo la vida; tan cierto es esto como el gozo que siento por lo mucho que han crecido ustedes en el Señor. [32]Si lo único que uno recibe lo recibe en esta vida, ¿qué gano yo enfrentándome a hombres que son fieras, como los de Efeso? Si no vamos a resucitar, lo mejor que podemos hacer es gozar la vida. ¡Comamos y bebamos que mañana moriremos!

[33]No se dejen llevar por los que dicen tales cosas. Si les hacen caso pronto estarán llevando una vida como la de ellos. [34]Despierten y no pequen más; porque, para avergonzarlos lo digo, algunos de ustedes ni son cristianos ni saben nada de Dios.

[35]Quizás algunos se pregunten: "¿Cómo resucitarán los muertos? ¿Qué clase de cuerpo tendrán?" [36]¡Necio! La respuesta la tienes en el jardín de tu casa. Cuando uno siembra una semilla, no germina ni se convierte en planta si no "muere" primero. [37]Y cuando el brote sale a flor de tierra es muy distinto de la semilla que se plantó. Lo que uno siembra es un simple grano de trigo o de cualquier otra planta, [38]pero Dios le da un bello cuerpo nuevo, del tipo que quiso que tuviera. La planta será de acuerdo a la semilla. [39]Y de la misma manera que hay diferentes tipos de semillas y plantas, hay diferentes tipos de cuerpos.

Los hombres, las bestias, los peces y las aves son diferentes entre sí. [40]Los ángeles del cielo tienen cuerpo completamente diferente al nuestro, y la belleza y la gloria de ellos es diferente de la belleza y la gloria de los nuestros. [41]Por ejemplo, el sol tiene un tipo de gloria, mientras que la luna y las estrellas tienen otro. Y las estrellas se diferencian entre sí en belleza y brillantez. [42]De igual manera, nuestros cuerpos terrenales, que morirán y se descompondrán, son diferentes de los cuerpos que tendremos cuando resucitemos, porque éstos no morirán jamás. [43]El cuerpo que ahora tenemos nos apena porque se enferma y muere; pero cuando resucite será glorioso. Ahora es débil, mortal, pero cuando resucite será completamente fuerte. [44]Al morir son simples cuerpos humanos, pero cuando resuciten serán superhumanos. Porque así como hay cuerpos naturales, humanos, los hay superhumanos, espirituales.

[45]Dicen las Escrituras que al primer Adán le fue puesta un alma viviente en el cuerpo humano; pero el postrer Adán, Cristo, es superior porque tiene un espíritu vivificante. [46]Entonces, primero tenemos cuerpo humano y después Dios nos da cuerpo espiritual, celestial. [47]Adán fue hecho del polvo de la tierra, pero Cristo descendió del cielo. [48]Cada ser humano tiene un cuerpo como el de Adán, hecho de polvo; pero el que se entrega a Cristo tendrá un día un cuerpo como el de Cristo: celestial. [49]Al igual que ahora tenemos un cuerpo como el de Adán, un día lo tendremos como el de Cristo. [50]Les digo, hermanos míos, que ningún cuerpo de carne y hueso podrá entrar en el reino de Dios. Este cuerpo nuestro, corruptible, no es de los que pueden vivir eternamente.

[51]Les voy a revelar ahora un extraño y glorioso secreto: No todos moriremos, pero todos recibiremos nuevos cuerpos. [52]Ocurrirá en un abrir y cerrar de ojos, cuando suene la trompeta final. Cuando la trompeta suene, los cristianos que hayan muerto resucitarán con cuerpos nuevos que jamás morirán; y los que estemos vivos recibiremos de repente cuerpos nuevos también, [53]porque es imprescindible que este cuerpo corruptible nuestro se convierta en un cuerpo celestial, incorruptible e inmortal. [54]Cuando así suceda, se cumplirá la siguiente profecía: "Sorbida es la muerte con victoria". [55]¿Dónde está, oh muerte, tu aguijón? ¿Dónde está, oh sepulcro, tu victoria? [56]Porque el pecado, que es el aguijón de la muerte, ya no existirá; y la ley, que nos revela el pecado, dejará de juzgarnos. [57]¡Gracias a Dios que nos da la victoria por medio de Jesucristo nuestro Señor!

[58]Amados hermanos, como la victoria es segura, estén firmes y constantes; trabajen más para el Señor, porque nada de lo que hagamos para El será en vano.

16 ESTAS SON LAS instrucciones en cuanto al dinero que están recogiendo para ayudar a los cristianos, instrucciones que di también a las iglesias de Galacia. [2]Los domingos cada uno de ustedes aparte algo de lo que ganó durante la semana, y dedíquelo a esta ofrenda. Aparten de acuerdo a lo que el Señor les haya ayudado a ganar. No esperen hasta que yo llegue; empiecen ya a recoger. [3]Cuando llegue enviaré a Jerusalén la ofrenda de amor recogida y una carta; ustedes nombrarán a varias personas de confianza para que sirvan de mensajeros. [4]Si es conveniente que yo los acompañe, iré con ellos.

[5]Llegaré a visitarlos después que vaya a Macedonia. [6]Puede ser que me quede con ustedes todo el verano; pero luego tendré que seguir a donde voy. [7]Esta vez no quiero verlos sólo de paso. Deseo quedarme con ustedes un tiempo, si el Señor me lo permite. [8]Permaneceré aquí en Efeso hasta el día de Pentecostés. [9]Aquí se me han abierto bastante las puertas para predicar y enseñar. Los resultados son muchos, a pesar de que muchos son también los adversarios.

[10]Si Timoteo llega por allá, procuren que se sienta contento, porque él trabaja para el Señor al igual que yo. [11]No permitan que nadie lo desprecie o subestime por el simple hecho de que sea joven. Me gustaría que al venir a mí se sintiera contento de haber pasado un tiempo con ustedes. Espero verlo pronto, así como a los que vengan con él.

[12]Supliqué a Apolos que fuera con los demás hermanos a visitarlos, pero pensó que no era prudente que fuera ahora. Mas irá tan pronto se le presente la oportunidad.

[13]Estén alertas siempre a los peligros espirituales; sean fieles al Señor. Pórtense varonilmente y sean fuertes. [14]Cualquier cosa que hagan, háganla con bondad y amor.

[15]¿Se acuerdan de Estéfanas y familia? Fueron los primeros en convertirse al cristianismo en Grecia, y han dedicado sus vidas a ayudar y a servir a los cristianos. [16]Obedezcan y ayuden lo más que puedan a Estéfanas y familia, así como a cualquiera que, como ellos, trabaje al lado de ustedes con gran devoción. [17]Me dio mucha alegría ver llegar de visita a Estéfanas, Fortunato y Acaico. Ellos me han dado la ayuda que ustedes no me podían dar por no estar aquí. [18]Me alegraron muchísimo y me animaron, como ustedes lo habrían hecho también. Espero que reconozcan la obra que estos hermanos realizan.

[19]Las iglesias de Asia les envían saludos

fraternales. Aquila y Priscila les envían su afecto, y lo mismo hacen los que se reúnen en casa de ellos para celebrar los cultos. [20]Los hermanos de acá me han pedido que les envíe saludos. Cuando se reúnan, dense un fuerte abrazo en nombre nuestro. [21]Las palabras finales de esta carta las escribiré con mi propia mano:

[22]El que no ama al Señor está bajo maldición. ¡El Señor viene! [23]Que el amor y el favor de nuestro Señor Jesucristo estén con ustedes.

[24]Los amo a todos, porque todos pertenecemos a Jesucristo. Amén.

Sinceramente,
Pablo

---

2 CORINTIOS

1 QUERIDOS HERMANOS:
Les escriben Pablo, a quien Dios nombró mensajero de Jesucristo, y nuestro amado hermano Timoteo. Esta carta la dirigimos a los cristianos de Corinto y en general a todos los hermanos de Grecia. [2]Que Dios nuestro Padre y el Señor Jesucristo los bendigan poderosamente y les den paz. [3]¡Qué maravilloso es nuestro Dios! El es Padre de nuestro Señor Jesucristo, Padre de las misericordias y Dios de las consolaciones [4]que tan maravillosamente se nos ofrecen en nuestras dificultades y pruebas. ¿Y por qué nos consuela? Para que cuando nos encontremos a alguien en problemas, falto de consuelo y aliento, podamos impartirle la misma ayuda y el mismo consuelo que Dios nos prodigó. [5]Pueden estar seguros que mientras más sufrimos por Cristo, mayor es el consuelo y el aliento que El nos da. [6,7]Estamos en grandes dificultades por tratar de llevarles el consuelo y la salvación de Dios. Pero en medio de nuestras tribulaciones Dios nos ha consolado para bien de ustedes; para que podamos, basados en la experiencia, enseñarles la ternura con que Dios puede consolarlos cuando tengan que pasar por los mismos sufrimientos. A su debido tiempo les dará fortaleza para resistir. [8]Creo que deben conocer, amados hermanos, las tribulaciones que pasamos en Asia. Nos vimos tan aplastados, tan abrumados, que temimos no salir de allí con vida. [9]Nos pareció que estábamos ya sentenciados a muerte y vimos lo inútiles que éramos para escapar; pero eso fue lo bueno, porque entonces lo dejamos todo en las

manos del único que podía salvarnos. Dios, que puede hasta resucitar a los muertos. [10]El nos ayudó y nos salvó de una muerte terrible, de la misma manera que nos volverá a librar cuando sea necesario. [11]Pero ustedes nos ayudaron también con sus oraciones, y juntos podremos elevar alabanzas a Dios al contestar El los ruegos por nuestra seguridad. [12]Con gran satisfacción y sinceridad podemos afirmar que siempre hemos sido puros y sinceros, que siempre hemos dependido de la ayuda del Señor y no de nuestras propias habilidades. Y esto es más cierto aún, si es que más cierto puede ser, en cuanto a la forma en que nos hemos comportado con ustedes. [13]Mis cartas han sido directas y sinceras, sin doble sentido. [14]Y aunque no me conocen bien (espero que algún día me conozcan), deseo que traten de aceptarme y de estar orgullosos de mí (aunque en cierto sentido ya lo están), de la misma manera en que yo estaré orgulloso de ustedes el día en que nuestro Señor Jesús regrese. [15]Tan seguro estaba del entendimiento y la confianza de ustedes, que pensaba hacer un alto en mi viaje a Macedonia y visitarlos, [16]y hacer lo mismo en el viaje de regreso, para serles de doble bendición y para que me encaminaran luego a Judea. [17]¿Por qué cambié de planes? ¿Estaría de veras decidido? ¿O soy de los que dicen "sí" aunque por dentro están diciendo "no"? [18]Pues no. Dios sabe que no soy de esa clase de gente. Cuando digo "sí" es "sí". [19]Timoteo, Silvano y yo les hemos estado hablando de Jesucristo el Hijo de Dios. Jesucristo no es de los que dicen "sí" si cree que debe ser "no". El hace lo que dice, [20]y ejecuta y cumple las promesas de Dios por numerosas que éstas sean; y hemos publicado ya lo fiel que es El para gloria de su nombre. [21]Es precisamente ese Dios el que a ustedes y a mí nos convirtió en cristianos fieles y el que a nosotros los apóstoles nos comisionó la predicación de las Buenas Nuevas.

[22]El Señor ha puesto su marca en nosotros —que declara que le pertenecemos— y ha puesto su Santo Espíritu en nuestros corazones como garantía de que le pertenecemos y como un adelanto de lo que nos va a dar. [23]Invoco a ese Dios por testigo contra mí si no les estoy diciendo la más absoluta verdad. Todavía no he ido a visitarlos porque no quiero entristecerlos con un severo regaño. [24]Cuando vaya, aunque no puedo ayudarles mucho en la fe, porque en ésta están fuertes, deseo contribuir al gozo de ustedes. Deseo proporcionarles gozo, no tristeza.

2 "NO", ME HE dicho, "no los haré sufrir cuando los visite". [2]Porque si los entristezco, ¿quién me alegrará después? Solamente ustedes, los que habré entristecido, pueden alegrarme. [3]Precisamente por eso les escribí mi anterior carta, para que antes de mi llegada resolvieran los problemas que había entre ustedes. Así, al llegar, no me entristeceré con los que me debo gozar. Estoy seguro de que la felicidad de ustedes está tan íntimamente ligada con la mía, que no podrían sentirse gozosos si yo no lo estoy.

[4]Y ¡qué duro me fue escribir aquella carta! Se me partía el corazón al escribirla; sinceramente, lloré muchísimo. Mi intención no era hacerlos sufrir pero tenía que demostrarles el amor que les tengo y lo mucho que me preocupaba lo que estaba sucediendo entre ustedes. [5]Pero aquel hombre, el causante del problema que traté en mi carta, no me causó tanta tristeza como la que les causó a ustedes, aunque no niego que me la causó. [6]No quiero ser más duro con él de lo que ya he sido. Ya es bastante la desaprobación colectiva de ustedes. [7]Ya es hora de perdonarlo y consolarlo, no vaya a ser que quede tan amargado y tan desalentado que le sea difícil recobrarse. [8]Muéstrenle ahora que todavía lo aman. [9]Les

escribí de aquella manera precisamente para ver hasta dónde me obedecían. [10]Yo perdonaré a cualquiera que perdonen. Y lo que yo haya perdonado, si algo tenía que perdonar, lo he hecho por ustedes delante de Cristo, [11]para que Satanás no se aproveche, como sabemos que trata siempre de aprovecharse.

[12]Bien, cuando llegué a la ciudad de Troas, el Señor me proporcionó formidables oportunidades de predicar el evangelio. [13]Pero Tito, mi amado hermano, no estaba allí cuando llegué. Tan intranquilo me puso esto que me despedí y corrí a Macedonia en su busca.

[14]Pero, ¡gracias a Dios! Porque por medio de la obra que realizó, Cristo triunfó sobre nosotros y ahora dondequiera que vamos nos usa para hablar a otros del Señor y esparcir el evangelio como perfume fragante. [15]Para Dios en nuestras vidas hay una suave fragancia. Es la fragancia de Cristo en nosotros, olor que llega a los salvados y a los que no lo son. [16]Para los que no son salvos, tenemos un terrible olor de muerte y condenación, pero para los que conocen a Cristo olemos a vida que da vida. ¿Quién está perfectamente capacitado para una tarea como ésta? [17]Sólo los hombres íntegros y sinceros que Dios ha enviado y que hablan delante de El respaldados por Cristo. No somos como esos aprovechados —de los cuales hay muchos— que predican el evangelio por lucro.

3 ¿ESTAMOS YA COMO esos falsos maestros que siempre se andan ensalzando y procuran siempre llevar consigo cartas de recomendación? Me parece que nosotros no necesitamos carta de recomendación, ¿verdad? Ni necesitamos tampoco que nos recomienden. [2]Nuestra mejor carta son ustedes mismos. Cualquiera que vea los cambios que se han operado en el corazón de ustedes sabrá evaluar la buena obra que hemos realizado entre ustedes. [3]Ustedes son carta de Cristo escrita por nosotros, no con tinta sino con el Espíritu del Dios viviente; no fue labrada en piedra, sino en las tablas del corazón humano.

[4]Hablamos así de nosotros mismos porque confiamos que Dios, a través de Cristo, nos ayudará a validar lo que decimos, [5]y no

porque creamos que por nosotros mismos podemos serles de algún valor. Dios es la fuente de nuestro poder y nuestro triunfo. [6]Si no fuera por El, no podríamos hablarle a nadie del nuevo pacto divino. A nadie decimos que tiene que obedecer todas las leyes de Dios o morir, sino que el Espíritu Santo tiene vida para ellos. La antigua práctica de tratar de salvarse mediante la estricta obediencia de los Diez Mandamientos conducía a los individuos a la muerte; pero ahora el Espíritu Santo da vida.

[7]Sin embargo, cuando aquel viejo sistema de leyes que conducía a la muerte fue instituido, el pueblo no pudo fijar la vista en el rostro de Moisés. Era que, al darles la ley de Dios que debían obedecer, el rostro le resplandecía con la gloria de Dios, si bien aquella brillantez ya se estaba desvaneciendo. [8]¿No debemos esperar una gloria mucho mayor en estos días en que el Espíritu Santo está dando vida? [9]Si el plan que conducía a condenación comenzó gloriosamente, mucho más glorioso es el plan que justifica al hombre ante Dios. [10]En realidad, la gloria que brilló en el rostro de Moisés es insignificante en comparación con la supereminente gloria del nuevo pacto. [11]Si el viejo y perecedero sistema tuvo gloria, mucho más lo tendrá el nuevo plan de salvación, porque es eterno. [12]Y como sabemos que esta nueva gloria nunca se desvanecerá, podemos predicar con plena confianza, [13]y no como Moisés, que se cubría el rostro para que los israelitas no vieran que la gloria se le desvanecía. [14]Pero no sólo el rostro de Moisés estaba cubierto; cubierto también, ciego, estaba el entendimiento del pueblo. Aun hoy día, cuando leen las Escrituras, parecen tener el corazón y la mente cubiertos por un espeso velo, porque no pueden descubrir ni entender el verdadero significado de las Escrituras. La única manera de rasgar ese velo de incomprensión es creer en Cristo. [15]Sí, todavía leen los escritos de Moisés con el corazón cubierto y creen que uno se salva obedeciendo los Diez Mandamientos.

[16]Pero cuando una persona se aparta del pecado y se vuelve al Señor, el velo se le quita; [17]porque el Señor es el Espíritu, y donde está el Espíritu hay libertad. [18]Por lo tanto, los cristianos no tenemos el rostro cubierto y reflejamos la gloria del Señor como espejos claros. Y el Espíritu del Señor nos va transformando y cada vez nos vamos pareciendo más a El.

4 EL MISMO DIOS, en su misericordia, es el que nos ha encomendado la maravillosa tarea de proclamar las Buenas Nuevas, y por eso no nos damos nunca por vencidos. [2]No empleamos artimañas para que la gente crea; no nos interesa engañar a nadie. Jamás intentamos que la gente crea lo que la Biblia no enseña. Sería vergonzoso si lo hiciéramos. Delante de Dios hablamos y proclamamos la verdad, y esto lo saben bien los que nos conocen. [3]Si algunos no entienden el evangelio que predicamos es porque marchan hacia la muerte eterna. [4]Satanás, el dios de este perverso mundo, los ha cegado y no pueden contemplar la gloriosa luz del evangelio que brilla ante ellos, ni entender el mensaje de la gloria de Cristo, que es la imagen del Dios invisible.

[5]Cuando predicamos, no nos predicamos a nosotros mismos, sino a Jesucristo como Señor. Lo único que decimos de nosotros es que somos siervos de ustedes en gratitud por lo que Jesús hizo por nosotros. [6]Porque Dios que dijo: "Resplandezca la luz en las tinieblas", nos ha hecho comprender que es el resplandor de la gloria de El lo que brilla en el rostro de Jesucristo.

[7]Pero este precioso tesoro, esta luz y este poder que ahora brillan en nosotros los guardamos en una vasija perecedera: nuestro débil cuerpo. Por eso es tan obvio que este glorioso poder que está en nosotros es de Dios y no nuestro.

[8]Estamos acosados por problemas, pero no estamos aplastados ni vencidos. Nos vemos en apuros, pero no nos desesperamos. [9]Nos persiguen, pero Dios no nos abandona nunca. Nos derriban, pero no nos destruyen interiormente. [10]A cada rato este cuerpo nuestro se enfrenta a la muerte al igual que Jesús para que quede de manifiesto que el Jesús viviente que está en nosotros nos guarda. [11]A diario corremos peligro de muerte por servir al Señor, pero esto nos ofrece la constante oportunidad de manifestar el poder de Jesucristo en nuestros cuerpos mortales. [12]Por predicar nos enfrentamos a la muerte, pero como resul-

tado ustedes han alcanzado la vida eterna. [13]Confiados en que Dios nos guardará, declaramos sin temor lo que creemos; como dijo el Salmista: "Creí y por eso hablé". [14]Sabemos que el mismo Dios que resucitó al Señor Jesús nos resucitará también a nosotros con Jesús, y junto con ustedes nos llevará a su presencia.

[15]Los dolores que padecemos los padecemos por el bien de ustedes. Y mientras más sean los que de ustedes acepten a Cristo, más gracias habrá que dar a Dios por su gran bondad, y mayor gloria recibirá el Señor. [16]Por eso nunca nos damos por vencidos. Aunque este cuerpo nuestro se va desgastando, por dentro nos fortalecemos cada vez más en el Señor. [17]De todas maneras, estos problemas y estos sufrimientos nuestros son pequeños y no se prolongarán demasiado. Y este breve y momentáneo período de tribulación redundará en abundantes y eternas bendiciones de Dios para nosotros. [18]Por lo tanto, no nos importa lo que ahora se ve, ni las tribulaciones que nos rodean, sino que fijamos la mirada en los goces celestiales que todavía no vemos. Pronto cesarán los problemas presentes, pero los goces que disfrutaremos no cesarán jamás.

5 SABEMOS QUE CUANDO esta tienda de campaña en que vive nuestro hombre interior se desmantele, cuando este cuerpo nuestro perezca, recibiremos en el cielo un edificio nuevo, un cuerpo nuevo, maravilloso, eterno, construido no por manos humanas sino por Dios mismo. [2]¡Cuánto sufrimos con este cuerpo mortal! Por eso anhelamos el día de la transformación de los cuerpos en que nos hemos de revestir de aquel cuerpo celestial. [3]Porque no vamos a ser simples espíritus sin cuerpos. [4]El cuerpo terrenal que ahora tenemos nos hace gemir y suspirar, pero la idea de morir, de desvestirnos de este cuerpo, nos desagrada; preferiríamos revestirnos del nuevo cuerpo, de manera que nuestro cuerpo mortal sea absorbido por la vida eterna. [5]Dios tiene esto preparado para nosotros y nos ha dado su Santo Espíritu como garantía.

[6]Por lo tanto, vivimos confiados, con la mirada fija en nuestros cuerpos celestiales. Sabemos que cada momento que pasamos en este cuerpo terrenal lo pasamos lejos del cielo, donde está Jesús. [7]Esto lo sabemos por la fe, no por la vista. [8]No tememos la muerte. ¡Estamos contentos de que un día moriremos e iremos a morar con el Señor en nuestro hogar celestial! [9]Por lo tanto procuramos siempre agradarlo, ya sea que estemos en este cuerpo o fuera de este cuerpo con El en el cielo. [10]Porque un día tendremos que comparecer ante el tribunal de Cristo, y seremos juzgados. Cada uno recibirá lo que merezca por las buenas o las malas cosas que haya hecho mientras estaba en el cuerpo terrenal.

[11]Impulsados por este temor reverencial al Señor, que nos embarga siempre, trabajamos arduamente por ganar a otros. Dios sabe que nuestros corazones son sinceros en cuanto a esto, y espero que en el fondo ustedes lo sepan también.

[12]¿Estamos otra vez tratando de ensalzarnos? No; estamos tratando de ofrecerles algunos argumentos contra esos predicadores falsos que andan siempre jactándose de lo bien que predican. Por lo menos ustedes pueden jactarse de que somos sinceros y bien intencionados. [13]Si estamos locos pasando tanto trabajo, para gloria de Dios será. Y si estamos cuerdos, lo estamos para beneficio de ustedes. [14]Hagamos lo que hagamos, no lo hacemos porque queremos, sino porque el amor de Cristo nos domina. Como creemos que Cristo murió por nosotros, debemos creer también que en El hemos muerto a la vieja vida, al tipo de vida que solíamos llevar. [15]El murió precisamente para eso: para que los que reciban la vida eterna por medio de El no vivan más para sí mismos, sino para agradar al que murió y resucitó por ellos: Jesucristo.

[16]Así que dejémonos de medir a los cristianos por lo que el mundo piense de ellos y por las apariencias. Hubo un tiempo en que erróneamente yo juzgaba a Cristo de esa manera, pues lo consideraba un hombre como otro cualquiera. ¡Cuánto he cambiado de opinión! [17]Al volverse cristiano, uno se convierte en una persona totalmente diferente. Deja de ser el de antes. ¡Surge una nueva vida! [18]Cuanto hay de nuevo en nosotros proviene de Dios, quien nos reconcilió consigo por lo que Jesucristo hizo. Y Dios nos ha otorgado la privilegiada tarea

de impulsar a la gente a reconciliarse con Dios. [19]En otras palabras, Dios ha dado al mundo la oportunidad de reconciliarse con El por medio de Cristo, no tomando en cuenta los pecados del hombre sino borrándolos. Este es el glorioso mensaje que nos ha enviado a predicar. [20]Somos embajadores de Cristo. Dios les habla por medio de nosotros; en el nombre de Cristo les rogamos que acepten el amor que El les ofrece; ¡reconcíliense con Dios! [21]Porque Dios tomó a Cristo, que no tenía pecado, y arrojó sbre El nuestros pecados. ¡Y luego, para colmo de maravilla, nos declaró justos; nos justificó!

6 COMO COLABORADORES DE Dios les suplicamos que no desechen el maravilloso mensaje de la gracia de Dios. [2]Porque Dios dice: "Escuché tu clamor en tiempo favorable, y en día en que se ofrecía salvación te socorrí". Ahora mismo Dios desea recibirlos. Hoy quiere darles la salvación.

[3]Tratamos de comportarnos siempre de tal manera que nadie se escandalice ni deje de conocer al Señor por causa de nuestro comportamiento. No queremos que nadie encuentre faltas en nosotros y se las achaque al Señor. [4]En cada uno de nuestros actos tratamos de portarnos como verdaderos ministros de Dios. Con paciencia soportamos los sufrimientos, las necesidades, las angustias. [5]Nos han azotado y encarcelado, nos hemos enfrentado a airadas multitudes, hemos trabajado hasta el agotamiento, hemos pasado noches de expectantes desvelos y hemos ayunado. [6]Con la integridad de nuestras vidas, con nuestro entendimiento del evángelio y con nuestra paciencia, hemos demostrado que somos lo que decimos ser. Hemos sido bondadosos, amorosos, y hemos mostrado plenitud del Espíritu Santo. [7]Hemos sido veraces, y el poder de Dios nos ha respaldado siempre. Las armas del hombre piadoso han sido nuestras. [8]Hemos sido fieles al Señor, aunque unas veces nos honran y otras nos desprecian; unas veces nos critican y otras veces nos ensalzan; unas veces nos tienen por mentirosos, siendo veraces. [9]El mundo no nos conoce, pero Dios sí; arriesgamos la vida, pero vivimos aún; nos han golpeado, pero sobrevivimos. [10]Tenemos el corazón adolo-

rido, pero a la vez no nos falta el gozo del Señor. Somos pobres, pero impartimos ricos dones espirituales a los demás. No tenemos nada, y sin embargo tenemos lo que es de más valor.

[11]Queridos hermanos corintios, les he hablado con entera franqueza; los amo de todo corazón. [12]Cualquier frialdad que haya todavía en nosotros no será por falta de amor de mi parte, sino porque el amor que sienten hacia mí es tan débil que no lo siento. [13]Les estoy hablando ahora como si fueran mis propios hijos. ¡Abrannos el corazón! ¡Correspondan al amor que les ofrecemos!

[14]No se unan en matrimonio con los que no aman al Señor, porque ¿qué puede un cristiano tener en común con los que viven entregados al pecado? ¿Cómo puede la luz llevarse bien con la oscuridad? [15]Y ¿qué armonía puede haber entre Cristo y el diablo? ¿Cómo puede un cristiano estar de acuerdo con un incrédulo? [16]Y ¿qué unión puede existir entre el Templo de Dios y los ídolos? Ustedes son el templo del Dios viviente, y el Señor dijo de ustedes: "Viviré en ellos y caminaré entre ellos, y seré su Dios, y ellos serán mi pueblo". [17]Por eso el Señor dice: "Salgan de en medio de ellos, apártense; no toquen sus inmundicias, y yo los recibiré con los brazos abiertos, [18]y seré Padre de ustedes, y ustedes serán hijos e hijas míos".

7 PUESTO QUE TENEMOS tan grandes promesas, amados, apartémonos del mal, ya sea éste corporal o espiritual.

[2]Por favor, vuelvan a darnos cabida en su corazón, porque ninguno de ustedes ha sufrido ni se ha apartado por culpa nuestra. A nadie hemos engañado ni de nadie nos hemos aprovechado. [3]No digo esto para regañarlos ni para echarles en cara nada; como ya les dije, los llevo en el corazón y vivo y moriré con ustedes bien adentro. [4]Tengo en ustedes la más absoluta confianza, y el orgullo que me dan es inmenso. Al pensar en ustedes me consuelo en medio de mis sufrimientos.

[5]Desde que llegamos a Macedonia no habíamos tenido reposo; por fuera, las dificultades que se agolpaban a nuestro alrededor; por dentro, el temor que sentíamos.

⁶Pero Dios, que alienta a los desalentados, nos alentó con la llegada de Tito ⁷y con la noticia que él me trajo de que había pasado un tiempo maravilloso entre ustedes. Cuando me habló del ansia con que esperan mi llegada, de lo tristes que se pusieron por lo que había sucedido, de la lealtad y del cálido amor que sienten por mí, de veras, el corazón me saltó de gozo.

⁸Ya no me pesa haberles mandado aquella carta, aunque durante algún tiempo me dolió pensar lo doloroso que debió haber sido para ustedes. Pero aquel dolor no les duró mucho. ⁹Ahora me alegro de haberla enviado, no porque les dolió sino porque aquel dolor los condujo al arrepentimiento. El dolor que sintieron es el que Dios desea que su pueblo sienta, y por lo tanto no les hice daño. ¹⁰Dios a veces permite que nos vengan tristezas para impulsarnos a apartarnos del pecado y procurar la vida eterna. Jamás debemos quejarnos de estas tristezas, pues no son como las del que no es cristiano. Las tristezas del que no es cristiano no lo conducen al verdadero arrepentimiento y no lo libran de la muerte eterna. ¹¹¿Se dan cuenta de lo provechosa que fue para ustedes la tristeza que les envió el Señor? Ya no se encogen de hombros como hacían antes, sino que son ardientes y sinceros, y con diligencia erradicaron el pecado que mencioné en mi carta. Temerosos por lo que había sucedido, ansiaron que fuera a ayudarles. Pero, sin perder tiempo, afrontaron el problema y lo resolvieron castigando al que pecó. Han hecho lo posible por dejar resuelto el asunto. ¹²Si les escribí como lo hice fue para mostrarles lo mucho que me intereso en ustedes, y no simplemente para ayudar al que cometió aquel pecado, ni al padre de éste, que fue el que sufrió el agravio. ¹³El saber que ustedes nos aman nos alentó mucho, pero mucho más nos alentó y alegró el gozo de Tito por el cálido recibimiento que le dieron y por la tranquilidad que recobró entre ustedes. ¹⁴Me alegró mucho que no me hicieran quedar mal, pues antes que Tito los visitara le hablé muy bien de ustedes. Siempre digo la verdad y lo que le dije a Tito de ustedes resultó verdad también. ¹⁵El los ama más que nunca, sobre todo cuando recuerda la obe-

diencia que le prestaron y la humildad y la solicitud con que lo recibieron. ¹⁶¡Cuánto me alegra esto! ¡Ya sé que entre nosotros todo marcha bien! ¡Sé que puedo tener plena confianza en ustedes!

8 QUIERO HABLARLES AHORA sobre lo que Dios en su gracia está haciendo en las iglesias de Macedonia. ²Aunque los hermanos de esta región han estado pasando grandes tribulaciones, han mezclado la extrema pobreza que padecen con el gozo extraordinario que experimentan y como resultado han dado con generosidad, abundantemente. ³No han dado sólo lo que pueden dar, sino mucho más; y soy testigo de que lo han hecho voluntariamente. ⁴Nos suplicaron que tomáramos el dinero, pues deseaban compartir el gozo de ayudar a los cristianos de Jerusalén. ⁵Y, mejor todavía, sobrepasaron nuestras máximas esperanzas; lo primero que hicieron fue dedicarse por entero al Señor y luego se pusieron a nuestra disposición para obedecer cualquier orientación que, a través nuestro, Dios pudiera comunicarles.

⁶En vista del entusiasmo que este proyecto ha despertado en las iglesias de Macedonia, supliqué a Tito, quien ya una vez les habló de esto, que fuera a verlos y los instara a completar la colecta y a participar en este ministerio de dar. ⁷Ustedes son paladines en muchas cosas: en fe, en buena predicación, en inteligencia, en entusiasmo, en amor hacia nosotros. Pero ahora deseo que se pongan a la cabeza en la tarea de dar con gozo.

⁸No les estoy dando una orden; no les estoy diciendo lo que tienen que hacer, sino que los demás anhelan verlos haciéndolo. Esta sería una manera de demostrar que el amor que sienten es verdadero y no simple palabrería. ⁹Ustedes saben lo bondadoso y amoroso que fue nuestro Señor Jesucristo; aunque era extremadamente rico, se hizo pobre por amor a ustedes, para que en su pobreza se enriquecieran ustedes. ¹⁰Deseo sugerirles que terminen lo que empezaron hace un año, porque fueron no tan sólo los primeros en lanzar la idea, sino los primeros en ponerla en práctica. ¹¹Ya que empezaron con tanto entusiasmo, llévenlo a feliz término con el mismo ánimo, dando lo que

puedan de lo que tengan. ¡Que la feliz idea que pusieron en marcha culmine ahora en una acción práctica! [12]Si están de veras ansiosos de dar, la cantidad que den no importa tanto. Dios quiere que den de lo que tienen, no de lo que no tienen.

[13]Por supuesto, mi intención no es que se sacrifiquen para que los demás vivan bien. [14]Lo que sí quiero es que compartan con ellos. En esta ocasión tienen bastante y pueden ayudarles; quizás en otra ocasión ustedes sean los necesitados y ellos les ayudarán. De esta manera nadie pasará necesidades. [15]¿Recuerdan lo que las Escrituras dicen de esto: "Al que recogió mucho no le quedó nada, y el que recogió poco no tuvo menos"? Así que debemos ayudar a los que están en necesidad.

[16]Doy gracias a Dios porque ha dado a Tito el mismo interés sincero en ustedes que tengo yo. [17]Le agradó mucho mi recomendación de que los visitara de nuevo, pero creo que lo habría hecho de todos modos, porque tiene muchos deseos de verlos de nuevo. [18]Con él les estoy enviando a un bien conocido hermano que se ha destacado enormemente como predicador del evangelio en todas las iglesias. [19]Además, las iglesias lo eligieron para que me acompañara en el viaje en que he de llevar a Jerusalén este donativo con el que glorificaremos al Señor al distribuirlo nosotros mismos, mostrando nuestro ardiente deseo de ayudarnos mutuamente. [20]Viajando juntos evitaremos cualquier sospecha, porque quisiéramos que nadie halle falta en la manera en que manejamos este gran donativo. [21]Dios sabe que somos honrados, pero deseo que todo el mundo lo compruebe. Por eso hemos tomado esta precaución.

[22]Y además, les estoy enviando a otro hermano, de quien sé por experiencia que es un cristiano ferviente. Lo que más le entusiasma del viaje que va a realizar es el anhelo que, según le he dicho, ustedes tienen de ayudar.

[23]Si alguien les pregunta quién es Tito, díganle que es mi compañero y colaborador en la tarea de ayudarles. Pueden decir también que los otros dos hermanos representan a las iglesias de aquí y que llevan una vida cristiana ejemplar. [24]Muestren a estos hombres el amor que sienten por mí y por ellos, y demuéstrenles que cuanto con orgullo he dicho de ustedes es cierto.

9 SÉ QUE ESTÁ de más que les hable de ayudar a otros. [2]Siempre están ansiosos de ayudar, y he tenido el orgullo de decir a los hermanos de Macedonia que hace un año ya estaban listos a enviar una ofrenda. Y es más: fue el entusiasmo de ustedes la chispa que prendió en los demás el deseo de ayudar. [3]Si les envío a estos hombres es para asegurarme de que ya están listos para mandar el donativo, como he dicho que lo estarían. No quiero que a última hora me hagan quedar mal. [4]Me daría pena —y a ustedes también— que algunos macedonios fueran conmigo y encontraran que todavía ni siquiera han recogido la ofrenda. [5]Así que pedí a estos hermanos que fueran primero y se cercioraran de que el donativo prometido ya esté listo.

Deseo que éste sea de veras un donativo voluntario. [6]Ahora bien, el que poco da poco recibe. El agricultor que siembra pocas semillas obtendrá poca cosecha, pero el que siembra mucho, mucho cosechará. [7]Cada uno tiene que determinar cuánto va a dar. Pero que no lo haga con tristeza ni porque lo obliguen, porque Dios ama al dador alegre. [8]Poderoso es Dios para compensarles con creces y de tal manera que no sólo tengan para satisfacer las necesidades propias sino también para dar con alegría a los demás. [9]Como dicen las Escrituras: "El que es piadoso da generosamente a los pobres, y el fruto de sus buenas obras permanecerá para siempre". [10]Porque Dios, quien da las semillas al agricultor y las hace crecer para que el agricultor coseche y coma, les proporcionará semillas en abundancia y buenas cosechas para que cada vez puedan dar mayores ofrendas.

[11]Sí, Dios les dará en abundancia para que puedan dar en abundancia, y cuando entreguemos las dádivas de ustedes a los que las necesitan, prorrumpirán en acción de gracias y alabanzas a Dios. [12]En otras palabras, el donativo que envíen surtirá dos efectos positivos: ayudará a los que están en necesidad, y los impulsará a éstos a dar gracias a Dios de todo corazón. [13]Los que reciban la ayuda no sólo se alegrarán por la generosa dádiva, sino que alabarán a Dios

por esta demostración de que obedecen el mensaje de Cristo. [14]Y orarán por ustedes con gran fervor y sinceridad, gracias a la bondad de Dios que se manifestó a través de ustedes.

[15]Gracias a Dios por su Hijo, don maravilloso que no podemos describir con palabras.

10 CUANDO YO, PABLO, ruego algo, lo ruego con la misma ternura con que Cristo lo haría. Sin embargo, se ha dicho que cuando les escribo soy fuerte pero que cuando lo hago personalmente soy suave. [2]¡Espero que nunca tenga que demostrarles lo osado y lo duro que soy cuando llega la ocasión! ¡Ojalá nunca tenga que actuar contra los que piensan que actúo como un hombre cualquiera!

[3]Sí, es cierto, soy un hombre ordinario con sus correspondientes debilidades, pero nunca me valgo de planes ni métodos humanos para ganar mis batallas. [4]Para destruir las fortalezas del mal, no empleo armas humanas, sino las invencibles armas del todopoderoso Dios. [5]Con armas tan poderosas puedo destruir la altivez de cualquier argumento y cualquier muralla que pretenda interponerse para que el hombre no encuentre a Dios. Con armas tan poderosas puedo apresar a los rebeldes, conducirlos de nuevo ante Dios y convertirlos en seres que deseen de corazón obedecer a Cristo. [6]Usaré estas armas contra cualquiera que persista en su rebeldía después que les haya usado contra ustedes mismos y se hayan rendido a Cristo.

[7]Si me creen débil e impotente es porque miran las cosas según las apariencias. Si alguien puede afirmar que tiene el poder y la autoridad de Cristo, soy yo. [8]Quizás alguno crea que me estoy jactando de la autoridad que el Señor me dio para edificación, no para destrucción—, pero mis afirmaciones son ciertas. [9]Les digo esto para que no crean que sólo trato de asustarlos un poco en mis cartas. [10]"No hagan caso a sus cartas", dicen algunos. "En ellas aparenta ser fuerte, pero no es más que ruido. ¡Cuando llegue verán que de grande no tiene nada y que no existe peor predicador!"[11]¡Esta vez voy a ser tan duro en persona como por carta!

[12]Pero no se preocupen, no me voy a igualar ni a comparar con los que por ahí andan hablando de lo excelentes que son. El problema de éstos es que se comparan entre sí y se miden de acuerdo con sus propios insignificantes conceptos. ¡Qué necedad! [13]¡Jamás nos jactamos de una autoridad que no tenemos! Y cuando nos medimos, utilizamos como regla el plan que Dios tiene con nosotros, el cual incluye que trabajemos entre ustedes.

[14]Cuando afirmamos que tenemos autoridad sobre ustedes no nos estamos extralimitando, porque fuimos los primeros en proclamarles las Buenas Noticias de Cristo. [15]No queremos que se nos atribuya el trabajo que otros han realizado entre ustedes, pero esperamos que se desarrollen en la fe y que, dentro de los límites que se nos han concedido, nuestra obra entre ustedes se amplíe bastante. [16]Entonces podremos predicar el evangelio en ciudades más allá de Corinto; pero lo haremos sólo en lugares donde no haya trabajado nadie, para que nadie diga que nos aprovechamos de lo que ya otros han hecho. [17]Como dicen las Escrituras: "El que se quiera gloriar, gloríese en lo que el Señor hace, no en sí mismo". [18]Lo que vale de veras no es lo que uno crea de sí mismo sino lo que crea el Señor.

11 ESPERO QUE ME toleren si digo algo que no crean juicioso, y que me dejen expresar lo que tengo en el corazón. [2]Siento celo por ustedes, celo que Dios ha puesto en mí; anhelo que amen sólo a Cristo, como doncella pura que reserva su cariño para el hombre que la tomará por esposa. [3]Mas temo que de alguna manera, engañados, se aparten de la pura y simple devoción a Dios, como se apartó Eva cuando Satanás la engañó en el Edén.

[4]No sé; me parecen tan fáciles de engañar. Me parece que si cualquiera va y les predica un Cristo distinto del que les he enseñado, o un espíritu diferente del Espíritu Santo que recibieron, o les muestra una manera diferente de alcanzar la salvación, lo creerían. [5]Sin embargo, no creo que esos maravillosos "mensajeros de Dios", como se autotitulan, sean mejores

que yo. ⁶Quizás yo sea un mal orador, pero por lo menos sé lo que estoy diciendo, como ya lo he demostrado varias veces. ⁷¿Será que hice mal en predicarles gratuitamente, con lo cual creí humillarme para enaltecerlos a ustedes? ⁸Cuando estaba entre ustedes "robé" a otras iglesias al sufragar mis gastos de estadía con el dinero que esas iglesias me enviaban, y todo por predicarles gratuitamente. ⁹Y cuando aquel dinero se me acabó y tuve hambre, no pedí nada, porque los cristianos de Macedonia me mandaron otro regalo. No, jamás les he pedido nada, y jamás lo haré. ¹⁰Pueden estar tan seguros como de que conozco la verdad de Cristo, que nadie me va a impedir que me gloríe de esto en Acaya.ª ¹¹¿Por qué? ¿Será porque no los amo? Dios sabe que sí los amo. ¹²Lo hago para desmentir a los que se jactan de trabajar para Dios de la misma manera que nosotros. ¹³Dios nunca envió a esos hombres; no son más que farsantes que les han hecho creer que son apóstoles de Cristo.

¹⁴Esto no me sorprende. Satanás puede disfrazarse de ángel de luz. ¹⁵¡No es extraño que sus siervos se disfracen de pastores piadosos! ¡Un día recibirán el castigo que por sus perversas obras merecen!

¹⁶De nuevo les suplico que no crean que he perdido el juicio al hablar así; pero aun si lo creen, dejen que este loco, este tonto, se gloríe un poco como lo hacen ellos, y háganme caso. ¹⁷El Señor no me ha mandado a jactarme de nada; si lo hago es porque estoy portándome como un desquiciado. ¹⁸De todos modos, como esa gente anda siempre hablándoles de sus cualidades, déjenme decirles lo siguiente:

¹⁹Se creen inteligentes, y sin embargo se deleitan escuchando a esos tontos; ²⁰no les importa que los estén esclavizando, arrebatándoles las cosas, aprovechándose de ustedes, que se enaltezcan y luego los abofeteen. ²¹¡Me da vergüenza confesar que no soy tan fuerte ni tan atrevido! Pero de cualquier cosa de la que ellos se puedan jactar —de nuevo me hago el loco— mucho más me puedo jactar yo.

²²Se jactan de ser hebreos, ¿no? Yo lo soy también. ¿Dicen que son israelitas, miembros del pueblo escogido de Dios? Yo

también lo soy. ¿Que son descendientes de Abraham? Yo también. ²³¿Que sirven a Cristo? ¡Mucho más lo he servido yo! (Sigo con mi locura.) He trabajado más, me han encarcelado, me han azotado no sé ya cuántas veces, y a cada rato me he visto en peligro de muerte. ²⁴En cinco ocasiones los judíos me han proporcionado sus horribles treinta y nueve azotes. ²⁵Tres veces me han azotado con varas. Una vez me apedrearon. Tres veces he naufragado. Una vez me pasé una noche y un día en alta mar. ²⁶He recorrido agotadoras distancias. Muchas veces he estado en peligro de sucumbir en medio de ríos desbordados, o a mano de ladrones o de judíos iracundos (mi propio pueblo), o de gentiles. He tenido que enfrentarme a turbas enfurecidas, he corrido peligro de muerte en desiertos, en mares agitados, y entre falsos hermanos. ²⁷He sufrido fatigas, dolores, insomnios, hambre, sed, ayunos, frío. ²⁸Y a todo se ha sumado siempre mi preocupación por el estado de las iglesias; ²⁹si alguien sufre, sufro si no me he compadecido de él; si alguien falla, sufro si no puedo ayudarle; si alguien tropieza por culpa de otro, sufro si no me he indignado contra el que lo hizo tropezar.

³⁰Si tengo que jactarme, prefiero jactarme de mis debilidades. ³¹Dios, el Padre de nuestro Señor Jesucristo quien por siempre debe ser alabado, sabe que digo la verdad. ³²Por ejemplo, en Damasco, el gobernador (súbdito del rey Aretas) puso guardias a las puertas de la ciudad para prenderme; ³³pero me bajaron en una cesta por una abertura en la muralla de la ciudad, y así escapé.

12 YA SÉ QUE no gano nada con gloriarme, pero déjenme acabar. Ahora les voy a hablar de las visiones que he tenido, y de las revelaciones del Señor.

²,³Hace catorce años me llevaron de visita al tercer cielo. No me pregunten si fui corporalmente o en el espíritu, porque no lo sé; sólo Dios lo sabe. Lo cierto es que estuve en el paraíso ⁴y escuché cosas que ni puedo expresar con palabras ni me está permitido repetir. ⁵Podría muy bien gloriarme de esta

---

1 Grecia.

experiencia, pero no lo haré. Prefiero gloriarme en lo débil que soy y en lo maravilloso que es que el Señor emplee mis debilidades para gloria suya. [6]Si quisiera gloriarme, no sería insensato en hacerlo, porque bastantes privilegios he tenido; pero deseo que se me juzgue no por lo que yo cuente sino por la vida que me vean llevar y el mensaje que me escuchen proclamar.

[7]Les voy a decir lo siguiente: Es tal la grandeza de mis experiencias que el Señor, para que no me enorgullezca demasiado, puso en mí una dolencia que es en mí como un aguijón en la carne, como un mensajero de Satanás que me hiere y molesta para que no me infle demasiado. [8]Tres veces he pedido a Dios que me devuelva la salud; [9]y las tres veces me ha respondido: "No. Estoy contigo y esto debe bastarte. Mi poder se manifiesta más cuando la gente es débil". Por eso de muy buena gana me jacto de mis debilidades; gracias a ellas soy una demostración viviente del poder de Cristo. [10]Desde que sé que lo que sufro lo sufro por Cristo, me siento feliz por "la espina", los insultos, las privaciones, las persecuciones y las dificultades; porque cuando soy débil, soy fuerte; y mientras menos tengo, más dependo de El.

[11]He sido necio al andar con jactancias como éstas; pero ustedes me han obligado, ya que debían haber hablado bien de mí para que yo no tuviera que hacerlo. No existe nada que esos maravillosos señores tengan que yo no tenga también, aunque al fin de cuentas nada valgo. [12]Estando entre ustedes demostré ser apóstol de veras, enviado de Dios, porque con paciencia hice innumerables maravillas, señales y obras poderosas. [13]Lo único que hice en las demás iglesias y no lo hice entre ustedes fue convertirme en una carga; jamás les pedí alimentos ni hospedaje. ¡Perdónenme esta falta!

[14]Voy a visitarlos por tercera vez, pero tampoco les costará nada. No quiero su dinero; ¡los quiero a ustedes! De todos modos son mis hijos, y los hijos no son los que sustentan a los padres sino éstos a aquéllos. [15]Para mí es un placer gastarme por entero y dar todo lo que tengo por el bien espiritual de ustedes; no importa que, a juzgar por las apariencias, mientras más los amo menos me aman.

[16]Sé que algunos andan diciendo: "Sí, es cierto que sus visitas nunca nos han costado nada, pero ese Pablo es tan astuto que de alguna manera tiene que habernos sacado dinero". [17]Pero ¿qué? ¿Se ha aprovechado de ustedes alguno de los que les he enviado? [18]Cuando le pedí a Tito que los visitara, y envié con él al otro hermano, ¿sacaron de ustedes alguna ganancia? No, claro que no; tenemos el mismo Espíritu Santo, andamos en los mismos pasos, actuamos de la misma manera.

[19]A lo mejor piensan que les digo esto para ganármelos de nuevo. Pues no señor. Dios es testigo de que lo que he dicho ha sido con la intención de ayudarles, amados míos; mi intención ha sido edificarlos espiritualmente y nada más. [20]Temo que cuando vaya no me guste lo que encuentre, y a ustedes no les guste la manera en que yo reaccione. Temo que haya entre ustedes pleitos, envidias, iras, divisiones, chismes, murmuraciones, soberbias, desunión. [21]Sí, temo que cuando vaya, Dios me haga sentirme avergonzado de ustedes y tenga que sufrir y llorar porque muchos de los que pecaron estén convertidos en pecadores tan corrompidos que no les importen ya las perversidades cometidas, ni la impureza, ni la concupiscencia, ni la inmoralidad.

13 ESTA SERÁ LA tercera vez que los visito. Las Escrituras dicen que si dos o tres se presentan como testigos de la falta cometida, el ofensor debe ser castigado. Pues bien, ahora que voy a visitarlos les hago una tercera advertencia. [2]La última vez que estuve allá les advertí a los que andaban en pecado, y ahora les advierto a ellos y a los demás, que en esta ocasión voy dispuesto a castigarlos severamente, sin indulgencias. [3]Les presentaré las pruebas que desean tener de que Cristo habla a través de mí. Cristo no anda con debilidades al tratarlos a ustedes; al contrario, los trata con vigor. [4]Su cuerpo humano y débil murió en la cruz, pero ahora vive por el gran poder de Dios. Nosotros, al igual que El lo era, somos débiles; pero ahora, unidos a El, vivimos y tenemos a nuestra disposición poder de Dios para tratar con ustedes.

[5]Examínense bien. ¿Son cristianos de

verdad? ¿Hay evidencias de que lo son? ¿Sienten cada vez más la presencia y el poder de Cristo? ¿O simplemente están pasando por cristianos, aunque en realidad no lo son? [6]Espero que sepan que nosotros ya hemos pasado el examen y de veras pertenecemos al Señor.

[7]Oramos que lleven vidas buenas, no para que quede demostrado que tenemos la razón sino para que vivan como se debe vivir. De todas maneras procuramos hacer las cosas bien hechas aunque parezca que no tenemos la razón. [8]Tenemos la responsabilidad de alentar siempre el bien, y no de esperar el mal. [9]Felices estaríamos de ser débiles y vernos despreciados si de veras ustedes fueran fuertes. Nuestro mayor deseo y oración es que alcancen perfección como cristianos.

[10]Les he escrito esta carta con la esperanza de que todo lo arreglen y no tenga que regañarlos ni castigarlos cuando los visite. Quisiera emplear la autoridad que me confirió el Señor para fortalecerlos, no para castigarlos.

[11]Concluyo con estas palabras: Estén contentos, busquen la perfección, consuélense, vivan en paz y armonía, y el Dios de amor y paz esté con ustedes.

[12]Dense un cálido abrazo en nombre del Señor. Los hermanos en la fe les mandan saludos.

[13]Que la gracia de nuestro Señor Jesucristo esté con ustedes, y que disfruten siempre el amor de Dios y la comunión del Espíritu Santo.

Con todo cariño,
Pablo

GALATAS

1 REMITENTES: PABLO EL apóstol (no de los hombre ni por los hombres, pues quien me llamó al apostolado fue Jesucristo mismo y Dios el Padre que lo resucitó de los muertos) [2]y los demás cristianos que están conmigo.

Destinatarios: Las iglesias de Galacia.[a]

[3]Que en ustedes reposen la paz y las bendiciones de Dios el Padre y del Señor Jesucristo, [4]quien murió por nuestros pecados conforme a los planes de nuestro Padre, y nos rescató de este mundo perverso en que vivimos. [5]A El sea la gloria por los siglos eternos. Amén.

[6]Me ha sorprendido que tan pronto se estén apartando ustedes de Dios, quien en su amor y misericordia los llamó a poseer la vida eterna que ofrece por la gracia de Cristo, y que al hacerlo hayan tomado un camino que piensen que los conduce al cielo. [7]Pues no, no hay otro camino que el que les mostré; y los que les han dicho otra cosa han estado tratando de perturbarlos y confundirlos en cuanto a Cristo. [8]Que la maldición de Dios caiga sobre cualquiera, sea uno de nosotros o un ángel del cielo, que

les predique otro medio de salvación que el que les mostré. [9]Repito: Si alguien les predica un evangelio diferente del que un día recibieron, que la maldición de Dios caiga sobre esa persona.

[10]Como han visto, no estoy tratando de ganármelos con palabras dulces ni con lisonjas, porque al único que trato de agradar es a Dios. Si todavía buscara agradar a los hombres, no sería siervo de Cristo.

[11]Amados hermanos, solamente les aseguro que el mensaje de salvación que les he predicado no me lo transmitió ningún hombre, [12]sino que me lo reveló nada menos que Jesucristo mismo.

[13]Supongo que están enterados de cuál era mi conducta en la religión judía, de qué implacablemente perseguí y asolé a los cristianos, de cómo me esforcé por erradicarlos de la tierra. [14]Yo era el más ferviente de mis contemporáneos en mi país, y trataba por todos los medios de cumplir con las reglas tradicionales de mi religión.

[15]¡Pero sucedió algo! El Dios que desde antes de que yo naciera me había escogido, un día determinó —¡maravilla de gracia y

---

1a Galacia era una ciudad en lo que ahora es Turquía.

bondad!— [16]revelarme a su Hijo, para que fuera a los gentiles y les proclamara las Buenas Nuevas de Jesús. Cuando esto sucedió, no fui inmediatamente a consultar con nadie, [17]ni corrí a Jerusalén a consultar a los que eran apóstoles antes que yo. Al contrario, anduve por los desiertos de Arabia y después regresé a la ciudad de Damasco. [18]Por fin, tres años más tarde, fui a Jerusalén a hablar con Pedro y estuve con él quince días. [19]Aparte de él, al único que vi fue a Jacobo, el hermano de nuestro Señor. [20]Delante de Dios les aseguro que esto fue lo que sucedió; no miento. [21]Después de aquella visita fui a Siria y Cilicia. [22]Los cristianos de Judea todavía no me conocían de vista. [23]Sólo sabían lo que se andaba diciendo: que el antiguo enemigo de los cristianos estaba pregonando la fe que había tratado de destruir. [24]Y glorificaban a Dios por el cambio que se había operado en mí.

2 [1]CATORCE AÑOS MÁS tarde fui de nuevo a Jerusalén, esta vez con Bernabé. Tito nos acompañaba. [2]Dios me había revelado que debía conferenciar con los hermanos de Jerusalén acerca del evangelio que predicaba entre los gentiles. Conferencié en privado con los dirigentes de la iglesia, y les expuse lo que predicaba. Tenía la esperanza de que estuvieran de acuerdo. [3]Y lo estuvieron. Ni siquiera exigieron que Tito, mi compañero, se circuncidara, a pesar de que era gentil. [4]El tema no se habría tocado si no hubiera sido por algunos mal llamados cristianos, que fueron a observar disimuladamente el grado de libertad que teníamos en Cristo Jesús, y si obedecíamos o no las leyes judías. ¡Querían encadenarnos a sus leyes como esclavos! [5]Pero no les hicimos caso ni un momento, para que ustedes no fueran a pensar que la salvación se gana circuncidándose u obedeciendo las leyes judaicas. [6]Los grandes dirigentes de la iglesia no añadieron ni una tilde a mi mensaje. (Dicho sea de paso, lo que menos me importa es que sean grandes dirigentes, porque delante de Dios todos somos iguales.) [7-9]Y lo que es más; Pedro, Jacobo y Juan, indiscutibles columnas de la iglesia, aceptaron que Dios me había usado para ganar gentiles de la misma maravillosa manera en que había usado a Pedro al predicar a los judíos (después de todo, fue el mismo Dios el que nos dio dones especiales). Dándonos la mano, nos exhortaron a continuar nuestras labores entre los gentiles mientras ellos continuaban entre los judíos. [10]Eso sí, nos pidieron que recordáramos siempre a los pobres cosa que por mí parte siempre he procurado hacer.

[11]Pero cuando me encontré con Pedro en Antioquía, me opuse a él públicamente, y le critiqué fuertemente algo que estaba haciendo. [12]Cuando llegó, comió con los cristianos gentiles. Pero cuando ciertos judíos amigos de Jacobo llegaron, no quiso comer más con los gentiles por temor a lo que pudieran decir aquellos abogados de la doctrina que afirma que es necesario circuncidarse para ser salvo. [13]Y a la hipocresía de Pedro se unieron los demás cristianos judíos, incluso Bernabé. [14]Ante aquello, y comprendiendo que no estaban actuando conforme a sus verdaderas creencias ni a la verdad del evangelio, dije a Pedro delante de los demás: "Es cierto que eres judío de nacimiento, pero hace tiempo que habías dejado a un lado la obediencia estricta a la ley judía. ¿A qué viene el que de pronto, sin más ni más, te pongas a decirles a estos gentiles que deben obedecerla? [15]Tú y yo somos judíos de nacimiento, y no simples pecadores gentiles. [16]Sin embargo, como judíos cristianos, sabemos muy bien que nadie puede justificarse ante Dios obedeciendo nuestras leyes, pues eso sólo se logra por la fe en que Jesucristo nos libra del pecado. Nosotros también hemos confiado en Jesucristo, y somos salvos por esa fe y no porque hayamos observado la ley judía. Nadie se salva por tratar de cumplirla".

[17]Pero ¿qué si confiamos en Cristo para salvarnos y luego hallamos que estamos equivocados, y que no podemos salvarnos si no nos circuncidamos y obedecemos la ley judía? ¿Tendremos que decir que la fe en Cristo fue nuestra perdición? Dios nos libre de atrevernos a pensar así de nuestro Señor. [18]Peco si me pongo a enseñar que uno se salva por guardar la ley judía, después de haber combatido tal doctrina. [19]Porque leyendo las Escrituras comprendí que jamás

podría obtener el favor de Dios intentando inútilmente obedecer la ley. Comprendí que el favor de Dios se obtiene creyendo en Cristo. [20]Estoy crucificado con Cristo, y ya no vivo yo, mas Cristo vive en mí. Y esta vida verdadera que ahora tengo es el resultado de creer en el Hijo de Dios, quien me amó y se entregó por mí. [21]No soy de los que restan importancia a la muerte de Cristo. Porque si hubiéramos podido salvarnos guardando la ley judía, no habría sido necesario que Cristo muriera.

3 ¡OH GÁLATAS INSENSATOS! ¿Quién los hipnotizó? ¡Antes captaban vívidamente el significado de la muerte de Cristo! [2]Los invito a considerar lo siguiente: ¿Recibieron ustedes al Espíritu Santo por guardar la ley? Claro que no; el Espíritu Santo descendió sobre ustedes después que oyeron de Cristo y confiaron en El para obtener la salvación. [3]Entonces, ¿se han vuelto locos? Porque si el tratar primero de obedecer la ley jamás les proporcionó vida espiritual, ¿cómo se les ocurre ahora que obedecerla los hará mejores cristianos? [4]Después de haber sufrido tanto por el evangelio, ¿van a echarlo todo a perder? ¡Sería inconcebible!

[5]Díganme, ¿les otorga Dios el poder del Espíritu Santo y realiza maravillas entre ustedes porque tratan de obedecer la ley judía? ¿O lo hace porque creen en Cristo y de veras confían en El?

[6]Dios aceptó a Abraham porque creyó las promesas divinas. [7]Esto nos dice que los verdaderos hijos de Abraham son los que tienen plena fe en Dios. [8,9]Además, las Escrituras preveían el tiempo —que ahora vivimos— en que Dios salvaría también a los gentiles por la fe de éstos. Dios declaró esto a Abraham cuando le dijo: "Bendeciré a los individuos, de cualquier nación, que confíen en mí como lo haces tú". Los que confían en Cristo, pues, reciben las mismas bendiciones que Abraham recibió.

[10]Los que se aferran a la ley judía para salvarse están bajo la maldición de Dios. Las Escrituras dicen claramente: "Malditos los que quebrantan cualesquiera de las leyes que están escritas en el Libro de la Ley de Dios".

[11]Salta a la vista, pues, que nadie podrá jamás ganar el favor de Dios por obedecer la ley judía, porque Dios ha dicho que sólo por fe puede el hombre justificarse ante El. Como dijo el profeta Habacuc: "El que halla la vida la halla sólo porque confía en Dios".

[12]La ley, en cambio, nos dice que para salvarse, el hombre tiene que guardar una obediencia perfecta y absoluta a cada una de las leyes de Dios. [13]Pero Cristo nos redimió de la maldición de tal sistema, tomando sobre sí mismo la maldición que nos acarrean nuestras malas acciones. Porque dicen las Escrituras que "maldito el que es colgado en un madero", y Jesús murió por nosotros colgado de un madero en forma de cruz.

[14]Ahora Dios puede dar también a los gentiles la misma bendición que prometió a Abraham; y cada uno de nosotros los cristianos podemos recibir la promesa del Espíritu Santo a través de esta fe. [15]Amados hermanos, en la vida diaria cualquier promesa de un hombre a otro hombre, si es por escrito y está firmada, tiene que ser cumplida. Una vez que se firma, uno no se puede echar para atrás. [16]Dios prometió algo a Abraham y a la descendencia de éste. Noten ustedes que no dice que las promesas eran para los descendientes de Abraham, sino para su descendencia; y esa descendencia, claro, es Cristo.

[17]Lo que quiero decir es lo siguiente: La promesa de Dios de salvar por la fe —y Dios escribió esta promesa y la firmó— no puede haber sido cancelada ni transformada cuatrocientos treinta años más tarde, cuando Dios dio los Diez Mandamientos. [18]Si el obedecer esas leyes nos pudiera salvar, habría sido una manera de ganar el favor de Dios diferente de la de Abraham, porque Abraham simplemente confió en las promesas de Dios.

[19]Pero entonces, ¿para qué se nos dio la ley? Fue algo que se añadió, después que la promesa había sido dada, para mostrar al hombre que delante de Dios es culpable del delito de quebrantar la ley de Dios. Pero este sistema de leyes habría de estar en vigor sólo hasta la venida de Cristo, la "descendencia" de Abraham a quien la promesa fue hecha. Además, Dios encomendó a los ángeles el entregar la ley a

Moisés, quien luego se la dio al pueblo; [20]pero cuando Dios le dio la promesa a Abraham, lo hizo personalmente, sin que ni los ángeles ni Moisés sirvieran de intermediarios.

[21,22]Luego entonces, ¿es la ley de Dios contraria a las promesas de Dios? ¡Por supuesto que no! Si pudiéramos salvarnos por la ley, Dios no nos habría proporcionado otro medio de escapar de las garras del pecado, del cual las Escrituras nos declaran prisioneros. La única manera de librarnos es por fe en Jesucristo, y esta puerta de escape está abierta para los que creen en El.

[23]Antes de la venida de Cristo estábamos resguardados en la ley, mantenidos en custodia protectora, por así decirlo, hasta que pudiéramos creer en el Salvador que venía. [24]Digámoslo de otra manera: La ley judía fue nuestra maestra y guía hasta que Cristo vino a justificarnos ante Dios por medio de nuestra fe. [25]Pero ya que Cristo vino, no necesitamos que la ley nos guarde y guíe a El. [26]Ahora somos hijos de Dios por la fe en Jesucristo; [27]y los que hemos sido bautizados en Cristo, estamos revestidos de El. [28]Ya no somos judíos, ni griegos, ni esclavos, ni libres, ni hombres, ni mujeres. Somos cristianos; somos uno en Cristo Jesús. [29]Y ahora que somos de Cristo, somos de veras descendientes de Abraham y herederos de las promesas que Dios le hizo.

4 PERO RECUERDEN ESTO: Si un padre muere y deja una gran fortuna a su hijo pequeño, mientras éste no crezca, en la práctica es igual que el esclavo, aunque es propietario de las riquezas de su padre. [2]Tiene que obedecer a sus tutores y administradores hasta que llegue a la edad que el padre señaló.

[3]Así nos pasaba a nosotros antes de que Cristo viniera. Eramos esclavos de las leyes y rituales judíos, porque creíamos que podrían salvarnos. [4]Pero cuando llegó el momento que tenía determinado, Dios envió a su Hijo, nacido de mujer y nacido como judío, [5]a comprar nuestra libertad, ya que éramos esclavos de la ley, a fin de

adoptarnos como hijos suyos. [6]Y como somos sus hijos envió al Espíritu de su Hijo a nuestros corazones, para que sin temor a equivocarnos pudiéramos llamarlo "Padre nuestro". [7]Ya no somos esclavos, sino hijos de Dios. Y como somos sus hijos todo lo que tiene nos pertenece.

[8]Gentiles, antes de conocer a Dios ustedes eran esclavos de dioses tan falsos que ni siquiera existen. [9]Pero si ya hallaron a Dios; o mejor dicho, si Dios ya los halló, ¿cómo se les ocurre retroceder y caer de nuevo en la esclavitud de otra pobre y débil religiosidad que inútilmente tratará de conducirlos al cielo por medio de la obediencia estricta a las leyes de Dios? [10]¿Cómo se les ocurre tratar de ganar ahora el favor de Dios haciendo o no haciendo ciertas cosas en ciertos días, meses, estaciones o años?

[11]Temo por ustedes. ¡Temo que mi trabajo entre ustedes haya sido en vano!

[12]Amados hermanos, les suplico que analicen bien mis razonamientos, pues estoy tan libre de amarras a la ley judía como antes lo estaban ustedes. [13]Me acogieron bien la primera vez que les prediqué el evangelio, aun cuando entonces estaba enfermo. [14]Aunque mi enfermedad quizá les era repugnante, no me rechazaron ni me echaron de entre ustedes. Al contrario, me tomaron y cuidaron como si hubiera sido un ángel de Dios o Jesucristo mismo. [15]¿Dónde está aquella alegría que experimentábamos? En aquellos días, me consta, con gusto se habrían ustedes sacado los ojos para dármelos, si esto hubiera significado alivio para mí.[a] [16]¿Me considerarán ahora un enemigo porque les digo la verdad?

[17]Esos falsos maestros que tan ansiosos están de ganar el favor de ustedes no tienen muy buenas intenciones. Lo que intentan es apartarlos de mí para que presten más atención a sus enseñanzas. [18]No hay nada malo en que traten de ser buenos con ustedes, siempre que lo hagan con corazones sinceros y buenas intenciones, y siempre que no lo hagan sólo cuando estoy con ustedes.

[19]Hijitos míos, ¡cuánto me están haciendo padecer! ¡De nuevo sufro por ustedes dolores de parto, y suspiro por el día en

---

4a Según la tradición, Pablo sufría una enfermedad de los ojos.

que estén llenos de Cristo! [20]Daría cualquier cosa por estar allá y no tener que razonar con ustedes de esta manera, porque a esta distancia, francamente, no sé qué hacer.

[21]Ustedes que creen que para salvarse tienen que obedecer la ley judía, díganme: ¿Por qué no se fijan bien en lo que dice la ley? [22]Porque está escrito que Abraham tuvo dos hijos, uno con una esclava y otro con una mujer libre. [23]En el nacimiento del hijo de la esclava no hubo nada sobrenatural. Pero el hijo de la libre nació porque Dios prometió a Abraham que nacería. [24,25]Esto ilustra las dos maneras en que Dios ayuda al hombre. En una le da leyes para que las obedezca. Así lo hizo en el monte Sinaí, cuando le entregó los Diez Mandamientos a Moisés. A propósito, los árabes llaman "monte Agar" al monte Sinaí. Agar, la esclava que fue mujer de Abraham, simboliza a Jerusalén, ciudad materna de los judíos y centro del sistema que afirma que se puede obtener la salvación tratando de guardar la ley; y los judíos, que tratan de seguir tal sistema, son hijos de la esclava. [26]Pero nuestra ciudad materna es la Jerusalén celestial, y ésta no es esclava de la ley judía. [27]A ello se refería Isaías cuando dijo: "Regocíjate, oh estéril, prorrumpe en gritos de júbilo aunque nunca has tenido hijos; porque voy a darte más hijos que a la mujer esclava".

[28]Ustedes y yo, amados hermanos, al igual que Isaac, somos los hijos que Dios prometió. [29]Y al igual que Ismael, el hijo de la esclava, persiguió a Isaac, el hijo de la promesa, los que quieren que guardemos la ley judía nos persiguen a nosotros que somos nacidos del Espíritu Santo. [30]Pero ¿qué dicen las Escrituras? Dicen que Dios le dijo a Abraham que echara a la esclava y a su hijo, para que el hijo de la esclava no compartiera la herencia del hijo de la libre. [31]Amados hermanos, ¡no somos hijos de la esclava, sino de la libre, y Dios nos acepta porque tenemos fe!

5 ¡CRISTO NOS LIBERTÓ! ¡Cuiden esa libertad y no se dejen someter de nuevo a la esclavitud de las leyes y ceremonias judaicas! [2]Y óiganme bien, porque esto es serio: Si cuentan con la circuncisión y con la obediencia a la ley para justificarse ante Dios, Cristo no les sirve de nada. [3]Repito: El que trate de ganar el favor de Dios circuncidándose, tendrá que obedecer absolutamente todas las demás leyes o perecerá. [4]Cristo no les sirve de nada si esperan justificarse guardando esas leyes. ¡Habrán caído de la gracia de Dios!

[5]Pero nosotros, con la ayuda del Espíritu Santo, por la fe contamos con la muerte de Cristo para justificarnos ante Dios. [6]Y los que hemos recibido de Cristo la vida eterna no tenemos que andar preocupándonos de si estamos circuncidados o no, ni de si estamos obedeciendo la ley o no; nos basta la fe que actúa a través del amor.

[7]Ustedes iban bien. ¿Quién les ha impedido seguir la verdad? [8]Ciertamente, no ha sido Dios, porque El es el que los llamó a ser libres en Cristo. [9]Pero a veces una sola persona echa a perder a las demás. [10]Confío que el Señor les hará volver a creer en lo que creo. Dios se encargará de esa persona, quienquiera que sea, que los ha estado perturbando y confundiendo.

[11]Algunos hasta se han atrevido a decir que yo predico que la circuncisión y la obediencia a la ley judía son partes imprescindibles del plan de salvación. ¡Si yo predicara eso dejarían de perseguirme, porque tal mensaje no los ofendería! Pero no, todavía me persiguen, y esto prueba que aún predico la salvación exclusivamente por la fe en Cristo.

[12]Ojalá que esos maestros que tratan de circuncidarlos a ustedes se mutilaran de una vez y los dejaran tranquilos. [13]Porque, amados hermanos, ustedes fueron llamados a libertad; pero no a la libertad de hacer lo malo sino a la libertad de amar y servir a los demás. [14]Porque la ley se resume en este mandamiento: "Amarás a tu prójimo como a ti mismo". [15]Pero si en vez de amarse unos a otros se muerden y se comen, ¡cuidado no se vayan a consumir!

[16]Les aconsejo que obedezcan sólo la voz del Espíritu Santo. El les dirá a dónde ir y qué hacer. Procuren no obedecer los impulsos de nuestra naturaleza pecadora; [17]porque por naturaleza nos gusta hacer lo malo. Esto va en contra de lo que el Espíritu Santo nos ordena hacer; lo bueno que hacemos cuando la voluntad del Espíritu Santo

se impone, es exactamente lo opuesto a nuestros deseos naturales. Estas dos fuerzas luchan entre sí dentro de nosotros y nuestros deseos están siempre sujetos a sus presiones. [18]Pero si ustedes son guiados por el Espíritu Santo no tienen que obedecer la ley.

[19]Cuando seguimos nuestras malas tendencias, caemos en adulterio, fornicación, impurezas, vicios, [20]idolatría, espiritismo (con lo cual alentamos las actividades demoniacas), odios, pleitos, celos, iras, ambiciones, quejas, críticas y complejos de superioridad. E invariablemente caemos en doctrinas falsas, [21]envidias, crímenes, borracheras, orgías y muchas otras cosas. Como ya les dije antes, el que lleve esa clase de vida no heredará el reino de Dios. [22]Pero cuando el Espíritu Santo rige nuestras vidas, produce en nosotros amor, gozo, paz, paciencia, benignidad, bondad, fidelidad, [23]mansedumbre, templanza. Y en nada de esto entramos en conflicto con la ley judía.

[24]Los que pertenecen a Cristo han clavado en la cruz los impulsos de su naturaleza pecadora. [25]Si ahora vivimos por el poder del Espíritu Santo, sigamos la dirección del Espíritu Santo en cada aspecto de nuestra vida. [26]No tendremos entonces que procurar honores ni popularidad, lo cual lleva siempre a celos y enemistades.

6 AMADOS HERMANOS, SI algún cristiano cae en pecado, ustedes que son espirituales, tierna y humildemente deben ayudarle a volver al buen camino, recordando que quizá la próxima vez será uno de ustedes el que cometa alguna falta. [2]Compartan las cargas y los problemas de los demás, porque así estarán obedeciendo el mandato de nuestro Señor.

[3]El que se crea demasiado grande para rebajarse a esto, está engañándose; su misma actitud demuestra su bajeza. [4]Cada uno esté seguro de que actúa correctamente, porque sentirá la satisfacción del deber cumplido sin tener que andar comparándose con nadie. [5]Todos tenemos que cargar con nuestras faltas y problemas, porque nadie es perfecto.

[6]Los que estudian la Palabra de Dios deben ayudar económicamente a sus maestros.

[7]No se engañen ustedes; nadie puede desobedecer a Dios y quedar impune. El hombre siempre recogerá lo que siembre. [8]Si siembra para satisfacer los apetitos de su naturaleza humana, estará plantando la semilla del mal y sin duda recogerá como fruto corrupción y muerte. Pero si planta lo que agrada al Espíritu, cosechará la vida eterna que el Espíritu Santo le da.

[9]No nos cansemos, pues, de hacer el bien; porque si lo hacemos sin desmayar, cosecharemos ricas bendiciones. [10]Hagamos el bien cada vez que podamos, especialmente a nuestros hermanos cristianos.

[11]Las palabras finales las escribiré de mi puño y letra. ¡Miren qué grandes tengo que hacer las letras!

[12]Esos maestros que están tratando de que ustedes se circunciden lo hacen por un motivo: quieren ser populares y evitar la persecución que se les echaría encima si osaran decir que la cruz de Cristo por sí sola puede salvar. [13]Lo curioso es que no guardan las demás leyes judías; pero quieren que ustedes se circunciden para jactarse de que son sus discípulos.

[14]En cuanto a mí, ¡Dios me libre de jactarme de otra cosa que no sea la cruz de nuestro Señor Jesucristo! En esa cruz mi interés por las cosas de este mundo murió hace ya tiempo, y en ella murió también el interés que el mundo pudiera tener en mí. [15]No importa ya si estoy circuncidado o no; lo que importa es si soy de veras una nueva persona.

[16]Que la misericordia y la paz de Dios repose sobre los que de ustedes vivan conforme a este principio y sobre los que en cualquier lugar sean verdaderos hijos de Dios.

[17]De ahora en adelante no quiero tener que hacer frente a más discusiones sobre los asuntos que les he expuesto, porque llevo en el cuerpo marcas de los latigazos y heridas causados por los enemigos de Cristo, y ellos demuestran que soy siervo del Señor.

[18]Amados hermanos, que la gracia de nuestro Señor Jesucristo esté con ustedes. Así sea.

Sinceramente,
Pablo

EFESIOS

1 AMADOS CRISTIANOS DE Efeso, siempre fieles al Señor. Les escribe Pablo, a quien Dios escogió para ser mensajero de Jesucristo. ²Que la bendición y la paz de Dios nuestro Padre y de Jesucristo nuestro Señor reposen en ustedes.

³Alabado sea Dios, Padre de nuestro Señor Jesucristo, quien nos bendijo con toda clase de bendiciones espirituales en los cielos porque pertenecemos a Cristo.

⁴Hace mucho tiempo, antes de que formara el mundo, Dios nos escogió para que fuéramos suyos a través de lo que Cristo haría por nosotros; y resolvió hacernos santos, intachables, por lo que hoy nos encontramos revestidos de amor ante su presencia. ⁵Su inmutable plan fue siempre adoptarnos en su familia, enviando a Cristo para que muriera por nosotros, y esto lo hizo voluntariamente en todo sentido.

⁶Alabemos a Dios por la extraordinaria gracia que nos mostró y que derramó en nosotros al enviar a su amado Hijo. ⁷Tan sobreabundante es su amor que, con la sangre de su Hijo, borró nuestros pecados y nos salvó. ⁸Además, derramó en nosotros la inmensidad de su gracia al impartirnos sabiduría y entendimiento.

⁹Dios nos ha revelado el secreto motivo de la venida de Cristo, plan que en su gracia hace muchísimo tiempo se había trazado. ¹⁰Según este plan, en el momento oportuno nos recogerá dondequiera que estemos —en el cielo o en la tierra— para que estemos con El en Cristo para siempre. ¹¹Gracias a lo que Cristo hizo, somos regalos que Dios recibe con deleite, porque en su plan soberano nos escogió desde el principio para ser suyos, y esto es el cumplimiento de esa determinación. ¹²¿Y por qué lo determinó así? Porque desea que nosotros, que fuimos los primeros en confiar en Cristo, alabemos y glorifiquemos a Dios por las grandes cosas que hizo por nosotros.

¹³Gracias también a lo que Cristo hizo, ustedes, los que escucharon la proclamación de las Buenas Noticias de salvación y confiaron en Cristo, fueron sellados por el Espíritu Santo que nos había sido prometido. ¹⁴La presencia del Espíritu Santo en nosotros es la garantía divina de que nos dará lo prometido; y su sello en nosotros significa que Dios ya nos ha comprado y garantiza que nos llevará hasta El. Este es un motivo más para alabar a nuestro glorioso Dios.

¹⁵Por eso, desde que me enteré de la robusta fe que ustedes tienen en Jesucristo y del amor que sienten hacia todos los cristianos, ¹⁶,¹⁷no he cesado de dar gracias a Dios por ustedes. Pido constantemente a Dios, el glorioso Padre de nuestro Señor Jesucristo, que les dé suficiente sabiduría para ver claramente y entender de veras quién es Cristo y las grandes cosas que ha hecho por ustedes. ¹⁸Pido también que el corazón les rebose de luz para que puedan vislumbrar el futuro que El nos permitirá compartir. ¡Quiero que se den cuenta que si Dios nos ha enriquecido es porque somos de Cristo y hemos sido dados a El!

¹⁹Oro para que vayan comprendiendo lo increíblemente inmenso que es el poder con que Dios ayuda a los que creen en El, ²⁰poder que levantó a Cristo de entre los muertos y lo sentó a la derecha del Altísimo, en gloria, ²¹muy por encima de cualquier rey, gobernante, dictador o caudillo. Sí, la gloria de Cristo es mucho mayor que la que cualquiera haya alcanzado en este mundo o alcanzará en el venidero. ²²Dios ha puesto todas las cosas a sus pies y lo hizo suprema cabeza de la iglesia. ²³Y la iglesia, que es su cuerpo, está llena de El, autor y dador de todo lo que existe.

2 ANTES USTEDES ESTABAN bajo la maldición de Dios, condenados eternamente por sus delitos y pecados. ²Según la corriente de este mundo, eran pecadores empedernidos, y como tales, obedecían los dictados de Satanás, príncipe del imperio del aire, quien ahora mismo está operando

en el corazón de los que se rebelan contra el Señor.

³Nosotros mismos éramos así; nuestras vidas expresaban la maldad que había en nosotros, y nos entregábamos a las perversidades a que nuestras pasiones y malos pensamientos nos empujaban. Era un mal de nacimiento, pues nacimos con una naturaleza perversa que nos mantenía bajo la ira de Dios como a los demás. ⁴Pero Dios es tan rico en misericordia y nos amó tanto ⁵que, aunque estábamos espiritualmente muertos a causa de nuestros pecados, nos vivificó con Cristo —sólo por su gracia infinita somos salvos—. ⁶Además, nos elevó con Cristo de la tumba a la gloria y nos hizo sentar con El en los cielos. ⁷Ahora Dios puede, en cualquier época, poner como ejemplo de su gracia infinita la obra que en su bondad realizó en nosotros a través de Jesucristo. ⁸Es por su gracia mediante la fe en Cristo que son ustedes salvos, y no por nada que hayan hecho. La salvación es un don de Dios ⁹y no se obtiene haciendo el bien, porque si así fuera tendríamos de qué gloriarnos. ¹⁰Somos hechura suya, creados en Cristo Jesús para realizar las buenas obras que de antemano dispuso que realizáramos.

¹¹Nunca olviden que antes eran paganos, y que los judíos los tenían por infieles e inmundos (aunque tienen el corazón tan inmundo como el de ustedes, pues el valor de los rituales y ceremonias que practican es externo). ¹²Recuerden que en aquellos días ustedes vivían alejadísimos de Cristo, excluidos de la ciudadanía del pueblo de Dios, y no habían recibido la promesa. Estaban perdidos, sin Dios y sin esperanza. ¹³Pero ahora pertenecen a Jesucristo; aunque antes andaban alejados de Dios, la sangre de Jesucristo los acercó a El.

¹⁴Cristo es nuestra paz, pues logró hacer de nosotros los judíos y de ustedes los gentiles un solo pueblo, derribando la pared de enemistad que nos separaba. ¹⁵Al morir, puso fin al gran resentimiento causado por la ley mosaica, que hacía de los judíos un pueblo privilegiado y los separaba de los gentiles. Y tras anular tal sistema de leyes, tomó los dos grupos antagónicos y los hizo parte de sí mismo, fusionándolos en un solo cuerpo, en un solo hombre nuevo; y se

produjo la paz. ¹⁶Ya partes del mismo cuerpo, nos reconcilió con Dios mediante la cruz. ¡Allí en la cruz murió la enemistad!

¹⁷Cristo vino a proclamar las Buenas Nuevas de paz a ustedes que estaban lejos de El, y a nosotros que estábamos cerca. ¹⁸Gracias a El, cualquiera, ya sea judío o gentil, puede allegarse a Dios el Padre con la ayuda de un mismo Espíritu, el Espíritu Santo. ¹⁹Ya no son ustedes extraños ni extranjeros, sino miembros de la familia de Dios, ciudadanos del país de Dios y conciudadanos de los cristianos de todas partes. ²⁰¡Y sobre qué firme cimiento están edificados! ¡Nada menos que el de los apóstoles y profetas, y con Cristo mismo como piedra angular! ²¹Todos los creyentes estamos cuidadosamente unidos en Cristo y formamos parte del hermoso y siempre creciente Templo de Dios. ²²Ustedes, pues, unidos en El, forman también parte de ese lugar en que Dios mora por medio de su Espíritu.

3 YO, PABLO, SIERVO de Cristo, estoy en la cárcel precisamente por haberles anunciado que, aunque ustedes son gentiles, pueden pertenecer a la familia de Dios. ³Como brevemente les conté en una de mis cartas anteriores, Dios mismo me reveló el misterio de que los gentiles también pueden participar de su bondad. ⁴Si leen de nuevo esa carta comprenderán por qué conozco el misterio de Cristo, ⁵misterio que en la antigüedad Dios no había revelado como lo ha hecho ahora por medio del Espíritu a sus santos apóstoles y profetas. ⁶Y este era el misterio: que los gentiles compartirán plenamente con los judíos la herencia de los hijos de Dios. Ambos están invitados a pertenecer a su iglesia, y cada una de las grandes promesas de Dios de bendecir abundantemente por medio de Cristo, se aplican a ambos cuando aceptan las Buenas Nuevas de Cristo.

⁷Sin merecerlo, Dios me dio el privilegio de anunciar a todo el mundo este plan divino, y me concedió poder y ciertas habilidades para anunciarlo con efectividad. ⁸¡Figúrense! Aunque no lo merecía, pues soy el más pequeño de todos los cristianos, me concedió el indecible gozo de anunciar a los gentiles las felices noticias del tesoro incalculable que se les ofrece en Cristo, ⁹y

explicar a todos que Dios es también Salvador de los gentiles, tal como El, Creador de todo lo que existe, lo tenía planeado desde el mismo principio. [10]¿Y para qué? Pues para que todos los poderes en los cielos comprendan la multiforme sabiduría de Dios al ver a judíos y gentiles unidos en la iglesia, [11]que era lo que siempre había planeado hacer por medio de Jesucristo nuestro Señor. [12]Ahora podemos acercarnos sin temor a la presencia de Dios, seguros de que seremos bien recibidos cuando lo hagamos por medio de Cristo y confiando en El. [13]Por eso les suplico a ustedes que no desmayen ante mis sufrimientos. Por ustedes sufro y deben sentirse honrados y alentados por ello.

[14,15]Cuando pienso en lo sabio y amplio de su plan, me arrodillo y oro al Padre de la gran familia —algunos miembros de esta gran familia están ya en el cielo y otros están todavía aquí en la tierra— [16]que de sus gloriosos e ilimitados recursos les conceda la enorme fortaleza interna del Espíritu Santo. [17]Oro que, por fe, Cristo habite de veras en sus corazones, para que arraigados en el maravilloso amor de Dios, [18,19]puedan sentir y entender como hijos de Dios, lo ancho, largo, alto y profundo que es su amor; y oro que ustedes experimenten ese amor, aunque su grandeza está en que jamás verán su fin ni lo entenderán plenamente. Así estarán completamente llenos de Dios.

[20]Y ahora, gloria sea a Dios, quien por el formidable poder que actúa en nosotros puede bendecirnos infinitamente más allá de nuestras más sentidas oraciones, deseos, pensamientos y esperanzas. [21]A El sea la gloria para siempre por ese magistral plan de salvación para la iglesia por medio de Jesucristo.

4 YO, PRISIONERO POR servir al Señor, les ruego encarecidamente que vivan y actúen como es digno de los que han sido escogidos como receptores de tan maravillosas bendiciones. [2]Sean humildes y apacibles. Sean pacientes unos con otros, y por amor tolérense mutuamente las faltas que involuntariamente puedan cometer. [3]Unidos, déjense guiar por el Espíritu Santo; y reine entre ustedes la paz. [4]Somos partes de un mismo cuerpo, tenemos un mismo Espíritu, y hemos sido llamados a una misma gloriosa esperanza. [5]Para nosotros sólo hay un Señor, una fe, un bautismo; [6]y tenemos el mismo Dios y Padre, quien está sobre todos nosotros, actúa por medio de todos nosotros, y está en todos nosotros.

[7]Sin embargo, según le plugo, Cristo ha dado a cada uno dones diferentes. [8]El salmista dijo que cuando el Señor regresara triunfante al cielo, después de resucitar y triunfar sobre Satanás, daría generosos dones a los hombres. [9]Noten ustedes que habla de regresar a los cielos, lo cual implica que primero habría de descender desde lo más alto de los cielos hasta lo más bajo de la tierra. [10]Pues bien, el que descendió, luego regresó a lo más alto de los cielos para poder llenarlo todo de sí mismo. [11]Y a algunos les dio el don de ser apóstoles; a otros el don de predicar bien; a otros, el de ganar personas para Cristo y guiarlas a confiar en El como Salvador; y a otros el don de velar por el pueblo de Dios como el pastor vela por su rebaño, y enseñar los caminos de Dios. [12]¿Y por qué concede tales habilidades? Porque quiere que su pueblo esté perfectamente capacitado para realizar mejor la tarea de llevar a la iglesia, cuerpo de Cristo, a un estado de vigor y madurez [13]en que nuestra creencia en la salvación y en el Salvador, el Hijo de Dios, sea la misma y hayamos crecido en el Señor hasta el punto de estar henchidos de Cristo.

[14]Cuando lleguemos a eso, dejaremos de ser niños fluctuantes que varían de creencia cada vez que alguien les dice algo diferente o logra que sus palabras mentirosas adquieran matices de veracidad. [15,16]Cuando lleguemos a eso, en todo momento seguiremos la verdad con amor —diremos la verdad, aplicaremos la verdad en nuestro trato con los demás y en nuestra vida diaria— y cada vez seremos más semejantes a Cristo, quien es la Cabeza de ese cuerpo suyo que es la iglesia. Bajo su dirección las partes del cuerpo armonizan perfectamente; y cada una, según el don recibido, ayuda a las demás para que el cuerpo entero esté saludable, crezca y se llene de amor.

[17,18]Les digo y conjuro en el Señor: No vivan ya como los perdidos: ciegos y confundidos. El perdido tiene el corazón endu-

recido y lleno de negrura; está lejos de la vida que Dios ofrece porque tiene el entendimiento entenebrecido. [19]El que sea algo bueno o malo lo tiene sin cuidado, y se entrega con desenfreno a toda clase de impurezas. No se detiene ante nada, pues está guiado por una mente perversa y plagada de lujuria. [20]¡Ese no es el Cristo que ustedes han aprendido!

[21]Si de veras han escuchado la voz del Señor y han aprendido de El las verdades sobre sí mismo, [22]arrojen de ustedes su vieja naturaleza tan corrompida y tan llena de malos deseos. [23]Renueven sus actitudes y pensamientos. [24]Sí, revístanse de la nueva naturaleza. Sean diferentes, santos y buenos. [25]Dejen la mentira; digan la verdad siempre, porque como somos miembros unos de otros, si nos mentimos nos estamos perjudicando a nosotros mismos.

[26]Si se enojan ustedes, no cometan el pecado de dar lugar al resentimiento. ¡Jamás se ponga el sol sobre su enojo! Dejen pronto el enojo, [27]porque cuando uno está enojado le da ocasión al diablo.

[28]Si alguno roba, no lo haga más; al contrario, trabaje honradamente para que tenga con qué ayudar a los que están en necesidad.

[29]Nunca empleen lenguaje sucio. Hablen sólo de lo que sea bueno, edificante y de bendición para sus oyentes. [30]No entristezcan al Espíritu Santo por la manera en que viven. Recuerden que es el Espíritu Santo el que estampó en ustedes el sello distintivo que les permitirá presenciar el día en que la salvación del pecado quedará completa. [31]Arrojen de ustedes las amarguras, los enojos y la ira. Las disputas, los insultos y el odio no han de hallar cabida en sus vidas. [32]Sean bondadosos entre ustedes, compasivos, perdonándose las faltas que unos contra otros puedan cometer, de la misma manera que Dios nos perdonó en Cristo.

5 IMITEN USTEDES A Dios como hijos amados que imitan a su padre. [2]Estén llenos de amor hacia los demás; sigan en esto el ejemplo de Cristo, quien nos amó y se entregó en sacrificio a Dios por nuestros pecados. Dios se agradó de aquel sacrificio, porque el amor de Cristo hacia ustedes es para El delicado perfume.

[3]Que no haya entre ustedes pecados sexuales, impurezas ni avaricia. Que nadie los acuse de semejantes pecados.

[4]Los cuentos sucios, las conversaciones livianas y los chistes de doble sentido no convienen. En vez de eso, hablen de las bondades de Dios, que mucho tienen de qué estar agradecidos.

[5]Sepan esto: Jamás tendrá parte en el reino de Cristo y de Dios el qué ande con inmoralidades, impurezas o avaricias (ser avaro es lo mismo que ser idólatra, pues el avaro ama los bienes terrenales más que a Dios). [6]No se dejen engañar por los que tratan de excusar estos pecados, porque terrible es el castigo que les espera. [7]Eviten aun las relaciones con semejantes personas, [8]porque aunque antes vivían ustedes en tinieblas, ahora la luz del Señor brilla en sus vidas y debe notarse en su conducta. [9]Cuando esa luz brilla en uno, produce bondad, justicia y verdad. [10]Por lo tanto, lo adecuado es que traten siempre de saber qué es lo que agrada al Señor.

[11]No participen de los infructuosos placeres de las tinieblas y el mal, sino repréndanlos y denúncienlos. [12]Es vergonzoso aun hablar de muchas de las cosas que los impíos hacen; [13]pero cuando uno pone esas cosas al descubierto, la luz brilla y el pecado resalta; ¡y a veces muchos, al comprender su iniquidad, se vuelven hijos de la luz! [14]Por eso Dios dice en las Escrituras: "Despiértate, tú que duermes, y levántate de entre los muertos, y Cristo te alumbrará".

[15,16]Así que cuidado cómo viven ustedes. Sean sabios, no ignorantes; aprovechen bien el tiempo, porque los días son malos. [17]No hagan nada a la ligera, sino traten de entender y poner en práctica la voluntad de Dios.

[18]No se embriaguen ustedes con vino, porque es peligroso para el alma; más bien estén llenos del Espíritu Santo y dejen que El los guíe.

[19]Hablen del Señor entre ustedes, reciten salmos e himnos y entonen cantos espirituales. Eleven al Señor la alabanza de sus corazones, [20]siempre dando gracias por todo al que es Dios y Padre, en el nombre de nuestro Señor Jesucristo.

²¹Honren a Cristo sometiéndose unos a otros. ²²Las mujeres sométanse a sus esposos al igual que se someten al Señor, ²³porque el esposo es cabeza de la esposa, de la misma manera que Cristo es cabeza de ese cuerpo suyo que es la iglesia (¡para salvarla y cuidarla dio la vida!). ²⁴Así que las esposas deben obedecer en todo a sus esposos, así como la iglesia obedece a Cristo.

²⁵Los esposos, por su parte, deben mostrar a sus esposas el mismo amor que Cristo mostró a su iglesia. Cristo murió ²⁶para hacer de ella una iglesia santa y limpia (lavada en el bautismo y en la Palabra de Dios), ²⁷y presentársela a sí mismo gloriosa, sin manchas, ni arrugas ni nada semejante, sino santa e inmaculada. ²⁸Así deben amar los esposos a sus esposas, como partes de su cuerpo. Porque si la esposa y el esposo son uno, ¡el hombre que ama a su esposa se ama a sí mismo! ²⁹,³⁰Nadie aborrece su propio cuerpo; antes bien, lo sustenta y lo cuida con esmero. Cristo hace lo mismo con ese cuerpo suyo del que formamos parte, la iglesia. ³¹(El que el esposo y la esposa son un cuerpo lo afirman las Escrituras: "El hombre dejará a su padre y a su madre y se unirá a la mujer con quien se casa, para poder ser una sola carne"). ³²Sé que esto es difícil de entender; pero ilustra la manera en que somos partes del cuerpo de Cristo. ³³Así que, repito, el esposo debe amar a su esposa como parte de sí mismo; y la esposa debe tratar de respetar a su esposo, obedeciéndolo, alabándolo y honrándolo.

6 HIJOS, OBEDEZCAN USTEDES a sus padres; esto es lo correcto porque Dios los ha puesto por encima de ustedes. ²"Honra a tu padre y a tu madre". De los Diez Mandamientos éste es el primero que termina con una promesa: ³"para que disfrutes una vida larga y llena de bendiciones".

⁴Y en cuanto a ustedes, padres, no estén siempre regañando y castigando a sus hijos, con lo cual pueden provocar en ellos ira y resentimiento. Más bien críenlos en amorosa disciplina cristiana, mediante sugerencias y consejos piadosos.

⁵Esclavo, obedece a tu amo; procura servirle lo mejor posible, como si estuvieras sirviendo a Cristo. ⁶,⁷No seas de los que trabajan bien sólo cuando el amo los está observando, para quedar bien con él. Trabaja bien siempre y de buena gana, como si lo hicieras para Cristo, cumpliendo de todo corazón la voluntad de Dios. ⁸Recuerda que el Señor nos pagará el bien que hagamos, ya seamos esclavos o libres.

⁹Y tú, dueño de esclavos, trátalos bien. Deja a un lado las amenazas. Recuerda que tú, al igual que ellos, eres esclavo de Cristo, y que Cristo no hace distinciones.

¹⁰Por último, recuerden que su fortaleza ha de emanar del gran poder del Señor que hay en ustedes. ¹¹Vístanse de toda la armadura de Dios, para que puedan resistir las asechanzas del diablo. ¹²Nuestra lucha no es contra seres de carne y hueso, sino contra seres incorpóreos —malignos soberanos del mundo invisible, poderosos seres satánicos y príncipes de las tinieblas que gobiernan este mundo— y contra perversas huestes espirituales en el mundo espiritual. ¹³Vístanse la armadura completa para poder resistir al enemigo cuando ataque; así, al terminar la batalla estarán ustedes todavía en pie. ¹⁴¡Cíñanse, pues, el firme cinturón de la verdad y la coraza de la aprobación divina! ¹⁵Su calzado ha de permitir que se apresuren a predicar las Buenas Nuevas de la paz con Dios. ¹⁶En la batalla precisarán ustedes el escudo de la fe —para detener los dardos de fuego que arroja Satanás—, ¹⁷el casco de la salvación y la espada del Espíritu, que es la Palabra de Dios.

¹⁸Oren en todo tiempo. Pidan a Dios cualquier cosa que esté de acuerdo con los deseos del Espíritu. Presenten sus súplicas, recordándole sus necesidades y las de los cristianos de todas partes.

¹⁹Oren también por mí. Pidan a Dios que ponga en mi boca las palabras adecuadas cuando hable con denuedo a los demás acerca del Señor y les explique que la salvación es para los gentiles también.

²⁰Me tienen encadenado por predicar este mensaje de Dios. Oren que el Señor me dé valor al cumplir el deber de hablar de El aquí en la prisión.

²¹Tíquico, mi queridísimo hermano y fiel colaborador en la obra del Señor, les contará cómo me va y qué hago. ²²Para eso precisamente lo envío. Quiero que ustedes sepan de nosotros y se sientan animados

con lo que les cuente.

²³Que Dios les dé paz, amados hermanos en Cristo, y les dé amor, con fe de Dios el Padre y del Señor Jesucristo.

²⁴Que la gracia y la bendición de Dios estén sobre los que sinceramente aman a nuestro Señor Jesucristo.

Sinceramente,

Pablo

FILIPENSES

1 REMITENTES: PABLO Y Timoteo, esclavos de Jesucristo.

Destinatarios: Los pastores, diáconos y cristianos en general de la ciudad de Filipos.

²Que el Señor los bendiga. Oro que Dios nuestro Padre y el Señor Jesucristo les den a ustedes sus más ricas bendiciones y plena paz.

³Las oraciones que por ustedes elevo cada vez que los recuerdo están llenas de alabanzas a Dios. ⁴Cuando oro por ustedes el corazón se me llena de gozo, ⁵recordando cómo desde el primer día en que escucharon el evangelio hasta ahora, no han cesado de cooperar maravillosamente en la tarea de dar a conocer las Buenas Nuevas de Jesucristo. ⁶Y estoy seguro que Dios, que comenzó en ustedes la buena obra, les seguirá ayudando a crecer en su gracia hasta que la obra que realiza en ustedes quede completa en el día en que Jesucristo regrese.

⁷Es natural que me sienta así respecto a ustedes, pues los llevo en el alma. Juntos hemos disfrutado las bendiciones de Dios, tanto en mis prisiones como cuando he disfrutado de libertad para defender la verdad y hablar a otros de Cristo. ⁸Sólo Dios sabe lo profundo que es el amor que siento por ustedes; los amo con el entrañable amor de Jesucristo. ⁹Mi oración es que cada vez más rebosen de amor hacia los demás, y que al mismo tiempo sigan creciendo en perfecto conocimiento y discernimiento espiritual. ¹⁰Quiero que siempre perciban claramente la diferencia entre lo malo y lo bueno; que estén limpios por dentro, para que nadie les pueda reprochar nada cuando el Señor regrese, ¹¹y que siempre estén haciendo lo que es bueno y noble, con lo cual demostrarán que son hijos de Dios y

traerán gloria al Señor. ¹²Y quiero que sepan, amados hermanos, que cuanto me ha sucedido ha contribuido a la propagación de las Buenas Nuevas de Cristo. ¹³Todos, hasta los soldados del cuartel, saben que estoy encadenado por el sencillo hecho de ser cristiano. ¹⁴Además, gracias a mis prisiones, muchos de los cristianos de estos alrededores han perdido el miedo. De cierta forma mi paciencia los ha alentado y ahora hablan de Cristo con más valor.

¹⁵Algunos, es cierto, predican a Cristo porque tienen envidia de la forma en que Dios me usa. ¡Quieren adquirir fama de predicadores valientes! Pero otros tienen motivos más puros. ¹⁶Unos anuncian a Cristo por darme celos, pensando que el triunfo que puedan tener aumentará mis aflicciones en la cárcel; ¹⁷pero otros lo hacen porque me aman, pues saben que el Señor me trajo aquí para usarme en la defensa del evangelio.

¹⁸Pero ¿y qué? Lo cierto es que, hipócrita o sinceramente, las Buenas Nuevas de Cristo están siendo predicadas, y esto me hace feliz. Nada podrá quitarme este gozo. ¹⁹Sé que, gracias a las oraciones de ustedes y a la ayuda del Espíritu Santo, todo va a redundar en mi provecho. ²⁰Anhelo y espero jamás hacer nada por lo cual puedan avergonzarse de mí; anhelo y espero estar dispuesto a predicar a Cristo con valor mientras paso por estas tribulaciones. No me importa vivir o morir; lo que deseo es honrar a Cristo. ²¹Para mí el vivir es servir a Cristo y el morir es ganancia. ²²Pero si vivo, tendré más oportunidades de ganar almas para Cristo. De veras, ¡no sé qué es mejor, si vivir o morir! ²³A veces quisiera vivir y a veces no, porque tengo ganas de irme a estar con Cristo. ¡Sería mucho mejor que quedarme aquí! ²⁴Pero lo cierto es que es

más necesario para ustedes que me quede. [25]Por eso, tengo la certeza de que permaneceré un rato más en este mundo, ayudándoles a crecer y a regocijarlos en la fe, [26]y que un día de éstos volveré a visitarlos y tendrán ocasión de regocijarse y dar gloria a Jesucristo por haberme protegido.

[27]De todos modos, lo importante es que ustedes vivan como es digno de cristianos, para que, ya sea que los vuelva a ver o no, siempre oiga decir que ustedes se mantienen firmemente unidos en la sublime tarea de proclamar las Buenas Nuevas, [28]sin temor a lo que el enemigo pueda hacerles. Esto será para ellos señal de que llevan las de perder, pero para ustedes será incontrovertible prueba de que Dios está a su lado y les ha dado la vida eterna con El. [29]Porque por Cristo les ha sido concedido a ustedes no sólo el privilegio de confiar en El, sino de sufrir por El. [30]En esta lucha estamos juntos. Y ya saben cuánto he sufrido y en qué terrible lucha estoy ahora.

2 ¿PUEDEN LOS CRISTIANOS consolarse unos a otros? ¿Me aman ustedes lo suficiente como para desear consolarme? ¿Tiene algún significado para ustedes el que seamos hermanos en el Señor y participemos del mismo Espíritu? Si alguna vez han sabido lo que es el cariño y la compasión, [2]colmen mi alegría amándose unos a otros, viviendo en armonía y luchando unidos por un mismo ideal y un mismo propósito. [3]No hagan nada por rivalidad ni por vanagloria. Sean humildes; tengan siempre a los demás por mejores que ustedes. [4]Cada uno interésese no sólo en lo suyo sino también en lo de los demás.

[5]Jesucristo nos dio en cuanto a esto un gran ejemplo, [6]porque, aunque era Dios, no demandó ni se aferró a los derechos que como Dios tenía, [7]sino que, despojándose de su gran poder y gloria, tomó forma de esclavo al nacer como hombre. [8]Y en su humillación llegó al extremo de morir como mueren los criminales: en la cruz. [9]Por eso Dios lo exaltó hasta lo sumo y le dio el nombre que está por encima de cualquier nombre, [10]para que al escuchar el nombre de Jesús no haya rodilla en el cielo, en la tierra ni en los abismos que no se doble, [11]y para que toda lengua confiese que Jesucristo es Señor, para la gloria de Dios Padre.

[12]Amados míos, así como mientras estuve con ustedes, solían obedecer fielmente mis instrucciones, ahora que estoy lejos deben procurar mucho más hacer las cosas como corresponde a los salvos, obedeciendo a Dios con gran reverencia, apartándose de cuanto pueda desagradarle. [13]Porque Dios está en ustedes ayudándoles a desear obedecerlo y a poner en práctica esos deseos de hacer su voluntad.

[14]Cuando hagan algo, eviten las quejas y las discusiones, [15]para que nadie les pueda reprochar nada. Lleven una vida pura, inocente, como corresponde a los hijos de Dios en este mundo sombrío plagado de individuos tortuosos y perversos. ¡Brillen como antorchas en el mundo! [16]¡Mantengan al alcance de su vida la Palabra de Vida! Así, cuando Cristo venga, experimentaré la indecible alegría de saber que mi trabajo entre ustedes no fue en vano. [17]Y si mi sangre tuviera que ser derramada como libación sobre esa fe de ustedes que he de ofrecer a Dios en sacrificio, con regocijo ofrendaría mi vida y compartiría mi gozo con ustedes. [18]Deben alegrarse y regocijarse conmigo si se me concede el privilegio de morir por nuestra fe.

[19]Si el Señor lo permite, dentro de poco les enviaré a Timoteo. Sé que cuando regrese me alegrará con noticias de ustedes. [20]Nadie tiene tanto interés en ustedes como Timoteo; [21]los demás parecen estar siempre embebidos en sus propios planes y no en los de Jesucristo. [22]Pero ustedes conocen bien las virtudes de Timoteo. Para mí él ha sido como un hijo, y me ha ayudado mucho en la predicación de las Buenas Nuevas. [23]Espero poder enviarlo tan pronto sepa qué van a hacer conmigo aquí. [24]Confío que el Señor pronto permitirá que yo mismo los visite.

[25]Mientras tanto, creo que debo pedirle a Epafrodito que regrese. Ustedes lo enviaron para que me ayudara en mis necesidades. De veras, él y yo hemos sido verdaderos hermanos, y hemos trabajado y batallado hombro con hombro. [26]Le estoy pidiendo que regrese, porque los ha estado añorando en los últimos tiempos y está preocupado porque sabe que ustedes se enteraron de su enfermedad. [27]De veras,

estuvo enfermo y casi se nos muere; pero Dios tuvo misericordia de él y de mí, y no permitió que se añadiera esta tristeza a las muchas que ya tengo. [28]Así que yo soy el que más ansioso está de que regrese, porque sé que ustedes se alegrarán mucho de verlo, y su alegría mitigará mis sufrimientos.

[29]Recíbanlo en el Señor con alegría, con demostraciones de aprecio, [30]porque arriesgó la vida por la obra de Cristo y estuvo a punto de morir por hacer a mi favor lo que ustedes no podían hacer a causa de la distancia.

3 PASE LO QUE pase, amados hermanos, regocíjense en el Señor. Nunca me canso de repetirles esto y es bueno que se lo siga repitiendo.

[2]¡Cuidado con esos perversos hombres —perros rabiosos, los llamo yo— que dicen que hay que circuncidarse para obtener la salvación! [3]Uno no se vuelve hijo de Dios *cortándose el cuerpo* sino *adorando al Señor en espíritu,* que es la única "circuncisión" verdadera. Los cristianos nos gloriamos en lo que Jesucristo hizo por nosotros y comprendemos que nos es imposible salvarnos por esfuerzo propio.

[4]Nadie podría tener más esperanza de salvarse por esfuerzo propio que yo. Si alguien se hubiera podido salvar por lo que es, ¡yo habría sido el primero! [5]Porque me circuncidaron a los ocho días de nacido; nací en un hogar de pura sangre judía, y mi familia pertenece a la tribu de Benjamín. ¡Judío más puro que yo no existe! Además, soy fariseo, lo que quiere decir que pertenezco a la secta que exige la más estricta obediencia a cada una de las leyes y tradiciones judaicas. [6]¿Que si era sincero? Tanto que perseguía encarnizadamente a la iglesia, y trataba de obedecer al dedillo las leyes judías.

[7]Pero esas cosas que antes creía de tanto valor las considero ahora sin valor, pues Cristo es ahora mi única confianza y esperanza. [8]Es más; opino que nada tiene valor comparado con la inapreciable ganancia de conocer a Jesucristo como Señor. Por ganar a Cristo todo lo he dejado a un lado y lo considero basura. [9]Mi anhelo es sentirme unido a El, no ya por ser bueno ni por obedecer las leyes de Dios, sino por confiar en la salvación que El ofrece; únicamente así, por fe, Dios nos acepta. [10]He renunciado a todo lo demás porque estoy convencido de que es la única manera de conocer de veras a Cristo, de sentir el gran poder que lo resucitó y de palpar el significado de sufrir y morir con El. [11]Así, cueste lo que cueste, seré uno de los que alcancen la radiante novedad de vida de la resurrección.

[12]Con esto no quiero decir que sea perfecto. Todavía no lo he aprendido todo, pero continúo esforzándome para ver si llego a ser un día lo que Cristo, al salvarme, quiso que fuera. [13]No, hermanos, todavía no soy el que debo ser, pero eso sí, olvidando el pasado y con la mirada fija en lo que está por delante, [14]me esfuerzo hasta lo último por llegar a la meta y recibir el premio que Dios nos llama a recibir en el cielo en virtud de lo que Jesucristo hizo por nosotros. [15]Espero que todos los cristianos maduros estén totalmente de acuerdo conmigo en estas cosas, y que si no están de acuerdo en algo, Dios ha de hacerles entender, [16]si obedecen plenamente la verdad que conocen.

[17]Amados hermanos, imítenme e imiten a los que siguen el ejemplo que dimos. [18]Porque ya varias veces se lo he dicho, y se lo digo de nuevo con lágrimas en los ojos, que muchos de los que dicen andar en el camino de Cristo, en la práctica son enemigos de la cruz de Cristo. [19]El futuro de ellos es la perdición eterna, porque su dios es el estómago y se enorgullecen de lo que debía darles vergüenza; lo único que les importa es esta vida. [20]Sin embargo nuestra patria está en el cielo, de donde con ansias esperamos el regreso de Jesucristo nuestro Salvador, [21]el que tomará este miserable cuerpo nuestro y, con el mismo grandioso poder con que puede dominarlo todo, lo transformará en un cuerpo glorioso como el suyo propio.

4 HERMANOS MÍOS QUERIDOS, mucho los amo y mucho deseo verlos, porque ustedes son mi gozo y la recompensa de mi trabajo. Sigan fieles al Señor.

[2]Y ahora deseo suplicar algo a mis amadas Evodia y Síntique. Por amor a Dios, no

discutan más; pónganse ya de acuerdo. ³Y tú, compañero fiel, ayuda a estas mujeres, porque fueron fieles batalladoras en nuestra lucha por proclamar el evangelio. No sólo lucharon a mi lado sino también al lado de Clemente y demás colaboradores míos, cuyos nombres están escritos en el Libro de la Vida.

⁴Gócense en el Señor siempre; se lo repito, gócense. ⁵Que todo el mundo vea siempre en ustedes a individuos desinteresados y considerados. Recuerden que el Señor viene pronto. ⁶No se afanen por nada; más bien oren por todo. Presenten ante Dios sus necesidades y después no dejen de darle gracias por sus respuestas. ⁷Haciendo esto sabrán ustedes lo que es la paz de Dios, la cual es tan extraordinariamente maravillosa que la mente humana no podrá jamás entenderla. Su paz mantendrá sus pensamientos y su corazón en la quietud y el reposo de la fe en Jesucristo.

⁸Y ahora, hermanos, antes de terminar esta carta, deseo decirles algo más: centren ustedes el pensamiento en lo que es verdadero, noble y justo. Piensen en lo que es puro, amable y honorable, y en las virtudes de los demás. Piensen en todo aquello por lo cual pueden alabar a Dios y estar contentos. ⁹Sigan poniendo en práctica lo que aprendieron, recibieron, oyeron y vieron en mí, y el Dios de paz estará con ustedes.

¹⁰Qué agradecido estoy y cuánto alabo al Señor por la ayuda que de nuevo me están brindando. Sé que siempre han estado ansiosos de ayudarme, pero que durante algún tiempo no tuvieron oportunidad de manifestarlo. ¹¹No que haya estado en necesidad, porque he aprendido a contentarme con lo mucho y con lo poco. ¹²Sé cómo vivir en escasez y en abundancia. He aprendido a estar satisfecho en cualquier circunstancia, con el estómago lleno o vacío, en abundancia o en necesidad. ¹³Con la ayuda de Cristo, que me da fortaleza y poder, puedo realizar cualquier cosa que Dios me pida realizar.

¹⁴No obstante, ustedes han hecho bien en ayudarme en las circunstancias difíciles que atravieso. ¹⁵Como saben, después de predicarles el evangelio y partir de Macedonia, sólo ustedes los filipenses participaron conmigo en dar y recibir. Ninguna otra iglesia lo hizo. ¹⁶Aun estando en Tesalónica me enviaron ayuda dos veces. ¹⁷Aunque esto en sí es digno de aprecio, lo que más feliz me hace es el bien merecido premio que habrán de recibir ustedes por su generosidad.

¹⁸En este momento tengo de todo ¡y hasta me sobra! El regalo que me enviaron con Epafrodito me ha hecho nadar en la abundancia. Su dádiva es en sí olor fragante, agradable a Dios. ¹⁹Y Dios, de sus riquezas en gloria, les suplirá cualquier cosa que les falte en virtud de lo que Jesucristo hizo por nosotros. ²⁰A Dios nuestro Padre sea la gloria para siempre. Amén.

Sinceramente,
Pablo

NOTA:
²¹Saluden a todos los cristianos. Los hermanos que están conmigo les envían saludos también. ²²Los demás cristianos de aquí les mandan recuerdos, especialmente los que trabajan en el palacio del César. ²³Que la gracia de nuestro Señor Jesucristo esté con ustedes. Amén.

COLOSENSES

1 REMITENTES: PABLO, MENSAJERO de Jesucristo porque Dios así lo quiso, y el hermano Timoteo.

²*Destinatarios:* Los santos y fieles hermanos en Cristo de la ciudad de Colosas.

Que Dios nuestro Padre derrame en ustedes sus bendiciones y les dé plena paz.

³Cada vez que oramos por ustedes damos gracias a Dios, el Padre de nuestro Señor Jesucristo, ⁴porque nos han hablado de lo mucho que confían en el Señor y de cuánto amor profesan al pueblo de Dios. ⁵Nos dicen que ustedes tienen la mira puesta en los goces celestiales desde la primera vez que se les predicó el evangelio. ⁶Las mismas Buenas Nuevas que escu-

charon ustedes se proclaman en todo el mundo, y miles de vidas están siendo transformadas de la misma manera que las de ustedes se han transformado desde el día en que escucharon y entendieron la gracia de Dios que se extiende a los pecadores.

[7]Epafras, nuestro muy amado consiervo, el que les llevó el evangelio y en quien tienen ustedes a un fiel servidor de Cristo, [8]fue el que nos contó del gran amor hacia los demás que el Espíritu Santo ha puesto en ustedes.

[9]Desde el primer momento que nos hablaron de ustedes, hemos estado orando y pidiendo a Dios que les ayude a entender la voluntad divina, y que les dé sabiduría e inteligencia para las cosas espirituales. [10]Oramos asimismo que sus vidas agraden y honren al Señor, que siempre hagan el bien a los demás, que cada día conozcan mejor a Dios, [11]y que estén llenos del grande y glorioso poder divino para que puedan perseverar a pesar de las circunstancias adversas, y para que, pase lo que pase, [12]con gozo den gracias al Padre, quien nos ha capacitado para participar de las maravillas que pertenecen a los que viven en el reino de la luz. [13]Porque El nos rescató de las tinieblas satánicas y nos trasladó al reino de su Hijo amado, [14]quien compró nuestra libertad con su sangre preciosa y perdonó nuestros pecados.

[15]Cristo es la imagen misma del Dios invisible, y existe desde antes que Dios comenzara la creación. [16]Es más, Cristo mismo es el Creador de cuanto existe en los cielos y en la tierra, de lo visible y lo invisible. El mundo espiritual, con sus correspondientes reyes y reinos, gobernantes y autoridades, fue creado por El y para El. [17]Cristo existió antes que las cosas que existen cobraran existencia, y es por su poder que subsisten. [18]El es la cabeza de ese cuerpo suyo que es la iglesia. El, que es el principio, fue el primero en resucitar, para ser en todo siempre el primero; [19]porque Dios quiso que en el Hijo habitara la plenitud divina.

[20]A través del Hijo, Dios abrió el camino por el que todas las cosas, ya estén en los cielos o en la tierra, pueden allegarse a El. La sangre de Cristo derramada en la cruz puso la paz de Dios al alcance de todos.

[21]Está al alcance de ustedes, que en otro tiempo estaban alejados de Dios. Aunque eran sus enemigos, y aunque entre ustedes y El se interponía la barrera de sus malos pensamientos y acciones, El los ha reconciliado [22]por medio de la muerte que sufrió en su cuerpo humano. Ahora puede presentarlos santos, inmaculados y absolutamente irreprensibles ante la misma presencia de Dios. [23]Pero para esto tienen que creer plena y firmemente la verdad y permanecer inconmovibles en la esperanza que les ofrecen las Buenas Noticias de que Jesús murió para salvarlos. Estas son las maravillosas noticias que un día escucharon y que ahora mismo están siendo proclamadas en el mundo entero. Y yo, Pablo, tengo el gozo de ser uno de los proclamadores.

[24]Es cierto que estoy sufriendo por ustedes, pero me alegro. Así ayudo a completar lo que falta de los sufrimientos de Cristo por ese cuerpo suyo que es la iglesia. [25]Después de todo, sirvo a la iglesia por comisión divina, comisión que me fue dada para bien de ustedes y con el propósito de revelar el plan divino a ustedes los gentiles. [26,27]A través de los siglos y a lo largo de muchas generaciones había sido mantenido en secreto, pero por fin el Señor ha querido revelar a los suyos la riqueza y la gloria de ese plan que, por cierto, beneficia a los gentiles. Y éste es el plan que ha sido revelado: que el tener a Cristo en sus corazones es su esperanza de gloria.

[28]Por eso, dondequiera que vamos, hablamos de Cristo y amonestamos y enseñamos lo mejor que podemos. Nuestro mayor anhelo es presentar a cada ser humano ante Dios, perfeccionado en virtud de la obra de Cristo. [29]Esa es mi tarea, y puedo realizarla porque la potente energía de Cristo actúa con poder en mí.

2 OJALÁ SUPIERAN CUÁNTO he batallado en oración por ustedes, por la iglesia de Laodicea y por los muchos amigos que nunca he tenido el gusto de conocer personalmente.

[2]He pedido a Dios lo siguiente: que se animen ustedes y que, unidos estrechamente por las fuertes ataduras del amor, alcancen la rica experiencia de conocer a Cristo con genuina certidumbre y clara

comprensión. Porque el plan secreto de Dios, que ya por fin ha sido revelado es Cristo mismo. ³En El yacen escondidos los inmensos e inexplotados tesoros de la sabiduría y el conocimiento. ⁴Digo esto porque temo que alguien pueda engañarlos con palabras bonitas, ⁵y porque, a pesar de que me encuentro lejos de ustedes, mi corazón está a su lado, feliz de ver que todo marcha bien entre ustedes, y que poseen una fe robusta en Cristo.

⁶Ahora bien, de la misma manera que confiaron en Cristo para que los salvara, confíen en El también al afrontar los problemas cotidianos. Vivan en unión vital con El, ⁷enraizados en El, y nútranse de El. Mantengan un ritmo de crecimiento en el Señor, y fortalézcanse y vigorícense en la verdad. ¡Rebosen ustedes de gozo y de acción de gracias al Señor! ⁸No dejen que nadie les dañe esa fe y ese gozo con filosofías erradas y huecas, basadas en tradiciones humanas y no en las palabras de Cristo. ⁹Porque en Cristo hallamos la plenitud de Dios encarnada en un cuerpo humano. ¹⁰Teniendo a Cristo lo tienen todo, y al estar unidos con El, están llenos de Dios. Además, El es la potestad suprema, y tiene autoridad sobre cualquier principado o potestad.

¹¹Cuando aceptaron a Cristo, El los libertó de los malos deseos, no por medio de esa operación quirúrgica llamada circuncisión, sino por medio de una operación espiritual: el bautismo del alma. ¹²En el bautismo, su vieja y perversa naturaleza murió con Cristo y fue sepultado con El; pero en su resurrección resucitaron ustedes con El a una nueva vida, mediante la fe en la Palabra del poderoso Dios que lo resucitó. ¹³Ustedes estaban muertos en pecados y en incircuncisión, pero El los vivificó con Cristo y les perdonó sus pecados; ¹⁴la prueba acusatoria que había contra ustedes, es decir, la lista de mandamientos que no habían obedecido, quedó anulada, clavada en la cruz de Cristo. ¹⁵De esta manera despojaba a Satanás del poder de acusarlos de pecado, y proclamaba al mundo el triunfo de Cristo en la cruz.

¹⁶Así que nadie los critique a ustedes por cuestiones de comidas o bebidas, ni porque no celebran las festividades judías ni sus ceremonias de luna nueva ni sus sábados. ¹⁷Estas eran sólo reglas temporales que caducaron al venir Cristo, sombras de lo verdadero que es Cristo mismo. ¹⁸No dejen ustedes que nadie les diga que están perdidos porque no adoran ángeles. Estos vanos individuos que dicen haber visto visiones y que ustedes deben verlas, tienen una imaginación extraordinaria, ¹⁹pero no están conectados a Cristo, la cabeza a la cual nosotros, que formamos su cuerpo, estamos unidos. Estamos unidos por medio de fuertes junturas y ligamentos, y crecemos a medida que recibimos de El nutrición y fortaleza.

²⁰Si ustedes murieron con Cristo y ya saben que uno no alcanza la salvación haciendo buenas obras y obedeciendo ciertas reglas, como lo cree el mundo, ¿por qué se someten, como si fueran todavía del mundo, a reglas ²¹tales como no comer, no probar y ni siquiera tocar tales o cuales alimentos? ²²Esas reglas son puramente humanas, porque la comida se hizo para comerse y gastarse. ²³Podrán parecer buenas tales reglas, ya que para obedecerlas hay que ser devotos de veras y porque son humillantes y duras para el cuerpo, pero de nada sirven en lo que a dominar los malos pensamientos y deseos se refiere.

3 SI USTEDES "RESUCITARON" cuando Cristo resucitó, fijen la mirada en las grandes riquezas y el indescriptible gozo que tendrán en el cielo, donde El ocupa junto a Dios el sitio más excelso de honor y poder. ²Dejen que el cielo sature sus pensamientos, y no pierdan el tiempo en las cosas de este mundo. ³Después de todo, ustedes están muertos, y a los muertos no les importa este mundo. Su verdadera vida está en el cielo con Cristo y Dios. ⁴Y cuando Cristo, que es la vida de ustedes, regrese, resplandecerán con El y participarán de su gloria.

⁵¡Fuera, pues, con el pecado y las cosas terrenales! ¡Mueran los deseos malos que se anidan en sus vidas! Apártense de los pecados sexuales, las impurezas, las pasiones desordenadas y los deseos vergonzosos, y no vivan para las riquezas, pues eso es idolatría. ⁶La terrible ira de Dios caerá sobre los que hacen tales cosas. ⁷Antes, cuando

todavía su vida formaba parte de este mundo, las hacían ustedes. [8]Pero ha llegado el momento de arrojar de ustedes la ira, el enojo, la malicia, los insultos y las malas palabras que antes solían brotar a raudales de sus labios. [9]No se mientan unos a otros, porque en su antigua y perversa vida lo hacían, pero ya murieron a aquella vida. [10]La vida que ahora viven es completamente nueva; cada día, pues, aprenden ustedes más de lo que es justo; traten constantemente de asemejarse más a Cristo, creador de esta nueva vida. [11]La nacionalidad, la raza, la educación y la posición social carecen de importancia en esta vida. Lo que importa es si la persona tiene o no tiene a Cristo, pues Cristo está al alcance de todos.

[12]Por cuanto Dios los escogió para que alcancen esta nueva vida, y al ver su inmenso amor e interés hacia nosotros, practiquen con sinceridad la compasión y la bondad. Sin que el causar buena impresión en los demás sea su objetivo, estén dispuestos a sufrir silenciosa y pacientemente. [13]Sean benignos y perdonen; no guarden rencor. Si el Señor los perdonó, están ustedes en el deber de perdonar. [14]Y sobre todo, que el amor sea el árbitro de sus vidas, porque entonces la iglesia permanecerá unida en perfecta armonía. [15]Que la paz de Dios reine en sus corazones, porque ese es su deber y privilegio como miembros del cuerpo de Cristo. Y sean agradecidos.

[16]Mantengan vívidas en su memoria las enseñanzas de Cristo y permitan que sus palabras enriquezcan sus vidas y los hagan sabios. Transmítanlas a otros con salmos, himnos y cánticos espirituales elevados al Señor con corazones agradecidos. [17]Y todo lo que hagan o digan, háganlo como representantes de Cristo, y por medio de El acérquense a la presencia de Dios con acción de gracias.

[18]Esposas, sométanse a sus esposos, porque así lo ha dispuesto el Señor. [19]Y, esposos, amen a sus esposas; nunca las traten mal y mucho menos con rencor.

[20]Hijos, obedezcan siempre a sus padres, porque esto agrada al Señor. [21]Padres, no regañen con exceso a sus hijos, porque no es bueno que se exasperen y desanimen.

[22]Esclavos, obedezcan en todo a sus amos terrenales; no traten de agradarlos sólo cuando los estén vigilando, sino siempre; obedézcanlos de buena gana, porque ustedes aman al Señor y desean agradarlo. [23]Lo que hagan, háganlo bien, con alegría, como si en vez de estar trabajando para amos terrenales estuvieran trabajando para el Señor. [24]Recuerden que el Señor Jesucristo les dará la parte que les corresponde, pues El es el Amo a quien en realidad sirven ustedes. [25]Mas si no cumplen con sus obligaciones, les pagará de una manera que no les agradará, porque Jesucristo no tiene preferidos ni consentidos.

4 POR OTRO LADO, ustedes, amos de esclavos, sean justos y equitativos, recordando que también tienen un Amo en el cielo que los vigila estrechamente. [2]Nunca se cansen de orar. Oren siempre. Aguarden las respuestas de Dios y no se olviden de dar gracias cuando lleguen. [3]Oren al mismo tiempo que Dios nos conceda muchas oportunidades de proclamar las Buenas Nuevas, pues por ello estoy preso. [4]Oren que tenga el valor necesario para expresarme libre, plena y claramente, que es como debo hacerlo siempre.

[5]Aprovechen ustedes bien las oportunidades de hablar del evangelio, pero sean sabios al hacerlo. [6]Hablen con gracia y sensatez, porque así podrán contestar siempre las preguntas del mundo.

[7]Tíquico, nuestro muy amado hermano, les contará cómo me va. Tíquico es muy trabajador y sirve al Señor conmigo. [8]Lo estoy enviando a este viaje para que les informe cómo están ustedes, y para que los consuele y anime. [9]También les estoy enviando a Onésimo, fiel y muy amado hermano, que a la vez es uno de ustedes. El y Tíquico les darán las últimas noticias.

[10]Aristarco, mi compañero de cautiverio, les envía saludos, y lo mismo hace Marcos, el sobrino de Bernabé. Como ya les dije, acojan con cariño a Bernabé cuando pase por allá. [11]Jesús Justo también los saluda. Estos son los únicos judíos cristianos que trabajan conmigo, y ¡de cuánto consuelo me han sido!

[12]Epafras, que es coterráneo de ustedes y siervo de Jesucristo, los saluda. Siempre ora fervientemente que Dios los haga fuer-

tes y perfectos y les haga entender su voluntad. ¹³Les aseguro que de veras ha orado intensamente por ustedes, así como por los cristianos de Hierápolis y Laodicea.

¹⁴Lucas, el médico amado, los saluda también, y lo mismo hace Demas.

¹⁵Saluden en mi nombre a los hermanos de Laodicea, a Ninfas y a los que se reúnen en su casa.

¹⁶Después que lean esta carta, tengan la bondad de hacerla llegar a la iglesia de Laodicea. Ah, y lean la carta que les estoy mandando a ellos.

¹⁷Digan a Arquipo de parte mía que no deje de hacer lo que el Señor le encargó.

¹⁸Y aquí va un saludo de mi puño y letra: Recuerden que estoy preso. Que Dios los bendiga abundantemente.

Sinceramente,
Pablo

---

1 TESALONICENSES

1 REMITENTES: PABLO, SILAS y Timoteo. *Destinatario:* La iglesia de Tesalónica, iglesia que se mantiene firme en Dios el Padre y en el Señor Jesucristo.

Que las bendiciones y la paz de Dios nuestro Padre y de Jesucristo nuestro Señor reposen en ustedes.

²Siempre damos gracias a Dios por ustedes en nuestras constantes oraciones. ³Al mencionarlos ante nuestro Dios y Padre, nunca olvidamos sus obras de amor ni la firme y perseverante fe con que aguardan el regreso de nuestro Señor Jesucristo.

⁴Sabemos, hermanos amados de Dios, que El los escogió. ⁵Cuando les anunciamos las Buenas Nuevas (y en vez de tomarnos por charlatanes, nos escucharon ustedes con gran interés), nuestras palabras hicieron gran efecto en ustedes porque el Espíritu Santo les dio la grande y plena seguridad de que lo que decíamos era cierto, aparte de que con nuestra manera de vivir les demostramos la veracidad de nuestro mensaje.

⁶Por su parte, ustedes se convirtieron en imitadores nuestros y del Señor, y recibieron nuestros mensajes con la alegría que el Espíritu Santo les hizo sentir, a pesar de las pruebas y las amarguras que esto les ocasionó. ⁷Luego se convirtieron en ejemplo para los demás cristianos de Macedonia y Acaya. ⁸Por cierto, partiendo de ustedes, la Palabra del Señor ha resonado por todas partes y ha traspasado los límites de Macedonia y Acaya. Dondequiera que vamos la gente nos habla de la admirable fe en Dios que ustedes poseen, y no nos queda nada por decir. ⁹Al contrario, nos hablan de la maravillosa acogida que nos dieron ustedes y de cómo dejaron los ídolos para seguir a Dios, de tal manera que ahora pertenecen y sirven al Dios vivo y verdadero. ¹⁰Nos dicen también que esperan con ansias que Jesús, el Hijo de Dios, resucitado, regrese del cielo. El es el que nos salva de la terrible ira de Dios contra el pecado.

2 BIEN SABEN USTEDES, amados hermanos, lo valiosa que fue la visita que les hicimos. ²A pesar de que poco antes habíamos padecido en Filipos, y aunque estábamos rodeados de enemigos, Dios nos dio valor para predicarles el evangelio. ³Nuestra predicación que, claro está, no obedecía a ningún motivo falso ni a ninguna mala intención, fue completamente franca y sincera. ⁴Hablamos como mensajeros de Dios, como portavoces de la verdad divina, sin alterar para nada el mensaje, porque nuestra intención nunca ha sido agradar a la gente sino a Dios, quien conoce nuestros pensamientos más íntimos. ⁵Ni una sola vez intentamos ganarlos con adulación, y Dios sabe que no les fingimos amistad por dinero. ⁶Y en cuanto a alabanzas, jamás las pedimos de ustedes ni de nadie, a pesar de que como apóstoles de Cristo tenemos derecho a recibir ciertos honores. ⁷En cambio los tratamos con ternura, como madre que alimenta y cuida a sus hijos. ⁸Tan grande fue nuestro amor, tanto los queríamos a ustedes, que con gusto les habríamos dado no sólo el evangelio sino nuestras propias vidas.

⁹¿Recuerdan, hermanos, con qué ardor luchamos junto a ustedes? Día y noche trabajábamos y nos fatigábamos para ganar el sustento y no serle carga a nadie mientras predicábamos las Buenas Noticias de Dios. ¹⁰Ustedes son testigos, y Dios también, de que siempre fuimos puros, justos e irreprensibles con ustedes. ¹¹Como un padre a sus hijos, les rogábamos, los animábamos y hasta les exigíamos ¹²que no deshonraran a Dios en la vida diaria, sino que le proporcionaran alegría, pues con tanto amor los invitó a compartir la gloria de su reino.

¹³Jamás cesaremos de dar gracias a Dios porque cuando les predicamos, ustedes no pensaron que el mensaje era nuestro, sino que lo aceptaron como lo que era: Palabra de Dios. Y al aceptar el mensaje, éste transformó sus vidas. ¹⁴Luego, amados hermanos, sufrieron la persecución de que los hicieron víctimas sus compatriotas, al igual que las iglesias de Judea sufrieron la persecución que desataron contra ellos los judíos. ¹⁵Estos, después de matar a sus propios profetas, y de atreverse a ejecutar a Jesucristo, brutalmente nos persiguieron. Los judíos se oponen a Dios y a los hombres, ¹⁶pues por temor a que algunos pudieran salvarse, trataron de impedir que predicáramos a los gentiles. Así han aumentado el cúmulo de sus pecados. Pero la ira de Dios por fin los ha alcanzado.

¹⁷Amados hermanos, poco tiempo después de habernos ido de entre ustedes (aunque el corazón lo dejamos allí), hicimos todo lo posible por regresar y verlos de nuevo. ¹⁸Lo deseábamos con toda el alma (yo mismo, Pablo, lo intenté repetidas veces), pero Satanás nos lo impidió. ¹⁹Después de todo, ¿quiénes son nuestra esperanza, nuestro gozo y el galardón que más nos enorgullece sino ustedes mismos? Sí, serán nuestro gozo cuando el Señor regrese y comparezcamos ante su presencia. ²⁰¡Ustedes son nuestro trofeo y nuestra alegría!

3 POR FIN, CUANDO ya la ansiedad nos mataba, decidimos quedarnos solos en Atenas ²,³y pedimos a Timoteo —nuestro hermano, colaborador y ministro de Dios— que los visitara para afianzarlos a ustedes y darles ánimo en su fe, para que no vacilen en sus tribulaciones. Bien saben que tales tribulaciones son parte del plan de Dios para los cristianos. ⁴Estando con ustedes les advertí que se aproximaban tiempos de sufrimientos, y así sucedió. ⁵Por eso yo, no pudiendo soportar más la incertidumbre, envié a Timoteo a ver si permanecían firmes en la fe. Temía que Satanás se hubiera aprovechado de las circunstancias y que nuestro trabajo hubiera sido en vano.

⁶Timoteo acaba de regresar con la alentadora noticia de que en la fe y en el amor se conservan ustedes tan firmes como siempre, que recuerdan con cariño nuestra visita y que desean vernos tanto como nosotros a ustedes.

⁷Esto nos conforta mucho, amados hermanos, en medio de las aplastantes pruebas por las que estamos pasando. Nos consuela inmensamente que permanezcan ustedes fieles al Señor. ⁸Sabiendo que permanecen firmes en El, podemos soportar cualquier aflicción. ⁹Díganos, ¿cómo podríamos dar suficientes gracias a Dios por ustedes y por el gozo que ahora sentimos ante El? ¹⁰Día y noche oramos por ustedes y pedimos a Dios que nos permita volver a verlos y que repare cualquier resquebrajamiento que puedan tener en la fe. ¹¹Quiera el mismísimo Dios y Padre de nuestro Señor Jesucristo enviarnos de nuevo a ustedes. ¹²Quiera Dios que su amor crezca y sobreabunde entre ustedes y hacia los demás, que es exactamente lo que le sucede al amor que les profesamos. ¹³Y quiera Dios nuestro Padre darles corazones firmes, puros y santos, para que puedan presentarse irreprensibles ante El el día que nuestro Señor Jesucristo regrese con todos los suyos.

4 POR ÚLTIMO, AMADOS hermanos, ya saben cómo se agrada a Dios en el diario vivir, ²según los mandamientos que les dejamos en nombre del Señor. Les rogamos y les exigimos en nombre del Señor Jesús, que vivan cada día más cerca de ese ideal. ³,⁴Esta es la voluntad de Dios: que sean santos y puros. Eviten por todos los medios los pecados sexuales; los cristianos deben casarse en santidad y honor, ⁵y no en pasión sensual como lo hacen los paganos en su ignorancia de las cosas de Dios. ⁶Y ésta es también la voluntad de Dios: que nadie cometa la desvergüenza de tomar la esposa de otro hombre, porque, como ya solemnemente se lo había dicho, el Señor castiga con rigor este pecado. [7]Dios no nos ha llamado a vivir en impureza sino en santidad. [8]El que se niegue a observar estas reglas no desobedece las leyes humanas, sino las leyes de Dios, quien es el que da al Espíritu Santo.

[9]En cuanto al tema del amor fraternal puro que debe reinar entre ustedes, no es necesario que lo aborde con detalles, pues Dios mismo les ha enseñado a amarse mutuamente. [10]El amor que demuestran ustedes hacia los demás hermanos de Macedonia es admirable. No obstante, amados hermanos, les suplicamos que procuren que ese amor crezca cada día más.

[11]Su ambición ha de ser llevar una vida tranquila dedicada a los asuntos personales y al trabajo, tal como lo tenemos ordenado. [12]Así los que no son cristianos les tendrán confianza y respeto, y no tendrán ustedes que depender de los demás para la subsistencia.

[13]Y ahora, amados hermanos, quiero hablar de lo que le sucede al cristiano cuando muere, para que no se entristezcan como los que no tienen esperanza.

[14]Si creemos que Jesús murió y después resucitó, podemos creer también que, cuando Jesús regrese, Dios traerá con El a los cristianos que han muerto. [15]Podemos decirles lo siguiente como enseñanza del Señor: Nosotros, los cristianos que estemos vivos cuando el Señor regrese, no seremos llevados a la presencia del Señor antes que los que estén muertos. [16]El Señor mismo descenderá del cielo con voz de mando, con voz de arcángel, y con trompeta de Dios; y los cristianos que estén muertos serán los primeros en levantarse e ir al encuentro del Señor. [17]Luego los que de nosotros vivamos, los que quedemos, seremos arrebatados y llevados con ellos al encuentro del Señor en el aire, y permaneceremos con El para siempre. [18]Consuélense, pues, unos a otros con estas palabras.

5 ¿QUE CUÁNDO SUCEDERÁ? No es necesario que les hable de esto, amados hermanos. [2]Ustedes saben perfectamente que nadie lo sabe, que el día del Señor llegará inesperadamente, como ladrón en la noche. [3]Cuando la gente ande diciendo que "todo marcha perfectamente bien", que "tenemos paz y seguridad", entonces, de repente, les sobrevendrá la destrucción. Será tan repentino como los dolores de la que va a tener un hijo; y nadie podrá escapar, porque no habrá dónde esconderse.

[4]Pero, amados hermanos, ustedes no viven a oscuras en cuanto a estas cosas. La venida del Señor no los sorprenderá como un ladrón, [5]pues son hijos de la luz e hijos del día; no somos de la noche ni de las tinieblas. [6]Así que estemos en guardia y no durmamos como los demás. Mantengámonos despiertos y sobrios en espera de su venida. [7]La gente duerme y se emborracha por la noche. [8]Pero nosotros, que somos del día, debemos mantenernos sobrios, protegidos por la coraza de la fe y el amor, y llevando, como casco de soldado, la hermosa esperanza de salvación. [9]Dios no nos escogió para derramar su ira sobre nosotros, sino para salvarnos a través de nuestro Señor Jesucristo, [10]quien murió por nosotros para que pudiéramos vivir con El para siempre, ya sea que estemos vivos o muertos en el momento de su regreso. [11]Así que sigan alentándose y edificándose mutuamente, como ya lo hacen.

[12]Amados hermanos, honren a los siervos de Dios que con tanto empeño trabajan entre ustedes y los previenen contra el mal. [13]Ténganlos en alta estima y ámenlos de corazón, porque de veras se esfuerzan por ayudarles. Y recuerden: ¡nada de riñas entre ustedes!

[14]Además, amados hermanos, reprendan a los perezosos y a los desenfrenados; conforten a los que tienen miedo; cuiden de los débiles y tengan paciencia con todos. [15]Cuiden que nadie pague mal por mal; al contrario, procuren siempre el bien mutuo y el de todos. [16]Estén siempre gozosos. [17]Oren sin cesar. [18]Den gracias en cualquier circunstancia, porque para eso los quiere Dios espera de los que pertenecen a Jesucristo.

[19]No apaguen el fuego del Espíritu Santo. [20]No desprecien las profecías; [21]examínenlo todo, pero retengan sólo lo bueno. [22]Apártense de toda clase de mal.

[23]Que el Dios de paz los mantenga per-

fectamente limpios, para que en espíritu, alma y cuerpo sean ustedes fuertes e irreprensibles hasta el día en que el Señor vuelva. [24]Dios, que los llamó a ser hijos suyos, lo hará conforme a su promesa.

[25]Amados hermanos, oren por nosotros. [26]Abrazos para todos. [27]Les ordeno en nom-

bre del Señor que lean esta carta a todos los cristianos. [28]Que nuestro Señor Jesucristo les otorgue sus más ricas bendiciones. Así sea.

Sinceramente,
Pablo

---

2 TESALONICENSES

1 REMITENTES: PABLO, SILAS y Timoteo. *Destinatario:* La iglesia de Tesalónica, iglesia que se mantiene firme en Dios nuestro Padre y en el Señor Jesucristo. [2]Que Dios el Padre y el Señor Jesucristo les den a ustedes sus más ricas bendiciones y su más perfecta paz.

[3]Amados hermanos, dar gracias a Dios por ustedes no sólo es justo sino que es nuestro deber ante Dios; porque ha sido en verdad maravillosa la manera en que han crecido en la fe y en el amor mutuo. [4]Nos da alegría hablar a las demás iglesias de la paciencia y de la fe absoluta en Dios que ustedes manifiestan, a pesar de los aplastantes problemas y dificultades por los que han estado atravesando. [5]Este es sólo un ejemplo de la recta y justa manera en que Dios hace las cosas, porque por medio de esos sufrimientos los está haciendo aptos para su reino, [6]a la vez que prepara juicio y castigo para los que los estén afligiendo.

[7]Permítannos decir lo siguiente a los que ahora sufren: Dios nos dará descanso cuando el Señor Jesús venga del cielo entre llamas de fuego con sus poderosos ángeles [8]y castigue a los que no conocen a Dios y a los que se niegan a aceptar el plan que se les ofrece a través de nuestro Señor Jesucristo. [9]Estos sufrirán la pena del infierno eterno, alejados para siempre de la presencia del Señor y condenados a no ver la gloria de su poder, [10]cuando venga en aquel día a recibir honra y admiración por lo que ha hecho por su pueblo, por sus santos. Ustedes estarán entonces con El, porque creyeron el mensaje de Dios que les llevamos.

[11]Por eso oramos en todo tiempo que nuestro Dios los tenga por dignos de su llamamiento y premie su fe, ayudándoles

con su poder a cumplir su ardiente deseo de hacer el bien, [12]para que, al ver en ustedes tales resultados, el nombre de nuestro Señor Jesucristo sea glorificado, y ustedes sean glorificados también por pertenecerle. La tierna misericordia de nuestro Dios y del Señor Jesucristo ha hecho posible que esto se logre en ustedes.

2 Y AHORA, ¿QUÉ del retorno de nuestro Señor Jesucristo y de nuestro encuentro con El? [2]No se alteren ni se turben, hermanos, si llega a sus oídos el rumor de que el día del Señor ya llegó. Si oyen hablar de individuos que han tenido visiones o que han recibido mensajes de Dios acerca de esto, o si les hablan de alguna que otra carta que podamos haber enviado al respecto, no lo crean. [3]No se dejen engañar, porque ese día no llegará hasta que dos cosas sucedan: primero, habrá un período de rebelión extrema contra Dios, y entonces se manifestará el hombre de pecado, el hijo del infierno, [4]el adversario de todo lo que se llama Dios o es objeto de culto. Este personaje hasta se atreverá a ir y sentarse en el Templo de Dios y hacerse pasar por Dios. [5]¿No se acuerdan ustedes que les hablé de esto cuando estuve allá? [6]Como recordarán, también les dije que hay un poder que impide que ya esté aquí, y que no le permitirá venir hasta su debido tiempo. [7]La obra que va a llevar a cabo ya se está desarrollando, pero el hombre de pecado mismo no podrá venir hasta que lo que le detiene sea quitado de en medio. [8]Entonces aparecerá aquel inicuo, pero el Señor lo consumirá con el soplo de su boca y lo destruirá con el resplandor de su venida. [9]Este hombre de pecado será instrumento de Satanás, y vendrá tan lleno de poder satánico que podrá engañar con extrañas demostraciones y falsos milagros. [10]Engañará por completo a los que marchan camino del infierno por haber dicho "no" a la Verdad, por haberse negado a creerla y amarla, lo cual los habría salvado. [11]Dios les dejará creer de corazón aquellas mentiras, [12]y luego los condenará por no haber creído la Verdad y por haberse deleitado en el pecado.

[13]Pero tenemos que dar siempre gracias a Dios por ustedes, hermanos amados del Señor, porque Dios determinó desde el principio darles salvación mediante la acción limpiadora del Espíritu Santo y la fe que han depositado en la Verdad. [14]Con tal objetivo, por nuestro medio les comunicó las Buenas Nuevas, y por nuestro medio también los llamó a participar en la gloria de nuestro Señor Jesucristo.

[15]Con esto en mente, hermanos, permanezcan aferrados firmemente a la verdad que les hemos enseñado en nuestras cartas y durante el tiempo que pasamos con ustedes. [16]Que el Señor Jesucristo mismo y Dios nuestro Padre, quien nos amó y nos dio un consuelo eterno y una esperanza que no merecemos, [17]los consuele y ayude en cuanto de bueno digan y hagan ustedes.

3 FINALMENTE, HERMANOS, LES suplico que oren por nosotros. Pidan que el mensaje del Señor se propague rápidamente y que dondequiera que llegue conquiste, como entre ustedes, almas para Cristo. [2]Y oren que seamos librados de las garras de hombres perversos, pues, tristemente, no todos aman al Señor. [3]El Señor, que es fiel, les dará fortaleza y los guardará de cualquier ataque de Satanás. [4]Confiamos en el Señor que ustedes estén poniendo en práctica nuestras enseñanzas, y que siempre lo harán. [5]Que el

Señor los lleve a un entendimiento cada vez más profundo del amor de Dios y de la paciencia de Cristo.

[6]Queridos hermanos, un mandamiento les doy en nombre del Señor Jesucristo: Apártense de los cristianos que anden con holgazanerías y que no sigan las normas de trabajo que establecimos. [7]Ustedes saben bien que deben seguir nuestro ejemplo, y a nosotros jamás nos vieron haraganeando. [8]Cuando queríamos comida la comprábamos; con fatiga y cansancio trabajábamos día y noche para ganar el sustento y no ser una carga a ninguno de ustedes. [9]Y no era que no tuviéramos el derecho de solicitar el sustento, sino que queríamos enseñarles con el ejemplo que uno debe trabajar para comer. [10]Aun estando entre ustedes pusimos una regla: "El que no trabaja, que no coma". [11]Sin embargo, nos hemos enterado que algunos de ustedes viven sin trabajar y se pasan la vida chismeando. [12]En el nombre del Señor, suplicamos a dichas personas (¡y más que una súplica, es una orden!), que se tranquilicen y se pongan a trabajar para ganar el sustento.

[13]Hermanos, nunca se cansen de hacer el bien.

[14]Si alguien se niega a obedecer lo que decimos en esta carta, señálenlo y no se junten con él, para que se avergüence. [15]Pero no lo miren como a enemigo; háblenle como se le habla a cualquier hermano que necesita consejo.

[16]Que el Señor de paz les dé paz en todo tiempo y en cualquier circunstancia. El Señor esté con ustedes.

[17]Y aquí va el saludo que en todas mis cartas acostumbro escribir yo mismo para que se sepa que es una carta mía. Esto es de mi puño y letra: [18]Que nuestro Señor Jesucristo les dé sus más ricas bendiciones.

Sinceramente,
Pablo

---

1 TIMOTEO

1 REMITENTE: PABLO, APÓSTOL de Jesucristo por mandato de Dios nuestro Salvador y de Cristo Jesús Señor y única

esperanza.
[2]*Destinatario:* Timoteo.

Timoteo, hijo mío en las cosas del Señor, que Dios nuestro Padre y Jesucristo nuestro Señor te muestren su bondad y misericordia y te llenen de paz.

³Tal como te rogué cuando salí para Macedonia, quédate en Efeso y trata de impedir que esos individuos sigan enseñando sus falsas doctrinas. ⁴Acaba con esos mitos y fábulas, y combate el concepto de que uno se puede salvar ganándose el favor de una interminable cadena de ángeles que concluye en Dios. Tales ideas provocan discusiones que no conducen a nada y consumen tiempo que debería emplearse en ayudar a los demás a aceptar el plan de Dios, que está fundado en la fe.

⁵Lo que deseo es que los cristianos de esa ciudad estén llenos del amor que procede de un corazón limpio, una conciencia recta y una fe sincera. ⁶Algunos, tristemente, olvidando por completo esto, pasan el tiempo discutiendo y diciendo tonterías. ⁷Pretenden ser maestros de la ley de Moisés, pero no tienen ni la más ligera idea de lo que en escencia dichas leyes nos indican. ⁸Sí, la ley es buena, pero si se toma conforme al propósito con que Dios la hizo. ⁹La ley no fue instituida para nosotros los salvos, sino para los rebeldes y desobedientes, para los malvados y pecadores, para los irreverentes y profanos, para los que atacan a sus padres, para los asesinos, ¹⁰,¹¹para los homosexuales, para los que trafican con vidas humanas, para los mentirosos y, en fin, para los que de hecho se oponen al evangelio de nuestro bendito Dios que se me ha ordenado proclamar.

¹²Mil gracias doy a Cristo Jesús nuestro Señor por escogerme como uno de sus mensajeros y darme la fortaleza necesaria para serle fiel. ¹³¡Figúrate! Antes me burlaba de su nombre y no sólo me burlaba sino que perseguía encarnizadamente a sus seguidores y procuraba causarles el mayor daño posible. Pero Dios tuvo misericordia de mí porque, como entonces no conocía a Cristo, no sabía lo que hacía.

¹⁴¡Qué bondadoso fue conmigo el Señor al enseñarme a confiar en El y a estar lleno del amor de Cristo Jesús! ¹⁵¡Qué cierto es, y cuánto anhelo que el mundo lo sepa, que Cristo Jesús vino al mundo a salvar a los pecadores, de los cuales yo era el primero! ¹⁶Pero Dios tuvo misericordia de mí para

que Cristo pudiera usarme como ejemplo de lo paciente que es aun con los más viles pecadores, y para que los demás se den cuenta de que también pueden alcanzar la vida eterna. ¹⁷Por eso, al Rey de las edades, inmortal, invisible, al único y sabio Dios, sea la gloria y el honor por los siglos de los siglos. Amén.

¹⁸Ahora, Timoteo, hijo mío, fíjate en este mandamiento que te doy: Pelea bien las batallas del Señor, tal como El nos reveló por sus profetas que lo harías. ¹⁹Aférrate a la fe en Cristo y conserva limpia tu conciencia, haciendo siempre lo que es justo. Hay quienes desobedecen la voz de la conciencia y deliberadamente hacen lo incorrecto. ¡Por algo la fe de muchos naufraga! ²⁰¡Sírvannos de ejemplo Himeneo y Alejandro, a quienes entregué a Satanás para que aprendan a no deshonrar el nombre de Cristo!

2 HE AQUÍ MIS instrucciones: Oren mucho por la humanidad; rueguen que Dios tenga misericordia de ella, y denle gracias por la contestación que de seguro habrán de recibir a su ruego. ²Oren por los reyes y por los demás que tienen autoridad sobre nosotros y que están en puestos de gran responsabilidad, para que, en paz y tranquilidad, podamos llevar una vida de piedad y decoro. ³Esto es bueno y agradable a Dios nuestro Salvador, ⁴porque El anhela que todos se salven y entiendan ⁵*que Dios está en un lado y la gente en el otro, y que Jesucristo, hombre también, está entre los dos para unirlos* ⁶*en virtud de haberse dado a sí mismo en rescate por todos.* Este es el mensaje que a su debido tiempo dio a conocer al mundo. ⁷Y —digo la verdad, no miento— he sido puesto como predicador y apóstol para enseñar esta verdad a los gentiles, y para mostrarles el plan divino de salvación por medio de la fe.

⁸Por lo tanto, quiero que en todas partes los hombres oren, alzando ante Dios manos santas, libres de ira y resentimiento; ⁹,¹⁰y que las mujeres, igualmente, se vistan y comporten decente, modesta y sencillamente. La mujer cristiana ha de resaltar no por la manera en que se arregle el cabello ni por el lujo de sus joyas o vestidos, sino por su amabilidad y bondad.¹¹La mujer debe

escuchar y aprender en silencio y humildad. [12]No permito que las mujeres enseñen a los hombres ni que ejerzan sobre ellos dominio. Deben guardar silencio en las reuniones de la iglesia, [13]porque Dios hizo primero a Adán y luego a Eva. [14]Y no fue Adán el que se dejó engañar por Satanás, sino Eva, y de aquel engaño surgió el pecado. [15]Dios condenó a la mujer a tener dolores de parto, pero se salvará si confía en El y vive en amor, santidad y modestia.

3 SE HA DICHO que el hombre que aspira a dirigir una iglesia, tiene aspiración noble. Es cierto. [2]Sin embargo, es necesario que tal persona viva irreprochablemente. Ha de tener una sola esposa, y debe ser trabajador, serio, juicioso y respetable. Ha de estar siempre dispuesto a hospedar gente en su casa, y debe saber enseñar. [3]No ha de ser bebedor ni pendenciero, sino amable, bondadoso y sin inclinación al dinero. [4]Ha de tener una familia modelo cuyos hijos obedezcan presta y silenciosamente; [5]porque mal puede gobernar la iglesia quien no puede guiar a su propia familia.

[6]El que dirige una iglesia no puede ser muy nuevo en el cristianismo, porque corre el riesgo de enorgullecerse, y el orgullo es siempre presagio de caída. (Recuerden lo que le sucedió a Satanás.) [7]Debe tener buena reputación entre los que no son cristianos, para que Satanás no le tienda una red de acusaciones que le impida conducir con libertad el rebaño.

[8]Los diáconos, de igual manera, deben ser individuos respetables y veraces; no han de ser dados a la bebida ni a los negocios sucios. [9]Han de ser fervientes seguidores de Cristo, la fuente misteriosa de su fe.

[10]Antes de que se les nombre diáconos, deben encargarles ciertos trabajos en la iglesia para ver si en verdad tienen aptitudes para el diaconado. [11]Sus esposas han de ser dignas, no dadas a la bebida ni al chisme, y sí sobrias y fieles en todo lo que hacen. [12]Cada diácono ha de tener una sola esposa, y ha de saber gobernar a su familia.

[13]Porque los que ejercen bien el diaconado no sólo se ganan el respeto de los demás sino que desarrollan un alto grado de confianza y valor en la proclamación de su fe

en el Señor.

[14]Espero ir pronto a verte, pero te escribo estas cosas [15]para que, si me tardo, sepas el tipo de individuos que debes escoger como dirigentes de la iglesia del Dios vivo, la cual tiene y mantiene en alto la verdad de Dios. [16]Indiscutiblemente, no es fácil saber cómo llevar una vida piadosa. Pero la respuesta la encontramos en esto:

Cristo, quien vino a la tierra como hombre,
se mantuvo inmaculado y puro en su Espíritu,
y fue servido por ángeles,
predicado entre las naciones,
aceptado por individuos de todas partes,
y recibido de nuevo en gloria.

4 PERO EL ESPÍRITU Santo nos dice claramente que en los últimos tiempos algunos se apartarán de Cristo y se convertirán en entusiastas seguidores de ideas falsas y doctrinas diabólicas. [2]Los propagadores de tales ideas y doctrinas mentirán tan descarada y frecuentemente que la conciencia ni siquiera los molestará. [3,4]Afirmarán que es malo casarse y comer carne, como si Dios no hubiera creado estas cosas para que los creyentes, los que han conocido la verdad, las usaran con acción de gracias. Todo lo que Dios hizo es bueno, y podemos disfrutarlo con gozo si lo tomamos con agradecimiento, [5]y si pedimos que Dios lo bendiga, porque la palabra de Dios y la oración lo santifican.

[6]Explica esto a los demás y estarás cumpliendo cabalmente con tu deber de pastor y estarás demostrando que te nutres de la fe y de las buenas enseñanzas que fielmente has seguido. [7]No pierdas el tiempo discutiendo ideas tontas y mitos y leyendas sin sentido. Emplea el tiempo y las energías en la tarea de ejercitarte espiritualmente. [8]Está bien que te ejercites físicamente, pero el ejercicio espiritual es de vital importancia y sirve de tonificante. Ejercítate en lo espiritual y trata de ser mejor cristiano, porque eso no sólo te ayudará en esta vida, sino también en la venidera. [9,10]¡Qué cierto es esto y cuánto anhelamos que todos lo crean! Si trabajamos arduamente y sufrimos mucho es precisamente para que la

gente crea en la importancia de lo espiritual, pues nuestra única esperanza la tenemos depositada en el Dios viviente que murió por todos, particularmente por los que han aceptado la salvación. [11]Enséñalo tú y procura que lo aprendan bien. [12]Que nadie tenga en poco tu juventud. Sé ejemplo de los fieles en la forma en que enseñas y vives, en el amor y en la pureza de tus pensamientos. [13]Mientras llego, ocúpate en leer, predicar y enseñar las Escrituras a la iglesia. [14]No dejes de ejercitar los dones que Dios te dio cuando, por inspiración de tipo profético, los ancianos de la iglesia impusieron las manos sobre ti. [15]Usa esos dones; entrégate de lleno al cumplimiento de tu deber para que todos vean tus progresos. [16]Vigila estrechamente tus acciones y pensamientos. Mantente fiel a lo que es justo y Dios te bendecirá y usará en la sublime tarea de ayudar a tus oyentes a alcanzar la salvación.

5 NUNCA REPRENDAS AL anciano, sino exhórtalo con respeto, como a un padre; a los más jóvenes trátalos como a hermanos; [2]a las ancianas, como a madres; y a las jóvenes, como a hermanas con absoluta pureza.

[3]La iglesia debe cuidar con esmero a las viudas, si éstas no tienen quien las ayude. [4]Pero si tienen hijos o nietos, éstos deben hacerse cargo de ellas, porque la piedad ha de comenzar en casa. Ayudar a los familiares que están en necesidad es una de las cosas que agradan a Dios.

[5]La iglesia debe cuidar a las viudas que han quedado enteramente solas y en la pobreza, si acuden a Dios en busca de ayuda y pasan mucho tiempo en oración. [6]Pero si se pasan la vida chismeando o si andan corriendo tras los placeres de esta vida y destrozándose el alma, no tienen por qué ayudarlas. [7]Debes poner en vigor esta regla en tu iglesia, para que los cristianos sepan lo que tienen que hacer. [8]El que no se ocupa de los suyos, especialmente de los de su propia familia, no tiene derecho a llamarse cristiano, y es peor que un infiel.

[9]Para que una viuda pueda formar parte del cuerpo especial de obreros de la iglesia, debe tener por lo menos sesenta años de edad y no haber tenido más de un esposo. [10]Tiene que haberse labrado una sana reputación por sus buenas obras. Por ejemplo, ¿ha educado bien a sus hijos? ¿Ha sido hospitalaria con los extranjeros y con los cristianos en general? ¿Ha brindado ayuda a los enfermos o afligidos? ¿Ha sido bondadosa en todo?

[11]Las viudas más jóvenes no deben formar parte de este cuerpo especial, porque lo más probable es que más adelante olviden los votos que han hecho a Cristo y se quieran casar, [12]incurriendo así en condenación por haber faltado al compromiso anterior. [13]Además, muchas veces las viudas jóvenes, estando ociosas, se vuelven chismosas y entrometidas. [14]Me parece que es mejor que se casen de nuevo, que tengan hijos y que se consagren a las labores hogareñas; así nadie podrá hablar mal de ellas. [15]Temo que muchas se hayan apartado ya de la iglesia, y Satanás las haya desviado.

[16]Recuerda bien: Si algún creyente tiene una viuda en la familia, está obligado a mantenerla, y no debe dejarle esta tarea a la iglesia. Así la iglesia puede dedicar sus recursos al cuidado de las viudas que no tienen a nadie en este mundo.

[17]Los pastores de las iglesias que cumplan bien con su deber, especialmente los que cumplan con rigor sus tareas de predicar y enseñar, deben recibir un salario adecuado y se les debe tener en gran estima. [18]Recordemos que las Escrituras dicen: "No pondrás bozal al buey que trilla el grano; ¡déjale comer mientras trabaja!" Y en otro lugar dicen: "El obrero es digno de su salario".

[19]No hagas caso a ninguna acusación contra un pastor si no está respaldada por dos o tres testigos. [20]Si de veras ha pecado, repréndelo ante la iglesia en pleno, para que nadie siga su ejemplo. [21]Delante de Dios, del Señor Jesucristo, y de los santos ángeles te encarezco que hagas esto aunque se trate del mejor amigo tuyo. Sé imparcial. [22]No impongas con ligereza las manos; porque corres el peligro de que alguno tenga un pecado que desconoces y la gente piense que lo apruebas. Consérvate limpio de pecado. [23](Eso no quiere decir que tienes que renunciar completamente al vino. De vez en cuando debes tomar un poco por el

bien de tu estómago, del que a cada rato estás enfermo.) [24]Hay individuos, aun pastores, que viven en pecado y todo el mundo lo sabe. En un caso así uno puede intervenir. Pero hay pecados ocultos que sólo en el día del juicio saldrán a la luz. [25]Por otro lado muchos conocen las buenas obras de algunos pastores, pero hay cosas bien hechas que no se sabrán sino hasta mucho después.

6 LOS ESCLAVOS CRISTIANOS deben respetar a sus amos y ser trabajadores. ¡Que nunca se diga que un cristiano es haragán! ¡Que el nombre de Dios y su doctrina nunca queden en ridículo por esto!

[2]Si un esclavo cristiano tiene un amo que es cristiano también, no por eso debe trabajar menos. Al contrario, debe pensar que con su trabajo está ayudando a un hermano en la fe.

Enseña estas verdades, Timoteo, y exhorta a ponerlas en práctica. [3]Algunos lo negarán, pero éstas son las puras y saludables enseñanzas del Señor Jesucristo, y el fundamento de la vida cristiana. [4,5]El que enseñe otra cosa es un orgulloso y un ignorante, porque está interpretando a su manera el significado de las palabras de Cristo y suscitando argumentos que dan lugar a envidias, pleitos, ofensas y desconfianzas. Tales porfiados tienen la mente tan torcida por el pecado que no saben cómo decir la verdad; para ellos el evangelio es simplemente un gran negocio, una fuente de ganancia.

¡Apártate de ese tipo de gente! [6]Sí, en la religión uno puede hallar la mayor de las riquezas: la de ser feliz con lo que tiene. [7]Después de todo, nada trajimos a este mundo y nada podremos llevarnos al morir. [8]Mientras tengamos ropa y comida, debemos estar contentos. [9]Los que anhelan volverse ricos a veces hacen cualquier cosa por lograrlo, sin darse cuenta que ello puede dañarlos, corromperles la mente y por fin enviarlos al mismo infierno. [10]¡El amor al dinero es la raíz de todos los males! Hay quienes han dejado a Dios por correr tras las riquezas y al fin se han visto traspasados de infinitos dolores.

[11]Tú, Timoteo, eres un hombre de Dios. Huye de estas cosas y dedícate de lleno a lo que es justo y bueno, aprendiendo a confiar en El, a amar a los demás y a ser paciente y manso. [12]Lucha por Dios. Echa mano de la vida eterna que Dios te ha dado y que has confesado con tanto ardor ante tantos testigos. [13]Te ordeno en el nombre de Dios, que da vida a todas las cosas, y en el nombre de Jesucristo, quien tan valerosamente dio testimonio delante de Poncio Pilato, [14]que hagas lo que El te ha mandado hacer, para que vivas irreprochablemente hasta el día en que nuestro Señor Jesucristo regrese. [15]Porque a su debido tiempo Cristo vendrá; así lo permitirá el bienaventurado único Dios todopoderoso, Rey de reyes y Señor de señores, [16]el único inmortal, que vive y habita en luz tan deslumbrante que ningún humano puede acercársele y a quien ningún hombre ha visto ni verá jamás. A El sea la honra y el poder sempiterno. Amén.

[17]Di a los ricos que no sean orgullosos y que no depositen sus esperanzas en las efímeras riquezas de este mundo sino en Dios vivo, quien siempre nos proporciona todas las cosas en abundancia para que las disfrutemos. [18]Que empleen el dinero en hacer el bien, que se enriquezcan en buenas obras y que compartan lo que Dios les ha dado con los que están en necesidad. [19]De esta forma estarán acumulando en el cielo un verdadero tesoro para sí mismos. ¡Es la única inversión eternamente segura! A la vez, estarán llevando en este mundo una vida cristiana fructífera.

[20]Oh Timoteo, no dejes de cumplir con lo que Dios te ha encomendado. Evita las necias discusiones con los que se jactan de "conocimientos" que a todas luces no tienen. [21]Algunos de estos individuos se han apartado de lo que es más importante en la vida: conocer a Dios. Que Dios te bendiga.

Sinceramente,
Pablo

2 TIMOTEO

1 REMITENTE: PABLO, APÓSTOL de Jesucristo que Dios envió a anunciar a la humanidad la promesa divina de otorgar la vida eterna a los que depositen su fe en Jesucristo.

²*Destinatario:* Timoteo, mi amado hijo. Que Dios el Padre y Jesucristo nuestro Señor derramen en ti su gracia, su misericordia y su paz.

³¡Doy gracias a Dios por ti, Timoteo! No hay día que no eleve oraciones a tu favor, y en mis largas noches de desvelo pido al Dios de mis padres y mío, al Dios que deseo agradar con toda el alma, que te bendiga ricamente. ⁴Cuando recuerdo las lágrimas que derramaste en nuestra despedida, anhelo experimentar la indecible alegría de volver a verte. ⁵¿Cómo he de olvidar la sinceridad de tu fe, que es comparable a la de tu madre Eunice y a la de tu abuela Loida? Estoy seguro de que en nada has cambiado.

⁶Si es así, te aconsejo que avives el vigor y la osadía que Dios te dio cuando te puse las manos encima y te bendije. ⁷El Espíritu Santo, don de Dios, no quiere que temamos a la gente, sino que tengamos fortaleza, amor y templanza en nuestro trato con la humanidad. ⁸Si avivas ese poder que hay en ti, no temerás hablar del Señor ni proclamar el amor que te une a este amigo tuyo que está preso por la causa de Cristo. Al contrario, te sentirás capaz de sufrir conmigo por el Señor, sabiendo que El te dará fuerzas en medio de los sufrimientos. ⁹Recuerda que Dios nos salvó y escogió para su santa obra, no porque lo mereciéramos sino porque desde antes que el mundo comenzara, su plan era mostrarnos su amor y bondad a través de Cristo.

¹⁰Esto se hizo patente con la venida de nuestro Salvador Jesucristo, quien quebrantó el poder de la muerte y nos mostró que la vida perdurable se alcanza confiando en El. ¹¹Precisamente, Dios me nombró apóstol suyo, con la tarea de predicar y enseñar ese mensaje a los gentiles. ¹²Por eso padezco en prisión. Mas no me avergüenzo, porque sé en quién he creído, y estoy seguro

que puede guardar lo que le he encomendado hasta el día de su retorno. ¹³Ten por norma las sanas verdades que te enseñé, especialmente las concernientes a la fe y al amor que Cristo ofrece. ¹⁴Guarda bien las espléndidas habilidades que Dios te dio mediante el Espíritu Santo que mora en nosotros. ¹⁵Como sabrás, los cristianos de la provincia de Asia que vinieron conmigo me han abandonado, aun Figelo y Hermógenes. ¹⁶Que el Señor bendiga a Onesíforo y a toda su familia, porque muchas veces me confortó. Sus visitas me revivificaban como brisa fresca. Nunca se avergonzó de que yo estuviera preso; ¹⁷al contrario, cuando estuvo en Roma me buscó por todas partes y por fin me halló. ¹⁸Que el Señor le conceda bendiciones extraordinarias el día en que Cristo retorne. Tú sabes mejor que yo lo mucho que me ayudó en Efeso.

2 TIMOTEO, HIJO MIO, aprópiate de la fuerza que Jesucristo da. ²Lo que me has oído decir en presencia de muchos, enséñalo a hombres de confianza que, a su vez, puedan enseñar a otros. ³Soporta los sufrimientos como buen soldado de Jesucristo. ⁴No te enredes en los asuntos de esta vida, porque ello no agradaría al que te tomó por soldado. ⁵Obedece las reglas que el Señor tiene establecidas en su obra, de la misma manera que el atleta obedece las reglas del deporte si no quiere ser descalificado y perder el premio. ⁶Trabaja con la misma dedicación con que trabaja el agricultor que recibe mejor beneficio si obtiene una mejor cosecha. ⁷Medita en estos tres ejemplos que te he puesto, y que el Señor te ayude a comprenderlos.

⁸Nunca te olvides de la maravillosa realidad de que Jesucristo, descendiente de David, fue hombre; pero a la vez fue Dios, como lo demuestra el hecho de que resucitó. ⁹Por predicar estas grandes verdades sufro penalidades y me tienen en la cárcel como a un malhechor. Por dicha, aunque estoy encadenado, la Palabra de Dios no lo está. ¹⁰Por eso estoy dispuesto a sufrir si con

ello alcanzan la salvación y la gloria eterna los que Dios ha escogido. ¹¹Me alienta una gran verdad: Si sufrimos y morimos con Cristo, viviremos con El en el cielo. ¹²Nuestros sufrimientos podrán ser grandes, pero si nos mantenemos firmes reinaremos con El. Si nos damos por vencidos frente al sufrimiento y nos ponemos en contra de Cristo, El se pondrá también en contra nuestra. ¹³Si en nuestra debilidad faltamos a la fe, El se mantiene fiel a nosotros y nos ayuda; no puede abandonarnos porque somos partes de El mismo.

¹⁴Enseña esto y encarga en el nombre del Señor que no discutan las cosas que no tienen importancia. Tales discusiones lo único que hacen es dañar y confundir a los oyentes.

¹⁵Procura diligentemente presentarte ante Dios, aprobado como obrero que no tiene de qué avergonzarse porque sabe analizar y exponer correctamente la Palabra de Dios. ¹⁶Apártate de las discusiones necias, pues suelen hacer caer a la gente en el pecado del enojo. ¹⁷En las discusiones a veces se dicen cosas que durante largo tiempo carcomen como gangrena. Por meterse en tales discusiones, Himeneo y Fileto ¹⁸se desviaron de la verdad; ahora dicen que la resurrección de los muertos ya se efectuó, y con ello han debilitado la fe de algunos crédulos. ¹⁹Pero la verdad de Dios es un cimiento que se mantiene firme con esta doble inscripción: *"El Señor conoce a los que de veras son suyos, y el que se llame cristiano debe apartarse del mal".*

²⁰En una casa rica no sólo hay utensilios de oro y plata sino también de madera y barro. Los más caros se dedican a las visitas, y los más baratos se usan en la cocina como depósitos de basura. ²¹Si te mantienes alejado del pecado, serás como vasija de oro purísimo —lo mejor de la casa— que Cristo podrá usar para sus más elevados propósitos.

²²Huye de las cosas que suelen provocar malos pensamientos en las mentes juveniles, y apégate a lo que provoque en ti el deseo de hacer el bien. Ten fe y amor, y disfruta el compañerismo de los que aman al Señor y tienen corazones puros. ²³Repito: No te metas en discusiones tontas, pues sabes bien que engendran riñas. ²⁴Al siervo del Señor no le conviene reñir, sino ser amable y paciente maestro de los que andan en error. ²⁵,²⁶Con mansedumbre, trata de corregir a los que están confundidos, porque si les hablas con dulzura y cortesía, es posible que con la ayuda de Dios abandonen las ideas erradas y crean la verdad. De esta manera, volviendo en sí, escaparán de los lazos satánicos que los mantienen esclavizados al pecado.

3 TAMBIÉN DEBES SABER, Timoteo, que en los últimos tiempos va a ser muy difícil ser cristiano. ²La gente amará sólo el dinero y a sí misma; serán orgullosos, jactanciosos, blasfemos, desobedientes a sus padres, e impíos. ³Tan duros de corazón serán que jamás cederán ante los demás; serán mentirosos, chismosos, inmorales, duros, crueles, y se burlarán de los que intenten hacer el bien. ⁴Traicionarán a sus amigos; serán iracundos, orgullosos y preferirán divertirse antes que adorar a Dios. ⁵Irán a la iglesia, sí, pero en el fondo no creerán lo que oyen.

No se dejen engañar por este tipo de individuos, ⁶porque son de los que se introducen en casas ajenas y se ganan la amistad de mujeres tontas y cargadas de pecado ⁷que gustan de correr en pos de lo que es novedoso en materia doctrinal, pero nunca llegan a captar la verdad. ⁸Así como Janes y Jambres combatieron a Moisés, estos individuos combaten la verdad; son personas de mentes sucias, depravadas y torcidas, que se han puesto en contra de la fe cristiana. ⁹Ah, pero no siempre se saldrán con la suya. Un día el engaño quedará al descubierto, de la misma manera que quedó al descubierto el pecado de Janes y Jambres.

¹⁰Tú, que me has observado bien, sabes que no soy de ese tipo de personas. Sabes cuáles han sido siempre mi conducta, mis creencias y mis propósitos. Conoces mi fe en Cristo y cuánto he sufrido por El. Sabes el amor que te profeso y mi paciencia. ¹¹Sabes cuántas dificultades he tenido que afrontar por predicar el evangelio, especialmente en Antioquía, Iconio y Listra; pero el Señor siempre me ha librado. ¹²¡Quienquiera que desee vivir piadosamente para Cristo Jesús, sufrirá a manos de los enemi-

gos del Señor! [13]Es más, los hombres perversos y los maestros falsos serán más perversos y falsos cada día, y seguirán engañando a muchos, pues ellos mismos han sido engañados por Satanás. [14]Pero tú sigue firme en lo que has aprendido. Ya sabes que lo que se te ha enseñado es la verdad, pues has podido comprobar la integridad de tus maestros. [15]Además, desde la niñez conoces las Sagradas Escrituras, y éstas te dieron la sabiduría que se necesita para alcanzar la salvación mediante la fe en Cristo Jesús. [16]La Biblia entera nos fue dada por inspiración de Dios y es útil para enseñarnos la verdad, hacernos comprender las faltas cometidas en la vida y ayudarnos a llevar una vida recta. [17]Ella es el medio que Dios utiliza para capacitarnos plenamente para hacer el bien.

4 POR LO TANTO, te encarezco ante Dios y ante Jesucristo —quien juzgará a los vivos y a los muertos cuando venga a establecer su reino— [2]que con urgencia prediques la Palabra de Dios; que lo hagas a tiempo y fuera de tiempo, cuando convenga y cuando no convenga. Convence, aconseja, reprende si es necesario, insta a hacer el bien; y en todo tiempo, con paciencia, proporciona a tu pueblo el alimento espiritual de la Palabra de Dios. [3]Porque llegará el momento en que la gente no querrá escuchar la verdad, sino que correrán en pos de maestros que les digan lo que desean oír. [4]En vez de escuchar lo que la Biblia dice, correrán ciegamente tras sus errados conceptos. [5]Por eso, mantente despierto, vigilante. No temas sufrir por el Señor. Gana almas para Cristo. Cumple con tus deberes. [6]Ya pronto no podré ayudarte. No me queda mucho tiempo. Dentro de poco seré ofrecido en sacrificio y partiré a estar con el

Señor. [7]He batallado larga y arduamente por El, y me he mantenido fiel; ya he llegado al final de la carrera y pronto descansaré. [8]En el cielo me espera una corona, y el Señor, juez justo, me la dará en aquel gran día de su retorno. Y no sólo a mí, sino a todos los que esperan ansiosos su venida.

[9]Por favor, ven pronto a verme, [10]porque Demas me abandonó por amor a las cosas de este mundo y se fue a Tesalónica. Crescente se fue a Galacia, y Tito a Dalmacia. [11]Sólo Lucas está conmigo. Trae a Marcos cuando vengas, porque lo necesito. [12]Tíquico tampoco está aquí, porque lo mandé a Efeso. [13]Acuérdate de traerme la capa que dejé en Troas en casa de Carpo, y también los libros, especialmente los pergaminos.

[14]Alejandro el herrero me ha hecho mucho daño. Que el Señor lo castigue. [15]Cuídate de él, pues se ha opuesto tenazmente a nuestra predicación.

[16]La primera vez que comparecí ante el juez nadie me defendió. Me desampararon por completo. Espero que esto no se les tome en cuenta. [17]Pero el Señor estuvo a mi lado y aproveché la oportunidad que se me concedía para predicar un sermón que todos oyeron. Dios me libró de la boca de los leones, [18]así como me librará de todo mal y me llevará a su reino celestial. A El sea la gloria por los siglos de los siglos. Amén.

[19]Saluda en nombre mío a Priscila y a Aquila, y a los de la casa de Onesíforo. [20]Erasto se quedó en Corinto, y a Trófimo lo dejé enfermo en Mileto. [21]Trata de venir antes del invierno. Eubulo te manda saludos, así como Pudente, Lino, Claudia y los demás hermanos. [22]Que el Señor Jesucristo esté con tu espíritu, y que Dios los bendiga.

Sinceramente,
Pablo

TITO

1 REMITENTE: PABLO, ESCLAVO y mensajero que Jesucristo envió a llevar la fe a los escogidos de Dios y a enseñarles las verdades divinas —verdades que transfor-

man vidas—, para que obtengan la vida eterna que Dios, que no puede mentir, prometió desde antes de la creación del mundo. [3]Ahora, a su debido tiempo, ha revelado estas Buenas Noticias que, por mandato de Dios nuestro Salvador, me ha sido encomendado proclamar.

[4]*Destinatario:* Tito, verdadero hijo mío en la fe del Señor.

Que Dios el Padre y Cristo Jesús nuestro Salvador te den bendiciones y paz.

[5]Como recordarás, te dejé en la isla de Creta · para que buscaras la manera de fortalecer a las iglesias, y te pedí que nombraras pastores en cada lugar, que siguieran las instrucciones que te di. [6]Pues bien, los hombres que escojas deben ser irreprochables y deben tener sólo una esposa; sus hijos han de amar al Señor y no han de tener fama de disolutos y desobedientes.

[7]Es necesario que el pastor, como ministro de Dios, sea irreprensible. No debe ser arrogante ni colérico, no debe ser dado a la bebida, ni a las riñas, ni codicioso. [8]Debe ser hospitalario, amigo del bien, sensato, justo y poseedor de mente limpia y de dominio propio. [9]Su fe en las verdades que hemos enseñado debe ser fuerte y firme, para que pueda enseñarlas y convencer a los que contradicen. [10]Porque hay muchos que le negarán obediencia, especialmente entre los que dicen que los cristianos deben guardar las leyes judaicas. Como esto es insensatez y engaño, [11]es preciso taparles la boca, pues en su afán por ganar dinero enseñando lo que no deben, ya han apartado de la verdad a varias familias.

[12]Un profeta de la isla de Creta dijo lo siguiente de sus propios compatriotas: "los cretenses son siempre mentirosos, malas bestias, glotones y perezosos". [13]Y dijo la verdad. Por eso, reprende con severidad a los cristianos, para que se robustezcan en la fe, [14]y no den oído a las fábulas judaicas ni a mandamientos de individuos que se han alejado de la verdad. [15]El que es puro de verdad todo lo ve bueno y puro; pero los que tienen el corazón podrido y lleno de incredulidad lo ven todo malo, porque su mente y su conciencia corrompidas desfiguran lo que ven. [16]Dicen que conocen a Dios, pero en la práctica demuestran no conocerlo. Son corruptos, desobedientes e incapaces de hacer lo bueno.

2 PERO TÚ CONVIÉRTETE en paladín de la pureza de vida que concuerda con el verdadero cristianismo. [2]Enseña a los ancianos a ser sobrios, serios y prudentes; a conocer la verdad y a hacerlo todo con amor y paciencia. [3]Las ancianas deben ser calladas y respetables, no dadas a las habladurías ni a la bebida. Al contrario, deben vivir como cristianas ejemplares y ser maestras del bien. [4]Han de enseñar a las jóvenes a amar a sus esposos e hijos, [5]a ser prudentes y puras, a cuidar del hogar y a ser dulces y obedientes con sus esposos, para que nadie hable mal del cristianismo por culpa de ellas.

[6]De igual manera, exhorta a los jóvenes a ser prudentes y a tomar la vida en serio. [7]En esto tienes que darles el ejemplo. Procuren que sus actos demuestren que aman la verdad y que se han entregado por completo a ella. [8]Su conversación ha de ser tan sensata y lógica que el que discuta con ustedes se avergüence al no encontrar en sus palabras nada que criticar.

[9]Insta a los esclavos a obedecer a sus amos y a tratar de complacerlos; aconséjales que no sean respondones, [10]que no roben, demostrando así que son dignos de toda confianza. De esta manera serán ejemplo vivo y hermoso del fruto de las enseñanzas de nuestro Salvador y Dios.

[11]Sí, enseña esto, porque al aceptar la salvación eterna, que es un don de Dios que está siendo ofrecido a todo el mundo, [12]hemos de darnos cuenta que Dios quiere que nos apartemos de la impiedad y de los placeres pecaminosos y que vivamos en este mundo una vida sobria, justa y piadosa, [13]con la mirada puesta en el día en que se cumpla la bendita promesa y se manifieste la gloria de nuestro gran Dios y Salvador Jesucristo. [14]El se entregó a la muerte (castigo que por nuestros pecados merecíamos) para poder rescatarnos de nuestras iniquidades y convertirnos en un pueblo que fuera suyo, en un pueblo de corazón limpio que ansía sobre todas las cosas hacer el bien.

[15]Tienes que enseñar esto y exhortar a tu pueblo a ponerlo en práctica. Si es necesario, repréndelos, pues tienes autoridad para hacerlo. ¡No permitas que nadie reste importancia a tus palabras!

3 RECUÉRDALES QUE HAN de someterse al gobierno y a las autoridades, que han de ser obedientes y que deben estar siempre dispuestos a realizar cualquier trabajo honrado. [2]Diles que nunca hablen mal de nadie; que no peleen, sino que sean amables y atentos con todo el mundo.

[3]También nosotros éramos antes insensatos y desobedientes; con facilidad nos descarriábamos y vivíamos esclavos de los placeres y de los deseos pecaminosos. Estábamos llenos de rencor y envidia. Odiábamos a los demás y ellos nos odiaban a nosotros. [4]Pero cuando la bondad y el amor de Dios nuestro Salvador se manifestó, [5]obtuvimos la salvación; pero no porque fuéramos tan buenos que la mereciéramos, sino porque en su bondad y en su misericordia Dios nos lavó los pecados y nos dio una nueva vida por medio del Espíritu Santo [6]que vertió abundantemente en nosotros, gracias a la obra de Jesucristo nuestro Salvador, [7]a fin de poder declararnos justos ante Dios. En virtud de esto que en su gracia nos concedió, somos herederos de las riquezas de la vida eterna, riquezas que con ansias esperamos alcanzar.

[8]Cuanto te he dicho es cierto. Insiste en estas cosas, para que los cristianos se ocupen de hacer siempre el bien. Esto no sólo es correcto sino provechoso.

[9]Nunca discutas cuestiones necias ni conceptos teológicos raros. Evita las polémicas sobre si se debe obedecer o no las leyes judaicas, porque no vale la pena y es más bien perjudicial.

[10]Al que cause divisiones en la iglesia se le debe amonestar una o dos veces. Después, déjalo a un lado, [11]porque la gente así tiene conceptos variables y peca a sabiendas.

[12]Estoy pensando enviarte a Artemas o a Tíquico. Tan pronto como uno de ellos llegue, procura encontrarte conmigo en Nicópolis, donde he decidido pasar el invierno. [13]Trata de ayudar a Zenas el abogado y a Apolos en el viaje que tienen que realizar. Ocúpate de que nada les falte, [14]porque los nuestros deben aprender a ayudar a los que están en necesidad, pues así tendrán fruto en la vida.

[15]Todos los que están conmigo te mandan saludos. Salúdame a nuestros amados hermanos de allí. Que Dios los bendiga.

Sinceramente,
Pablo

FILEMON

1 REMITENTES: PABLO, PRISIONERO por predicar las Buenas Nuevas de Jesucristo; y el hermano Timoteo.

Destinatarios: Filemón, nuestro muy amado colaborador, [2]y la iglesia que se reúne en su casa, además de nuestra querida hermana Apia y de Arquipo, quien como nosotros es soldado de la cruz.

[3]Que Dios nuestro Padre y el Señor Jesucristo derramen en ustedes bendiciones y paz.

[4]Siempre doy gracias a Dios al orar por ti, Filemón, [5]porque a menudo me hablan del amor y de la fidelidad que profesas al Señor y a los cristianos en general. [6]Ruego a Dios que al impartir tu fe a otros, ésta se apodere de sus vidas al comprender plenamente que las abundantes cualidades que hay en ti provienen de Jesucristo. [7]Yo mismo he hallado gran gozo y consuelo en tu amor, hermano mío; y muchas veces los corazones de los cristianos han hallado refrigerio en tu bondad.

[8,9]Hoy, aunque bien podría ordenártelo en el nombre del Señor, ya que se trata de algo que conviene, yo Pablo, anciano ya y preso por la causa de Cristo, [10]deseo por amor, suplicarte que te apiades de mi hijo Onésimo, a quien gané para el Señor en mis prisiones.

[11]Onésimo (Util) no te ha sido demasiado útil en el pasado, pero ahora nos va a ser útil a ti y a mí. [12]Te lo estoy mandando de regreso, y con él te envío mi propio corazón. [13]Hubiera querido retenerlo conmigo en este lugar en que guardo prisión por predicar el evangelio, pues así me habría ayudado en lugar tuyo, [14]pero pre-

ferí no hacerlo sin tu consentimiento, pues no me gustan los favores forzados.

[15]El problema de Onésimo quizás podría enfocarlo de la siguiente manera: huyó de ti precisamente para que lo recuperaras para siempre, [16]y ya no como esclavo sino como algo mucho mejor: como hermano amado. Para mí, eso es él: un hermano querido. Ahora tienes por qué apreciarlo mucho más, porque no sólo es tu siervo sino también tu hermano en Cristo.

[17]Si de veras eres amigo mío, recíbelo con el mismo afecto con que me recibirías si fuera yo el que llegara. [18]Si te hizo algún mal o si te robó algo, cárgalo a mi cuenta. [19](Yo, Pablo, lo pagaré; y para constancia lo escribo con mi puño y letra.) ¡No creo que sea necesario recordarte que tú a mí me debes hasta el alma!

[20]Sí, querido hermano, alégrame con este gesto de amor que te pido, y mi cansado corazón alabará al Señor. [21]Te he escrito esta carta porque estoy seguro que harás lo que te pido y mucho más. [22]Ten una habitación lista para mí, pues espero que Dios contestará tus oraciones y permitirá que pronto vaya a verte.

[23]Epafras, mi compañero de prisión (pues también él está preso por predicar a Jesucristo), te saluda. [24]Marcos, Aristarco, Demas y Lucas, mis colaboradores, te envían saludos también.

[25]Que las bendiciones de nuestro Señor Jesucristo inunden tu espíritu.

Sinceramente,
Pablo

HEBREOS

1 EN EL PASADO Dios habló a nuestros padres muchas veces y de muchas maneras a través de los profetas (en visiones, sueños, y aun cara a cara), y les fue revelando poco a poco sus planes. [2]Pero en estos últimos tiempos nos ha hablado a través de su Hijo, a quien instituyó heredero de todas las cosas y por quien creó el universo entero, [3]y el Hijo, que es el resplandor de la gloria de Dios y la imagen misma del Altísimo, y quien regula el universo con su poderosa palabra, después de morir para purificarnos y borrar nuestros pecados se sentó en el sitio del más alto honor junto al gran Dios del cielo.

[4]Con esto demostraba ser superior a los ángeles y ser digno de ostentar el título de "Hijo de Dios" que el Padre mismo le había dado, título superior a cualquier título o nombre angelical. [5,6]Porque Dios jamás dijo a ningún ángel: "Tú eres mi Hijo, y hoy te he dado el honor que corresponde a tal título". Sin embargo, se lo dijo a Jesús. Y en otra ocasión dijo de El: "Yo soy su Padre y El es mi Hijo". Y cuando su único Hijo bajó a este mundo, dijo: "Adórenlo todos los ángeles de Dios".

[7]Dios llama a los ángeles "mensajeros veloces como el viento" y "llamas de fuego". [8]Pero de su Hijo dice: "Tu reino, oh Dios, es eterno; tu gobierno es siempre justo y recto. [9]Amas lo recto y odias lo malo; y por eso Dios, el Dios tuyo, te ha dado más alegría que a los demás". [10]Y lo llamó "Señor" cuando dijo: "Tú, oh Señor, en el principio hiciste la tierra, y los cielos son obra de tus manos. [11]Estos un día desaparecerán, pero tú permanecerás para siempre. Un día ya habrán envejecido como ropa, [12]y los doblarás como se dobla un vestido y los cambiarás por otros. Pero tú no cambiarás nunca y tus años jamás terminarán". [13]Y ¿dijo alguna vez Dios a un ángel, como dice a su Hijo: "Siéntate en el sitio de honor junto a mí hasta que ponga a tus enemigos bajo tus pies"? [14]No; porque los ángeles son tan sólo espíritus mensajeros que Dios envía a ayudar y a cuidar a los que han de recibir la salvación.

2 POR LO TANTO, es necesario que prestemos esmerada atención a las verdades que hemos oído, no vaya a ser que nos extraviemos. [2]Porque si el mensaje de los ángeles fue tan firme que cualquier desobediencia fue castigada, [3]¿cómo se nos ocurre que podremos escapar si somos indiferentes a la gran salvación que el Señor Jesucristo mismo anunció y que llegó a nosotros a través de los que en persona lo oyeron? [4]Además, Dios ha confirmado la veracidad de dicho mensaje por medio de señales, prodigios y diversos milagros, y por medio de los dones extraordinarios del Espíritu Santo concedidos, según su voluntad, a los que creen.

[5]El mundo del futuro a que nos estamos refiriendo no estará regido por ángeles. [6]Porque en el libro de los Salmos David dijo a Dios:

"¿Qué es el hombre para que de él te ocupes? Y ¿quién es ese Hijo del Hombre a quien tanto honor concedes? [7]Porque aunque durante un breve tiempo lo hiciste un poco inferior a los ángeles, luego lo coronaste de gloria [8]y le diste autoridad sobre cuanto existe, sin excepción alguna".

Todavía no vemos que esto último se haya cumplido, [9]pero vemos a Jesús quien por breve tiempo fue menor que los ángeles, ostentando la corona de gloria y honor que Dios le dio por haber padecido la muerte por nosotros. Sí, en su gran amor hacia la humanidad, Dios quiso que Jesús gustara la muerte para bien de todos.

[10]Convenía en verdad que Dios, quien lo creó todo para gloria suya, permitiera los padecimientos de Jesús, porque por aquellos padecimientos Jesús se convertía en un guía perfecto, capaz de llevar a la salvación a una vasta multitud de hijos de Dios.

[11]Nosotros, los que hemos sido santificados por Jesús, ahora tenemos como Padre al Padre de Jesús. Por eso El no se avergüenza de llamarnos hermanos [12]cuando en el libro de los Salmos dice:

Hablaré de ti a mis hermanos y juntos te cantaremos alabanza.

[13]Y en otra ocasión dice:

Confiaré en Dios junto con mis hermanos.

Y en otra dice:

Heme aquí con los hijos que Dios me dio.

[14]Como nosotros, los hijos de Dios, somos seres de carne y hueso, Cristo nació como ser humano de carne y hueso también; porque sólo siendo un ser humano podía morir y destruir al que tenía el imperio de la muerte: el diablo. [15]Sólo así podía librar a los que vivían siempre en esclavitud por temor a la muerte.

[16]Sabemos que El no vino como ángel, sino como ser humano, como judío. [17]Era necesario que fuera en todo como nosotros sus hermanos, pues sólo así podía ser misericordioso y fiel sumo sacerdote nuestro ante Dios (misericordioso para con nosotros y fiel para con Dios) al expiar los pecados del pueblo. [18]Y puesto que El mismo experimentó lo que es sufrimiento y tentación, sabe lo que esto significa y puede socorrernos maravillosamente en nuestros sufrimientos y en nuestras tentaciones.

3 POR LO TANTO, hermanos míos que Dios ha apartado para sí, nosotros los que hemos sido escogidos para ir al cielo debemos pensar ahora en Jesús, apóstol y sumo sacerdote de nuestra fe. [2]Porque Jesús fue fiel a Dios quien lo nombró sumo sacerdote, de la misma manera que Moisés fue fiel en su servicio en la casa de Dios.

[3]Pero Jesús tiene mucho mayor gloria que Moisés, porque siempre el que construye una casa tiene más gloria que la casa misma. [4]Y muchos podrán construir casas, pero Dios es el arquitecto de todo cuanto existe.

[5]Pues bien, Moisés fue fiel en su trabajo en la casa de Dios, pero no era más que un siervo; además, su obra tenía como único objetivo ilustrar e insinuar los acontecimientos que habrían de producirse en el futuro. [6]En cambio, Cristo es el Hijo de Dios y, como tal, tiene plena autoridad sobre la casa de Dios. Y nosotros los cristianos somos la casa de Dios —¡y El vive en nosotros!— si hasta el fin mantenemos nuestra entereza y la jubilosa satisfacción de la esperanza que tenemos.

[7,8]Como Cristo es tan superior, el Espíritu Santo nos dice que si hoy escucháis su voz no debemos endurecer el corazón como lo hicieron los israelitas cuando se quejaron contra El mientras en el desierto los probaba. [9]Pero a pesar de las tantas veces que los israelitas pusieron a prueba su paciencia, el Señor nunca la perdió y estuvo cuarenta años realizando milagros entre ellos. [10]"Sin embargo —dijo el Señor—, me enojé con ellos porque miraban a todas partes menos a mí, y en consecuencia jamás encontraron el camino que

yo quería que siguieran". ¹¹Entonces, airado contra ellos, Dios juró que no entrarían al reposo que les tenía preparado.

¹²Por lo tanto, miren, hermanos, y no tengan un corazón incrédulo y perverso que los esté apartando del Dios vivo. ¹³Exhórtense todos los días mientras les quede tiempo, para que ninguno se endurezca contra Dios, cegado por el esplendor del pecado. ¹⁴Porque si somos fieles hasta el fin, si confiamos en Dios como al principio de nuestra conversión al cristianismo, participaremos de las riquezas de Cristo. ¹⁵Pero ahora es el momento. Recuerden aquello que dice: "Si hoy oyen la voz de Dios, no endurezcan su corazón como lo endurecieron los israelitas en el desierto cuando se rebelaron contra Él". ¹⁶Y ¿quiénes fueron los que a pesar de haber escuchado la voz de Dios se rebelaron contra Él? Los que escaparon de Egipto comandados por Moisés. ¹⁷Y ¿contra quiénes estuvo enojado Dios durante aquellos cuarenta años? Contra los que, por haber pecado, murieron en el desierto. ¹⁸Y ¿a quiénes se refería Dios cuando juró que no entrarían a la tierra que había prometido a su pueblo? Se refería a los que lo habían desobedecido. ¹⁹Y ¿por qué no pudieron entrar? Porque no confiaban en Él.

4 AUNQUE TODAVÍA LA promesa de Dios permanece en pie y podemos entrar a descansar con Él, debe sobrecogernos de espanto la posibilidad de que algunos no puedan entrar a su reposo. ²Porque el mensaje glorioso de que Dios desea salvarnos ha sido anunciado a nosotros de la misma manera que fue anunciado a los contemporáneos de Moisés. A ellos el mensaje no les fue de ningún provecho porque no lo creyeron. Les faltaba fe, ³y sólo los que tienen fe pueden entrar en el reposo de Dios. Dios ha dicho: "Juré en mi ira que los que no creyeron en mí jamás entrarán", aunque desde antes de la creación del mundo ya lo tenía todo listo y los estaba aguardando. ⁴Sabemos que ya lo tenía todo listo y les aguardaba porque dicen las Escrituras que Dios descansó el séptimo día de la creación, tras haber terminado lo que se había propuesto. ⁵Sin embargo, aquellos israelitas no entraron porque Dios dijo definitivamente:

"No entrarán en mi reposo".

⁶Ahora bien, puesto que la promesa está en pie y algunos faltan por entrar al reposo de Dios —aunque no los que ya tuvieron la oportunidad de entrar y no la aprovecharon por incrédulos—, ⁷el Señor volvió a señalar un día de entrada, y lo anunció por medio del rey David siglos después de aquellos incidentes en el desierto. Dicho anuncio consiste en las palabras que ya citamos: "Si hoy oyen la voz de Dios, no endurezcan su corazón". ⁸El nuevo lugar de reposo ya no es el territorio que los israelitas conquistaron dirigidos por Josué. Si así fuera, Dios no habría dicho mucho después: "Hoy es el momento de entrar". ⁹Por lo tanto, todavía queda un reposo para el pueblo de Dios. ¹⁰Cristo ya entró en él, y allí reposa de la misma manera que Dios reposó después de la creación.

¹¹Pongamos, pues, empeño en entrar también en aquel reposo; cuidémonos de no desobedecer a Dios como lo desobedecieron los israelitas. ¹²Porque la palabra de Dios es viva y poderosa, es más cortante que una espada de dos filos y penetra hasta nuestros más íntimos pensamientos poniendo de manifiesto lo que en verdad somos. ¹³No existe en ningún lugar alguien que Él no conozca. Todo lo que somos está desnudo y abierto a los ojos del Dios vivo; nada puede esconderse de Aquél a quien tendremos que dar cuentas de nuestros hechos.

¹⁴Pero en Jesús, el Hijo de Dios, tenemos un gran sumo sacerdote que subió al mismo cielo a ayudarnos. Nunca dejemos de confiar en Él. ¹⁵Nuestro sumo sacerdote entiende nuestras debilidades, porque un día pasó por las tentaciones que a diario pasamos, si bien es cierto que nunca cedió a las mismas y por lo tanto nunca cometió pecado. ¹⁶Acerquémonos, pues, confiadamente al trono de Dios y hallemos allí misericordia y gracia para el momento en que lo necesitemos.

5 EL SUMO SACERDOTE judío es un hombre como otro cualquiera, a quien le ha sido encomendada la tarea de representar a los demás ante el trono de Dios. ²,³Es él el que presenta a Dios las ofrendas y la sangre de animales ofrecidos en expiación por el pecado del pueblo y el suyo propio. Puesto que es hombre y como tal tiene que hacer frente al pecado que lo rodea, puede ser comprensivo aun con los hombres más insensatos e ignorantes.

⁴Nadie puede hacerse sumo sacerdote por su propia cuenta. Al sumo sacerdote lo escoge Dios, como en el caso de Aarón. ⁵Ni siquiera Cristo eligió por sí mismo ser sumo sacerdote. Dicen las Escrituras que en cierta ocasión Dios, refiriéndose a su elección como sumo sacerdote, le dijo: "Hijo mío, yo te he engendrado hoy". ⁶Y en otra ocasión le dijo: "Tú has sido elegido sacerdote eterno con el mismo rango de Melquisedec".

⁷Sin embargo, estando todavía en la tierra, con lágrimas y agonía de espíritu, Cristo ofreció ruegos y súplicas al único que podía librarlo de una muerte "prematura".ª Y Dios escuchó sus oraciones en virtud de su ferviente deseo de obedecer a Dios en todo tiempo. ⁸¡Aun Jesús, el Hijo de Dios, tuvo que aprender por experiencia lo que es obedecer cuando la obediencia implica sufrimiento! ⁹Fue después de haber demostrado su perfección a través de esta experiencia que Jesús llegó a ser el que da la salvación eterna a los que lo obedecen. ¹⁰Porque Dios lo había nombrado sumo sacerdote del mismo rango de Melquisedec.

¹¹Quisiera decirles mucho más sobre este asunto; pero sé que, como no quieren entender, me va a ser un poco difícil explicar. ¹²,¹³Con el tiempo que ya llevan de cristianos debían poder enseñar a otros; sin embargo han retrocedido tanto que hay que enseñarles de nuevo hasta los más sencillos principios de la Palabra de Dios. Se han debilitado tanto que, como niños, tienen que tomar leche sola en vez de alimentos sólidos. Esto demuestra que no han progresado mucho en la vida cristiana y que todavía no saben diferenciar entre el bien y el mal. ¡Todavía son ustedes cristia-

nos recién nacidos! ¹⁴No podrán ingerir alimentos espirituales sólidos ni entender las más profundas verdades de la Palabra de Dios mientras no sean mejores cristianos y aprendan a distinguir entre lo que es bueno y lo que es malo por medio de la práctica del bien.

6 BASTA YA DE repetir siempre lo mismo, de enseñar apenas lo más elemental del cristianismo. Sigamos adelante a otras cosas y, como cristianos sólidos, maduremos en nuestro entendimiento de las cosas de Dios. Ya hemos hablado bastante de lo inútil que es tratar de alcanzar la salvación por medio de las buenas obras, y de la necesidad de tener fe en Dios; ²ya sabemos todo lo que teníamos que saber sobre el bautismo, los dones espirituales, la resurrección de los muertos, y el juicio eterno. ³Si Dios lo permite, enfocaremos otros asuntos. ⁴Es inútil tratar de hacer volver al Señor a los que en alguna ocasión han entendido el evangelio, han gustado las cosas del cielo, han participado del Espíritu Santo, ⁵han saboreado la Palabra de Dios y los grandes poderes del mundo venidero, ⁶y luego se han vuelto contra Dios. Uno no puede llevar de nuevo a arrepentimiento a los que han crucificado de nuevo al Hijo de Dios, rechazándolo y exponiéndolo a burla y afrenta pública. ⁷Si sobre un terreno llueve mucho y éste proporciona una buena cosecha a sus propietarios, aquel terreno recibe bendición de Dios. ⁸Pero si lo único que produce es espinos y abrojos, se le considera un mal terreno y se le condena al fuego.

⁹Pero, amados míos, aunque les he hablado en estos términos, no creo que lo que he dicho se aplica a ustedes. Estoy seguro de que están produciendo los frutos propios de la salvación. ¹⁰Dios no es injusto; ¿cómo podría El olvidar el ardor con que ustedes han trabajado, o el amor que le han demos-

5a Se sobreentiende. El anhelo de Cristo era vivir hasta el momento en que moriría en la cruz por toda la humanidad. Se puede demostrar con argumentos bastante firmes que el deseo más ardiente de Satanás era que Cristo muriera antes de tiempo, antes de que efectuara la gran obra de la cruz. El cuerpo de Cristo, siendo humano, era delicado y débil como el nuestro (excepto que el suyo no tenía pecado). Pocos días antes de la experiencia del Getsemaní, Jesús había dicho: "Mi alma está muy triste, hasta la muerte". ¿Puede el cuerpo humano soportar mucho tiempo la extraordinaria tensión de espíritu que Jesús soportó en Getsemaní, tensión que le hizo sudar grandes gotas de sangre? Pero Dios, misericordioso, lo oyó y contestó su agonizante clamor ("que pase de mí esta copa") y al parecer lo salvó de una muerte inminente y prematura, enviando un ángel a fortalecerlo para que pudiera vivir y cumplir plenamente la voluntad de Dios, muriendo en la cruz.

trado y le siguen demostrando al ayudar a los demás hermanos en la fe? [11]Pero anhelamos que lo sigan amando hasta la muerte, para que puedan obtener plena recompensa. [12]Así, conscientes del porvenir, no se aburrirán de ser cristianos ni se volverán perezosos, sino que seguirán con diligencia el ejemplo de los que por fe y paciencia heredan las promesas de Dios.

[13]Fijémonos, por ejemplo, en la promesa de Dios a Abraham. Ya que no había nombre mayor por el cual jurar, Dios juró por sí mismo, [14]que bendeciría a Abraham abundante y repetidamente, que le concedería un hijo y que lo convertiría en padre de una gran nación. [15]Abraham esperó con paciencia hasta que un día Dios cumplió la promesa y le dio a Isaac. [16]Cuando un hombre jura, está apelando a alguien superior a sí mismo para que éste lo obligue a cumplir la promesa y lo castigue si se niega a cumplir. El juramento pone fin a cualquier controversia. [17]Dios se ató a un juramento para que los herederos de la promesa estuvieran absolutamente seguros del cumplimiento de la misma, y nunca se les ocurriera pensar en la posibilidad de que Dios hubiera cambiado de planes.

[18]Dos cosas hemos recibido de El: una promesa y un juramento. Con ambas podemos contar, porque es imposible que Dios mienta. Los que ahora acuden a El en busca de salvación sienten un verdadero alivio al escuchar las garantías que da Dios. [19]Esta esperanza cierta de salvación es un ancla firme y segura para el alma nuestra, y nos conecta con Dios mismo al otro lado de las sagradas cortinas del cielo, [20]donde Cristo entró como precursor, convertido ya en intercesor y sumo sacerdote nuestro con el mismo honor y rango de Melquisedec.

7 MELQUISEDEC ERA REY de la ciudad de Salem y sacerdote del Dios Altísimo. Cuando Abraham regresaba de derrotar a varios reyes, Melquisedec le salió al encuentro y lo bendijo. [2]Entonces Abraham tomó una décima parte del botín de guerra y se lo entregó.

El nombre Melquisedec quiere decir "justicia"; por lo tanto él es "rey de justicia". Además de esto es "rey de paz" porque era rey de Salem y Salem quiere decir "paz". [3]Melquisedec aparece sin padre ni madre[a] y sin el más elemental registro de antepasados. No nació ni murió. Su vida es semejante a la del Hijo de Dios; es sacerdote para siempre.

[4]Vean ustedes lo grande que era Melquisedec:

(a) Aun Abraham, nuestro muy venerable patriarca, entregó a Melquisedec una décima parte del botín tomado a los reyes vencidos. [5]Esto nada habría tenido de particular si Melquisedec hubiera sido un sacerdote judío, pues más tarde la ley exigió que el pueblo de Dios ofrendara para ayudar a los sacerdotes. [6]Pero Melquisedec no lo era y sin embargo Abraham le entregó su ofrenda.

(b) Melquisedec bendijo al poderoso Abraham. [7]Como es sabido, el que bendice es siempre mayor que la persona que recibe la bendición.

[8]*(c)* Los sacerdotes, aunque reciben diezmos, son mortales; sin embargo se nos dice que Melquisedec aún vive.

[9]*(d)* Podría decirse que Leví mismo (ascendiente de todos los que, por ser sacerdotes, reciben diezmos) dio diezmos a Melquisedec a través de Abraham. [10]Porque aunque Leví no había nacido todavía, la simiente de la que iba a nacer estaba en Abraham cuando éste le dio el diezmo a Melquisedec.

[11]*(e)* Si los sacerdotes y las leyes judaicas pueden salvarnos, ¿por qué envió Dios a Cristo como sacerdote del rango de Melquisedec, en vez de enviar a otro del rango de Aarón, que es el rango de todos los sacerdotes?

[12]Para poder enviar a un nuevo tipo de sacerdote, Dios tenía que transformar la ley. [13,14]Como sabemos, Cristo no pertenecía a la tribu sacerdotal de Leví, sino a la de Judá, tribu que no había sido escogida para el sacerdocio; Moisés nunca les asignó tal responsabilidad. [15]Está claro, pues, que el método de Dios cambió, porque Cristo, el sumo sacerdote del rango de Melquisedec

---

7a No se sabe si esto significa que Melquisedec era Cristo que se le apareció a Abraham con forma humana, o si simplemente que no se sabe quiénes fueron sus padres ni cuándo nació y murió.

que nos fue enviado, [16]no llegó al sacerdocio porque llenara el antiguo requisito de pertenecer a la tribu de Leví, sino porque en El había el poder que brota de una vida indestructible. [17]El Salmista señala esto cuando dice de Cristo: "Tú eres para siempre un sacerdote del rango de Melquisedec".

[18]Sí, el sistema de sucesión sacerdotal antiguo basado en el abolengo de los individuos quedó abolido porque no dio buen resultado. Era débil e ineficaz para la salvación de la gente; [19]jamás hizo a nadie acepto ante Dios. En cambio, ahora tenemos una esperanza extraordinariamente superior, porque Cristo nos hace aceptos ante Dios y esto nos permite acercarnos al Altísimo.

[20]Dios juró que Cristo sería siempre sacerdote, [21]cosa que nunca hizo respecto a los demás sacerdotes. Sólo de Cristo se dice: "El Señor juró, y jamás se arrepentirá, que Tú eternamente serás un sacerdote del rango de Melquisedec". [22]Gracias a este juramento de Dios, Cristo puede garantizar eternamente el feliz cumplimiento de este nuevo y mejor pacto. [23]Bajo el viejo pacto se necesitaban muchos sacerdotes, para que cuando el más viejo muriera, alguien lo sucediera en el cumplimiento de sus deberes. [24]Pero como Jesús es eterno, no necesitamos otro sacerdote. [25]El puede perfectamente salvar a los que se acercan a Dios por medio de El. Como es eterno, eternamente recordará a Dios que un día pagó con sangre nuestros pecados. [26]El es, por lo tanto, exactamente el tipo de sumo sacerdote que necesitábamos: santo, inocente, sin mancha de pecado, no contaminado por la cercanía de pecadores. Además ocupa el más excelso lugar junto a Dios en el cielo. [27]Los demás sacerdotes tenían que ofrecer todos los días primero sacrificios por sus propios pecados y luego por los del pueblo; pero Cristo lo hizo una vez y para siempre cuando se ofreció a sí mismo en la cruz. [28]Bajo el viejo sistema, aun los sumos sacerdotes eran débiles y pecadores por naturaleza; pero en el nuevo sistema Dios nombró bajo juramento a su propio Hijo, quien es y será siempre perfecto.

8 LO QUE VENGO diciendo es lo siguiente: Cristo, cuyo sacerdocio acabo de describir, es nuestro sumo sacerdote y ocupa el lugar de más alto honor junto a Dios. [2]Es ministro del santuario del cielo, verdadero lugar de adoración construido no por manos humanas sino por el Señor. [3]Y como la tarea del sumo sacerdote es presentar ofrendas y sacrificios, Cristo tiene también que presentar algo. [4]El sacrificio que ofrece es muy superior al que ofrecen los sacerdotes terrenales (aunque si estuviera en la tierra no le permitirían ser sacerdote porque aquí todavía se observa el viejo sistema judaico de sacrificios). [5]El ministerio de los sacerdotes terrenales gira en torno a símbolos terrenales del verdadero Tabernáculo que está en el cielo; porque cuando Moisés se alistaba a construir el Tabernáculo, Dios le exigió que siguiera exactamente el modelo del Tabernáculo celestial que le había mostrado en el monte Sinaí. [6]Pero Cristo, ministro del cielo, ha sido premiado con una tarea mucho más importante que la de los que sirven bajo las antiguas leyes, porque el nuevo pacto de Dios que El pone a nuestro alcance contiene promesas más maravillosas.

[7]El primer pacto no produjo resultado satisfactorio. Si lo hubiera producido, el segundo no habría sido necesario. [8]Pero Dios mismo halló defectos al antiguo, pues dijo: "Llegará el día en que entraré en un nuevo pacto con el pueblo de Israel y con el pueblo de Judá. [9]No será como el que hice con sus padres el día en que de la mano los saqué de la tierra de Egipto; como ellos no cumplieron lo pactado, tuve que cancelarlo. [10]El nuevo pacto con el pueblo de Israel será así, dice el Señor: Escribiré mis leyes en la mente del pueblo para que sepan lo que quiero sin siquiera decirlo; y la escribiré en sus corazones para que deseen obedecerla. Entonces yo seré su Dios y ellos serán mi pueblo. [11]Nadie tendrá que decir a su prójimo ni a su hermano: "También debes conocer al Señor", porque no habrá pequeño ni grande que no me conozca ya. [12]Y tendré misericordia de ellos cuando cometan faltas, y no volveré a acordarme de sus pecados". [13]Cuando Dios habla de promesas nuevas, de pacto nuevo, es porque el nuevo sustituye al viejo que ya está anti-

cuado y que ha sido desechado para siempre.

9 AHORA BIEN, EN aquel primer pacto entre Dios y su pueblo había reglas para la adoración y un santuario terrenal. ²El Tabernáculo tenía dos salones. El primero, que contenía el candelabro de oro y la mesa de los panes sagrados, era llamado el Lugar Santo. ³Luego había una cortina y, detrás de la cortina, el salón llamado Lugar Santísimo. ⁴En aquel salón estaba el altar de oro del incienso y un cofre (conocido como el Arca del pacto) completamente recubierto de oro puro. Dentro del Arca se hallaban las tablas de piedra en que estaban escritos los Diez Mandamientos, una urna de oro con maná y la vara de Aarón que reverdeció. ⁵Encima del Arca había unas estatuas de ángeles (llamados querubines, guardianes de la gloria de Dios) con las alas extendidas sobre el propiciatorio, nombre que se daba a la tapa de oro del Arca. Basten estos detalles.

⁶Con todo así dispuesto, los sacerdotes entraban al primer salón cada vez que lo creían necesario para el cumplimiento de sus deberes. ⁷Pero sólo el sumo sacerdote entraba en el salón de adentro, y lo hacía sólo una vez al año. Al entrar llevaba sangre y la rociaba sobre el propiciatorio como ofrenda a Dios por sus propios pecados y errores y por los de todo el pueblo. ⁸Con esto el Espíritu Santo nos indica que la gente común no podía entrar en el Lugar Santísimo mientras existiera el salón de afuera y mientras estuviera vigente el antiguo sistema que éste representaba.

⁹Esto encierra una gran lección para nosotros hoy día. Bajo el sistema antiguo se hacían ofrendas y sacrificios, pero éstos no lograban limpiar el corazón de los que los ofrecían, ¹⁰ya que el viejo sistema consistía sólo en ciertos formalismos rituales (qué comer o beber, cómo hacer las abluciones, y cómo hacer esto y aquello) que había que observar hasta que Cristo llegara con nuevos y mejores medios. ¹¹Pero Cristo ya vino, y vino como sumo sacerdote de este mejor sistema que ahora tenemos. Un día entró al Tabernáculo celestial (que es mejor y más perfecto, pues no fue hecho por hombres ni pertenece a este mundo) ¹²y una vez por

todas llevó sangre al Lugar Santísimo y la roció sobre el propiciatorio; pero no sangre de chivos ni de becerros, sino su propia sangre, con la que aseguró nuestra eterna redención. ¹³Y si bajo el antiguo sistema la sangre de toros y chivos, y las cenizas de becerra podían limpiar de pecado el cuerpo humano, ¹⁴con cuánta más eficacia la sangre de Cristo transformará nuestras vidas y corazones. Su sacrificio nos libra de la preocupación de tener que obedecer las viejas leyes y nos impulsa a desear servir al Dios vivo. Porque, con la ayuda del Espíritu Santo eterno, se ofreció a Dios por nuestros pecados como sacrificio sin manchas, ya que no había en El pecado ni falta. ¹⁵Cristo, pues, es el mediador del nuevo pacto. Su muerte obtuvo el perdón de los pecados que los llamados cometieron cuando aún estaban bajo el sistema antiguo, y les permite recibir la promesa de la herencia eterna.

¹⁶Ahora bien, si alguien muere y deja un testamento (lista de bienes que deben ser entregados a ciertas personas cuando el testador muere) nadie recibe nada hasta que se compruebe la muerte del que hizo el testamento. ¹⁷El testamento sólo entra en vigor después de la muerte del testador. Mientras éste viva, nadie puede disponer de los bienes prometidos en el testamento. ¹⁸Por esto se roció sangre (como evidencia de la muerte de Cristo) aun antes de que el primer pacto entrara en vigor. ¹⁹Moisés, tras entregar al pueblo las leyes de Dios, tomó sangre de becerros y chivos y un poco de agua, y valiéndose de ramas de hisopo y lana escarlata, roció sangre sobre el libro de la ley de Dios y sobre todo el pueblo. ²⁰Y al hacerlo decía: "Esta sangre anuncia que ha entrado en vigor el pacto entre ustedes y Dios, pacto que me ordenó establecer con ustedes." ²¹De igual manera, roció con sangre el Tabernáculo y cada uno de los utensilios del culto.

²²Se puede decir que bajo el antiguo pacto casi todo se purificaba con sangre, y sin derramiento de sangre no había perdón de los pecados. ²³Por eso Moisés purificó el Tabernáculo terrenal y los utensilios que en él había, rociándolos con sangre de animales. Pero las cosas celestiales mismas, de las cuales las terrenales son copias, fueron pu-

rificadas con ofrendas mucho más preciosas. [24]Cristo entró al cielo a presentarse a sí mismo ante Dios a favor nuestro. No lo hizo en el Tabernáculo terrenal, porque éste era una simple copia del verdadero Tabernáculo, el celestial. [25]Y a diferencia de los sumos sacerdotes terrenales, que todos los años ofrecen sangre animal en el Lugar Santísimo, Cristo se ofreció sólo una vez. [26]Si hubiera sido necesario ofrecerse repetidas veces, varias veces habría muerto desde el principio del mundo. ¡Pero no! Ahora, en la consumación de los siglos, una vez y por todas en la cruz se ofreció en sacrificio para quitar de en medio el pecado. [27]Y así como está establecido que los hombres mueran una sola vez y después tengan el juicio, [28]Cristo fue ofrecido una sola vez en sacrificio por los pecados de muchos. Y regresará, pero no para quitar el pecado, sino para traer consigo la salvación a los que ansiosa y pacientemente lo esperan.

10 EL ANTIGUO SISTEMA de leyes judaicas fue apenas un vislumbre de las grandes cosas que Cristo haría por nosotros. Bajo el mismo, los sacrificios se repetían año tras año, pero ni aun así se podía obtener con ellos la salvación. [2]Si se hubiera podido, un solo sacrificio habría bastado; los fieles habrían quedado purificados de una vez y por todas, y habrían dejado de sentirse culpables de pecado. [3]Pero, al contrario, el sacrificio anual les recordaba que eran pecadores, [4]pues la sangre de toros y chivos no puede de veras quitar los pecados.

[5]Por eso Cristo, al entrar en el mundo, dijo a Dios: "Como la sangre de toros y chivos no te puede satisfacer, me permitiste nacer en un cuerpo humano para que luego te lo ofreciera en sacrificio sobre el altar. [6]Como no te satisfacían los animales inmolados y quemados ante tu altar en expiación del pecado, [7]dije: 'Aquí vengo a hacer tu voluntad, oh Dios, a entregar mi vida como dicen las Escrituras que yo haría' ".

[8]Después de señalar que los distintos sacrificios y ofrendas que se ofrecían bajo el antiguo sistema no satisfacían a Dios, [9]añadió: "Aquí estoy. He venido a hacer tu voluntad". Es decir, cancelaba el antiguo sistema e implantaba uno mucho mejor.

[10]Hemos sido perdonados y purificados precisamente porque Cristo hizo la voluntad de Dios muriendo en la cruz, sacrificio que ofreció a nuestro favor una vez y para siempre.

[11]Bajo el pacto antiguo los sacerdotes iban día tras día a ofrecer sacrificios que no podían quitar los pecados. [12]Pero Cristo se entregó a Dios en sacrificio único y permanente, y luego se sentó en el más alto sitio de honor a la derecha de Dios, [13]en espera de que sus enemigos sean puestos bajo sus pies. [14]Por medio de aquella ofrenda única, hizo perfectos ante Dios a los que está santificando. [15]Y el Espíritu Santo lo confirma al decir: [16]"Este es el nuevo pacto que haré con el pueblo de Israel, a pesar de que quebrantaron el primero: Escribiré mis leyes en sus mentes para que siempre sepan lo que quiero, y en sus corazones pondré mis leyes para que quieran obedecerlas".

[17]Y añade: "Jamás volveré a acordarme de sus pecados y transgresiones".

[18]Entonces, ya que los pecados han sido perdonados y olvidados para siempre, no es necesario ofrecer más sacrificios expiatorios. [19]Por eso amados hermanos, gracias a la sangre de Jesucristo, podemos entrar en el Lugar Santísimo en que Dios está, [20]por el fresco, nuevo y vivo camino que Cristo nos abrió a través del velo (o sea, a través de su cuerpo), [21]y ya que tenemos un gran sumo sacerdote en la casa de Dios, [22]lleguémonos hasta la misma presencia de Dios con corazones sinceros, confiando plenamente que ha de recibirnos, porque hemos sido purificados con la sangre de Cristo y lavados con agua pura. [23]Ahora podemos contar con la salvación que Dios nos ha prometido; ahora podemos decir sin temor a equivocarnos que la salvación es nuestra, porque El siempre cumple su palabra.

[24]En agradecimiento por lo que Dios ha hecho por nosotros, procuremos estimular entre nosotros el amor y las buenas obras. [25]No descuidemos, como algunos, el deber que tenemos de asistir a la iglesia y cooperar con ella. Animémonos y exhortémonos unos a otros, especialmente ahora que vemos que el día del regreso del Señor se acerca. [26]Si alguien deliberadamente comete el pecado de rechazar al Salvador después de

haber conocido la verdad del perdón, la muerte de Cristo no cubre tal pecado, y no hay manera de deshacerse de él. [27]Lo único que le queda es esperar el terrible juicio y el fuego ardiente con que en su ira Dios ha de consumir a sus enemigos. [28]Porque si en la antigüedad cuando alguien rehusaba obedecer la ley de Moisés y dos o más testigos lo acusaban, el rebelde moría irremisiblemente, [29]¡cuánto más terrible no será el castigo de los que pisotean al Hijo de Dios y tienen por inmunda su sangre limpiadora, e insultan y provocan al Espíritu Santo, que es el que imparte la gracia de Dios! [30]Sabemos que el Señor dijo: "Yo soy el que castiga, y les daré su merecido". Y otra vez: "El Señor juzgará a su pueblo". [31]¡Horrenda cosa es caer en manos del Dios viviente! [32]No olviden ustedes jamás los maravillosos días en que aceptaron las verdades de Cristo, y en que, a pesar de los terribles sufrimientos que les sobrevinieron, se mantuvieron fieles al Señor. [33]Hubo ocasiones en que tuvieron que soportar la burla de la gente que contemplaba el cruel castigo a que eran sometidos; y en más de una ocasión pasaron por la pena de contemplar el tormento de un hermano en la fe. [34]Se compadecían de los cristianos que eran arrojados a las mazmorras, y sufrían con gozo al verse despojados de sus pertenencias, sabiendo que en el cielo les esperan mejores y perdurables riquezas. [35]Pase lo que pase, no pierdan nunca esa feliz confianza en el Señor, porque les espera gran galardón. [36]Es necesario que con paciencia cumplan la voluntad de Dios, si es que desean que El les dé lo que les tiene prometido. [37]Recuerden lo que dicen las Escrituras: "Su venida no tardará demasiado. [38]Los que por fe han sido hechos aceptos ante Dios, por fe han de vivir. Si no confían en El en todas las circunstancias de la vida, si se vuelven atrás, Dios no estará contento con ellos".

[39]Nosotros jamás nos hemos vuelto atrás, lo cual sería fatal. Por el contrario, nuestra fe en El garantiza la salvación de nuestras almas.

11 ¿QUÉ ES FE? Fe es la plena certeza de que lo que esperamos ha de llegar. Es el convencimiento absoluto de que hemos de alcanzar lo que ni siquiera vislumbramos.

[2]Los hombres de Dios de antaño se destacaban por la fe que tenían. [3]Por fe en la Palabra de Dios sabemos que la tierra, los planetas, las estrellas, y el universo entero surgieron por mandato de Dios, ¡y que surgieron de la nada!

[4]Por fe Abel obedeció a Dios, y su ofrenda agradó más al Señor que la de Caín. Dios aceptó a Abel y lo manifestó aceptando su ofrenda; y aunque Abel murió hace siglos, todavía nos habla por medio del formidable ejemplo que dejó a la posteridad.

[5]Enoc confió en Dios, y por eso, aunque no había muerto, un día Dios se lo llevó repentinamente al cielo y nadie lo volvió a ver. Antes de esto, Dios ya había manifestado que Enoc le agradaba. [6]Sin fe uno no puede agradar a Dios. El que quiera acercarse a Dios debe creer que existe y que premia a los que sinceramente lo buscan.

[7]Por fe Noé, cuando Dios le advirtió lo que iba a ocurrir, a pesar de que no había ni el más leve indicio de que iba a haber un diluvio, sin pérdida de tiempo se puso a construir el arca en que él y su familia habrían de salvarse. Con aquella fe hizo resaltar el pecado y la incredulidad del resto del mundo y obtuvo la aprobación de Dios.

[8]Por fe Abraham, cuando Dios le pidió que abandonara su ciudad natal, partió hacia el remoto país que el Señor había prometido darle como herencia. Lo más asombroso es que ni siquiera sabía dónde estaba aquel país. [9]Y cuando llegó a la tierra prometida, como simple visitante, vivió en tiendas de campaña. Y lo mismo hicieron Isaac y Jacob, quienes habían recibido la misma promesa. [10]¿Por qué lo hicieron? Porque esperaban confiadamente que Dios los llevaría a la ciudad celestial, cuyo arquitecto y constructor es Dios.

[11]Por fe Sara tuvo un hijo a pesar de ser estéril y de edad avanzada; y lo tuvo porque creyó que Dios, que se lo había prometido, cumpliría su promesa. [12]En fin, de aquel Abraham que era demasiado viejo para tener hijos, salió una nación entera y son tantos los que pueden llamarse descendientes suyos que es imposible contarlos,

como imposible es contar las estrellas del cielo y la arena del mar.

[13]Estos hombres de fe que hemos mencionado murieron sin haber recibido todo lo prometido; pero con los ojos de la fe, veían que allá, a lo lejos, los esperaba el pleno cumplimiento de las promesas de Dios. Esto los hacía felices, pues reconocían que este mundo no era el de ellos, y que en él no eran más que simples extranjeros y peregrinos.

[14]Es obvio que si hablaban así era porque tenían los ojos fijos en su verdadera patria, el cielo. [15]Si no, fácil les habría sido entregarse de nuevo al disfrute de los deleites de este mundo. [16]Pero no lo deseaban. Para ellos el anhelo mayor era llegar a la patria celestial. Por eso Dios no se avergüenza de llamarse Dios de ellos, y les tiene preparada una ciudad celestial.

[17]Mientras Dios probaba a Abraham, éste confiaba en Dios y en su promesa; por esto estuvo dispuesto a tomar a Isaac, su hijo, e inmolarlo en el altar del sacrificio. [18]¡E Isaac era precisamente el hijo a través del cual, según la promesa de Dios, iba a surgir toda una nación de descendientes suyos! [19]Pero Abraham creía que, si Isaac moría, Dios lo resucitaría. En la práctica así sucedió; para Abraham, Isaac murió, pero siguió viviendo.

[20]Por fe Isaac supo que en el futuro Dios bendeciría a sus dos hijos, Jacob y Esaú.

[21]Por fe Jacob, viejo ya y moribundo, bendijo a cada uno de los hijos de José, mientras adoraba apoyado sobre el extremo de su bordón.

[22]Por fe José, al final de su vida, habló con confianza del día en que Dios sacaría de Egipto al pueblo de Israel. Tan seguro estaba de ello que les hizo prometer que llevarían consigo sus restos.

[23]Por fe, los padres de Moisés, al ver el extraordinario hijo que Dios les había dado, confiaron en que Dios lo libraría de la muerte que el rey había decretado para todos los niños hebreos, y no temieron esconderlo tres meses.

[24,25]Por fe Moisés, ya grande, rehusó que lo trataran como nieto del rey; y en vez de gozar los efímeros placeres del pecado, prefirió sufrir junto al pueblo de Dios. [26]Pensó que sufrir por el Cristo prometido era de más valor que todos los tesoros de Egipto, porque tenía la mirada puesta en la gran recompensa que Dios le daría. [27]Y así, confiando en Dios, salió de Egipto. La ira del rey no lo atemorizaba, porque tenía la seguridad de que Dios estaba a su lado. [28]Y porque creía que El habría de salvar a su pueblo, ordenó que sacrificaran un cordero y rociaran sangre en el dintel de las puertas, para que el ángel de la muerte que Dios iba a enviar a matar a los primogénitos de los egipcios, no tocara a ningún hebreo.

[29]Por fe el pueblo de Israel cruzó el Mar Rojo como por tierra seca. Pero cuando los egipcios que los perseguían trataron de hacer lo mismo, perecieron ahogados.

[30]Por fe cayeron las murallas de Jericó después que el pueblo de Israel, por mandato de Dios, pasó siete días marchando alrededor de las mismas.

[31]Por fe —porque creía en Dios todopoderoso— Rahab la ramera, que había recibido amistosamente a los espías israelitas, no murió con los demás de su ciudad que rehusaron obedecer a Dios.

[32]¿Y qué más tengo que decir? Tiempo me faltaría para hablar de la fe de Gedeón, Barac, Sansón, Jefté, David, Samuel, y de todos los profetas, [33]individuos que por fe ganaron batallas, conquistaron reinos, gobernaron bien, alcanzaron lo que Dios les había prometido, salieron ilesos de cuevas de leones [34]y de hornos encendidos, escaparon de morir a espada, recibieron fortaleza cuando estaban débiles, enfermos o en el fragor de la batalla, y pusieron en fuga ejércitos extranjeros. [35]Y hubo mujeres que, por fe, vieron resucitar a sus seres amados.

Otros murieron en medio de espantoso tormento. Sin embargo, prefirieron morir antes que negar a Dios, porque tenían fe en que resucitarían a una vida mejor. [36]Algunos sufrieron vituperios, azotes, cadenas y mazmorras, [37,38]o murieron apedreados o aserrados. A otros se les prometió la libertad si renunciaban a su fe, y luego los mataron a espada. Algunos anduvieron vestidos de piel de oveja o cabra, pobres, angustiados, maltratados. El mundo no merecía que vivieran en él. Anduvieron errantes por los desiertos, los montes, las cuevas y las cavernas. [39]Mas aunque confiaban en Dios y Dios los había aprobado, no alcanzaron a ver cumplidas en este mundo todas sus promesas, [40]porque el Señor quería que esperaran y participaran de la muy superior recompensa que había preparado para nosotros.

12 POR CUANTO UN número tan inmenso de hombres de fe nos contempla desde las graderías, despojémonos de cualquier cosa que nos reste agilidad o nos detenga, especialmente de esos pecados que con tanta facilidad se nos enredan en los pies y nos hacen caer, y corramos con paciencia la carrera en que Dios nos ha permitido competir. [2]Mantengamos fijos los ojos en ese Jesús que, sin importarle lo oprobioso de tal muerte, estuvo dispuesto a morir en la cruz porque sabía el gozo que tendría después; en ese Jesús que ahora ocupa el sitio de honor más alto a la derecha de Dios. [3]Si alguna vez nos sentimos descorazonados o fatigados, pensemos en la paciencia con que Jesús soportó el maltrato de sus perversos verdugos. [4]Después de todo, todavía no hemos sudado gotas de sangre en nuestra lucha contra la tentación y el pecado. [5]¿Hemos olvidado acaso la exhortación que Dios como a hijos nos dirige? En las Escrituras nos dice: "Hijo mío, no te enojes cuando el Señor te castigue, ni te desalientes cuando te reprenda. [6]Si te castiga es porque te ama, y si te azota es porque te ha recibido como hijo". [7]Dejemos que El nos discipline, porque así es como cualquier padre amoroso educa a sus hijos. ¿Qué hijo puede decir que su padre nunca lo castiga? [8]Si Dios no te castiga cuando lo mereces, cosa que cualquier padre haría con su hijo, es porque no eres hijo de Dios, no perteneces a su familia. [9]Por otra parte, si a nuestros padres terrenales los veneramos a pesar de los castigos que nos imponen, ¿con cuánta mayor alegría no hemos de someternos a la disciplina de Dios para que de veras comencemos a vivir? [10]Nuestros padres terrenales trataron de educarnos lo mejor que pudieron durante unos pocos años; pero la disciplina que impone el Señor es adecuada y provechosa, pues nos capacita para participar de su santidad. [11]Los castigos siempre son dolorosos de momento, pero al final uno

ve en el que ha sido disciplinado un apacible crecimiento en gracia y carácter.

[12]Así que levanten de nuevo las manos caídas, afirmen las piernas temblorosas, [13]y trácense sendas rectas, para que el débil o el cojo que los siga no se lastime con ningún tropiezo, sino que más bien sane y se fortalezca.

[14]Eviten las rencillas y procuren llevar vidas limpias y santas, porque el que no sea santo no verá al Señor. [15]Cuídense unos a otros, no vaya a ser que alguno no alcance las más caras bendiciones de Dios. No dejen que en ustedes broten raíces de amargura; porque éstas, al salir a la superficie, pueden causar problemas serios y dañar la vida espiritual de muchos. [16]Que nadie ande en pecados sexuales. Que nadie descuide sus relaciones con Dios, como Esaú, que vendió sus derechos de hijo mayor por un plato de comida; [17]luego quiso rectificar, pero ya era demasiado tarde y, aunque derramó lágrimas de arrepentimiento, no pudo volver a obtener los derechos que había despreciado.

[18]Ustedes no tuvieron que acercarse a aquel monte palpable, como los israelitas, ni han tenido que experimentar el terror del fuego abrasador, la lobreguez, la oscuridad y la horrible tormenta que experimentó el pueblo de Israel en el monte Sinaí cuando Dios les dio la ley. [19]Tan agudo fue el toque de trompeta y tan sobrecogedora la voz que daba el mensaje, que el pueblo suplicó a Dios que nos les hablara más. [20]Retrocedieron espantados al escuchar que, según la ley que allí se ponía en vigor, el animal que tocara la montaña tenía que morir. [21]Tan terrible era la escena que aquel día contemplaron, que hasta el mismo Moisés tembló de pavor. [22]Ustedes han tenido la dicha de poder subir directamente al verdadero monte de Sion, a la ciudad del Dios viviente, a la Jerusalén celestial, a la asamblea de un sinnúmero de ángeles felices [23]que alaban a Dios, y a una iglesia compuesta por hombres, mujeres y niños cuyos nombres están inscritos en el cielo. Se han acercado a Dios, quien es el Juez de todos; a los espíritus de los redimidos, que ya están en el cielo, que ya han sido perfeccionados. [24]Y se han acercado a Jesús mismo, el abogado de este nuevo pacto tan maravi-

lloso, y a la sangre rociada del Señor que, en vez de pedir venganza como la sangre de Abel, concede gratuitamente perdón.

[25]Así que procuremos obedecer al que nos está hablando; porque si el pueblo de Israel no escapó cuando se negó a escuchar a Moisés, el mensajero terrenal, mucho menos escaparemos nosotros si no prestamos atención a las palabras de Dios, que nos habla desde el cielo. [26]Cuando Dios habló en el monte Sinaí, su voz conmovió la tierra. Pero "la próxima vez", dice, "no sólo conmoveré la tierra sino también el cielo". [27]Esto quiere decir que va a remover lo que no tenga cimientos firmes, y que sólo lo inconmovible permanecerá. [28]Por eso, en vista de que el reino nuestro es inconmovible, sirvamos a Dios con corazones agradecidos, y procuremos agradarle con temor y reverencia. [29]Porque nuestro Dios es fuego santo consumidor.

13 CULTIVEN EL AMOR fraternal. [2]No dejen de ser hospitalarios; porque por serlo, muchos sin darse cuenta, han hospedado ángeles. [3]Recuerden siempre a los que están presos por la causa de Cristo. Sufran con ellos, como si ustedes fueran los presos. Sufran con los maltratados, porque ya pueden imaginarse lo que ellos están sufriendo.

[4]Honren el matrimonio y mantengan su pureza; porque Dios castigará a los inmorales y a los que cometen adulterio.

[5]Eviten la avaricia; conténtense con lo que tengan, pues el Señor dijo: "No te desampararé ni te dejaré". [6]Así que podremos decir sin temor ni duda: "El Señor es el que me ayuda; no temo lo que me pueda hacer el hombre". [7]Recuerden a los que los han guiado y les han enseñado la Palabra de Dios. Mediten en las bendiciones que ellos han experimentado en la vida, y traten de tener la misma confianza en el Señor que ellos tienen.

[8]Jesucristo es el mismo ayer, hoy y por los siglos. [9]No se dejen ustedes seducir por ideas nuevas y extrañas. La fortaleza espiritual es un don de Dios que no se obtiene observando tales o cuales reglas sobre la alimentación. Los que han tratado de obtenerla por esos medios, hasta ahora han fracasado. [10]Del altar nuestro (la cruz en que Cristo fue inmolado) no pueden comer los sacerdotes del santuario antiguo. En otras palabras, los que tratan de alcanzar la salvación por medio de la obediencia a la ley no se benefician del sacrificio de Cristo.

[11]Según la ley, el sumo sacerdote toma la sangre de los animales inmolados y la ofrece en el santuario en expiación por el pecado; luego toma el cuerpo del animal y lo quema en las afueras de la ciudad. [12]Por eso Jesús sufrió y murió fuera de la ciudad, y allí lavó con su sangre nuestros pecados. [13]Abandonemos, pues, las intrincadas calles de nuestros intereses mundanos, y acerquémonos a El, dispuestos a sufrir si es necesario. [14]El hogar nuestro no está en este mundo perecedero, sino en el cielo. Este mundo no es nuestro hogar; nuestro hogar está en el cielo.

[15]Con la ayuda del Señor continuemos ofreciéndole el mejor de todos los sacrificios de alabanza: hablar a otros de la gloria de su nombre. [16]Y no olvidemos hacer el bien y compartir nuestros bienes con los que están en necesidad, porque tales sacrificios agradan a Dios.

[17]Obedezcan a sus guías espirituales, y sométanse a ellos, porque su trabajo es velar por las almas de ustedes, y a Dios han de dar cuentas de esto. Permítanles dar cuentas de ustedes con alegría y no con tristeza, porque si no, ustedes también sufrirán.

[18]Hermanos, oren por nosotros, porque tenemos limpia la conciencia y así deseamos mantenerla. [19]Oren especialmente por mí, para que pueda volver a ustedes cuanto antes.

[20,21]Que el Dios de paz que resucitó de los muertos a nuestro Señor Jesucristo, el gran Pastor de las ovejas, por medio de la sangre del eterno pacto entre ustedes y Dios, los haga aptos para cumplir su voluntad. Y que por medio del poder de Cristo haga de ustedes seres que lo agraden. A El sea la gloria eternamente. Amén.

[22]Hermanos, les ruego que lean pacientemente lo que les digo en esta carta, pues no es muy larga.

[23]Quiero que sepan que nuestro hermano Timoteo ya salió de la cárcel; si pasa por aquí pronto, iré con él a visitarlos.

[24,25]Saludos a todos los que los dirigen y a los demás creyentes. Los cristianos de Italia los saludan. Que la gracia de Dios esté con ustedes. Así sea.

SANTIAGO

1 REMITENTE: SANTIAGO, SIERVO de Dios y del Señor del Señor Jesucristo.

Destinatarios: Los cristianos judíos dispersos por todo el mundo. ¡Saludos!

[2]Amados hermanos, ¿están ustedes afrontando muchas dificultades y tentaciones? ¡Alégrense, [3]porque la paciencia crece mejor cuando el camino es escabroso! [4]¡Déjenla crecer! ¡No huyan de los problemas! Porque cuando la paciencia alcanza su máximo desarrollo, uno queda firme de carácter, perfecto, cabal, capaz de afrontar cualquier circunstancia.

[5]El que desee saber lo que Dios espera de él, pregúntele al Señor. El con gusto le responderá, pues siempre está dispuesto a conceder sabiduría en abundancia a los que la solicitan. ¡Y la da sin reproches! [6]Ah, pero hay que pedirla con fe, porque la mente del que duda es inestable como ola del mar que el viento arrastra de un lado al otro. [7,8]La persona que duda nunca toma una decisión firme, y tan pronto va por un camino como por otro. Si no pedimos con fe, no podemos esperar que el Señor nos dé una respuesta firme.

[9]El cristiano de humilde condición según las normas de este mundo debe sentirse feliz, porque según las normas del Señor vale mucho. [10,11]Y el rico, a su vez, debe sentirse feliz de que para el Señor sus riquezas no valgan nada, pues, como flor que se marchita y cae agostada por un sol abrasador, despojada ya de su belleza, el día menos pensado muere y deja acá todos sus negocios.

[12]Dichoso el hombre que no cede a la tentación, porque un día ha de recibir la corona de vida que Dios ha prometido a los que le aman. [13]Cuando alguien se sienta inclinado a hacer algo malo, no diga que es Dios el que lo tienta; Dios no tienta ni puede ser tentado.

[14]La tentación es la atracción que sobre el hombre ejercen sus malos pensamientos y sus malos deseos. [15]Estos lo impulsan a cometer pecado, y el pecado Dios lo castiga con la muerte.

[16]Así que no se equivoquen, amados hermanos. [17]Todo lo bueno y perfecto desciende de Dios, del creador de la luz, del que brilla eternamente sin sombras ni variaciones. [18]El, porque así lo quiso, nos dio vidas nuevas a través de las verdades de su santa Palabra y nos convirtió, por así decirlo, en los primeros hijos de su nueva familia.

[19]Amados hermanos, el cristiano debe oír mucho, hablar poco y enojarse menos. [20]La ira no nos pone en bien con Dios. [21]Así que deshagámonos de la maldad que interna o externamente haya en nuestras vidas, y regocijémonos humildemente con el glorioso mensaje que hemos recibido, mensaje que salva al alma al apoderarse de nuestros corazones.

[22]Sin embargo, no nos engañemos; éste es un mensaje que no sólo debemos oír sino poner en práctica. [23]La persona que lo escucha y no lo obedece es como el hombre que se mira en el espejo [24]y luego, al apartarse, se olvida del aspecto que tiene. [25]Pero el que mantiene la mirada fija en la perfecta ley que Dios ha dado a los hombres libres, no sólo la recordará sino que la obedecerá siempre y Dios lo bendecirá en todo lo que haga.

[26]El que se cree cristiano y no refrena su lengua, se engaña a sí mismo, y su religión de nada le sirve.

[27]Según Dios el Padre, ser cristiano puro y sin mancha es ocuparse de los huérfanos y de las viudas y mantenerse fiel al Señor, sin mancharse el alma en los contactos con el mundo.

2 HERMANOS MÍOS, ¿CÓMO puede uno decir que pertenece a Jesucristo, el Señor de la gloria, si muestra favoritismo hacia los ricos y desprecia a los pobres? [2]Si un individuo entra en la iglesia de ustedes vestido con la mejor ropa y con anillos

costosos, y en el mismo momento entra un pobre vestido con ropa vieja, [3]y al rico le muestran muchas atenciones y le ofrecen el mejor asiento en el Templo; pero al pobre le dicen: "Si quieres siéntate allí o si no quédate parado", [4]¿es eso de cristianos? ¿no es actuar y juzgar impulsados por motivos malos?

[5]No, hermanos, no. Dios ha escogido a los pobres para que sean ricos en fe y para que hereden el reino que ha prometido a los que lo aman. [6]Sin embargo, ustedes desprecian al pobre. ¿No ven que por lo general los ricos son los que los oprimen y los arrastran a los tribunales? [7]Muchas veces son ellos los que se burlan de Cristo, cuyo nobilísimo nombre ustedes ostentan al llamarse cristianos.

[8]Hay que obedecer la ley del Señor de amar y ayudar al prójimo de la misma manera en que nos amamos y nos cuidamos a nosotros mismos. [9]Pero adular y favorecer discriminadamente al rico es pecado; [10]y el que deja de obedecer una ley es tan culpable como el que desobedece todas las demás. [11]Porque Dios que dijo "no cometerás adulterio", también dijo "no matarás". En consecuencia, la persona que mata es tan transgresora de la ley como la que ha cometido adulterio; y viceversa, [12]porque vamos a ser juzgados en cuanto a si hemos hecho o no lo que Cristo quiere que hagamos. Así que ¡cuidado con lo que hacemos y pensamos! [13]No habrá misericordia para los que no han mostrado misericordia. Pero si hemos sido misericordiosos, saldremos victoriosos en el juicio.

[14]Hermanos míos, ¿de qué vale decir que tenemos fe y que somos cristianos si no lo demostramos ayudando a los demás? ¿Podrá ese tipo de fe salvar a alguien? [15]Si un amigo nuestro necesita alimentos o ropa [16]y le decimos: "Bueno, que te vaya bien; que comas mucho y no pases frío", pero no le damos ropa ni comida, ¿de qué le sirven nuestras palabras? [17]No, tener fe no basta. Hay que hacer el bien para demostrar que la tenemos. La fe que no se demuestra con buenas obras no es fe; es algo muerto, inútil. [18]Cualquiera puede decir, y con razón: "Dices que la salvación se obtiene por fe solamente. Yo digo que las buenas obras son importantes también, porque tú,

que no haces buenas obras, no puedes demostrar que tienes fe. En cambio, cualquiera se da cuenta que tengo fe por las obras que hago".

[19]¿Todavía hay alguno entre ustedes que piensa que basta con tener fe? ¿Fe en qué? ¿En que hay un solo Dios? ¡Hasta los demonios lo creen y tiemblan de espanto! [20]¡Tonto! ¿Cuándo vas a acabar de aprender que de nada sirve "creer" si uno no hace lo que Dios quiere? La fe que no se plasma en buenas obras no es fe verdadera. [21]¿No recuerdas que Abraham nuestro padre fue declarado justo por algo que hizo: estar dispuesto a obedecer a Dios, aun cuando esto significaba sacrificar a su hijo en el altar? [22]¿Ves? Tan grande era su fe en Dios que estuvo dispuesto a hacer cualquier cosa que el Señor le pidiera. Su fe, pues, quedó perfectamente demostrada con aquel acto, con aquella buena obra. [23]Por eso es que las Escrituras dicen que Abraham creyó en Dios, y el Señor lo declaró justo, y hasta le dio el título de "amigo de Dios". [24]Así, pues, el hombre se salva por lo que hace y por lo que cree. [25]El caso de Rahab la prostituta es otro ejemplo de esto. Rahab se salvó por el bien que hizo, escondiendo a los espías israelitas y ayudándolos a escapar por otro camino. [26]Al igual que el cuerpo sin espíritu está muerto, la fe está muerta si no fructifica en buenas obras.

3 HERMANOS MÍOS, NUNCA se precipiten a criticar a los demás, pues en esta vida nadie es perfecto; además, si nos metemos a maestros es porque sabemos más que los demás; y el que sabe y comete faltas, es más digno de castigo. El que puede dominar su lengua puede dominar perfectamente el resto de su cuerpo. [3]Un caballo, por grande que sea, puede ser dominado poniéndosele un pequeño freno en la boca. [4]Por impetuoso que sea el viento, un timón diminuto puede hacer girar una nave inmensa hacia donde el timonel desee que vaya. [5]De igual manera, la lengua es un miembro diminuto, ¡pero cuánto daño puede hacer! Basta una chispa para hacer arder un inmenso bosque. [6]Y la lengua es una llama de fuego, un mundo de maldad, veneno que contamina todo nuestro cuerpo. El infierno mismo puede avivar esta llama y convertir nuestras vidas en llamarada destructiva y desastrosa.

⁷El hombre ha domado, o puede domar, cualquier tipo de bestia, ave, reptil o pez. ⁸Pero ningún ser humano puede domar la lengua. La lengua, que es un mal que no podemos refrenar, siempre está lista a derramar su mortífero veneno. ⁹A veces alaba a nuestro Padre celestial, y a veces prorrumpe en maldiciones contra ese ser hecho a la imagen de Dios que es el hombre. ¹⁰Así que de la boca sale lo mismo bendición que maldición.

¹¹Hermanos míos, no debe ser así. ¿Puede un manantial echar unas veces agua dulce y otras veces agua amarga? ¹²¿Puede una higuera dar aceitunas, o una vid higos? No. Un manantial no puede dar a la vez agua salada y agua dulce.

¹³El sabio llevará una vida piadosa de la que han de brotar siempre buenas obras. ¡Y mientras menos se jacte de esas buenas obras, más sabio será! ¹⁴No se te ocurra nunca pensar que eres sabio ni bueno si en el fondo eres envidioso y egoísta, porque no hay peor mentira que ésa. ¹⁵La envidia y el egoísmo no se originan en Dios; al contrario, son terrenales, carnales y diabólicos. ¹⁶Donde hay envidia y egoísmo hay desorden y todo tipo de maldad. ¹⁷El que tiene sabiduría de Dios es en primer lugar puro. Además es pacífico, amable, benigno, misericordioso, bondadoso para con los demás, entusiasta, franco y sincero. ¹⁸Y los pacificadores siembran paz para cosechar bondad.

4 ¿POR QUÉ HAY enemistades y riñas entre ustedes? ¿Será que en el fondo del alma tienen un ejército de malos deseos? ²Codician lo que no tienen y matan por conseguirlo. Sienten envidia de algo y, si no lo pueden conseguir a las buenas, pelean para obtenerlo. Sin embargo, si no tienen lo que desean es porque no se lo piden a Dios. ³Y si lo piden, Dios no les contesta porque es una petición que tiene el propósito incorrecto de satisfacer un ansia de placeres.

⁴Se están pareciendo ustedes a la esposa que le es infiel al esposo con el peor de sus enemigos. ¿No comprenden que el que establece amistad con los enemigos de Dios —los placeres mundanales— se convierte

en enemigo de Dios? El que quiera entregarse a los deleites de este perverso mundo no es amigo de Dios. ⁵¡Por algo las Escrituras dicen que el Espíritu Santo que Dios ha puesto en nosotros nos ama celosamente!

⁶Pero El nos ofrece fortaleza para resistir nuestros más perversos anhelos. Dicen las Escrituras que "Dios da fuerzas al humilde y se opone a los orgullosos y soberbios".

⁷Sométanse humildemente a Dios. Resistan al diablo y huirá de ustedes. ⁸Acérquense a Dios y El se acercará a ustedes. Lávense las manos, pecadores; dejen que el corazón se les llene de Dios y se vuelva puro y fiel a El. ⁹¡Aflíjanse, laméntense, lloren por los pecados cometidos!¡Que la risa se les convierta en llanto y el gozo en tristeza! ¹⁰¡Humíllense delante del Señor y El los pondrá en alto!

¹¹No critiquen ni hablen nunca mal de otro, hermanos míos. El que lo hace se opone a la ley de Dios que ordena amar al prójimo. Nuestro deber no es oponernos a dicha ley sino obedecerla. ¹²Sólo el que nos dio la ley puede constituirse en justo juez nuestro. ¿Qué derecho tenemos entonces de juzgar o criticar a los demás?

¹³Oigan esto los que suelen decir: "Hoy o mañana iremos a tal o cual ciudad, y viviremos allí un año, y estableceremos un negocio bien lucrativo". ¹⁴¡Quién sabe lo que va a suceder mañana! Porque ¿qué es la vida sino efímera neblina que en la mañana aparece y al poco rato se desvanece? ¹⁵Lo que tienen ustedes que decir es: "Si el Señor lo permite, viviremos y haremos esto o aquello". ¹⁶De otro modo se estarán jactando de sus planes, y a Dios no le agradan los soberbios. ¹⁷Y recuerden esto: El que sabe hacer lo bueno y no lo hace, está en pecado.

5 ¡RICOS, ESCUCHEN ESTO! Lloren ahora y griten, porque enorme es la desventura que se les viene encima. ²Las riquezas que ahora tienen están podridas, y la lujosa ropa de que hacen gala está comida por la polilla. ³El oro y la plata que tienen pierden valor cada día, y su devaluación será una evidencia contra ustedes, y devorará su carne como fuego.

Sí, han acumulado grandes riquezas

para el día de mañana. [4]¡Pero escuchen! ¡Ese es el clamor de los campesinos cuyo verdadero jornal nunca han pagado! Sus clamores han llegado a oídos del Señor de los Ejércitos. [5]Los años que han vivido ustedes en este mundo los han dedicado a los deleites, a la satisfacción del más descabellado antojo, y se han cebado como ganado para la matanza. [6]Y para colmo, han condenado y dado muerte a hombres buenos que no han podido resistirles.

[7]Por eso, hermanos, tengan ustedes paciencia hasta que el Señor vuelva. Sean como el labrador que, paciente, espera la llegada del otoño para recoger los frutos de su trabajo. [8]Sí, sean pacientes. ¡Ánimo, que la venida del Señor está cerca!

[9]No estén siempre quejándose de los demás hermanos, porque ¿quién es inmune a las críticas? Además, la venida del Gran Juez está a las puertas, y ya juzgará. [10]Sigamos el ejemplo de paciencia en la aflicción que nos legaron los profetas del Señor, [11]seres que ahora disfrutan a plenitud la bienaventuranza de haber sido fieles a El a pesar de los sufrimientos. ¿Quieren mejor ejemplo de paciencia en medio del dolor que el de Job? De su experiencia aprendemos que lo que el Señor permite redunda siempre en bien, porque El es todo ternura y compasión.

[12]Pero sobre todo, hermanos míos, no juren ni por el cielo ni por la tierra ni por nada. Digan simplemente sí o no, no sea que pequen ustedes y Dios los castigue.

[13]¿Que alguien está afligido? Ore por su problema. ¿Que alguien está alegre? Cante alabanzas al Señor. [14]¿Que alguien está enfermo? Llame a los ancianos de la iglesia, quienes orarán por él, le echarán encima un poquito de aceite y pedirán al Señor que lo sane. [15]Y la oración que eleven, si la elevan con fe, sanará al enfermo, porque el Señor pondrá sobre él su mano sanadora; y si la enfermedad es consecuencia de algún pecado, el Señor lo perdonará.

[16]Confiésense sus pecados unos a otros, y oren unos por otros para que sean sanados. La ferviente oración de un justo es poderosa y logra maravillas. [17]Elías era tan humano como nosotros, y sin embargo oró fervientemente que no lloviera, y en los siguientes tres años y medio no cayó ni una gota de lluvia. [18]Luego oró que lloviera y llovió a cántaros, y la hierba reverdeció y los huertos volvieron a producir.

[19]Hermanos, si alguien un día se aparta del Señor y ustedes lo ayudan a recapacitar, [20]habrán librado de la muerte a un alma errante y habrán conseguido el perdón de sus pecados.

Sinceramente,
Santiago

---

1 PEDRO

1 REMITENTE: PEDRO, APÓSTOL de Jesucristo.

Destinatarios: Los cristianos judíos que, expulsados de su patria, andan dispersos por Ponto, Galacia, Capadocia, Asia y Bitinia.

[2]Amados hermanos, Dios el Padre los escogió a ustedes hace muchísimo tiempo y sabía que un día llegarían a ser hijos suyos. Por eso el Espíritu Santo les ha estado limpiando el corazón con la sangre de Jesucristo y los ha estado haciendo obedientes. Que Dios los bendiga ricamente y les conceda cada vez más el estar libres de temores y ansiedades.

[3]Alabamos al Dios y Padre de nuestro Señor Jesucristo, porque en su infinita misericordia nos concedió el privilegio de nacer de nuevo y pasar a ser de su familia. Gracias a la resurrección de Jesucristo, tenemos una esperanza viva, y [4]un día hemos de recibir la herencia pura, inmarcesible, inmutable e incorruptible que Dios nos tiene reservada en el cielo.

[5]Como ustedes han depositado en El su fe, con su gran poder la protegerá para que la alcancen. En los postreros días la recibirán ustedes, y todos la verán.

[6]Así que alégrense, porque aunque en el presente sufran diversas aflicciones, el gozo

que les espera es extraordinario. ⁷Las tribulaciones presentes ponen a prueba la firmeza y pureza de su fe. Así como el oro se prueba y purifica en el fuego, su fe, que es más valiosa que el oro, es sometida al fuego purificador de las tribulaciones. Si permanecen firmes, recibirán alabanza, gloria y honra el día en que regrese ⁸Aquél a quien aman sin haberlo visto, y en quien confían aunque no lo ven. Por eso el gozo que sienten es profundo, glorioso, indescriptible, ⁹y por eso han alcanzado ustedes la salvación del alma.

¹⁰Aunque los profetas escribieron sobre la salvación, había muchas cosas que no podían comprender completamente. ¹¹Se preguntaban a quién y a qué circunstancia se refería al Espíritu Santo que estaba en ellos, cuando les mandaba que detallaran por escrito los sufrimientos por los que un día Cristo pasaría y las glorias que recibiría tras ellos. ¹²Por fin se les reveló que tales acontecimientos no se producirían en aquella época sino muchos años después, en la nuestra. Ya, por fin, las buenas noticias del cumplimiento de lo profetizado llegaron a nosotros, anunciadas con el mismo poder del Espíritu Santo enviado del cielo que habló a los profetas. Y es tan extraño y maravilloso el mensaje que los ángeles darían cualquier cosa por conocerlo mejor.

¹³Ahora tienen motivos para esperar con más sobriedad e inteligencia las bendiciones que Dios en su bondad derramará sobre ustedes cuando Jesucristo regrese. ¹⁴Como hijos obedientes, obedezcan a Dios; no vuelvan bajo ningún concepto a la vida que llevaban cuando no conocían nada mejor. ¹⁵Sean santos en su manera de vivir, porque el que los invitó a ser hijos suyos es santo. ¹⁶Recuerden que su Palabra dice: "Sean santos, porque yo soy santo". ¹⁷Y recuerden que el Padre celestial que invocan no hace acepción de personas cuando juzga. El juzgará sus acciones con perfecta justicia. Así que actúen con temor reverente mientras peregrinan rumbo al cielo.

¹⁸Para librarnos del fútil y peligroso sendero hacia la eternidad que por tradición seguíamos, Dios pagó un rescate; pero no lo pagó con simple oro o plata, ¹⁹sino con la preciosa sangre de Cristo, el santo e inmaculado Cordero ²⁰que tenía escogido desde

antes de la creación del mundo y que por amor a ustedes no manifestó sino hasta estos últimos tiempos. ²¹Por eso pueden depositar su confianza en Dios, quien resucitó a Cristo y le dio gloria. Por eso pueden creer en El y solamente en El. ²²Ahora pueden ustedes amar de verdad a los demás, pues desde que confiaron en Cristo tienen el alma limpia de egoísmo y odios. Procuren, pues, amarse sincera y entrañablemente ²³porque ahora tienen una nueva vida, vida que no recibieron de sus padres y que jamás se desvanecerá. Esta nueva vida de ustedes es eterna, porque se la dio Cristo, el vivo y eterno Mensaje de Dios. ²⁴Sí, porque "un día nuestras vidas se marchitarán como la hierba. Nuestras glorias son como flores que se marchitan y caen, ²⁵mas la Palabra del Señor permanecerá para siempre".

Y el evangelio que nos ha sido anunciado es la Palabra del Señor.

2 DESECHEN, PUES, TODA maldad. ¡No finjan bondad! Apártense de la hipocresía, las envidias y los chismes. ²·³Si han gustado la bondad y benignidad del Señor, con insistencia de niños recién nacidos que lloran por leche, pídanle que les dé más. Aliméntense con la lectura y la meditación de la Palabra de Dios, y fortalézcanse en el Señor

⁴Acérquense a Cristo, Roca viva que los hombres despreciaron, pero que para Dios es escogida y valiosa. ⁵Ahora ustedes son también piedras vivientes que Dios utiliza para construir su casa. Es más, son sus sacerdotes santos. Así que acérquense a El (ante El son ustedes aceptables gracias a Jesucristo) y ofrézcanle las cosas que le agradan. ⁶Como dicen las Escrituras: "Envío a Cristo para que sea la escogida y preciosa piedra angular de mi iglesia, y jamás defraudaré a los que creen en El".

⁷Sí, El es precioso para los que creemos; pero para los que lo rechazan, las Escrituras dicen: "La piedra que los edificadores desecharon es ahora la cabeza del ángulo, la más honorable e importante parte del edificio". ⁸Y en otro lado dicen: "El es la Piedra en la que muchos tropezarán, y la Roca que a muchos hará caer". Caerán porque no escuchan ni obedecen la Palabra

de Dios. Tienen que ser castigados; caerán.

⁹Ustedes, en cambio, son linaje escogido de Dios, sacerdotes del Rey, nación santa, pueblo que Dios ha adquirido para que anuncien las virtudes del que los llamó de las tinieblas a su luz admirable. ¹⁰Antes no eran nadie, pero ahora son pueblo de Dios. Antes desconocían la misericordia de Dios, pero ahora la disfrutan a plenitud.

¹¹Amados hermanos, en este mundo no son ustedes más que extranjeros y peregrinos. Absténganse de los deseos carnales que batallan contra el alma. ¹²Cuiden cómo viven entre los que no conocen a Dios; porque así, aunque recelen de ustedes y los critiquen, el día en que Cristo venga alabarán a Dios por sus buenas obras.

¹³Por amor a Dios, obedezcan a las autoridades: al rey porque es el jefe de estado; ¹⁴a sus funcionarios porque él los tiene para castigar a los malhechores y honrar a las personas de bien. ¹⁵Dios quiere que lleven ustedes una vida tan limpia que acalle las murmuraciones de los insensatos que critican el evangelio sin saber el inmenso bien que éste puede traerles.

¹⁶Es cierto que son libres, pero no deben tomar su libertad como pretexto para hacer el mal. Empléenla en hacer única y exclusivamente la voluntad de Dios.

¹⁷Sean siempre respetuosos. Amen a los demás cristianos. Teman a Dios. Honren a sus gobernantes.

¹⁸Siervos, obedezcan y respeten a sus amos, ya sean éstos bondadosos y razonables o duros y crueles. ¹⁹¡Alaben al Señor si los castigan por hacer lo bueno! ²⁰No hay mérito alguno en ser pacientes si nos castigan por haber hecho algo malo; pero si nos castigan por hacer lo bueno y soportamos pacientemente las bofetadas, Dios se complace. ²¹Sufrir es parte de nuestro deber. Cristo, al sufrir por nosotros, nos dio un ejemplo. Imitémoslo. ²²El nunca pecó; jamás una mentira brotó de sus labios; ²³jamás respondió a los que lo insultaban; en medio de sus padecimientos nunca amenazó con vengarse, sino que lo dejó todo en las manos del que juzga justamente: Dios. ²⁴Mientras moría en la cruz, sobre su propio cuerpo llevaba nuestros pecados; es por eso que podemos morir al pecado y llevar una vida pura. ¡Sus heridas sanaron las nues-

tras! ²⁵Como ovejas descarriadas andábamos alejados de Dios, pero ya estamos de nuevo bajo la protección del Pastor y Guardián de nuestras almas.

3 ESPOSAS, ACOMÓDENSE A los planes de sus esposos; es probable que los que no creen el mensaje que predicamos cambien de opinión ante su respetuoso y puro comportamiento. ¡No hay mejor mensaje que el de una buena conducta!

³No se preocupen demasiado de la belleza que depende de las joyas, vestidos lujosos y peinados ostentosos. ⁴La mejor belleza es la que se lleva dentro; no hay belleza más perdurable ni que agrade más a Dios que la de un espíritu afable y apacible. ⁵Esa era la belleza que ostentaban aquellas santas mujeres de la antigüedad que confiaban en Dios y se acomodaban a los planes de sus esposos.

⁶Sara, por ejemplo, obedecía a Abraham y lo respetaba como jefe de la familia. Si ustedes hacen el bien, estarán imitando a Sara como buenas hijas, y no tendrán por qué temblar ante la posibilidad de estar ofendiendo a sus esposos.

⁷Esposos, cuiden a sus esposas; sean considerados con ellas, porque son el sexo débil. Recuerden que sus esposas y ustedes son socios en cuanto a la recepción de las bendiciones de Dios, y si no las tratan como es debido, sus oraciones no recibirán prontas respuestas.

⁸Finalmente, sean como una familia grande, feliz, compasiva, donde reine el amor fraternal. Sean cariñosos y humildes. ⁹Nunca paguen mal por mal ni insulto por insulto. Al contrario, pidan que Dios ayude a los que les hayan hecho mal, y Dios los bendecirá por ello.

¹⁰Si desean una vida feliz y agradable, refrenen su lengua y no mientan. ¹¹Apártense del mal y hagan el bien. Procuren vivir en paz a toda costa; ¹²porque si bien es cierto que el Señor cuida a sus hijos y está atento a sus oraciones, se opone duramente a los que hacen el mal.

¹³Normalmente nadie les hará daño por querer hacer el bien. ¹⁴Pero si alguien los hace padecer por eso, dignos son ustedes de envidia porque Dios los recompensará. ¹⁵Calladamente encomiéndense a Cristo su

Señor, y estén listos a responder amable y respetuosamente a cualquiera que les pregunte por qué tienen tal fe.

[16]Pero eso sí; actúen siempre correctamente. Así si alguien habla mal de ustedes o los insulta, un día se avergonzará de haberlos acusado injustamente. [17]Además, recuerden que si Dios desea que sufran, mejor es que sufran por hacer el bien que por hacer el mal.

[18]A Cristo también le tocó sufrir. Aunque jamás había cometido pecado, un día ofrendó su vida por nosotros los pecadores, para llevarnos a Dios. Pero aunque su cuerpo murió, su espíritu siguió viviendo, [19]y en espíritu fue y predicó a los espíritus encarcelados [20]de los que, en los días de Noé, desobedecieron a Dios, a pesar de que El los esperó pacientemente mientras Noé construía el arca. ¡Sólo ocho personas se salvaron de ahogarse en aquel terrible diluvio! [21](Las aguas de aquel diluvio simbolizan el bautismo: en el bautismo expresamos que hemos sido librados de la muerte y de la condenación mediante la resurrección de Jesucristo; y esto no porque el agua nos lave el cuerpo sino porque al bautizarnos nos volvemos a Dios y le pedimos que nos limpie de pecado.) [22]Y ahora Cristo está en el cielo, sentado en el sitio de más alto honor junto a Dios el Padre, y los ángeles y las autoridades y potestades celestiales se inclinan ante El y lo obedecen.

4 PUESTO QUE CRISTO sufrió y soportó dolores por nosotros, ustedes deben estar dispuestos a sufrir por El. Recuerden que cuando el cuerpo sufre, el pecado pierde su poder, [2]y uno no malgasta el tiempo corriendo tras los placeres, porque está ansioso de hacer la voluntad de Dios. [3]Basta ya que en el pasado hayan estado entregados a las maldades que encantan a los impíos (pecados sexuales, pasiones desenfrenadas, borracheras, comilonas, embriagueces e idolatrías), todo lo cual lleva a cometer pecados terribles.

[4]Por supuesto, sus antiguos compañeros se sorprenderán de que ya no se unan ustedes a sus desenfrenos de disolución, y se reirán de su nuevo modo de vida. [5]Recuerden sin embargo, que un día tendrán que dar cuentas ante el Juez de vivos y muertos. [6]Por eso es que el evangelio fue predicado a los muertos,[a] para que, al igual que Dios, vivieran en espíritu, aun cuando recibieran el castigo de la muerte física como todos los hombres.

[7]El fin del mundo se acerca; sean ustedes sobrios y velen en oración. [8]Y sobre todo, ámense unos a otros fervientemente, porque el amor disimula multitud de faltas. [9]Brinden espontáneamente sus hogares a los que alguna vez puedan necesitar albergue o un plato de comida.

[10]Dios ha concedido a cada uno de ustedes distintas habilidades características. ¡Empléenlas en ayudarse mutuamente! ¡Compartan con otros las multiformes bendiciones de Dios!

[11]¿Te sientes llamado a predicar? Predica entonces como si Dios mismo hablara a través de ti. ¿Te sientes inclinado a ayudar a los demás? Hazlo con todas las energías que Dios te dé, para que El se glorifique a través de Jesucristo. ¡A El sean dados la gloria y el poder para siempre! Amén.

[12]Hermanos, no se turben ni sorprendan cuando les toque pasar por el fuego de las pruebas que les esperan, porque lo que les va a suceder no es extraño. [13]Al contrario, gócense; porque al pasar por tales pruebas están participando de los padecimientos de Cristo, y tendrán la inmensa alegría de compartir su gloria el día en que ésta se manifieste. [14]Alégrense si los maldicen e insultan por ser cristianos, porque cuando esto suceda el Espíritu de Dios descenderá sobre ustedes con gran gloria

[15]Vergonzoso es que a uno lo condenen por asesino, ladrón o entrometido. [16]Pero no es vergonzoso sufrir por ser cristiano. Al contrario, ¡tenemos que dar gracias a Dios

---

4a El sentido de esta frase desconcierta a todos los comentaristas. El plan de Dios para los impíos es el siguiente: "La paga del pecado es la muerte y después el juicio". La Biblia no enseña que después de la muerte haya otra oportunidad de oír y aceptar el evangelio. Por esta razón algunos opinan que sería más exacto interpretar el versículo seis de la siguiente manera: "Y por eso es que las Buenas Nuevas de salvación un día (en vida de ellos) fueron predicadas a los que ahora están muertos. Porque si las aceptaban, aun cuando murieran físicamente como todos los hombres, sus espíritus vivirían tal como Dios vive".

por el privilegio de pertenecer a la familia de Cristo! [17]Ya ha llegado la hora del juicio, y éste tiene que comenzar por los hijos de Dios. [18]Pero si aun nosotros los cristianos tenemos que ser juzgados, ¿cuánto más terrible no será la suerte de los que no han creído en el Señor? [19]Así que si es la voluntad de Dios que ustedes padezcan, sigan haciendo el bien y encomienden sus almas al Creador, porque El nunca les faltará.

5 Y AHORA, DOS palabras para los ancianos de la iglesia. Yo, anciano también, que con mis propios ojos vi morir a Cristo en la cruz y que participaré de su gloria y honor cuando El regrese, les suplico lo siguiente: [2]Alimenten el rebaño de Dios; cuiden de él voluntariamente, no a regañadientes; y no por ambiciones económicas sino porque desean servir al Señor. [3]No los traten despóticamente, sino guíenlos con el buen ejemplo. [4]Así, cuando el Príncipe de los pastores vuelva, ustedes participarán eternamente de su gloria y honor.

[5]Jóvenes, sométanse a la autoridad de los ancianos. Sírvanse unos a otros con humildad, porque Dios se opone a los orgullosos y derrama extraordinariamente bendiciones sobre los humildes. [6]Si se humillan bajo la poderosa mano de Dios, El a su debido tiempo los ensalzará.

[7]Encomiéndenle sus ansiedades, porque El siempre cuida de ustedes.

[8]¡Cuidado con los ataques de Satanás, nuestro gran enemigo! Este, como león rugiente, anda siempre buscando a quién devorar. [9]Manténganse firmes cuando los ataque. Confíen en el Señor. No olviden que todos los cristianos pasan por los mismos sufrimientos. [10]Después que hayan padecido un poco, Dios, ese Dios nuestro tan lleno de bondad, a través de Cristo les dará a ustedes su gloria eterna. El mismo los perfeccionará y afirmará, y estarán más fuertes y seguros que nunca. [11]A El sean dados la gloria y el poder para siempre. Amén.

[12]Les envío esta carta por conducto de Silvano, quien, a juicio mío, es un hermano fiel. Espero que la presente les sea de estímulo, pues he tratado de ofrecerles un informe veraz sobre la manera en que Dios bendice. Lo que les he dicho en esta carta ha de ayudarles a permanecer firmes en su amor.

[13]La que está en Babilonia,*les manda saludos, Igualmente los saluda mi hijo Marcos. [14]Abrácense unos a otros en amor cristiano. Que la paz esté con ustedes los que están en Cristo.

Sinceramente,
Pedro

5a Babilonia era el apodo que los cristianos habían puesto a Roma, y "la que está" muchos piensan que era la esposa de Pedro a la que se hace referencia en Mateo 8:14, 1 Corintios 9:5, etc. Otros piensan que debe traducirse: "La iglesia que está en Babilonia".

---

2 PEDRO

1 REMITENTE: SIMÓN PEDRO, siervo y apóstol de Jesucristo.

Destinatarios: Ustedes los que han alcanzado una fe tan preciosa como la nuestra, fe que Jesucristo nuestro justo Dios y Salvador nos da.

[2]¿Quieren que la gracia y la paz de Dios les sean multiplicadas? Traten cada día de conocer mejor a Dios y a Jesucristo y se les concederá. [3]Porque a medida que lo conozcan mejor, El en su gran poder les dará lo que necesitan para llevar una vida verdaderamente piadosa. ¡El comparte con nosotros hasta su propia gloria y excelencia! [4]Además, por medio de ese mismo gran poder nos ha dado preciosas y grandísimas promesas. Por ejemplo, nos ha prometido salvarnos de la lascivia y la corrupción de este mundo y hacernos partícipes de la naturaleza divina.

[5]Pero para obtener estos dones debemos tener fe. Y además de fe, buena conducta.

Y además de buena conducta, entendimiento de Dios y de su divina voluntad. [6]Y además de este entendimiento, dominio propio. Y además de dominio propio, paciencia para con los demás. Y además de paciencia, piedad. [7]Y además de piedad, afecto fraternal. Y además de afecto fraternal, amor.

[8]Mientras más virtudes añadamos a la lista, más nos fortaleceremos espiritualmente, y más fructíferos y útiles seremos a nuestro Señor Jesucristo. [9]Por otro lado, el que no procure añadir virtudes a su fe, ciego o corto de vista es, porque ha olvidado que Dios lo libertó de la vieja vida de pecado que llevaba y que ahora puede y debe llevar una vida sana y piadosa para el Señor.

[10]Así que, amados hermanos, procuren demostrar que pueden ser contados entre los que Dios ha llamado y escogido. Así nunca tropezarán ni caerán, [11]y les será concedida amplia y generosa entrada en el reino eterno de nuestro Señor y Salvador Jesucristo.

[12]Jamás dejaré de recordarles estas cosas, aun cuando las sepan y permanezcan firmes en la verdad. [13,14]El Señor Jesucristo me ha revelado que mis días en este mundo están contados, y que pronto he de partir; pero mientras viva los mantendré despiertos con recordatorios como éstos, [15]con la esperanza de que queden tan grabados en su mente que los recuerden aun mucho después de mi partida.

[16]No crean ustedes que les hemos estado relatando cuentos de hadas, cuando les hemos hablado del poder de nuestro Señor Jesucristo y de su segundo advenimiento. No. Con mis propios ojos vi su majestad [17,18]allá en el Monte Santo cuando resplandeció con la honra y la gloria de Dios Padre. Yo escuché la gloriosa e imponente voz que desde el cielo dijo: "Este es mi Hijo amado; en El me complazco".

[19]Así que si nosotros presenciamos y comprobamos el cumplimiento de las profecías, bien harían ustedes en examinarlas cuidadosamente, porque como antorchas que disipan la oscuridad, sus palabras permiten entender muchas cosas que de otra manera serían oscuras y difíciles. Cuando consideramos las formidables verdades que

expresaron los profetas, el día esclarece en nuestras almas; y Cristo, la Estrella de la Mañana, brilla en nuestros corazones. [20,21]Porque ninguna de las profecías de las Escrituras es fruto del intelecto humano, sino que aquellos santos hombres de Dios, los profetas, hablaron inspirados por el Espíritu Santo.

2 PERO ASÍ COMO en el pasado hubo falsos profetas, entre ustedes surgirán falsos maestros que veladamente les mentirán acerca de Dios y hasta se volverán contra el mismo Señor que los salvó. ¡El fin de los tales será repentino y terrible!

[2]Pero muchos seguirán sus perversas enseñanzas, especialmente la de que no hay nada malo en el libertinaje sexual, y esto hará que se hable mal del evangelio.

[3]Tan avariciosos serán esos maestros que les dirán cualquier cosa con tal de sacarles dinero. Pero no se preocupen ustedes; Dios hace tiempo que ha dictado sentencia contra ellos, y ya les llegará la hora del castigo. [4]Dios no perdonó a los ángeles que pecaron, sino que los arrojó al infierno y los dejó encadenados en prisiones de oscuridad hasta el día del juicio. [5]Con la excepción de Noé (pregonero de las verdades divinas) y sus siete familiares, no perdonó al mundo antiguo sino que envió el diluvio para destruir completamente a los impíos. [6]Más tarde, redujo a cenizas las ciudades de Sodoma y Gomorra y las borró de la superficie de la tierra para que sirviera de advertencia a los impíos de las generaciones futuras, [7,8]pero al mismo tiempo rescató a Lot porque era un hombre justo y estaba asqueado de las perversidades que veía cometer a diario en Sodoma. [9]No cabe duda entonces de que el Señor sabrá rescatarnos de las tentaciones que nos abruman y reservará el castigo de los injustos para el día del juicio.

[10]El Señor es excepcionalmente severo con los que andan siempre con pensamientos malos y libertinos y son tan orgullosos y testarudos que no temen burlarse de los poderes del mundo invisible. [11]Ni siquiera los ángeles del cielo, que están en la presencia del Señor y son mayores en fuerza y potencia que cualquiera de esos falsos maestros, se atreven a hablar de ellos irrespe-

tuosamente. [12]Pero estos falsos maestros, como animales irracionales que nacen para ser apresados y matados, se guían únicamente por los instintos. En su insensatez se burlan de los poderes del mundo invisible (aunque muy poco saben ellos). Pero un día, como animales también, perecerán [13]por vivir continuamente entregados al pecado y a la perdición.

Ciertamente, es una vergüenza y un escándalo que entre ustedes haya individuos que aunque participan en sus convites como personas decentes, viven entregados al pecado. [14]No hay mujer que se escape de sus lujuriosas miradas y no se cansan de cometer adulterio. Para ellos seducir mujeres débiles es un deporte. En la avaricia tienen maestría. Son tan condenados y malditos, [15]andan tan descarriados, que muy bien podría llamárseles seguidores de Balaam, el hijo de Beor, quien por ganar dinero hacía cualquier cosa y [16]tuvo que ser reprendido por su iniquidad. (Un día su burra habló con voz humana y refrenó la locura de Balaam.)

[17]Estos individuos son como manantiales secos: prometen mucho y dan poco y son inestables como nubes de vendaval. ¡Están condenados a pasar la eternidad en la más negra oscuridad!

[18]Uno los escucha y no hacen más que jactarse de sus pecados y conquistas. Lo más triste es que, apelando a los deseos de la naturaleza humana, seducen a los que acaban de apartarse de semejante vida de corrupción. [19]"Uno no se salva por ser bueno", dicen, "así que da lo mismo ser malo que ser bueno. Uno puede hacer lo que le plazca, porque para eso somos libres". Lo curioso es que esos mismos maestros que ofrecen la "libertad" de la ley son esclavos del pecado y de la destrucción. El hombre es esclavo de cualquier cosa que lo domine. [20]Y si una persona que había escapado de los perversos caminos del mundo (por haber conocido a nuestro Señor y Salvador Jesucristo) vuelve a caer en pecado, queda peor que antes. [21]Mejor le hubiera sido no haber conocido a Cristo que luego tirar a un lado los santos mandamientos que le fueron dados. [22]Hay un viejo proverbio que dice: "El perro vuelve a su vómito, y la puerca lavada a revolcarse en

el cieno". Así pasa con los que vuelven a entregarse al pecado.

3 AMADOS, ÉSTA ES la segunda carta que les escribo, y en ambas he tratado de recordarles las cosas que aprendieron por conducto de los santos profetas y de nosotros los apóstoles que les traíimos el mensaje de nuestro Señor y Salvador.

[3]Antes que nada, deseo recordarles que en los postreros días vendrán burladores que harán cuanto de malo se les ocurra y se mofarán de la verdad. [4]Dirán por ejemplo: "¡Conque Jesús prometió regresar! ¿Por qué no lo ha hecho ya? Apuesto a que no regresará. ¡Hasta donde podemos recordar todo ha permanecido exactamente igual desde el primer día de la creación!"

[5,6]Olvidan voluntariamente que Dios destruyó el mundo con un gran diluvio mucho después de que surgieron los cielos a una orden suya, y mucho después de haber usado las aguas para formar la tierra y rodearla. [7]Pero Dios ahora ha ordenado que la tierra sea reservada para la gran conflagración del día del juicio, en que todos los impíos perecerán.

[8,9]No olviden ustedes, amados míos, que para el Señor un día es como mil años, y mil años como un día. El Señor no demora el cumplimiento de su promesa, como algunos suponen, sino que no quiere que nadie se pierda y está alargando el plazo para que los pecadores se arrepientan. [10]El día del Señor llegará sorpresivamente, como ladrón en la noche, y los cielos desaparecerán en medio de un estruendo espantoso, y los cuerpos celestes por fuego serán destruidos, y la tierra y lo que en ella hay desaparecerán envueltos en llamas.

[11]¡Santos y piadosos hasta lo sumo deberíamos ser en vista de la certeza de los acontecimientos que han de poner fin al mundo que conocemos! [12]Sí, deberíamos vivir con la mirada fija en aquel día; deberíamos hacer lo posible por apresurar el día en que Dios prenderá fuego a los cielos, y los cuerpos celestes se fundirán y desaparecerán envueltos en llamas. [13]Entonces según Dios ha prometido, habrá nuevos cielos y una tierra nueva en la que morará la justicia.

[14]Amados, mientras esperan ustedes el

cumplimiento de estas cosas, traten de vivir sin pecado; procuren vivir en paz con todo el mundo para que El esté satisfecho de ustedes cuando vuelva. [15,16]Y recuerden que si no ha venido todavía, es porque nos está concediendo tiempo para que proclamemos el mensaje de salvación al mundo entero. Nuestro sabio y amado hermano Pablo ya les ha hablado de esto en muchas de sus cartas. Algunos de sus comentarios no son fáciles de entender; y hay quienes, haciéndose los tontos, los interpretan a su manera y tuercen su significado (así como también

el de otros pasajes de las Escrituras) con lo que se labran su propia destrucción.

[17]Se lo digo, amados hermanos, para que estén ustedes apercibidos y no se dejen confundir ni desviar por esos perversos individuos.

[18]Más bien crezcan en fortaleza espiritual y en el conocimiento de nuestro Señor y Salvador Jesucristo.

A El sea dada la gloria ahora y hasta la eternidad. Amén.

Sinceramente,
Pedro

1 JUAN

1 CRISTO EXISTÍA DESDE antes de la creación del mundo. Sin embargo, mis oídos escucharon su voz y mis ojos lo vieron y contemplaron. ¡Con mis propias manos llegué a tocarlo! El es el Mensaje de vida, la vida eterna que les hemos anunciado y que estaba con el Padre y se manifestó a nosotros. A El les hemos proclamado a ustedes para que puedan participar también de la comunión y el gozo que disfrutamos con el Padre y con Jesucristo su Hijo. [4]Si ustedes hacen lo que hemos de decirles en esta carta, se llenarán de gozo y nosotros también.

[5]Este es el mensaje que Dios nos ha dado para ustedes: Dios es luz y en El no hay tinieblas. [6]Por lo tanto, si decimos que somos amigos suyos y seguimos viviendo en las tinieblas del pecado, mentimos. [7]Pero si, al igual que Cristo, vivimos en la luz de la presencia de Dios, entre nosotros habrá un compañerismo y un gozo maravillosos, y la sangre de Jesucristo el Hijo de Dios nos limpiará de todo pecado.

[8]Si decimos que no tenemos pecado, estamos engañándonos a nosotros mismos y negándonos a reconocer la verdad. [9]Pero si confesamos a Dios nuestros pecados, podemos estar seguros de que ha de perdonarnos y limpiarnos de toda maldad, pues para eso murió Cristo. [10]Si decimos que no hemos pecado, estamos diciendo que Dios es mentiroso, porque según El somos pecadores.

2 HIJITOS MÍOS, LES digo esto para que no pequen; pero si alguno peca, tenemos un abogado ante el Padre: a Jesucristo el justo. [2]El tomó sobre sí la ira de Dios contra nuestros pecados y nos reconcilió con Dios. El es el sacrificio que fue ofrecido por nuestros pecados, y no sólo por los nuestros, sino también por los de todo el mundo.

[3]¿Cómo podemos saber que le pertenecemos? Examinándonos por dentro y preguntándonos: ¿estamos de veras tratando de obedecer sus mandamientos? [4]Si alguno dice: "Soy cristiano; voy al cielo; pertenezco a Cristo", pero no obedece a Jesucristo, miente. [5]El amor a Dios se demuestra viviendo de acuerdo con las enseñanzas de Jesucristo. [6]El que quiera llamarse cristiano debe vivir como El vivió.

[7]Hermanos, no me estoy refiriendo a ningún mandamiento nuevo, sino al mandamiento antiguo que desde un principio han tenido ustedes. [8]Sin embargo siempre es nuevo, porque es una realidad diaria en Cristo y en nosotros; y a medida que obedecemos este mandamiento de amarnos unos a otros, la oscuridad de nuestra vida va disipándose y la luz de la nueva vida en Cristo nos va iluminando.

[9]El que dice que anda en la luz de Cristo, pero aborrece a su hermano en la fe, todavía está en tinieblas. [10]El que ama a su hermano anda en la luz y no tropieza, porque ve el camino; [11]en cambio, el que odia a su hermano vaga en oscuridad espi-

ritual y no sabe a dónde va, porque en la oscuridad no puede ver el camino.

¹²Les escribo estas cosas, hijitos, porque sus pecados han sido perdonados en el nombre de Jesús nuestro Salvador. ¹³Les escribo estas cosas, mayores, porque de veras conocen a ese Cristo que existía desde el principio. Les he escrito, jóvenes, porque han triunfado en su batalla contra Satanás. Les he escrito, niños y niñas, porque ustedes han aprendido a conocer a Dios nuestro Padre.

¹⁴Así que, padres, ustedes que conocen a Dios, y, jóvenes, ustedes que son fuertes, que tienen la palabra de Dios arraigada en sus corazones, y que han triunfado en su lucha contra Satanás, ¹⁵no amen este perverso mundo ni sus ofrecimientos. El que ama estas cosas no ama de verdad a Dios, ¹⁶porque las mundanalidades, las pasiones sexuales, el deseo de poseer todo lo que agrada, y el orgullo que a veces domina a los que poseen riquezas o popularidad, no provienen de Dios sino de este perverso mundo. ¹⁷Y el mundo ha de desvanecerse y con él se desvanecerá cuanto de malo y prohibido contiene; pero el que hace la voluntad de Dios permanece para siempre.

¹⁸Hijitos, a este mundo le ha llegado la hora final. Ustedes seguramente han oído hablar del anticristo que ha de llegar; pues bien, ya han surgido muchos anticristos, muchas personas que se oponen a Cristo. Esto confirma nuestra opinión de que el fin del mundo está cerca. ¹⁹Los anticristos que hasta ahora han surgido eran miembros de nuestras iglesias, pero en realidad nunca fueron nuestros; porque si lo hubieran sido, habrían permanecido. El hecho de que nos dejaran comprueba que no eran nuestros.

²⁰Pero con ustedes no sucede eso, porque han recibido el Espíritu Santo y conocen la verdad. ²¹No les escribo porque necesitan conocer la verdad, sino precisamente porque pueden discernir entre la verdad y la mentira.

²²¿Quién es el más grande de todos los mentirosos? El que dice que Jesús no es el Cristo. Tal persona es un anticristo, porque no cree en Dios el Padre ni en el Hijo. ²³Quien no tenga a Cristo, el Hijo de Dios, no puede tener al Padre. Pero el que tenga a Cristo, el Hijo de Dios, tiene también al

Padre. ²⁴Así que conserven ustedes su fe en lo que les fue enseñado desde el principio, porque así estarán siempre en comunión íntima con Dios el Padre y con Dios el Hijo. ²⁵Y Jesucristo mismo nos ha prometido la vida eterna.

²⁶Mis referencias al anticristo van dirigidas a los que dieran cualquier cosa por engañarlos. ²⁷Pero ustedes han recibido el Espíritu Santo, y El vive en sus corazones, y por lo tanto no necesitan que se les señale lo que es correcto. El Espíritu Santo les enseña todas las cosas, y El, que es la Verdad, no miente. Así que, tal como les ha dicho, vivan en Cristo y nunca se aparten de El.

²⁸Y ahora, hijitos, permanezcan en feliz comunión con el Señor, para que cuando vuelva, puedan sentirse seguros, y no tengan que apartarse de El avergonzados. ²⁹Si saben que Dios es siempre justo, pueden dar por sentado que siempre tratará con justicia a sus hijos.

3 MIREN CUÁNTO NOS ama el Padre celestial que permite que seamos llamados hijos de Dios. ¡Y lo más maravilloso es que de veras lo somos! Naturalmente, como la mayoría de la gente no conoce a Dios, no comprende por qué lo somos.

²Sí, amados míos, ahora somos hijos de Dios, y no podemos ni siquiera imaginarnos lo que vamos a ser después. Pero de algo estamos ciertos: que cuando El venga seremos semejantes a El, porque lo veremos tal como es. ³El que crea esto tratará de ser puro porque Cristo es puro. ⁴El que comete pecado está contra Dios, porque pecar es quebrantar las leyes divinas. ⁵Además, ustedes saben que El se hizo hombre para poder quitar nuestros pecados y que jamás cometió pecado alguno. ⁶El que permanece cerca de El, obediente a El, no anda en pecado; pero el que vive entregado al pecado nunca lo ha conocido ni le ha pertenecido.

⁷Hijitos, no se dejen engañar; cuando uno hace lo bueno es porque es bueno como El lo es; ⁸por otro lado, el que peca demuestra pertenecer a Satanás, quien desde que comenzó a pecar lo ha seguido haciendo. Pero el Hijo de Dios vino a destruir las obras del diablo. ⁹El que ha nacido a la familia de Dios no practica el pecado, por-

que la vida de Dios está en él; no puede vivir entregado al pecado porque en él ha nacido una nueva vida, y esa nueva vida lo domina. ¡Ha nacido de nuevo! [10]Uno puede saber quién es hijo de Dios y quién es hijo del diablo. El que vive en pecado y no ama a su hermano demuestra no pertenecer a la familia de Dios, [11]porque desde el principio se nos ha estado enseñando que debemos amarnos unos a otros. [12]No vamos a ser como Caín, que era de Satanás y mató a su hermano. ¿Por qué lo mató? Pues porque Caín no había estado haciendo lo bueno y sabía muy bien que Abel llevaba una vida mejor que la suya. [13]Así que no les extrañe que el mundo los aborrezca. [14]Si amamos a los demás hermanos, hemos sido librados del infierno y hemos obtenido la vida eterna. El que no ama a los demás va rumbo a la muerte eterna. [15]El que aborrece a su hermano en la fe, en el corazón lo está matando; y ustedes saben que ningún asesino tiene vida eterna. [16]Al morir por nosotros Cristo nos estaba dando el mejor ejemplo de amor verdadero: el que ama de veras está dispuesto a dar la vida por sus hermanos en Cristo. [17]Pero si alguien que se dice cristiano está bien económicamente y no ayuda al hermano que está en necesidad, ¿cómo puede haber amor de Dios en él? [18]Hijitos míos, que nuestro amor no sea sólo de palabra; amemos de veras y demostrémoslo con hechos. [19]Así sabremos a ciencia cierta que estamos de parte de Dios, y tendremos la conciencia limpia cuando comparezcamos ante su presencia. [20]Si la conciencia nos acusa, cuánto más nos acusará el Señor, que sabe todas las cosas. [21]Pero, amados míos, si tenemos la conciencia tranquila, tranquila y confiadamente podremos presentarnos ante Dios, [22]y cualquier cosa que le pidamos la recibiremos, porque obedecemos sus mandamientos. [23]Y su mandamiento es que creamos en Jesucristo su Hijo y que nos amemos unos a otros. [24]El que obedece a Dios vive con Dios y Dios vive con él. Sabemos que es así, porque el Espíritu Santo que El nos dio nos lo dice.

4 AMADOS MÍOS, NO crean nada por el simple hecho de que les afirmen que es mensaje de Dios. Pónganlo a prueba primero, porque en este mundo hay muchos maestros falsos. [2]Para saber si el mensaje que se nos comunica procede del Espíritu Santo, debemos preguntarnos: ¿Reconoce el hecho de que Jesucristo, el Hijo de Dios, se hizo hombre con un cuerpo humano? [3]Si no lo reconoce, el mensaje no es de Dios sino de alguien que se opone a Cristo, como el anticristo que oyeron ustedes que vendría, cuyas actitudes hostiles contra Cristo ya se manifiestan en el mundo.

[4]Hijitos, ustedes son de Dios, y han ganado ya la primera batalla contra los enemigos de Cristo, porque hay Alguien en el corazón de ustedes que es más fuerte que cualquier falso maestro de este perverso mundo. [5]Ellos pertenecen a este mundo y, naturalmente, hablan de los asuntos del mundo y el mundo les presta atención. [6]Pero nosotros somos hijos de Dios; el que es de Dios nos presta atención, pero el que no, no. Y aquí tienen otra manera de saber si determinado mensaje procede de Dios: si procede de Dios, el mundo no lo escuchará.

[7]Amados, pongamos en práctica el amor mutuo, porque el amor es de Dios. Todo el que ama y es bondadoso da prueba de ser hijo de Dios y de conocerlo bien. [8]El que no ama no conoce a Dios, porque Dios es amor. [9]Dios nos demostró su amor enviando a su único Hijo a este perverso mundo para darnos vida eterna por medio de su muerte. [10]Eso sí es amor verdadero. No es que nosotros hayamos amado a Dios, sino que El nos amó tanto que estuvo dispuesto a enviar a su único Hijo como sacrificio expiatorio por nuestros pecados.

[11]Amados, ya que Dios nos ha amado tanto, debemos amarnos unos a otros. [12]Porque aunque nunca hemos visto a Dios, si nos amamos unos a otros Dios habita en nosotros, y su amor en nosotros crece cada día más.

[13]El ha puesto su Santo Espíritu en nuestros corazones como testimonio de que vivimos en El y El en nosotros. [14]Además, con nuestros propios ojos vimos, y ahora lo proclamamos a los cuatro vientos, que Dios envió a su Hijo para ser el Salvador del mundo. [15]Si alguien cree y confiesa que Jesús es el Hijo de Dios, Dios vive en él y él en Dios.

[16]Sabemos cuánto nos ama Dios porque

hemos sentido ese amor y porque le creemos cuando nos dice que nos ama profundamente. Dios es amor, y el que vive en amor vive en Dios y Dios en él. [17]Y al vivir en Cristo, nuestro amor se perfecciona cada vez más, de tal manera que en el día del juicio no nos sentiremos avergonzados ni apenados, sino que podremos mirarlo con confianza y gozo, sabiendo que El nos ama y que nosotros lo amamos también. [18]No hay por qué temer a quien tan perfectamente nos ama. Su perfecto amor elimina cualquier temor. Si alguien siente miedo al castigo lo que siente, y con ello demuestra que no está absolutamente convencido de su amor hacia nosotros. [19]Como ven ustedes, si amamos a Dios es porque El nos amó primero. [20]Si alguno dice: "Amo a Dios", mientras aborrece a su hermano, es un mentiroso. Si no ama al hermano que tiene delante, ¿cómo puede amar a Dios, a quien jamás ha visto? [21]Dios mismo ha dicho que no sólo debemos amarlo a El, sino también a nuestros hermanos.

5 SI CREEN USTEDES que Jesús es el Cristo, que es el Hijo de Dios y que es su Salvador, son hijos de Dios. Y el que ama al padre ama también a los hijos. [2]Así que podemos medir el amor que sentimos hacia los hijos de Dios, hermanos nuestros en la fe, por el amor que sentimos hacia Dios y la obediencia que le rendimos. [3]Amar a Dios es obedecer sus mandamientos; y esto no es difícil, [4]porque el que es hijo de Dios puede vencer el pecado y las inclinaciones al mal, confiando en la ayuda que Cristo puede ofrecerle. [5]¡Nadie podrá jamás vencer en esta lucha sin creer que Jesús es el Hijo de Dios! [6,7]Nosotros sabemos que Jesús es el Hijo de Dios porque Dios lo proclamó con gran voz desde el cielo en el momento en que lo bautizaban y también cuando moría. ¡No sólo en su bautismo sino también a la hora de su muerte! Y el Espíritu Santo, siempre veraz, lo afirma también. [8]Así que tenemos tres testimonios: la voz del Espíritu Santo en nuestros corazones, la voz que habló desde el cielo cuando bautizaban a Jesús, y la voz que habló poco antes de su muerte. Y todos afirman lo mismo: que Jesucristo es el Hijo de Dios. [9]Y si aceptamos el testimonio de los hombres que comparecen ante los tribunales, cuánto más no hemos de creer la gran afirmación de Dios: que Jesús es su Hijo. [10]Creer esto es aceptar este testimonio en lo más íntimo del corazón; no creerlo equivale a llamar mentiroso a Dios, pues es no creer lo que ha dicho acerca de su Hijo. [11]¿Y qué es lo que ha dicho? Que nos ha dado vida eterna, y que esta vida está en su Hijo. [12]Así que el que tiene al Hijo de Dios tiene la vida; el que no tiene al Hijo, no tiene la vida.

[13]A ustedes que creen en el Hijo de Dios les he escrito sobre estas cosas, para que sepan que tienen la vida eterna. [14]Y estamos seguros de que El nos escuchará cuando le pidamos algo que esté de acuerdo con su voluntad. [15]Y si sabemos que El nos oye cuando le hablamos y cuando le presentamos nuestras peticiones podemos estar seguros de que nos contestará.

[16]Si ven que un hermano comete un pecado, pero no mortal, pidan a Dios que lo perdone, y Dios le dará vida, si es cierto que su pecado no es mortal. Pero hay un pecado que sí es mortal, por el cual no digo que se pida. [17]Cualquier maldad es pecado, pero no me refiero a los pecados ordinarios. Me refiero al pecado mortal. [18]Nadie que forme parte de la familia de Dios peca de manera habitual, porque Cristo, el Hijo de Dios, lo tiene bien asido y el diablo no puede echarle mano.

[19]Sabemos que somos hijos de Dios. El mundo que nos rodea está bajo el dominio de Satanás, [20]pero sabemos que Cristo, el Hijo de Dios, vino a ayudarnos a hallar y entender al Dios verdadero. Ahora estamos en Dios porque estamos en su Hijo Jesucristo, que es también Dios verdadero, y la vida eterna.

[21]Hijitos, apártense de cualquier cosa que pueda desplazar a Dios de sus corazones. Amén.

Sinceramente,
Juan

2 JUAN

1 REMITENTE: JUAN, EL anciano de la iglesia.

Destinatarios: La muy amada Ciria y sus hijos, a quienes amo mucho, y a quienes aman mucho todos los que han conocido la verdad. ²Puesto que la verdad por siempre estará en sus corazones, ³¡que la gracia, misericordia y paz de Dios el Padre y Jesucristo su Hijo estén con ustedes en verdad y en amor!

⁴Me siento feliz de haber encontrado por aquí algunos de tus hijos, y ver que siguen la verdad y obedecen los mandamientos de Dios.

⁵Amados hermanos, estimo muy necesario recordarles el viejo mandamiento que Dios nos dio desde un principio; los cristianos deben amarse unos a otros. ⁶Si amamos a Dios, hemos de obedecerlo en todo. Pues bien, desde el principio nos ordenó que nos amáramos.

⁷Por ahí andan muchos falsos guías que no creen que Jesucristo vino a la tierra con un cuerpo humano como el nuestro. Cuídense ustedes de ellos, porque están en contra de la verdad y en contra de Cristo. ⁸Eviten ser como ellos, para que no pierdan el fruto de su arduo trabajo y para que reciban íntegramente el galardón que da el Señor.

⁹Si ustedes se apartan de las enseñanzas de Cristo, también se apartan de Dios. Si permanecen fieles a las enseñanzas de Cristo, tendrán al Padre y tendrán al Hijo. ¹⁰Si alguien les trata de enseñar y no cree en las enseñanzas de Cristo, no lo inviten a su casa. No lo animen de manera alguna, ¹¹porque si lo hacen, ustedes estarán participando de sus malas obras.

¹²Quisiera decirles muchas cosas más, pero no quiero hacerlo por carta; espero ir pronto a verlos y hablar con ustedes cara a cara acerca de estas cosas, para que nuestra alegría sea completa.

¹³Los hijos de tu hermana, otra hija elegida de Dios, te envían saludos.

Sinceramente,
Juan

---

3 JUAN

1 REMITENTE: JUAN, EL anciano.

Destinatario: El amado Gayo, a quien amo de veras.

²Amado, ruego a Dios que en todo te vaya bien y que tu cuerpo sea tan saludable como lo es tu alma. ³He tenido la alegría de enterarme, a través de algunos hermanos que han pasado por aquí, de que llevas una vida pura, conforme a las normas del evangelio. ⁴Para mí no hay mayor alegría que la de oír decir tales cosas de mis hijos.

⁵Amado, es magnífico el servicio que prestas a la obra de Dios al ayudar a los maestros y misioneros que pasan por tu casa, ⁶los cuales han hablado en esta iglesia de tu cordialidad y de tus obras de amor. Me agradaría que los despidieras con una dádiva generosa, pues ⁷viajan al servicio del Señor, y no aceptan alimento, ropa, alber-gue ni dinero de los que no conocen a Dios. ⁸Debemos ayudarlos porque haciéndolo nos convertimos en colaboradores suyos.

⁹Hace un tiempo escribí a la iglesia sobre este asunto, pero Diótrefes, a quien le encanta colocarse como si fuera jefe de los demás, no reconoce la autoridad que tengo sobre él y no me hace caso. ¹⁰Cuando vaya te contaré algunas de las cosas que hace, sabrás lo mal que habla de mí y los términos que usa al referirse a mi persona. Y no sólo se niega a recibir a los misioneros que por allí pasan, sino que prohíbe que los demás lo hagan, bajo pena de expulsión de la iglesia.

¹¹Amado, no imites sus malos ejemplos. Imita sólo lo bueno. Recuerda que así es como se demuestra ser hijo de Dios; los que continúan en el mal demuestran estar ale-

jados de Dios.

¹²Todos, y aun la verdad misma, hablan bien de Demetrio. Yo opino de él igual que los demás, y ya sabes que digo la verdad.

¹³Tengo muchas cosas que decirte, pero no quiero hacerlo por carta. ¹⁴Espero verte pronto y entonces hablaremos extensa-mente.

¹⁵Hasta luego. Tus amigos de este lugar te envían saludos. Saludos de parte mía a todos los hermanos de por allá.

Sinceramente,
Juan

JUDAS

1 REMITENTE: JUDAS, SIERVO de Jesu-cristo y hermano de Jacobo.

Destinatarios: Los cristianos de todas partes, a quienes Dios el Padre escogió y Jesucristo ha guardado.

²Que la misericordia, la paz y el amor de Dios les sean multiplicados.

³Amados, me había propuesto escribir-les acerca de la salvación que Dios nos ha dado; pero ahora pienso que es preciso escribirles, exhortándolos a defender con firmeza la verdad que Dios, una vez y por todas dio a su pueblo, para que la guardara inmutable a través de los años.

⁴Algunos maestros impíos se han intro-ducido entre ustedes, y afirman que una vez que uno es cristiano puede hacer lo que se le antoje sin temor al castigo de Dios. El castigo de ellos hace tiempo que está seña-lado, porque es contra nuestro Maestro y Señor Jesucristo contra quien se han vuelto.

⁵La respuesta que les doy es la siguiente: Recuerden, pues muy bien lo saben, que el Señor rescató de Egipto a una nación en-tera, y que luego mató a los que de esa nación no creían en El ni lo obedecían. ⁶Y les pido que recuerden a aquellos ángeles que, habiendo sido primeramente puros y santos, voluntariamente se convirtieron en pecadores. Ahora Dios los mantiene enca-denados en prisiones de oscuridad en es-pera del día del juicio. ⁷Y recuerden la tragedia de Sodoma, de Gomorra y de varias ciudades adyacentes, que, por ha-berse entregado a toda clase de pasiones desenfrenadas (entre ellas el concúbito en-tre varones), fueron destruidas con fuego y hoy día nos son una advertencia continua de que hay un infierno donde los pecadores son castigados. ⁸No obstante, estos falsos maestros viven entregados a la inmorali-dad, a la degradación del cuerpo, y no sólo se burlan de los que tienen autoridad sino que también de los poderes del mundo invisible. ⁹Ni aun Miguel, uno de los ánge-les más poderosos, se atrevió a acusar a Satanás, ni a proferir insultos contra él, sino que simplemente le dijo: "El Señor te reprenda". ¹⁰Pero estos individuos no sólo se burlan de las cosas que no conocen sino que profieren maldiciones contra ellas. Como bestias, se entregan a los placeres que la carne les pide, arruinando así sus almas. ¹¹¡Ay de ellos!, porque siguen el ejemplo de Caín, el que mató a su hermano. ¡Ay de ellos!, porque como Balaam, por dinero hacen cualquier cosa, y porque como Coré, por afán de lucro han desobe-decido a Dios, y por ello morirán bajo la maldición divina.

¹²Cuando estos individuos asisten a las comidas fraternales en la iglesia, con sus risotadas, sus burlas y sus glotonerías los avergüenzan a ustedes, pues comen y beben hasta más no poder sin pensar en los demás. Son como nubes sin agua sobre suelo árido, pues prometen mucho y nada cumplen. Son como árboles sin frutos en tiempo de cose-cha; no sólo están muertos, sino dos veces muertos, pues han sido desarraigados y van a ser quemados. ¹³Como las olas del mar turbulento que arrojan a la playa la es-puma de sus suciedades, tras sí dejan sólo vergüenza y desgracia. Y como a estrellas luminosas pero errantes, les espera la lobre-guez eterna que Dios les tiene preparada.

¹⁴Enoc, que fue el séptimo desde Adán, profetizó de ellos lo siguiente: "Miren, el Señor viene con millones y millones de los

suyos, [15]y viene a juzgar a los pueblos del mundo, a darles el justo castigo que merecen y a poner al descubierto las terribles cosas que han hecho en rebelión contra Dios y las cosas que han dicho contra El". [16]Porque este tipo de individuos son murmuradores, nunca están satisfechos con nada, hacen siempre lo que mejor les parece, y son tan arrogantes que cuando hablan bien de alguien es para obtener algún beneficio.

[17]Recuerden, amados míos, lo que los apóstoles de nuestro Señor Jesucristo les advirtieron: [18]en los postreros tiempos vendrán burladores cuyo único propósito en la vida es deleitarse en cuanta perversidad pueda ocurrírseles. [19]Fomentan discordia, les gusta todo lo malo del mundo, y no tienen al Espíritu Santo.

[20]Pero ustedes, amados míos, edifiquen sus vidas firmemente, cimentándolas sobre nuestra santa fe. Aprendan a orar en el poder y en la fuerza del Espíritu Santo. [21]Manténganse siempre dentro de los límites en que Dios los puede bendecir. Esperen pacientemente la vida eterna que nuestro Señor Jesucristo, en su misericordia, les va a dar. [22]Traten de convencer a los que discutan con ustedes. Tengan misericordia de los que duden. [23]Salven a otros, arrebatándolos de las mismísimas llamas del infierno. Y en cuanto a los demás, atráiganlos al Señor, siendo bondadosos con ellos, pero no se dejen arrastrar por sus pecados. Al contrario, aborrezcan hasta el más leve indicio de pecado en ellos, a la vez que les muestran misericordia.

[24,25]Y ahora, que la gloria, la majestad, el imperio y la potencia sean eternamente del único y sabio Dios, Salvador nuestro por medio de Jesucristo, quien tiene poder para conservarlos sin caída, y con gozo eterno presentarlos irreprensibles y perfectos ante su gloriosa presencia. Amén.

Sinceramente,

Judas

APOCALIPSIS

1 ESTAS SON LAS cosas que Dios le encomendó a Jesucristo que revelara sobre los acontecimientos que ocurrirán pronto, para que Jesucristo a su vez las revelara a los cristianos. Jesucristo se las reveló por medio de un ángel a su siervo Juan; [2]y Juan puso por escrito las palabras de Dios y de Jesucristo, y las descripciones de lo que vio y oyó. [3]Bendito el que lee esta profecía, y benditos los que la oyen y le hacen caso, porque la hora de los acontecimientos se aproxima.

[4]*De:* Juan

A: Las siete iglesias de Asia.[a]

Amados hermanos:

Repose en ustedes la gracia y la paz de Dios, que es, que era y que ha de venir; del Espíritu de las siete formas de la perfección[b] que está delante de su trono; [5]y de Jesucristo, quien fielmente nos reveló toda verdad. Jesucristo fue el primero en levantarse de entre los muertos para no volver a morir, y su poder sobrepasa al del más poderoso rey terrenal. A El sea dada la alabanza, pues, movido por su amor infinito, derramó su sangre para libertarnos del pecado [6]y hacer de nosotros un reino de sacerdotes de Dios el Padre. ¡Eternamente sean suyos la gloria y el imperio! ¡Amén!

[7]¡Miren! ¡Viene en las nubes, ante los ojos de la humanidad entera, y aun los que lo traspasaron lo verán! Y las naciones llorarán de pesar y espanto ante su venida. ¡Sí, amén! ¡Que así sea!

[8]—Yo soy la "A" y la "Z", el principio y el fin de todas las cosas —dice Dios el Señor, el Todopoderoso, el que es, que era y que ha de venir.

[9,10]Yo, Juan, hermano de ustedes y compañero de sufrimiento por la causa del

1a Hoy Turquía.
1b Vea Isaías 11:2.

Señor, les escribo esta carta. Al igual que ustedes, he disfrutado la paciencia que da Jesucristo y, también al igual que ustedes, disfrutaré algún día las maravillas de su reino.

Un día del Señor en que estaba adorando en la isla de Patmos, a donde me habían desterrado por predicar la palabra de Dios y contar lo que sé de Jesucristo, escuché detrás de mí una voz que, estridente como toque de trompeta, [11]me dijo:

—Yo soy la "A" y la "Z", el principio y el fin. Escribe en una carta todo lo que veas, y envíala a las siete iglesias que están en las siguientes ciudades de Asia:[c] Efeso, Esmirna, Pérgamo, Tiatira, Sardis, Filadelfia y Laodicea.

[12]Cuando me volví para mirar al que me hablaba, vi siete candeleros de oro. [13]En medio de los candeleros estaba un personaje muy parecido a Jesús, el Hijo del Hombre, vestido de un manto largo y ceñido al pecho con un cinturón dorado. [14]Tenía el pelo blanco como la lana o la nieve, y los ojos penetrantes como llamas de fuego. [15]Sus pies refulgían como bronce bruñido y su voz retumbaba como retumban las olas al romper en la costa. [16]En la mano derecha sostenía siete estrellas; en la boca, una espada aguda de dos filos. El rostro le brillaba con la brillantez del sol en cielo despejado.

[17]Al verlo, caí a sus pies como muerto; pero me puso la mano derecha encima y me dijo:

—¡No temas! Soy el primero y el último, [18]el que vive aunque estuvo muerto; ahora vivo para siempre y tengo las llaves del infierno y de la muerte. ¡No temas! [19]Escribe lo que viste, lo que está sucediendo y lo que sucederá en breve. [20]El significado de las siete estrellas que tengo en la mano derecha, y de los siete candeleros de oro, es el siguiente: las siete estrellas son los pastores de las siete iglesias, y los siete candeleros son las iglesias mismas.

2 "ESCRÍBELE AL PASTOR *de la iglesia de Efeso y dile lo siguiente:*

Te escribo para comunicarte un mensaje del que anda en medio de las iglesias y sostiene a sus pastores en la mano derecha. El te manda a decir esto: [2]"Estoy al tanto de la obra que realizas. Me he fijado en tu duro trabajo, en la paciencia que tienes, y en que no toleras el pecado en los miembros de tu iglesia. Sé que has examinado cuidadosamente a los que se llaman apóstoles y no lo son, y te has dado cuenta de sus mentiras. [3]Y sé que has sufrido por mi causa pacientemente y sin claudicar.

[4]Sin embargo, hay algo malo en ti: ¡Ya no me amas como al principio! [5]¿Recuerdas los días de tu primer amor? ¡Qué diferente eras...! ¡Si no te arrepientes y trabajas como lo hacías antes, vendré y quitaré tu candelero del lugar que ocupa entre las iglesias!

[6]Pero hay algo bueno en ti: aborreces tanto como yo las obras de los nicolaítas.[a]

[7]El que pueda oír, escuche lo que el Espíritu dice a las iglesias: A los vencedores daré a comer del fruto del árbol de la vida que está en medio del paraíso de Dios.

[8]"*Escríbele esto al pastor de la iglesia de Esmirna:*

El primero y el último, el que estuvo muerto y resucitó, te manda decir lo siguiente:

[9]Estoy al tanto de la obra que realizas. Sé que has sufrido mucho por el Señor, y que eres pobre (¡aunque eres rico en el cielo!). Conozco las difamaciones de los que se te oponen, que dicen ser judíos, hijos de Dios, y no lo son, porque están de parte de Satanás.

[10]No temas lo que has de sufrir. Para probarlos, el diablo arrojará a algunos de ustedes en la cárcel y los estará persiguiendo diez días. Sé fiel hasta la muerte y yo te daré la corona de la vida.

[11]El que pueda oír, escuche lo que el Espíritu dice a las iglesias: El que venza no sufrirá los efectos de la segunda muerte.

[12]"*Escríbele al pastor de la iglesia de Pérgamo:*

El que tiene en la boca la espada aguda

1c Vea Exodo 19:6 y I Pedro 2:9.

2a Algunos opinan que la palabra nicolaíta, traducida del griego al hebreo quiere decir "seguidor de Balaam", el hombre que indujo a los israelitas a caer en la lascivia. Vea Números 31:16 y Números 25:1-9.

de dos filos te envía este mensaje:

[13]Sé bien que vives en la ciudad donde Satanás tiene su trono; sin embargo, te has mantenido fiel y no me negaste ni siquiera cuando los devotos de Satanás llevaban al martirio a Antipas, mi testigo fiel.

[14]Pero tengo unas pocas cosas contra ti: Toleras a los que persisten en la doctrina de Balaam, el que le reveló a Balac cómo destruir al pueblo de Israel alentándolo a entregarse a fiestas idólatras e incitándolo al pecado sexual; [15]y que tienes en la iglesia a varias personas que persisten en la doctrina de los nicolaítas, que tanto aborrezco.

[16]Si no te arrepientes, iré pronto a ti y pelearé contra ellos con la espada de mi boca.

[17]El que pueda oír, escuche lo que el Espíritu dice a las iglesias: Cada uno de los victoriosos comerá del maná escondido, el alimento del cielo; y le daré una piedra blanca en la que habré grabado un nuevo nombre que sólo conoce el que lo recibe.

[18]*Escríbele al pastor de la iglesia de Tiatira:*

Este es un mensaje del Hijo de Dios, cuyos ojos fulguran como llamas de fuego y cuyos pies son como bronce bruñido. [19]Estoy al tanto de las obras que realizas, de tus bondades para con los pobres, de las limosnas que les das y de los servicios que les prestas. Sé que tienes un amor, una fe y una paciencia que van en aumento.

[20]Sin embargo, tengo algunas cosas contra ti: Tú permites que Jezabel, la que se autotitula profetisa, enseñe a mis siervos a practicar el sexo a la ligera; ella los incita a cometer inmoralidades y a comer carne sacrificada a los ídolos. [21]Le he dado tiempo para que se arrepienta de sus fornicaciones, pero se niega a hacerlo.

[22]Escucha ahora lo que te voy a decir: La voy a arrojar en un lecho de intensa aflicción; y junto a ella arrojaré a sus inmorales seguidores, si no se vuelven a mí, arrepentidos de los pecados que han cometido con ella. [23]Y a sus hijos los heriré de muerte. Así sabrán las iglesias que escudriño la mente y el corazón de los hombres, y que a cada uno le doy su merecido. [24]En cuanto a los demás de Tiatira que no han seguido estas falsas enseñanzas (que algunos llaman profundas verdades pero que no son más que profun-

didades de Satanás), no les pediré nada más; [25]pero retengan firmemente lo que tienen hasta que yo vaya. [26]A los vencedores, a los que se mantengan hasta el final haciendo lo que me agrada, les daré autoridad sobre las naciones, [27]de la misma manera que el Padre me la dio a mí; y las regirán con vara de hierro y las harán saltar en pedazos como vasos de barro. [28]¡Y les daré la estrella de la mañana!

[29]El que pueda oír, escuche lo que el Espíritu dice a las iglesias.

3

[1]*"ESCRÍBELE LA SIGUIENTE carta al pastor de la iglesia de Sardis:*

Este mensaje te lo envía el que tiene el Espíritu de las siete formas de la perfección de Dios y las siete estrellas.

Estoy al tanto de la obra que realizas. Tienes fama de estar vivo, pero sé que estás muerto. [2]¡Despierta! Cuida lo poco que te queda, porque aun esto está al borde de la muerte. Según las normas divinas, tus actos no son del todo correctos. [3]Vuélvete a lo que oíste y creíste al principio; guárdalo firmemente y arrepiéntete. Si no lo haces, iré a ti como ladrón, cuando menos lo esperes, y te castigaré.

[4]No obstante, hay en Sardis algunas personas que no han manchado su ropa con las suciedades del mundo. Por eso, porque son dignas, caminarán a mi lado vestidas de blanco.

[5]Los vencedores recibirán ropa blanca; y no sólo no borraré sus nombres del Libro de la Vida, sino que proclamaré ante el Padre y los ángeles que me pertenecen.

[6]El que pueda oír, escuche lo que el Espíritu dice a las iglesias.

[7]*"Escríbele la siguiente carta al pastor de la iglesia de Filadelfia:*

Este mensaje te lo envía el Santo y Verdadero, el que tiene la llave de David, el que abre y nadie puede cerrar, y cierra y nadie puede abrir.

[8]Estoy al tanto de la obra que realizas; no eres muy fuerte, pero has tratado de obedecerme y no has negado mi nombre. Por lo tanto, te he abierto una puerta que nadie te podrá cerrar. [9]Fíjate bien: Obligaré a los que sustentan la causa de Satanás y dicen mentirosamente que son míos, a postrarse a tus pies y reconocer que te amo.

¹⁰Por cuanto me has obedecido con paciencia a pesar de la persecución, te protegeré de la gran tribulación y tentación que vendrán sobre el mundo para poner a prueba a la humanidad. ¹¹Recuerda, vengo pronto. Retén firmemente lo que tienes, para que nadie te quite la corona. ¹²Al que venza lo convertiré en columna del Templo de mi Dios, escribiré en él el nombre de mi Dios, será ciudadano de la ciudad de mi Dios —la nueva Jerusalén que el Señor hará descender del cielo—, y llevará escrito en él mi nuevo nombre. ¹³El que pueda oír, escuche lo que el Espíritu dice a las iglesias.

¹⁴*"Escríbele al pastor de la iglesia de Laodicea:*

Este mensaje te lo envía el firme, el testigo fiel y verdadero, la fuente primaria de la creación de Dios.

¹⁵Estoy al tanto de la obra que realizas; no eres frío ni caliente. ¡Ojalá fueras frío o caliente! ¹⁶¡Pero como eres tibio, te arrojaré de mi boca! ¹⁷Tú dices: "Soy rico, tengo lo que deseo, ¡no necesito nada!" ¡No te das cuenta que eres un desventurado, miserable, pobre, ciego y desnudo! ¹⁸Te aconsejo que compres de mí oro puro, refinado en fuego. Sólo así serás verdaderamente rico. Y compra de mí ropa blanca, limpia, pura, para que no sufras la vergüenza de andar desnudo. Y ponte un colirio que te cure los ojos y te devuelva la vista.

¹⁹Como yo disciplino y castigo a los que amo, tendré que castigarte si no abandonas esa indiferencia y te arrepientes. ²⁰Recuerda, yo estoy siempre a la puerta y llamo; si alguno escucha mi llamado y abre la puerta, entraré y cenaré con él y él conmigo. ²¹Al que venza lo dejaré que se siente junto a mí en el trono, de la misma manera que al vencer yo me senté con mi Padre en el trono.

²²El que pueda oír, escuche lo que el Espíritu dice a las iglesias.

4 AL LEVANTAR LA vista, contemplé en el cielo una puerta abierta; y la voz que escuché anteriormente, estridente como toque de trompeta, me dijo:

—Sube acá y te mostraré lo que va a ocurrir después de esto.

²Al instante estuve yo en espíritu contemplando un trono colocado en el cielo, y a Alguien sentado en él. ³Ese Alguien fulguraba como lustroso diamante o reluciente rubí. Alrededor del trono había un arco iris brillante como la esmeralda, ⁴y veinticuatro tronos ocupados por veinticuatro ancianos vestidos de blanco y con coronas de oro. ⁵,⁶Del trono salían relámpagos, truenos y voces. Enfrente había siete lámparas encendidas que representaban a las siete formas de la perfección de Dios, y un mar de cristal reluciente. En medio y alrededor del trono había cuatro seres vivientes, llenos de ojos por detrás y por delante.

⁷El primero de aquellos seres vivientes tenía forma de león; el segundo, de becerro; el tercero tenía un rostro humano; y el cuarto parecía un águila en pleno vuelo. ⁸Cada uno de aquellos seres vivientes tenía seis alas llenas de ojos por dentro y por fuera. Y sin cesar, día tras día y noche tras noche, decían: "Santo, santo, santo es el Señor Dios Todopoderoso, que era, que es y que ha de venir".

⁹Y cada vez que los seres vivientes daban gloria, honra y acción de gracias al que estaba sentado en el trono, al que vive para siempre, ¹⁰los veinticuatro ancianos se postraban en adoración delante del que vive eternamente y tiraban sus coronas delante del trono al tiempo que cantaban: ¹¹"Señor, eres digno de recibir la gloria, la honra y el poder, porque creaste el universo. Lo que existe, existe porque por obra y gracia de tu voluntad lo creaste".

5 EN ESO NOTÉ que el que estaba sentado en el trono tenía en la mano derecha un pergamino enrollado, escrito por detrás y por delante y sellado con siete sellos. ²En aquel mismo instante un ángel poderoso preguntó a viva voz:

—¿Quién es digno de abrir el pergamino y romper sus sellos?

³Pero nadie, ni en el cielo ni en la tierra ni entre los muertos, podía abrirlo para leerlo.

⁴No pude contener el dolor que me embargó ante la desgracia de que no hubiera nadie digno de revelarnos el contenido del

pergamino, y rompí a llorar. [5]Pero uno de los veinticuatro ancianos me dijo:

—No llores. Allí está el león de la tribu de Judá, la raíz de David, el que con su victoria ha demostrado ser digno de romper los siete sellos del pergamino y desenrollarlo.

[6]Entonces miré. En medio del trono, de los cuatro seres vivientes y de los veinticuatro ancianos, estaba un Cordero en el que eran visibles las heridas que le causaron la muerte. Tenía siete cuernos y siete ojos, que representaban al Espíritu divino de las siete formas de la perfección de Dios que fue enviado a todas partes del mundo.

[7]El Cordero, dando un paso hacia adelante, tomó el rollo de la mano derecha del que estaba sentado en el trono. [8]Al hacerlo, los veinticuatro ancianos se postraron ante Él con arpas y copas de oro llenas de incienso —que son las oraciones de los creyentes—, [9]y dedicaron al Cordero un nuevo canto que decía así: "Eres digno de tomar el pergamino, romper sus sellos y abrirlo porque fuiste inmolado y con tu sangre nos compraste para Dios de entre todos los linajes, pueblos, lenguas y naciones, [10]y con nosotros formaste un reino de sacerdotes de nuestro Dios, en virtud de lo cual reinaremos en la tierra".

[11]Escuché entonces el canto de millones de ángeles que rodeaban el trono y de los seres vivientes y de los ancianos, [12]en el que a gran voz proclamaban: "Digno es el Cordero que fue inmolado de tomar el poder, las riquezas, la sabiduría, la fortaleza, la honra, la gloria y la alabanza".

[13]Y todas las criaturas del cielo y de la tierra, a coro con las que yacen debajo de la tierra y en el mar exclamaron: "¡Que la alabanza, la honra, la gloria y el poder sean para el Cordero para siempre!"

[14]Mientras tanto, los cuatro seres vivientes decían: "¡Amén!"

Y los veinticuatro ancianos se postraron y adoraron al Eterno.

6 ALLÍ, ANTE MIS OJOS, el Cordero rompió el primer sello y comenzó a desenrollar el pergamino. Entonces uno de los cuatro seres vivientes, con voz de trueno, dijo:

—¡Ven y ve!

[2]Obedecí. Frente a mí apareció un caballo blanco. El jinete, que tenía un arco, recibió una corona y salió triunfante a obtener más victorias.

[3]Cuando el Cordero rompió el segundo sello, el segundo ser viviente gritó:

—¡Ven!

[4]Esta vez apareció un caballo rojo. El jinete recibió una espada y autorización para destruir la paz y provocar anarquía en la tierra; en consecuencia, por todas partes hubo guerras y muertes.

[5]Cuando el Cordero rompió el tercer sello, escuché al tercer ser viviente que dijo:

—¡Ven!

En la escena apareció un caballo negro cuyo jinete traía una balanza en la mano. [6]Y una voz que brotó de entre los cuatro seres vivientes, dijo:

—A denario[a] las dos libras de trigo o las tres libras de cebada, pero no hay aceite ni vino.

[7]Y cuando rompió el cuarto sello, escuché al cuarto ser viviente que dijo:

—¡Ven!

[8]En esta ocasión apareció un caballo amarillo. El jinete que lo montaba se llamaba Muerte, y lo seguía otro jinete llamado Infierno. Se les concedió dominio sobre una cuarta parte de la tierra, y autoridad para matar por medio de guerras, hambre, epidemias y fieras salvajes.

[9]El Cordero abrió el quinto sello. Vi entonces debajo del altar las almas de los que habían muerto por predicar la palabra de Dios y por ser fieles testigos de la verdad. [10]Aquellas almas clamaban a viva voz:

—Soberano Señor, santo y verdadero, ¿cuándo vas a juzgar a los habitantes de la tierra por lo que nos han hecho? ¿Cuándo vas a vengar nuestra sangre en los que moran en la tierra?

[11]Les dieron entonces ropa blanca, y les dijeron que descansaran un poco más hasta que los demás siervos de Jesús alcanzaran también las palmas del martirio y se les unieran.

[12]Cuando el Cordero abrió el sexto sello, se produjo un gran terremoto; el sol se puso negro como ropa de luto y la luna adquirió

6a Un denario era lo que un obrero ganaba al día en el Imperio Romano.

un color rojo sangre. [13]Las estrellas del cielo parecían caer sobre la tierra como caen los higos verdes en medio de un vendaval. [14]El cielo estrellado se fue enrollando como un pergamino hasta desaparecer, mientras las montañas y las islas cambiaban de lugar en medio de fuertes sacudidas. [15]Los reyes de la tierra, los dirigentes del mundo, los ricos, los militares de la más alta graduación, buscaban refugio en las cuevas y entre las peñas de las montañas. Y la humanidad entera, esclava o libre, gritaba a las montañas:

[16]—¡Caigan sobre nosotros y escóndannos de la mirada del que está sentado en el trono, y de la ira del Cordero! [17]¡El gran día de su ira ha llegado! ¿Quién podrá sobrevivir?

7 ENTONCES VI A cuatro ángeles que, parados en las cuatro esquinas de la tierra, detenían los cuatro vientos. Al poco rato no se movía ni una hoja, y el océano quedó sereno e inmóvil.

[2]Luego otro ángel apareció en el este con el gran sello del Dios viviente y gritó a los cuatro ángeles que habían recibido autorización para dañar la tierra y el mar:

[3]—¡Esperen! No vayan a dañar la tierra ni el mar ni los árboles, porque todavía no hemos marcado en la frente a los siervos de Dios.

[4-8]¿Cuántos fueron sellados? Escuché el número: ciento cuarenta y cuatro mil entre las doce tribus de Israel. Está es la lista:

de Judá	12.000
de Rubén	12.000
de Gad	12.000
de Aser	12.000
de Neftalí	12.000
de Manasés	12.000
de Simeón	12.000
de Leví	12.000
de Isacar	12.000
de Zabulón	12.000
de José	12.000
de Benjamín	12.000

[9]Luego vi frente al trono y delante del Cordero a una gran multitud de individuos de todas las naciones, razas y lenguas, vestidos de blanco y con palmas en las manos. Era tan inmensa la multitud que no pude contarla.

[10]—Al Dios nuestro que está en el trono y al Cordero debemos la salvación —gritaban.

[11]Y los ángeles que rodeaban el trono y los ancianos y los cuatro seres vivientes se postraron delante del trono y adoraron a Dios, diciendo:

[12]—¡Amén! ¡Que la bendición, la gloria, la sabiduría, la acción de gracias, la honra, el poder y la fuerza sean de nuestro Dios para siempre! ¡Amén!

[13]Entonces uno de los veinticuatro ancianos me preguntó:

—¿Sabes quiénes son éstos que están vestidos de blanco y de dónde han venido?

[14]—No, Señor —respondí—. Dímelo.

—Estos son los que pasaron por la gran tribulación —me dijo—. Su ropa está blanca porque la lavaron y blanquearon con la sangre del Cordero. [15]Por eso están delante del trono de Dios y sirven día y noche en el Templo del Altísimo. El que está sentado en el trono los protege; [16]jamás volverán a tener hambre ni sed, y estarán a salvo del sol abrasador del mediodía. [17]El Cordero que está frente al trono los alimentará y, como pastor, los conducirá a las fuentes del agua de la vida. Y Dios les enjugará las lágrimas.

8 CUANDO EL CORDERO rompió el séptimo sello, se produjo en el cielo como una media hora de silencio.

[2]Entre tanto, los siete ángeles que estaban delante de Dios recibieron siete trompetas. [3]Otro ángel, con un incensario de oro, vino y se paró ante el altar; allí se le entregó una gran cantidad de incienso para que lo mezclara con las oraciones de los creyentes y lo ofreciera sobre el altar de oro que estaba delante del trono. [4]Y el humo del incienso y las oraciones que el ángel derramó en el altar ascendieron a la presencia de Dios. [5]Luego el ángel llenó el incensario del fuego del altar y lo lanzó contra la tierra. Inmediatamente se produjo una tormenta de truenos; y en medio de los relámpagos que rasgaban el espacio, un terrible terremoto sacudió la tierra.

[6]Los siete ángeles de las siete trompetas se dispusieron a tocarlas. [7]Cuando el primero tocó su trompeta, cayó sobre la tierra una lluvia de granizo y fuego mezclado con

sangre; una tercera parte de la tierra ardió y una tercera parte de los árboles quedó carbonizada; no hubo hierba verde en la tierra que no ardiera.

[8,9]El segundo ángel tocó su trompeta e inmediatamente algo semejante a una inmensa montaña encendida se precipitó en el mar y destruyó una tercera parte de los barcos; una tercera parte del mar adquirió el color rojo de la sangre, y murió una tercera parte de los peces.

[10]El tercer ángel tocó su trompeta y una gran estrella envuelta en llamas cayó sobre una tercera parte de los ríos y manantiales. [11]La estrella recibió el nombre de "Amargura", porque una tercera parte de las aguas se volvieron amargas y murió mucha gente.

[12]Cuando el cuarto ángel tocó su trompeta, una tercera parte del sol, la luna y las estrellas dejó de alumbrar. La luz del día disminuyó su intensidad en una tercera parte, y la oscuridad de la noche se hizo más densa.

[13]Y mientras miraba, un ángel solitario cruzó los cielos gritando:

—¡Ay, ay, ay, de los habitantes de la tierra, porque terribles cosas acontecerán cuando los otros ángeles toquen sus trompetas!

9 EL QUINTO ÁNGEL tocó su trompeta y alguien cayó del cielo a la tierra y recibió la llave del abismo insondable. [2]Al abrirlo, un humo negro como de un horno gigantesco se elevó y oscureció el sol y el aire. [3]Del humo brotaron langostas que descendieron sobre la tierra con poder para aguijonear como alacranes. [4]Se les había ordenado que no dañaran la hierba ni ninguna planta ni ningún árbol; en cambio, debían atacar a las personas que no tuvieran la marca de Dios en la frente. [5]No les estaba permitido matarlas, sino someterlas durante cinco meses a una agonía semejante al dolor del aguijonazo del alacrán. [6]En aquellos días los hombres tratarán de matarse, pero no se les concederá la muerte. Ansiarán morir, pero la muerte huirá de ellos.

[7]Aquellas langostas parecían caballos preparados para la guerra. En la cabeza llevaban algo así como coronas de oro y tenían el rostro muy semejante al rostro humano. [8]Sus cabellos eran largos como de mujer, y sus dientes parecían dientes de leones. [9]Traían puestas corazas que parecían de hierro, y sus alas producían un estruendo semejante al de muchos carros que corren a la batalla tirados por caballos. [10]Como alacranes, llevaban el aguijón en la cola, donde precisamente residía el poder que se les había dado para dañar a los hombres durante cinco meses. [11]Y eran súbditos del príncipe del abismo insondable, cuyo nombre en hebreo es Abadón; en griego, Apolión, que quiere decir, "Destructor".

[12]Ya pasó uno de los horrores, pero todavía faltan dos.

[13]El sexto ángel tocó su trompeta y escuché una voz que brotaba de los cuatro cuernos del altar de oro que estaba delante del trono de Dios.

[14]—Desaten a los cuatro demonios poderosos que están atados junto al gran río Eufrates —dijo la voz al sexto ángel.

[15]Y aquellos demonios, que estaban preparados precisamente para aquel año, mes, día y hora, quedaron en libertad de matar a la tercera parte de la humanidad. [16]Marcharían al frente de un ejército de doscientos millones de guerreros, según pude escuchar.

[17]En visión, vi delante de mí aquella caballería. Los jinetes llevaban corazas de un color rojo fuego, si bien es cierto que algunas eran azul cielo y otras amarillas. Las cabezas de los caballos parecían cabezas de leones, y por el hocico echaban humo fuego y llama sulfúrea, [18]plagas que fueron matando la tercera parte de la humanidad.

[19]Pero el poder mortal de aquellos caballos no radicaba solamente en el hocico. Sus colas parecían serpientes que atacaban y ocasionaban heridas mortales.

[20]Sin embargo, los hombres que sobrevivieron a aquellas plagas siguieron adorando a Satanás y a los ídolos de oro, plata, bronce, piedra y madera que no pueden ver ni oír ni caminar. [21]¡Y ni siquiera se arrepienten de sus crímenes, hechicerías, inmoralidades y hurtos!

10 VI A OTRO ángel poderoso descender del cielo envuelto en una nube, con un arco iris sobre la cabeza. El rostro le resplandecía como el sol y los pies le llameaban como antorchas gigantescas. [2]En la mano, abierto, sostenía un librito.

Poniendo el pie derecho en el mar y el izquierdo en la tierra, [3]dio un grito semejante al rugido de un león. Poco después siete truenos rugieron en respuesta.

[4]Yo ya iba a escribir lo que dijeron los truenos, pero una voz del cielo gritó:

—¡No, no lo hagas! Estas palabras no pueden ser reveladas.

[5]Entonces el gran ángel que estaba parado en mar y tierra elevó al cielo la mano derecha, [6]y juró por el que vive para siempre, creador del cielo y lo que en él existe, de la tierra y lo que en ella existe, y del mar y los que lo habitan, que ya no habría más demoras; [7]y que cuando el séptimo ángel tocara su trompeta, el plan de Dios, que había permanecido velado, se llevaría a cabo tal como sus siervos los profetas lo habían anunciado.

[8]Entonces la voz del cielo me habló de nuevo:

—Vé y toma el librito que está abierto en la mano del poderoso ángel que está parado en tierra y mar.

[9]Yo me le acerqué y se lo pedí.

—Sí —me respondió—, toma y cómetelo. Al principio te sabrá a miel, pero cuando te lo tragues te amargará el estómago.

[10]Lo tomé entonces y me lo comí. Y, efectivamente, me fue dulce en la boca, pero al tragármelo me produjo un dolor de estómago. [11]Entonces el ángel me dijo:

—Todavía tienes que profetizar sobre muchos pueblos, naciones, tribus y reyes.

11 SE ME ENTREGÓ entonces una vara de medir y se me pidió que fuera a medir el Templo de Dios, incluyendo los salones internos donde está el altar. Y se me pidió también que contara cuántos adoradores había.

[2]—Pero no midas las partes externas del Templo —me dijeron—, porque han sido entregadas a las naciones, y éstas se pasarán tres años y medio humillando a la Ciudad Santa. [3]Y enviaré a mis dos testigos para que profeticen durante mil doscientos sesenta días vestidos de luto.

[4]Los dos profetas en cuestión eran los dos olivos y los dos candeleros que están delante del Dios de la tierra. [5]Cualquiera que trate de hacerles daño, morirá víctima de las llamaradas de fuego que brotan de la boca de aquellos dos personajes. [6]Estos tienen poder para cerrar los cielos de manera que no llueva durante los tres años y medio que estén profetizando, y poder para convertir en sangre los ríos y los océanos, y enviar plagas sobre la tierra cada vez que lo deseen. [7]Al cabo de tres años y medio de testimonio solemne, el tiempo que surge del abismo insondable les declarará la guerra, los vencerá y los matará, [8,9]y durante tres días y medio exhibirá sus cadáveres en las calles de Jerusalén, la ciudad llamada "Sodoma" o "Egipto" en sentido figurado, donde crucificaron al Señor. No se le permitirá a nadie enterrarlos, e individuos de muchas nacionalidades desfilarán junto a ellos para verlos. [10]Aquel será un día de júbilo mundial; en todas partes, las gentes, regocijadas, intercambiarán regalos y organizarán fiestas en celebración de la muerte de los dos profetas que tanto los habían atormentado. [11]Pero al cabo de los tres días y medio, el Espíritu de Vida de Dios entrará en los dos profetas, y se levantarán. Y un gran terror se apoderará del mundo entero. [12]Entonces una potente voz del cielo llamará a los dos profetas, y ellos ascenderán al cielo en una nube, ante los ojos de sus enemigos. [13]En aquel preciso instante un terrible terremoto sacudirá a la tierra y una décima parte de la ciudad se derrumbará dejando un saldo de siete mil muertos. Los sobrevivientes, llenos de espanto, glorificarán al Dios del cielo.

[14]Así termina el segundo horror, pero el tercero no se hace esperar. [15]El séptimo ángel tocó su trompeta, y varias voces potentísimas gritaron desde el cielo:

—Los reinos de este mundo pertenecen ahora a nuestro Señor y a su Cristo; El reinará en ellos para siempre.

[16]Y los veinticuatro ancianos sentados en sus tronos delante de Dios se tiraron sobre sus rostros a adorarlo, diciendo:

[17]—Te damos las gracias, Señor Dios Todopoderoso, que eres, que eras y que has de venir, porque has tomado tu gran poder y has comenzado a reinar. [18]Las naciones se

enojaron contra ti, pero ha llegado el momento de enojarte contra ellas. Ha llegado la hora de juzgar a los muertos y premiar a tus siervos los profetas y a cualquier persona grande o pequeña que respete tu nombre. Y ha llegado el momento de destruir a los que han traído destrucción a la tierra.

¹⁹Entonces el Templo de Dios se abrió en el cielo y el Arca de su pacto quedó al descubierto. Y en medio del centelleo de los relámpagos y el retumbar de los truenos que rasgaban el firmamento, cayó una inmensa granizada seguida de un espantoso terremoto que sacudió la tierra.

12 ENTONCES SE PRESENTÓ en el cielo un gran espectáculo, símbolo de lo que iba a acontecer. Apareció una mujer vestida con el sol, con la luna debajo de los pies y una corona de doce estrellas en la frente. ²Estaba encinta y gritaba con dolores de parto; el momento de su alumbramiento se acercaba.

³De pronto apareció un dragón rojizo, con siete cabezas, diez cuernos y una corona en cada cabeza. ⁴Con la cola arrastró tras sí una tercera parte de las estrellas y las arrojó sobre la tierra. Luego se detuvo frente a la mujer en el momento mismo en que iba a dar a luz, a fin de comerse al niño tan pronto naciera.

⁵La mujer dio a luz un hijo varón que gobernará las naciones con mano fuerte. Inmediatamente se lo arrebataron para Dios y su trono, ⁶y la mujer huyó al desierto, donde Dios le tenía preparado un lugar en el que la sustentarían mil doscientos sesenta días.

⁷Se libró entonces una gran batalla en el cielo. Miguel y los ángeles que están bajo su mando pelearon contra el dragón y sus huestes de ángeles caídos. ⁸Estos últimos, una vez vencidos, fueron expulsados del cielo. ⁹¡Aquel gran dragón, que no es otro sino la serpiente antigua que se llama el diablo o Satanás, y engaña a todo el mundo, fue arrojado a la tierra junto con la totalidad de su ejército!

¹⁰Escuché entonces que una potente voz proclamaba en el cielo:

—¡Al fin! Al fin llegó la salvación, el poder y el reino de nuestro Dios, y la autoridad de su Cristo; porque el acusador de nuestros hermanos, el que los acusaba día y noche ante Dios, ha sido expulsado del cielo. ¹¹Ellos lo vencieron con la sangre del Cordero y el testimonio de sus vidas; porque teniendo en poco sus vidas, las pusieron a los pies del Cordero. ¹²¡Regocíjense, oh cielos! ¡Regocíjense, ciudadanos del cielo! ¡Alégrense! ¡Pero pobres de ustedes, habitantes del mundo, porque el diablo ha bajado rabiando de furia por el poco tiempo que le queda!

¹³Cuando el dragón vio que lo habían arrojado a la tierra, corrió en persecución de la mujer que dio a luz al niño. ¹⁴Pero la mujer recibió dos alas de águila gigantes y pudo volar al lugar que se le había preparado en el desierto, donde durante tres años y medio la habrían de sustentar y proteger de las furias de la serpiente, el dragón.

¹⁵La serpiente, con el propósito de destruirla, arrojó por su hocico un inmenso caudal de agua que corrió como torrente hacia la mujer; ¹⁶pero la tierra, para ayudarla, abrió la boca y se tragó el torrente.

¹⁷Furioso al darse cuenta de esto, el dragón se propuso atacar a los demás hijos de la mujer, que son los que guardan los mandamientos de Dios y confiesan pertenecer a Jesús. A tal efecto, se paró estratégicamente en una playa del mar.

13 VI ENTONCES EN visión que un monstruo surgía de las aguas del mar. Tenía siete cabezas, diez cuernos y diez coronas sobre sus cuernos. Y en cada una de las cabezas tenía escritos nombres blasfemos que desafiaban e insultaban a Dios. ²Parecía un leopardo, pero tenía pies de oso y boca de león. El dragón le entregó el poder, el trono y la gran autoridad que poseía.

³Una de las cabezas de aquella extraña criatura parecía herida de muerte, pero sanó. El mundo, maravillado de semejante milagro, siguió con temor al monstruo. ⁴Asimismo, adoraron al dragón, que le había dado el poder, y adoraron al monstruo.

—¿Quién como él? —exclamaron—. ¿Quién podrá pelear contra él?

⁵Entonces el dragón alentó al monstruo a que dijera blasfemias contra el Señor; y le dio autoridad para regir la tierra cuarenta

y dos meses, [6]durante los cuales blasfemó el nombre de Dios y de los que moran en el cielo.

[7]Y el dragón le dio también poder para pelear contra el pueblo de Dios y vencerlo, y autoridad para gobernar a todas las naciones de este mundo. [8]Y los seres humanos cuyos nombres no estaban inscritos desde antes de la creación del mundo en el Libro del Cordero sacrificado,[a] adoraron a aquel engendro del mal.

[9]El que pueda oír, escuche bien: [10]El que te lleve preso, caerá preso. El que te mate, morirá. No desmayes, porque esto te será una oportunidad de ejercitar la paciencia y la confianza.

[11]A continuación vi que otro monstruo surgía de la tierra con dos pequeños cuernos semejantes a los del Cordero, pero con una voz tan espantosa como la del dragón. [12]Poseía la misma autoridad del primer monstruo en presencia de éste, y exigió que el mundo entero adorara al primer monstruo. [13]Los milagros que realizaba eran increíbles; por ejemplo, en una ocasión hizo caer del cielo llamaradas de fuego ante los ojos asombrados de la humanidad. [14]Y con los milagros que podía realizar en presencia del otro monstruo, engañó a la humanidad y ordenó que esculpieran una estatua del primer monstruo, el que había estado herido y revivió.

[15]Luego se le permitió al segundo monstruo transmitir vida a la estatua y hacerla hablar. Entonces la estatua ordenó que mataran a cualquiera que se negara a adorarla, [16]y que pusieran cierta marca en la mano derecha o en la frente de los habitantes de la tierra, ya fueran grandes o pequeños, ricos, o pobres, libres o esclavos. [17]Nadie podía obtener trabajo ni vender si no tenía aquella marca, que consistía en el nombre del monstruo o en la clave numérica del mismo. [18]Dicho número, que es humano, constituye un acertijo que hay que estudiar cuidadosamente. El número es seiscientos sesenta y seis.[b]

14 VI ENTONCES UN Cordero de pie sobre el Monte de Sion, Jerusalén, acompañado de ciento cuarenta y cuatro mil que tenían el nombre de El y el de su Padre escrito en la frente. [2]Y oí en el cielo algo semejante al estrépito de una catarata inmensa o el retumbar de un gran trueno; era el canto de un coro acompañado con arpas. [3]Aquel formidable coro de ciento cuarenta y cuatro mil voces estrenó un maravilloso cántico frente al trono de Dios y delante de los cuatro seres vivientes y los veinticuatro ancianos. Los únicos que podían cantar aquel canto eran aquellos ciento cuarenta y cuatro mil redimidos de entre los de la tierra; [4]y lo podían cantar porque se mantuvieron puros como vírgenes, y porque seguían al Cordero a dondequiera que iba. Aquellos fueron comprados de entre los demás hombres como ofrenda santa a Dios y al Cordero. [5]En ellos no existe la mentira, porque son intachables.

[6]Y vi que otro ángel cruzaba los cielos con las eternas Buenas Nuevas, e iba proclamándolas a cada nación, tribu, lengua y pueblo.

[7]—¡Teman a Dios —decía a gran voz—, y alaben su grandeza, porque el tiempo ha llegado en que se sentará a juzgar! ¡Adórenlo, porque El creó el cielo y la tierra, el mar y las fuentes que lo nutren!

[8]Y otro ángel que le seguía gritaba:

—¡Cayó Babilonia! ¡Cayó la gran ciudad que sedujo a las naciones a participar del vino de sus impurezas y pecados!

[9]Inmediatamente un tercer ángel lo siguió gritando:

—¡Cualquiera que adore al monstruo que surgió del mar y su estatua, y se deje marcar en la frente o en la mano, [10]tendrá que beber del vino del furor de Dios que se ha echado puro en la copa de la ira divina! Y se les atormentará con fuego y azufre ardiendo en presencia de los santos ángeles y el Cordero. [11]El humo de su tormento se elevará eternamente, y no tendrán alivio ni de día ni de noche, porque adoraron al monstruo y la estatua, y se dejaron marcar con la clave de su nombre. [12]Que esto sirva

13a O: "aquellos cuyos nombres no están escritos en el Libro de la Vida del Cordero inmolado desde antes de la fundación del mundo". O sea, que la muerte del Cordero estaba dentro del plan eterno de Dios.
13b Algunos manuscritos dicen ochocientos dieciséis.

de aliento a los santos hombres que sufren con paciencia las pruebas y las persecuciones, y permanecen firmes hasta el final en la obediencia a los mandamientos de Dios y la fe de Jesús.

[13]Oí entonces una voz que me decía desde el cielo:

—Escribe lo que te voy a dictar: "¡Al fin los que mueren por la fe de Cristo obtendrán su recompensa! Dichosos ellos", dice el Espíritu, "porque de ahora en adelante cesarán para ellos las penas y los sufrimientos, y verán en el cielo los frutos de sus buenas obras".

[14]Entonces la escena cambió y vi una nube blanca y, sentado en ella, a alguien muy parecido a Jesús, el Hijo del Hombre, con una corona de oro sólido en la frente y una hoz bien afilada en la mano.

[15]Del Templo salió un ángel y le gritó:

—¡Mete la hoz, y recoge la cosecha! ¡Los sembrados del mundo están listos para ser cosechados!

[16]Entonces el que estaba sentado en la nube pasó la hoz sobre la tierra, y recogió la cosecha.

[17]Luego salió otro ángel del Templo que está en el cielo; portaba también una hoz bien afilada.

[18]Inmediatamente otro ángel, que tenía poder para destruir el mundo con fuego gritó al ángel que tenía la hoz:

—¡Corta los racimos de uvas de los viñedos del mundo, porque ya están completamente maduras para el juicio!

[19]El ángel arrojó la hoz sobre la tierra y echó las uvas en el gran lagar de la ira de Dios. [20]Y exprimieron las uvas en un lugar que está fuera de la ciudad, y de éste brotó un río de sangre de trescientos veinte kilómetros de largo, en el que un caballo podía sumergirse hasta las bridas.

15 Y VI APARECER en el cielo un espectáculo sorprendente que representaba los acontecimientos que se producirían: a siete ángeles se les encomendó la tarea de llevar a la tierra las siete plagas finales, con las cuales la ira de Dios quedaría satisfecha.

[2]Delante de mí vi algo que se me antojaba semejante a un océano de fuego y vidrio, sobre el que estaban de pie los que

habían salido victoriosos de su lucha con el monstruo del mal y su estatua y su marca y número. En las manos traían las arpas de Dios, [3]y cantaban el cántico de Moisés el siervo de Dios, y el cántico del Cordero:

Formidables y maravillosas son tus obras,
Señor Dios Todopoderoso.
Justos y verdaderos son tus caminos,
Rey de los santos.
[4]¿Quién no te teme, Señor?
¿Quién no glorifica tu nombre?
Porque sólo Tú eres santo.
Las naciones vendrán y te adorarán,
porque tus obras de justicia
ya se han manifestado.

[5]Entonces miré y vi que el Lugar Santísimo del Templo que está en el cielo quedó abierto de par en par. [6]Los siete ángeles que tenían la tarea de esparcir las siete plagas salieron del Templo vestidos de lino blanco inmaculado y con el pecho ceñido con cintos de oro.

[7]Uno de los cuatro seres vivientes entregó a cada uno de los siete ángeles un frasco de oro lleno del terrible furor del Dios viviente que vive por los siglos de los siglos. [8]Entonces el Templo se llenó del humo de la gloria y del poder de Dios; y nadie podía entrar mientras los siete ángeles no hubieran terminado de derramar las siete plagas.

16 ESCUCHÉ ENTONCES UNA potente voz que desde el Templo gritaba a los siete ángeles:

—Váyanse a derramar sobre la tierra los siete frascos del furor de Dios.

[2]Entonces el primer ángel salió del Templo y derramó su frasco sobre la tierra, y una llaga maligna y asquerosa brotó en las personas que tenían la marca del monstruo y adoraban la estatua.

[3]El segundo ángel derramó su frasco sobre el mar, y éste adquirió aspecto de sangre de muerto; y no quedó ni un solo ser con vida en el mar.

[4]El tercer ángel derramó su frasco sobre los ríos y las fuentes, y se convirtieron en sangre. [5]Y escuché que aquel ángel de las aguas decía:

—Justo eres al enviar estos juicios, Santo Señor que eres y que eras, [6]porque tus santos y tus profetas han sido martirizados y su sangre se derramó sobre la tierra. Ahora, en castigo, tú has derramado la sangre de los que los asesinaron.

[7]Y oí que el ángel del altar decía:

—Sí, Señor Dios Todopoderoso, tus castigos son justos y verdaderos.

[8]El cuarto ángel derramó su frasco sobre el sol, y los rayos solares quemaron a los hombres. [9]Y en medio de las quemaduras producidas por aquellas llamaradas solares, la humanidad blasfemó el nombre de Dios, que les había enviado las plagas, y no se arrepintieron ni quisieron darle gloria.

[10]Entonces el quinto ángel derramó su frasco sobre el trono del monstruo que surgió del mar, y su reino quedó envuelto en tinieblas mientras sus súbditos se mordían la lengua por el dolor, [11]y blasfemaban contra el Dios del cielo por el dolor y las llagas. Pero no se arrepintieron de sus perversidades.

[12]El sexto ángel derramó su frasco sobre el gran río Eufrates, y se secó de tal manera que los reyes del oriente podían pasar al occidente sin dificultad.

[13]Vi que el dragón, el monstruo y el falso profeta dejaban escapar de la boca tres espíritus del mal con formas de ranas. [14]Aquellos demonios milagrosos se fueron a conferenciar con los gobernantes del mundo para agruparlos en batalla contra el Señor, en aquel gran día de juicio del Dios Todopoderoso que ya se acercaba.

[15]—Fíjate bien: Yo, como ladrón, he de llegar de sorpresa. Dichoso el que me espera, el que tiene su ropa lista para no tener que andar desnudo y avergonzado.

[16]Los tres espíritus del mal reunieron a los ejércitos de todo el mundo en un lugar que en hebreo se llama Armagedón o montaña de Meguido.

[17]Entonces el séptimo ángel derramó su frasco en el aire y un grito brotó del trono del Templo que está en el cielo:

—¡Ya está terminado!

[18]Hubo entonces retumbar de truenos y centellear de relámpagos, mientras la tierra se sacudía con un terremoto de una magnitud sin precedente en la historia. [19]La gran ciudad de "Babilonia" quedó dividida en tres partes, y las ciudades de todo el mundo se desmoronaron. ¡Los pecados de la "Gran Babilonia" se agolparon en la memoria de Dios y la ciudad tuvo que sorber como castigo hasta la última gota de ira que contenía el cáliz del vino del ardor de su ira! [20]Las islas desaparecieron y las montañas se desmoronaron, [21]y se desató del cielo una granizada tan increíblemente horrible que cada uno de los granizos que caía sobre la humanidad pesaba alrededor de cincuenta kilos. Y la humanidad blasfemó contra Dios.

17 UNO DE LOS siete ángeles que habían vertido las plagas vino a donde yo estaba y me dijo:

—Ven para que veas lo que le pasará a esta tristemente célebre prostituta que se sienta sobre las muchas aguas del mundo. [2]Los reyes tuvieron con ella relaciones ilícitas, y los habitantes del mundo se embriagaron con el vino de su inmoralidad.

[3]El ángel me condujo en espíritu al desierto. Allí estaba una mujer sentada sobre un monstruo escarlata que tenía siete cabezas y diez cuernos,[a] y el cuerpo recubierto de blasfemias contra Dios. [4]La mujer, vestida de púrpura y escarlata, estaba adornada de hermosísimas joyas de oro, piedras preciosas y perlas, y sostenía en la mano una copa de oro repleta de obscenidades. [5]En la frente llevaba escrito su misterioso nombre: "Babilonia la grande, madre de las prostitutas y madre de la idolatría del mundo". [6]No tardé en comprender que estaba ebria con la sangre de los mártires de Jesús que había matado. La miré horrorizado.

[7]—¿Por qué te horrorizas? —me preguntó el ángel—. Te voy a decir quién es ella y quién es ese monstruo sobre el que está sentada. [8]Ese monstruo antes vivía, pero ahora no. Sin embargo, pronto surgirá del abismo insondable y marchará hacia la perdición eterna; y los moradores de la tierra que no tienen el nombre escrito en el Libro de la Vida desde antes de la creación del mundo, se pasmarán de asombro al verlo aparecer después de muerto. [9]Y ahora oye bien lo que te voy a decir: Sus siete

---

17a Vea Apocalipsis 12:3,9 y 13:1.

cabezas representan las siete colinas sobre las que está asentada la ciudad en que reside esta mujer. [10]Y representan también siete reyes. Cinco de ellos ya cayeron, el sexto está gobernando ahora y el séptimo aún no ha surgido pero reinará poco tiempo. [11]El monstruo que murió es el octavo rey, aunque es uno de los siete que habían reinado antes; al concluir su segundo reinado irá también a la perdición.

[12]Los diez cuernos son diez reyes que todavía no han subido al poder. Durante un tiempo breve se les permitirá reinar junto al monstruo, [13]y luego firmarán un tratado por medio del cual entregarán al monstruo el poder y la autoridad que poseen. [14]Y se unirán para pelear contra el Cordero, pero el Cordero los vencerá porque es Señor de señores y Rey de reyes, y los que lo siguen son los llamados, los elegidos, los fieles.

[15]Los océanos, lagos y ríos sobre los que la mujer está sentada representan inmensas muchedumbres de todas las razas y nacionalidades. [16]El monstruo escarlata y sus diez cuernos, que representan los diez reyes que reinarán con él, atacarán a la mujer impulsados por el odio que sienten hacia ella, y la dejarán desnuda y desolada por fuego. [17]Entonces Dios los hará concebir un plan con el que se cumplirán los propósitos divinos; por acuerdo mutuo entregarán al monstruo escarlata la autoridad que poseen, hasta que se cumplan las palabras de Dios. [18]Y la mujer que has visto en visión representa a la gran ciudad que gobierna a los reyes de la tierra.

18 DESPUÉS DE ESTO vi que desde el cielo descendía otro ángel que, cubierto de gran autoridad, iluminó la tierra con su resplandor, [2]y con voz potente gritó:

—¡Ya, ya cayó la gran Babilonia! Babilonia se ha convertido en guarida de demonios, en antro de diablos y espíritus inmundos; [3]porque las naciones se han embriagado con el vino fatal de su gran inmoralidad, porque los gobernantes de la tierra se han entregado con ella a los placeres, y porque los comerciantes de la tierra se han enriquecido con la abundancia de deleites que la ciudad ofrece.

[4]Entonces oí otra voz del cielo que decía:

—Sal de esa ciudad, pueblo mío; no partícipes en su pecado para que no se te castigue con ella, [5]porque sus pecados se han ido amontonando hasta el cielo y Dios va a juzgarla por su perversidad. [6]Hazle a ella lo que ella te hizo a ti, e imponle doble castigo a sus maldades. En la copa de amargura en que preparó bebida para otros, prepárale una bebida dos veces más fuerte. [7]Ella ha vivido en derroches y en placeres sin límites; dale ahora dolores y penas sin límites. Ella se jacta, diciendo: "En este trono soy reina. No soy ninguna viuda desamparada. Nunca sufriré". [8]¡En un solo día caerán sobre ella muerte, llanto y hambre, y al final la consumirá el fuego! ¡Poderoso es el Señor que la juzgue!

[9]Los gobernantes del mundo, que tomaron parte en sus inmoralidades y se deleitaron con sus favores, llorarán ante sus restos humeantes. [10]Desde la distancia en que la contemplarán temblorosos de miedo, gritarán:

—¡Pobre Babilonia, tan poderosa que era! ¡Qué de repente le llegó el juicio!

[11]Los mercaderes de la tierra sollozarán y se lamentarán, porque ya no habrá nadie que les compre. [12]Ella era una gran cliente de oro, plata, piedras preciosas, perlas, lino fino, púrpura, seda escarlata, maderas olorosas, objetos de marfil, maderas preciosas labradas, cobre, hierro, mármol, [13]especias aromáticas, incienso, mirra, olíbano, vino, aceite, harina fina, trigo, bestias, ovejas, caballos, carrozas y esclavos (¡aun almas de hombres!).

[14]—Ya no tienes los lujos que tanto te gustaban —le gritarán—. Ya no tienes el lujo y el esplendor en que te deleitabas. Jamás los volverás a tener.

[15]Los mercaderes que se habían enriquecido comerciando con aquella ciudad se pararán de lejos para evitar peligros, y dirán entre sollozos:

[16]—¡Pobre de la gran ciudad, hermosa como mujer vestida de linos finos, púrpura y escarlata, y adornada con oro, piedras preciosas y perlas! [17]¡Cuánta riqueza se pierde en un instante!

Los navíos y los capitanes de las flotas mercantes y sus tripulaciones se pararán lejos, [18]y al contemplar el humo del incendio, dirán:

—¿Dónde vamos a encontrar otra ciudad como ésta?

[19]Y echándose tierra en la cabeza en señal de duelo, dirán ahogados por el llanto:

—¡Ay, ay de la gran ciudad que nos enriqueció con su gran riqueza! ¡En sólo una hora desapareció. . . !

[20]Pero tú, cielo, regocíjate. Y regocíjense también los hijos de Dios, los profetas y los apóstoles, porque al castigar a la gran ciudad Dios les está haciendo justicia.

[21]Entonces un ángel poderoso tomó una peña con forma de piedra de molino y la arrojó en el mar.

—Babilonia, la gran ciudad —dijo—, será arrojada como yo arrojé esta piedra, y desaparecerá para siempre. [22]Nunca se volverá a escuchar en ella el vibrar del arpa, la flauta y la trompeta. Jamás volverá a verse en ella la industria de ningún tipo, y cesará la molienda de granos. [23]Negras serán sus noches, sin brillar de lámparas en las ventanas. Las campanas jamás volverán a proclamar alegrías nupciales, ni las proclamarán tampoco las voces de los novios. Porque tus mercaderes eran los más prósperos de la tierra y engañaron a las naciones con tus hechicerías; [24]porque por ti se derramó sangre de profetas y santos en toda la tierra.

19 DESPUÉS DE ESTO escuché que una multitud inmensa gritaba a viva voz en el cielo:

—¡Aleluya! ¡Gloria al Señor! ¡La salvación procede de Dios! Sólo a El pertenecen la gloria y el poder, [2]porque juzga con justicia y verdad. Ha castigado a la gran prostituta que corrompía la tierra con sus pecados, y ha vengado la muerte de sus siervos.

[3]Y añadieron:

—¡Gloria a Dios! ¡Las ruinas de ella humearán eternamente!

[4]Entonces los veinticuatro ancianos y los cuatro seres vivientes se postraron y adoraron a Dios, que estaba sentado sobre el trono, y decían:

—¡Aleluya! ¡Aleluya!

[5]Y del trono brotó una voz que decía:

—Alaben al Dios nuestro los siervos del Señor que le temen, pequeños y grandes.

[6]Entonces escuché algo así como las voces de una gran multitud, o el ruido de las olas de cien océanos que rompen en la orilla, o como el ronco retumbar de un gran trueno. Y aquella voz gritaba:

—¡Alabado sea Dios! ¡El Señor, nuestro Dios Todopoderoso, reina! [7]Alegrémonos, regocijémonos y démosle gloria, porque ha llegado la hora de la boda del Cordero; y a la novia, que ya está preparada, [8]se le ha permitido vestirse de lino más fino, limpio y resplandeciente, ya que el lino fino simboliza las buenas obras del pueblo de Dios.

[9]Y el ángel me pidió que escribiera lo siguiente: "Dichosos los que están invitados a la fiesta de bodas del Cordero". Y me dijo:

—Este es un mensaje directo de Dios.

[10]Entonces me postré a sus pies para adorarlo, pero me dijo:

—¡No! ¡No lo hagas! Soy un siervo de Dios al igual que lo eres tú y tus hermanos cristianos que proclaman su fe en Jesús. Adora a Dios, pues el propósito de las profecías y de lo que te he mostrado es manifestar a Jesús.

[11]Vi entonces que el cielo estaba abierto y contemplé un caballo blanco cuyo jinete se llamaba Fiel y Verdadero, porque con justicia juzga y pelea. [12]Los ojos de aquel jinete parecían llamas de fuego y en la cabeza traía muchas coronas. En la frente llevaba escrito un nombre cuyo significado sólo El conocía. [13]Vestía una ropa bañada de sangre y su nombre era: el Verbo de Dios.[a] [14]Los ejércitos celestiales, vestidos de lino finísimo, blanco y limpio, lo seguían en caballos blancos. [15]En la boca sostenía una espada aguda con la que heriría a las naciones. El gobernará las naciones con vara de hierro, y exprimirá uvas en el lagar del furor y la ira del Dios Todopoderoso. [16]En su vestidura y en un muslo tiene escrito este título: Rey de reyes y Señor de señores.

[17]Entonces vi que un ángel, de pie en el sol, gritaba a las aves:

—¡Vengan! ¡Júntense a comer la gran cena de Dios! [18]Vengan y coman carne de reyes, capitanes, generales famosos, caballos y jinetes, y las carnes de todos los

---

19a Vea Juan 1:1.

hombres, grandes y pequeños, esclavos y libres. [19]Entonces vi que el monstruo juntaba a los gobernantes de la tierra y a sus ejércitos para pelear contra el que montaba el caballo y contra su ejército. [20]El monstruo cayó preso, y con él el falso profeta que podía realizar milagros cuando el monstruo estaba presente, milagros que engañaron a los que aceptaron la marca del monstruo y adoraron su imagen. El monstruo y el falso profeta fueron arrojados vivos en el lago de fuego que arde con azufre. [21]Y los demás cayeron víctimas de la espada aguda que el jinete del caballo blanco sostenía en la boca, y las aves del cielo se hartaron de sus carnes.

20 [1]ENTONCES VI QUE un ángel descendió del cielo con la llave del abismo insondable y una gran cadena en la mano, [2]y prendió al dragón, la serpiente antigua, conocida también con el nombre de diablo o Satanás, y lo sentenció a permanecer encadenado durante mil años, [3]y lo arrojó al abismo insondable donde lo encerró con llave para que no engañara más a las naciones hasta que transcurrieran mil años. Después de esto volverá a estar libre un tiempo breve.

[4]Entonces vi que los que habían recibido la facultad de juzgar se sentaron en tronos. Y vi a las almas de los que habían muerto decapitados por ser seguidores de Cristo y proclamar la palabra de Dios, que no habían adorado al monstruo ni habían aceptado que los marcaran en la frente ni en la mano. Vi que resucitaban y reinaban con Cristo mil años. [5]Era la primera resurrección. Los demás muertos no resucitarán hasta que los mil años hayan transcurrido. [6]Dichosos los que tienen parte en la primera resurrección; la segunda muerte no podrá hacerles daño, y serán sacerdotes de Dios y de Cristo, y reinarán con El mil años.

[7]Al cabo de los mil años, Satanás saldrá de la prisión [8]y correrá a engañar a las naciones del mundo (entre ellas a Gog y a Magog) y a juntarlas para la batalla. Después de formar con ellas una hueste poderosa, incontable como la arena del mar, [9]subieron por todo lo ancho de la tierra y rodearon el pueblo de Dios y la amada ciudad de Jerusalén. Pero Dios mandó fuego del cielo que atacó y consumió a aquel ejército. [10]Entonces el diablo, el que los había vuelto a engañar, volvió a ser lanzado al lago de fuego y azufre en que estaban el monstruo y el falso profeta. Allí serán atormentados día y noche por los siglos de los siglos.

[11]Y vi un gran trono blanco, sobre el que alguien estaba sentado. Al verlo, la tierra y el cielo salieron huyendo, pero no hallaron dónde esconderse. [12]Y vi a los muertos, grandes y pequeños, de pie ante Dios. Se abrieron entonces los libros, y se abrió también el Libro de la Vida, y los muertos fueron juzgados de acuerdo a lo que estaba escrito en los libros, según sus obras. [13]El mar entregó los muertos que había en él, y lo mismo hicieron la tierra, la muerte y el Hades. Y cada uno fue juzgado según sus obras. [14]Y la muerte y el Hades fueron lanzados al lago de fuego. Este castigo es la segunda muerte. [15]Y el que no estaba inscrito en el Libro de la Vida fue arrojado al lago de fuego.

21 [1]ENTONCES VI UNA nueva tierra (¡sin mares!) y un cielo nuevo, porque la tierra y el cielo que conocemos desaparecieron. [2]Y yo, Juan, vi la Ciudad Santa, la nueva Jerusalén, descender del cielo, de donde estaba Dios. Tenía la apariencia gloriosa y bella de un novia en noche de boda.

[3]Oí entonces que una potente voz gritaba desde el trono:

—La casa de Dios está ahora entre los hombres, y El será su Dios. [4]El les enjugará las lágrimas, y no habrá muerte ni llanto ni clamor ni dolor, porque éstos pertenecen al pasado.

[5]Y el que estaba sentado en el trono dijo:

—Yo hago nuevas todas las cosas.

Luego me dijo:

—Escribe lo que te voy a dictar, porque lo que te digo es digno de crédito y verdadero. [6]¡Hecho está! ¡Yo soy la "A" y la "Z", el principio y el fin! ¡Al sediento le daré a beber gratuitamente del manantial del agua de la vida! [7]El que venza heredará estas bendiciones y yo seré su Dios y él será mi hijo. [8]Pero los cobardes que se apartan de mis sendas, los que no me son fieles, los corruptos, los asesinos, los inmorales, los que practican la brujería, los que adoran ídolos, y los mentirosos, serán arrojados al lago que arde con fuego y azufre, que es la segunda muerte.

⁹Entonces uno de los siete ángeles que habían derramado los frascos que contenían las siete últimas plagas, vino y me dijo:

—Ven y te presentaré a la novia, la esposa del Cordero.

¹⁰Me llevó en visión a la cumbre de un monte alto, y desde allí contemplé una maravillosa ciudad que bajaba del cielo, de delante de Dios. Era la Santa Jerusalén. ¹¹Llena de la gloria de Dios, resplandecía como piedra preciosísima, como piedra de jaspe, diáfana como el cristal. ¹²Sus murallas eran amplias y altas, y doce ángeles custodiaban sus doce puertas. Los nombres de las doce tribus de Israel estaban escritos en las puertas. ¹³Había tres puertas en el lado norte, tres en el sur, tres en el este y tres en el oeste. ¹⁴Doce piedras constituían los cimientos de la muralla, y en cada una de ellas estaba escrito el nombre de uno de los doce apóstoles del Cordero.

¹⁵El ángel traía en la mano una vara de oro para medir la ciudad, sus puertas y sus murallas. ¹⁶La ciudad era completamente cuadrada. Su largo era igual a su ancho; para ser exacto, geométricamente era un cubo, porque su alto era exactamente igual al largo y al ancho: dos mil doscientos kilómetros.¹⁷Las paredes tenían un espesor de sesenta y cuatro metros (el ángel utilizaba medidas humanas).

¹⁸La ciudad misma era de oro puro, transparente como el vidrio. ¹⁹Las murallas eran de jaspe y las doce piedras de sus cimientos estaban adornadas con piedras preciosas; la primera con jaspe, la segunda con zafiro, la tercera con ágata, la cuarta con esmeralda, ²⁰la quinta con ónix, la sexta con cornalina, la séptima con crisólito, la octava con berilo, la novena con topacio, la décima con crisopraso, la undécima con jacinto y la duodécima con amatista. ²¹Cada una de las doce puertas era una perla, y la calle principal era de oro puro, transparente como el vidrio. ²²No vi en ella templo porque en todas partes se adora al Dios Todopoderoso y al Cordero. ²³No necesita que el sol ni la luna la alumbren, porque la gloria de Dios y el Cordero la iluminan: ²⁴Su luz iluminará a las naciones de la tierra, y los gobernantes del mundo le llevarán su gloria. ²⁵Sus puertas jamás estarán cerradas, pues no se cierran de día y allí no existe la noche. ²⁶Y la gloria y la honra de las naciones irán a ella. ²⁷No entrará en ella ningún inmoral ni ningún mentiroso; solamente los que están inscritos en el Libro de la Vida del Cordero.

22 LUEGO ME MOSTRÓ un río limpio, de agua de vida, transparente como el cristal, que brotaba del trono de Dios y del Cordero ²y corría en medio de la calle principal. En ambas riberas crecía el árbol de la vida, que produce frutos todos los meses, doce frutos al año, y con sus hojas se curan las naciones. ³No habrá allí nada maldito. Y el trono de Dios y del Cordero estarán allí. Sus siervos lo servirán ⁴y verán su rostro y llevarán su nombre escrito en la frente. ⁵No existirá la noche y por lo tanto no se necesitarán lámparas ni sol, porque Dios el Señor los iluminará; y reinarán durante toda la eternidad.

⁶,⁷Entonces el ángel me dijo:

—Estas palabras son ciertas y dignas de confianza. Dios, el que revela a los profetas el futuro, ha enviado a su ángel a decir que estas cosas sucederán pronto. "Voy pronto", dice el Señor. ¡Benditos los que creen esto y las demás cosas que están escritas en este libro!

⁸Yo, Juan, vi y oí estas cosas y me postré para adorar al ángel que me las mostró. ⁹Y me dijo nuevamente:

—No, no lo hagas; yo soy un siervo de Jesús como tú, tus hermanos los profetas y los que prestan atención a las verdades de este libro. Adora sólo a Dios.

¹⁰Y luego añadió:

—No escondas lo que has escrito, porque la hora del cumplimiento se acerca. ¹¹Mientras tanto, sea el injusto más injusto si le place; sea el impío aún más impío; pero el bueno sea aún mejor, y el que es santo sea ahora más santo.

¹²—Acuérdate que vengo pronto, y que traeré la recompensa que he de dar a cada uno según sus obras. ¹³Yo soy la "A" y la

"Z", el principio y el fin el primero y el último. [14]Benditos para siempre los que lavan su ropa para tener derecho a entrar por la puerta de la ciudad y comer el fruto del árbol de la vida. [15]Fuera de la ciudad se quedarán los que se apartan de Dios, los hechiceros, los inmorales, los asesinos, los idólatras y los que aman y practican la mentira. [16]Yo, Jesús, he enviado a mi ángel a anunciar estas cosas en las iglesias. Yo soy la raíz y la descendencia de David. Yo soy la estrella resplandeciente de la mañana.

[17]El Espíritu y la Esposa dicen:

—Ven.

Y el que oye también diga:

—Ven.

Y el que tenga sed, venga y beba gratuitamente del agua de la vida.

[18]Solemnemente declaro a cualquiera que lea este libro: Si alguno añade algo a lo que está escrito, Dios le añadirá a él las plagas que se describen en este libro. [19]Y si alguno elimina alguna porción de estas profecías, Dios eliminará su parte del Libro de la Vida y de la Santa Ciudad que aquí se describe.

[20]El que ha dicho estas cosas declara:

—Sí, vengo pronto.

¡Amén! ¡Ven, Señor Jesús!

[21]Que la gracia de nuestro Señor Jesucristo permanezca en ustedes. Amén.

Campo de pastores, Jerusalén.

PREGUNTAS QUE A MENUDO SE HACEN ACERCA DE LA BIBLIA Y SU MENSAJE

1. ¿Cómo puedo tener la vida eterna?

La Biblia tiene un bosquejo muy claro sobre cómo ser salvo y encontrar la vida eterna. Tenga la bondad de leer los siguientes versículos:

El mensaje central de la Biblia se resume en este versículo:
Juan 3:16

¿Qué debo hacer para ser salvo?
Hechos 16:31

¿Necesita todo el mundo un Salvador?
Romanos 3:23

¿Cómo llego a Dios?
Juan 14:6

¿Cómo puedo llegar a ser un hijo de Dios?
Juan 1:12

¿Cómo puedo recibir la vida eterna?
Juan 11:25, 26

¿Puedo ganar la vida eterna haciendo buenas obras?
Efesios 2:8, 9

¿Cómo debo orar a Dios?
Mateo 6:9-13

2. ¿Quién es Dios?

Dios es el creador de todo lo que existe. Hizo la tierra, los cielos, las estrellas y los planetas, y toda cosa viviente. El creó todas estas cosas en su amor, sabiduría y poder. Uno de los hechos de amor más grande de Dios fue la creación del hombre y la mujer. Agradecidos por este don de vida todo hombre y mujer deben amar y adorar a Dios.

Dios es un Ser personal. Posee todo conocimiento, todo poder y está presente en todo lugar. Dios siempre ha existido y continuará siempre existiendo. No hay límite a Su autoridad y poder.

Los Cristianos creen que las Escrituras enseñan que Dios es trino en naturaleza. Es tres personas distintas en un Ser: Padre, Hijo y Espíritu Santo.

Como ayuda para comprender estas ideas lea el primer capítulo del evangelio según San Juan. Lea también Romanos capítulo 1, versículo 20.

3. ¿Quién es Jesucristo?

Jesucristo es descrito en biografías inspiradas escritas por hombres que fueron Sus seguidores. Mateo, Marcos, Lucas y Juan han escrito ampliamente sobre la singularidad de Jesucristo. Jesús no es como cualquier otro hombre que ha vivido en la historia del mundo. Fue el Hijo de Dios, enviado al mundo en forma humana y nacido por medio de circunstancias sobrenaturales (lea Lucas capítulos 1 y 2). Algunos hablan de Jesús como un simple moralista que murió por una noble causa. Pero como Hijo de Dios vino a este mundo para salvar la humanidad del pecado. Jesucristo fue el único hombre que también era verdadero Dios (lea Juan capítulo 1, versículo 1; capítulo 4, versículo 26; capítulo 5, versículos 19 al 25; Mateo capítulo 16, versículos 13 al 17; Marcos capítulo 2, versículos 3 al 12; Lucas capítulo 22, versículos 66 al 70).

4. ¿Cómo Pruebo que la Biblia (Las Sagradas Escrituras) es Verdadera?

La Biblia fue escrita por varios autores en un período de varios siglos, sin embargo hay un hilo de continuidad sobrenatural guiando su contenido. Es la verdad presentada desde varios puntos de vista. Por ejemplo, los cuatro Evangelios - Mateo, Marcos, Lucas y Juan - son apropiados para cuatro tipos de audiencias diferentes. Fueron escritos para los Judíos, los Romanos, los Griegos, y la Iglesia en general. El Antiguo y Nuevo Testamentos se componen de 66 libros individuales, una biblioteca que supera cientos de años y diferencias de pasados filosóficos y culturales y con un mensaje central que señala a Jesucristo. Dios es el Autor de las Escrituras. Su Espíritu Santo inspiró Sus pensamientos en las mentes de los hombres que escribieron la Biblia (lea II Timoteo, capítulo 3, versículos 16 y 17). Aquellos que son intelectualmente orgullosos, inmorales o desobedientes aprenderán poco de las Escrituras. Sin embargo, todos los que son receptivos a los pensamientos de Dios sacarán mucho provecho de las Escrituras y ganarán gran comprensión y profundidad espirituales, porque la Biblia revela la verdad de Jesús, el Salvador del mundo (lea Juan capítulo 5, versículo 39).

5. ¿Cómo sé que Dios tiene un Interés Personal en mí?

Jesucristo - Dios, el Creador - es Aquel que nos hizo a Su semejanza espiritual (lea Hebreos, capítulo 1, versículos 1 y 2). Dios ama a cada persona en el mundo (lea Juan capítulo 3, versículo 16; I Juan, capítulo 2, versículo 29; capítulo 3, versículo 1). Dios tiene un plan para cada vida. Solo El puede responder las grandes preguntas de la vida: "¿Quién soy yo?" "¿Por qué estoy aquí?" "¿Adónde voy?" El amor es la expresión máxima de Dios. Se cuenta la historia de un joven hindú - no cristiano - cuya religión le dió una profunda reverencia por todo lo viviente. Un día, mientras caminaba, se extravió en la tierra de un agricultor, allí descubrió un hormiguero, una "ciudad" donde miles de hormigas se afanaban mucho. El joven vió que el agricultor se acercaba al hormiguero con su arado. La colonia de hormigas estaba en el paso de destrucción. Inmediatamente el hombre se desesperó, porque para él todo lo viviente era sagrado - una vaca, una serpiente, aún estos insectos. Poseído de la misma ansiedad que alguien pudiera tener por gente atrapada en un edificio en llamas, el joven quería de alguna manera prevenir a las hormigas de la destrucción que se aproximaba. Pero, ¿cómo? Quizás pudiera gritarles, pero, ¿oirían? Quizás pudiera escribir sobre la tierra, pero ¿podrían leer? Entonces él comprendió. Para comunicarse con ellas, él tendría que convertirse en hormiga.

Esta simple ilustración muestra el concepto de la doctrina Cristiana de la encarnación. Dios amó tanto a la humanidad que escogió llegar a ser de carne y sangre para comunicarse con ella (lea Juan, capítulo 1, versículo 1 al 14).

6. ¿Qué es el Pecado?

Pecado es la palabra bíblica del fracaso de vivir de acuerdo a las normas de Dios. Bajo esta amplia categoría se incluyen significados que van desde "error" hasta "maldad". La Biblia enseña que el pecado no es una lista o categoría de hechos y actitudes sino que es una condición. El hombre por naturaleza es pecador. Por lo tanto comete acciones que son pecaminosas (lea Romanos, capítulo 3, versículos 10 al 12); I Juan, capítulo 1, versículos 8 al 10; Santiago, capítulo 4, versículos 6 al 12). La condición pecaminosa del hombre (una "enfermedad espiritual") le ha separado de Dios, puesto que Dios es santo y justo y debe castigar el pecado (lea Romanos, capítulo 2, versículos 12 al 15). Sin embargo Dios es también una Deidad personal y amorosa. El sabe que el hombre no puede vivir de acuerdo a Sus normas. Así que El tomó la forma de hombre (Jesucristo) y vivió una vida sin pecado para nosotros. Luego tomó sobre El el castigo que Su justicia exigía y se dió a Si Mismo como un "Sacrificio" en lugar nuestro, muriendo por nuestros pecados. Esta muerte en sacrificio y la resurrección de Jesús de entre los muertos es aceptado por Dios como un pago suficiente. Sin embargo, debemos aceptar personalmente la muerte de sacrificio de Cristo si ésta va a tener validez y significado para nosotros. Si nos arrepentimos, y nos allegamos a Dios por fe, El perdonará nuestros pecados y nos dará una nueva naturaleza y vida eterna (lea Romanos, capítulo 3, versículos 21 y 22; Juan, capítulo 3, versículo 16; Efesios, capítulo 2, versículos 1 al 10; Romanos, capítulo 5, versículos 6 al 8).

7. ¿Qué es Fe?

En vista de que Jesucristo no está en la tierra, debemos por "fe" creer que El vivió entre los hombres, como lo dicen las Escrituras. Fe es confianza en la persona de Jesús, en la verdad de Sus enseñanzas, y en la obra de redención que El completó con Su muerte en el Calvario y Su resurrección.

La fe exige de nosotros completo rendimiento a Cristo y Sus enseñanzas. La fe viene de la Palabra de Dios (lea Romanos, capítulo 10, versículo 17). Sin fe no podemos acercarnos a Dios condición para nuestra salvación (lea Juan, capítulo 3, versículos 14 al 16 y Galatas, capítulo 5, versículo 22).

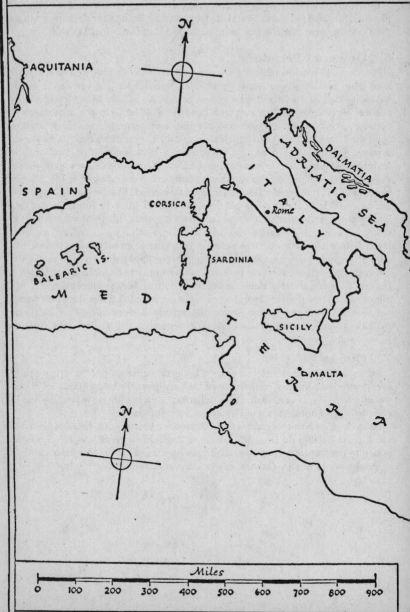

El mundo de

AQUITANIA

SPAIN

CORSICA

SARDINIA

BALEARIC IS.

M   E   D   I

ITALY

Rome

ADRIATIC SEA

DALMATIA

SICILY

MALTA

T

E

R

R

A

Miles

0   100   200   300   400   500   600   700   800   900

uevo Testamento

DACIA

EUXINE SEA

GREATER ARMENIA

PONTUS

EDONIA **THRACE**
Thessalonica
Philippi

BITHYNIA

GALATIA

CAPPADOCIA

Troas

PHRYGIA

Antioch of Pisidia

Ephesus
Laodicea Colossae
Lystra
Derbe
Tarsus

CILICIA

PARTHIAN

Athens
the
ea

LYCIA

Antioch

SYRIA

KINGDOM

CYPRUS

PHOENICIA

Damascus

Sidon
Tyre
Caesarea GALILEE
Joppa
Gaza

JUDAEA Jerusalem

CRETE

SEA

ene
NAICA

Alexandria

IDUMAEA

ARABIA

EGYPT

MT.
SINAI ▲

RED SEA